BIBLIOTHÈQUE DU VOYAGEUR

LE GRAND GUIDE DE L'ESPAGNE

Traduit de l'anglais et adapté par Noël Chassériau, Pierre Chavot,
Jean-Noël Mouret, Pascale Jusforgues et Patricia Ranvoisé

GALLIMARD

Aucun guide de voyage n'est parfait. Des
erreurs, des coquilles se sont certainement
glissées dans celui-ci, malgré toutes nos
vérifications. Les informations pratiques,
adresses, numéros de téléphone, heures
d'ouverture, peuvent avoir été modifiés ;
certains établissements cités peuvent avoir
disparu. Nous serions très reconnaissants à
nos lecteurs de nous faire part de leurs
commentaires, de nous suggérer des
corrections ou des compléments qui
pourront être intégrés dans la prochaine
édition.

Insight Guide, Spain
© Apa Publications GmbH & Co, 1999
© Éditions Gallimard, 2000, pour la traduction française.

1ᵉʳ dépôt légal : février 1990
Dépôt légal : septembre 2001
N° d'édition : 03060
ISBN : 2-07-052996-7

Imprimé à Singapour

CEUX QUI ONT FAIT CE GUIDE

C'est **Helen Partington** qui, assistée de **Liz Clasen**, a réuni et dirigé l'équipe de cette nouvelle édition du *Grand Guide de l'Espagne*.

La première édition avait été publiée sous la direction de **Kathleen Wheaton**, venue pour la première fois en Espagne en 1977 faire des études à l'université de Salamanque, puis en 1980 en tant que professeur d'anglais. Elle est l'auteur des parties sur l'histoire primitive, Madrid et les châteaux.

Ruth MacKay, journaliste à Madrid depuis 1977, a écrit sur l'Espagne contemporaine, Tolède et l'Escurial, la Navarre et l'Aragon.

Vega McVeagh, correspondante de l'Agence de presse nationale espagnole, a rédigé le chapitre sur la société espagnole. Bien qu'Américaine, elle a toujours vécu en Espagne.

Lisa Beebe s'est chargée de traiter la partie « itinéraires » de l'Andalousie, les grands sites naturels et la vie des cafés à Madrid. On lui doit aussi plusieurs photographies.

Caroline Bugler a revu le chapitre consacré aux peintres espagnols.

Robert Crowe, qui est d'origine hispanique, a été professeur d'anglais en Espagne avant de devenir chroniqueur régulier du *Guidepost Magazine*, publié en anglais en Espagne. Il est l'auteur du chapitre sur la province de Valence.

Nick Inman a mis à jour et complété le chapitre consacré à la Murcie, et rédigé l'encadré sur les fêtes en Espagne.

Francisco Gonde, correspondant de l'Associated Press, présente la Galice, région natale de sa famille.

Muriel Feiner est la fondatrice du cercle international Taurino, le premier à être ouvert aux femmes. Elle est la première femme étrangère à avoir reçu la médaille d'or du mérite taurin de la Fédération des cercles tauromachiques et était ainsi tout indiquée pour décrire la corrida.

L'ensemble de la partie « itinéraires » a été mis à jour par une équipe de rédacteurs basée en Espagne. **Vicky Hayward** s'est chargée de la Galice, de l'Estrémadure et de la province de Madrid, sans oublier le chapitre sur la cuisine espagnole et l'encadré sur les gitans. C'est enfin elle qui a traduit le texte sur le flamenco de **Joaquín San Juan**, qui fait autorité sur le sujet.

George Semler, journaliste à l'*International Herald Tribune* et à *El País*, est installé à Barcelone. Il s'est bien entendu chargé d'écrire, puis de mettre à jour le chapitre sur cette ville, ainsi que ceux qui traitent de la Catalogne, de la Cantabrie et des Asturies, de la Navarre et du Pays basque. Il a en outre écrit de nouveaux textes sur la Castille-La Manche ainsi que sur la Rioja.

Mark Little, qui habite à Mijas, sur la Costa del Sol, s'est intéressé à l'Andalousie et a rédigé l'encadré sur les jardins.

Lindsay Hunt est l'auteur du chapitre sur les îles Canaries et a mis à jour les pages consacrées à l'Aragon et à la Castille-León.

Natalia Farrán Graves a réactualisé l'« itinéraire » de Madrid, où elle vit, et celui des îles Baléares.

L'encadré sur Antoni Gaudí est dû à **Ian Chilvers**.

Roger Williams nous raconte la naissance du musée Guggenheim de Bilbao.

Les principaux photographes ont été **Bill Wassman** et **Blaine Harrington**.

Pour l'édition française, l'adaptation a été confiée à **Jean-Noël Mouret** et à **Pierre Chavot** ; les « informations pratiques » ont été rassemblées sur place par **Jorge Parga** et actualisées par **Véronique Meutey**.

TABLE

CARTES

L'Espagne	**118**
Madrid	**124**
La province de Madrid	**144**
La Castille-León	**152**
Ségovie	**160**
La Castille–La Manche	**166**
Tolède	**168**
L'Estrémadure	**176**
Séville	**192**
Cordoue	**202**
Grenade	**210**
L'Andalousie	**220**
Valence	**236**
La Valence et la Murcie	**243**
Barcelone	**248**
La Costa Brava	**268**
La Catalogne	**270**
L'Aragon	**278**
Le Pays basque, la Navarre et la Rioja	**288**
La Cantabrie et les Asturies	**309**
La Galice	**318**
Les îles Canaries	**334**
Les îles Baléares	**344**

HISTOIRE ET SOCIÉTÉ

Introduction	**15**
Chronologie	**18**
Les origines de la péninsule Ibérique	**21**
Romains et Wisigoths	**25**
L'Espagne mauresque	**31**
L'empire colonial	**39**
La guerre civile et le régime franquiste	**49**
L'Espagne contemporaine	**57**
La société espagnole	**71**
Les gitans d'Espagne	**75**
Voyageurs d'Espagne	**76**
La tauromachie	**78**
La peinture espagnole	**87**

TABLE

La vie sauvage **95**

Le flamenco **101**

La gastronomie **107**

Les fêtes des quatre saisons **110**

ITINÉRAIRES

Introduction **121**

Madrid **127**

Cafés, bars et *movida* **141**

La province de Madrid **143**

La Castille-León **151**

La Castille-La Manche **165**

L'Estrémadure **175**

Châteaux en Espagne **186**

Séville **191**

La Semaine sainte **201**

Cordoue **202**

Grenade **209**

L'Andalousie, paradis des jardins **216**

Le pays andalou et Gibraltar **219**

Le Levant **235**

Barcelone **251**

Antoni Gaudí **264**

La Catalogne **267**

L'Aragon **277**

Le Pays basque **286**

Le musée Guggenheim **296**

La Navarre et la Rioja **299**

La Cantabrie et les Asturies **307**

La Galice **317**

Les Canaries **333**

Les Baléares **343**

INFORMATIONS PRATIQUES

Avant le départ **354**

Aller en Espagne **355**

À savoir sur place **356**

Comment se déplacer **360**

Le Centre **361**

Le Sud **364**

L'Est **367**

Le Nord **369**

Les Canaries **372**

Les Baléares **373**

Lexique **374**

Bibliographie **376**

Crédits photographiques **378**

Index **379**

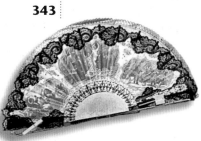

HISTOIRE ET SOCIÉTÉ

Isolée de l'Europe par sa configuration péninsulaire à l'extrême sud du continent, l'Espagne, bien qu'éminemment touristique, est encore mal connue. Aucun pays d'Europe occidentale n'a été aussi profondément marqué par ses occupants et ses conquérants successifs. Mais, si elle fut tour à tour convoitée par les Grecs et les Phéniciens, les Carthaginois et les Romains, envahie par les Wisigoths et durablement occupée par les Maures, puis patiemment reconquise par les catholiques, déchirée par la guerre civile et bâillonnée sous la dictature franquiste, l'Espagne a toujours réussi à renaître pour se replacer au rang des grandes nations.

L'Espagne, ou plutôt les Espagnes – *las Españas*, comme disent les Espagnols pour souligner la diversité de leur patrie. Car en apparence, il n'y a rien de commun entre la verdoyante Espagne du Nord et les terres brûlées d'Andalousie, véritable porte du Maghreb. Mais en apparence seulement : tandis qu'Hendaye, en France, est déjà profondément endormie, à quelques centaines de mètres, sur l'autre rive de la Bidassoa, les rues d'Irún et de Fontarabie sont envahies de promeneurs qui ne manqueraient pour rien au monde leur *paseo* vespéral, tout comme des millions d'autres Espagnols dans tout le pays. Bien plus que les inévitables clichés – corridas, castagnettes et flamenco – c'est peut-être ce rythme de vie, marqué par le besoin de se retrouver tard le soir, toutes générations confondues, sur les promenades et dans les bars à *tapas*, qui confère à l'Espagne son unité. Cela, et l'immense hospitalité des Espagnols, chaleureuse, directe et désintéressée.

Diversité, aussi, d'un pays que l'on croit rural et qui est avant tout urbain. D'un côté, des métropoles en constante effervescence ; de l'autre, à quelques kilomètres des centres-villes ou des stations balnéaires, de vastes étendues semi-désertiques, de mieux en mieux préservées, qui abritent une flore et une faune originales, dont des espèces uniques en Europe – pour les amoureux de la nature, l'Espagne est l'ultime grande terre d'aventure à proximité immédiate.

Diversité, enfin, d'un pays qui a simultanément basculé dans la modernité et restauré la monarchie ; qui a réussi à accorder une large autonomie à ses provinces sans (trop) réveiller ses vieux démons ; qui a surmonté de graves turbulences économiques pour intégrer l'Union européenne et la zone euro ; qui encourage la création et la culture contemporaines, voire d'avant-garde, sans se couper de son patrimoine ni de ses traditions. De Vélasquez et Goya à Picasso et Tapiès, des architectes maures et chrétiens du Moyen Age à Gaudí, Bofill et Calatrava, de la société décrite par Cervantès à celle filmée par Almodovar, il n'y a pas rupture, mais continuité. L'Espagne d'aujourd'hui est à la fois celle des grandes cathédrales et du musée Guggenheim, des chemins muletiers et de l'AVE (train à grande vitesse), de la dévotion et de la *movida* (bouillonnement culturel né dans les années 1980). Cette nouvelle Espagne à la fois audacieuse et respectueuse du passé est assurément la plus frappante et la plus grisante de toutes les Espagnes.

Pages précédentes : à la découverte des Picos de Europa ; champs d'oliviers dans les environs d'Olvera ; moulins à vent près de Consuegra ; Cadaqués, sur la Costa Brava. A gauche, au pied de la cathédrale de Palma de Majorque.

CHRONOLOGIE

Du XIᵉ au Vᵉ siècle av. J.-C. Les Phéniciens et les Grecs établissent des comptoirs et des colonies sur les côtes de la péninsule dont l'intérieur est occupé par les Celtes et les Ibères.
Du IIIᵉ au Iᵉʳ siècle av. J.-C. Conquête du sud-est de l'Espagne par les Carthaginois. La prise de Sagonte par Hannibal provoque la deuxième guerre punique (218-210 av. J.-C.). La victoire de Rome marque le début d'une occupation de deux siècles.
Iᵉʳ siècle apr. J.-C. Le christianisme se répand en Espagne.

409. Venus du nord, les Vandales et les Suèves envahissent l'Espagne.
414. Les Wisigoths établissent un royaume chrétien qui va durer trois siècles, Tolède est leur capitale. Le catholicisme devient religion d'État en 589.
711. Bataille de Guadalete : les Maures s'emparent de la majeure partie du pays en moins de deux ans. L'occupation mauresque va durer plus de sept siècles.
722. La victoire des chrétiens à la bataille de Covadonga marque le début de la Reconquête.
756. Établissement de l'émirat de Cordoue.

Les Rois Catholiques (1474-1516)
1474. Isabelle, épouse de Ferdinand d'Aragon, succède à son frère Henri IV de Castille.

1478. Une bulle papale instaure l'Inquisition.
1479. Ferdinand est couronné roi d'Aragon ; il réunifie l'Espagne chrétienne.
1483. Torquemada devient Grand Inquisiteur.
1492. Avec la chute de Grenade, dernière place forte maure, fin de la Reconquête. Expulsion des juifs qui refusent le baptême. Christophe Colomb découvre l'Amérique.
1496. Jeanne, fille d'Isabelle et de Ferdinand, épouse Philippe le Beau, fils de l'empereur Maximilien d'Autriche.
1499. 4 000 Maures sont baptisés d'autorité à Tolède sur ordre des Rois Catholiques.
1504. Mort d'Isabelle ; Ferdinand assure la régence au nom de Jeanne la Folle jusqu'à la majorité de son petit-fils Charles.

Le règne des Habsbourg (1516-1700)
1516. Mort de Ferdinand. Son petit-fils devient Charles Iᵉʳ d'Espagne. A la mort de Maximilien en 1519, il est élu empereur du Saint-Empire romain germanique sous le nom de Charles Quint.
1519. Cortés débarque au Mexique.
1521-1526. Charles Quint mène cinq guerres contre la France afin de réduire le pouvoir de François Iᵉʳ.
1532. Pizarro débarque au Pérou.
1556. Philippe II succède à Charles Quint.
1561. Madrid remplace Tolède comme capitale et devient un haut lieu artistique.
1571. Défaite des Turcs à la bataille de Lépante ; l'Espagne contrôle la Méditerranée.
1588. Destruction de l'Invincible Armada. L'Espagne n'est plus une puissance maritime.
1598. Mort de Philippe II. Malgré les richesses venues d'Amérique, l'immense royaume est criblé de dettes après soixante-dix ans de guerres et de réalisations somptuaires (comme l'Escurial).
XVIIᵉ siècle. Sous les règnes de Philippe III, Philippe IV et Charles II, le pays traverse son Siècle d'or culturel et artistique mais connaît un déclin économique et politique.
1609. Expulsion des Morisques.
1618-1648. Guerre de Trente Ans. Indépendance des Pays-Bas au traité de Westphalie.
1659. Le traité des Pyrénées met un terme aux guerres avec la France. Mariage de Marie-Thérèse, fille de Philippe IV, avec Louis XIV.
1667-1697. Nouvelles guerres franco-espagnoles.

La ruée vers l'or et la croissance
1700. Mort de Charles II ; sans descendance, il avait désigné comme successeur Philippe d'Anjou, petit-fils de Louis XIV et Marie-Thérèse, ce qui mécontente l'empereur Léopold qui soutient son fils, l'archiduc Charles.

1702-1714. Guerre de succession d'Espagne. Philippe V de Bourbon devient roi.
1750-1788. Règne de Charles III, despote éclairé.
1788. Charles IV monte sur le trône. Faible, il abandonne le pouvoir à son épouse Marie-Louise et au favori de celle-ci, Godoy.
1793. Mort de Louis XVI. Guerre franco-espagnole.
1804. Napoléon Ier est couronné empereur. Rapprochement franco-espagnol.
1805. Alliance franco-espagnole contre l'Angleterre. La bataille de Trafalgar met un terme à la puissance maritime espagnole.
1808. La France occupe l'Espagne. Napoléon arrête Charles IV et son fils Ferdinand VII et proclame son propre frère, Joseph, roi. Le soulèvement de Madrid (le 2 mai) marque le début de la guerre d'indépendance.
1814. Ferdinand, libéré par Napoléon, revient en Espagne et règne en monarque absolu.

Le XIXᵉ siècle : troubles et conflits
1820. Insurrection libérale à Cadix.
1833. Mort de Ferdinand VII ; son frère Don Carlos et sa fille Isabelle se disputent le trône. Première guerre carliste (1833-1839).
1847-1849. Deuxième guerre carliste.
1872-1876. Troisième guerre carliste.
1873. Proclamation de la Iʳᵉ République.
1874. Alphonse XII, fils d'Isabelle II, monte sur le trône. La restauration ramène la paix.
1898. Guerre contre les États-Unis ; l'indépendance de Cuba sonne le glas de l'empire colonial espagnol.

La crise de la monarchie, la république et la guerre civile
1914-1918. L'Espagne reste neutre mais doit faire face à de violents troubles intérieurs.
1923. Le général Miguel Primo de Rivera instaure la dictature avec l'accord du roi Alphonse XIII. L'ordre est rétabli ; l'opposition ouvrière s'accentue.
1930. Primo de Rivera s'exile. Le général Berenguer, plus libéral, lui succède.
1931. Les républicains prennent le pouvoir en Catalogne. Proclamation de la IIᵉ République. Certaines provinces deviennent autonomes.
1933. José Antonio Primo de Rivera, fils du précédent, fonde la Phalange, parti d'inspiration fasciste hostile au séparatisme ; montée de l'opposition conservatrice ; complots des militaires.

Pages précédentes : carte d'Ibérie (XVIᵉ siècle). A gauche, bas-relief de l'université de Salamanque représentant Ferdinand et Isabelle ; à droite, les arènes de Madrid (détail d'un tableau de Mañuel Castellano, XIXᵉ siècle).

1934. La Catalogne devient autonome ; répression brutale des grèves dans les Asturies par le général Franco.
Février 1936. Triomphe électoral du Front populaire. Le pays sombre dans le chaos.
13 juillet 1936. Assassinat du député monarchiste José Calvo Sotelo.
17 juillet 1936. Franco dirige la rébellion de l'armée à partir du Maroc. Début de la guerre civile.

La période franquiste
1938. Franco devient chef des nationalistes.
1939. Victoire des nationalistes.
Seconde Guerre mondiale. Franco soutient l'Allemagne tout en préservant la neutralité de l'Espagne.

1953. L'Espagne accueille des bases américaines contre une aide de 226 millions de dollars.
1955. L'Espagne entre aux Nations unies.
1969. Juan Carlos est proclamé héritier du trône.

Démocratie, réformes et modernisation
1975. Mort de Franco le 20 novembre ; Juan Carlos devient roi le 22 novembre ; établissement d'un régime démocratique.
1978. La nouvelle Constitution est approuvée.
1982. Triomphe des socialistes aux élections.
1986. L'Espagne rejoint la CEE. Référendum sur l'adhésion à l'OTAN.
1992. Exposition universelle à Séville. Barcelone accueille les Jeux olympiques. Madrid est désignée capitale culturelle européenne.

LES ORIGINES DE LA PÉNINSULE IBÉRIQUE

Les anciens cartographes comparaient la péninsule Ibérique à une peau de taureau tendue au soleil. La terre que se partagent aujourd'hui l'Espagne et le Portugal est une partie du continent hercynien qui s'est ensuite brisé à Gibraltar peu avant la dernière période glaciaire. Distante de 13 km seulement de l'Afrique du Nord en son point le plus méridional, la péninsule se trouve quelque peu à l'écart du reste du continent européen : elle en est séparée, au nord, par la chaîne des Pyrénées, dont l'altitude moyenne de 1 500 m est supérieure à celle des Alpes, et son avancée dans l'Atlantique la porte, à l'ouest, à la même longitude que l'Irlande.

En superficie, avec ses 504 748 km², l'Espagne est le deuxième pays d'Europe occidentale après la France. Ses 39 millions d'habitants sont principalement répartis dans quelques villes : Madrid et Barcelone concentrent à elles seules plus de 12% de la population. Par contraste, la majeure partie du pays, où alternent vastes plateaux et chaînes de montagnes, semble déserte. A l'instar des Britanniques, les Espagnols tendent souvent à considérer l'Europe comme un domaine dont ils ne font pas véritablement partie.

LE CLIMAT

Deux caractéristiques géographiques essentielles influencent le climat de la péninsule Ibérique : la rareté des cours d'eau et la présence de montagnes. Avec une altitude moyenne de 600 m et un sixième de son territoire situé à plus de 1 000 m, l'Espagne est en effet le pays européen le plus montagneux après la Suisse. Les montagnes font obstacle aux influences méditerranéennes tout comme aux influences atlantiques et divisent le pays en régions climatiques bien distinctes : océanique sur le littoral atlantique, continentale à l'intérieur et méditerranéenne sur les côtes orientales et méridionales.

La péninsule fut baptisée «pays des Rivières» par les Maures qui débarquèrent en 711 en passant par Gibraltar. Il n'est pas étonnant que les cours d'eau espagnols aient produit une vive impression sur ces peuples du désert, bien qu'il n'y ait en réalité que deux fleuves – l'Èbre et le Guadalquivir – suffisamment importants pour permettre la navigation et l'irrigation.

A gauche, troupeau de moutons en Aragon ; à droite, dolmen près de Roses, sur la Costa Brava.

Les Maures s'établirent le long du Guadalquivir, trouvant la région si belle qu'ils la considéraient comme un paradis. A ce propos, Alexandre Dumas écrivit avec indignation en 1846 : « *Nous autres, écrivains français qui n'avions jamais vu la région, avons cru ce qu'en disaient les Arabes. Les écrivains espagnols auraient certes pu rétablir la vérité, mais pourquoi auraient-ils pris la peine de dénigrer un fleuve – fût-il le seul de leur pays – juste assez large pour permettre le passage d'un bateau ? Lorsque nous arrivâmes, nous découvrîmes qu'entre les berges plates et sans attrait coulait un flot non pas d'eau mais de boue liquide qui, par sa couleur et sa consistance, sinon par le goût, ressemblait fort à du chocolat au lait.* »

Ainsi découpée par de nombreux massifs montagneux qui constituent autant de barrières et manquant d'un réseau fluvial unificateur, l'Espagne apparaît, selon les termes du philosophe Ortega y Gasset, comme un pays « *sans colonne vertébrale* ».

Pourtant, malgré cette fragmentation intérieure et son isolement, sa position à l'entrée de la Méditerranée a fait de l'Espagne la terre d'élection des immigrants, des commerçants et des colons.

LES RICHESSES

L'homme de Neandertal est arrivé en Espagne il y a plus d'un demi-million d'années, suivant les hordes d'éléphants d'Europe dans leur migration vers le sud. Les traces humaines les plus anciennes, des armes de pierre taillée et des ossements calcinés, ont été découvertes sur le plateau de la Meseta, à Soria, non loin de Madrid. A Gibraltar, des campements paléolithiques vieux de 200 000 ans ont amené les archéologues à se demander si certains des premiers Espagnols n'auraient pas été d'origine africaine.

Parmi les nombreux sites préhistoriques d'Espagne, les plus remarquables sont les grottes d'Altamira, sur la côte atlantique à proximité de Santander. Elles furent fréquentées, 25 000 ans av. J.-C., par des artistes aurignaciens, auteurs de nombreuses gravures, puis par les magdaléniens, entre 15000 et 12000 av. J.-C. Ces derniers y ont

et annonce le passage à la vie agricole et pastorale. Il représente, comme ses prédécesseurs, les animaux convoités – cerfs, chevaux, sangliers, bovidés, traités de manière très réaliste –, mais aussi des personnages schématiques, comme dans la célèbre frise du *Combat des archers* (abris des Dogues, près de Castellón de la Plana, dans la Communauté valencienne). Son style a des affinités très nettes avec les peintures rupestres maghrébines de la même époque.

Au néolithique (âge de la pierre polie), entre 7500 et 2500 av. J.-C., les populations érigèrent de nombreux monuments mégalithiques, tels les dolmens d'Antequera, en Andalousie, ensemble de chambre funéraires enfouies sous des tumulus.

peint des bisons, des chevaux, des cerfs, des sangliers, ainsi que quelques rares silhouettes humaines. Par la vigueur de leur style et la perfection technique dont elles témoignent, ces fresques constituent le premier chapitre de l'histoire de l'art espagnol. Les cavités ornées se comptent d'ailleurs par dizaines sur la côte nord de l'Espagne, et les représentations animalières sont similaires à celles des cavernes du sud-ouest de la France, au point que l'on a pu parler d'école franco-cantabrique, ou plus exactement « aquitano-cantabrique ». D'autres peintures rupestres, vieilles de 5 000 à 10 000 ans, ont été découvertes dans la région de Valence. Cet art du Levant espagnol constitue la dernière manifestation des grandes civilisations de chasseurs préhistoriques

De grands courants d'immigration eurent lieu vers 3000 av. J.-C., lorsque les Ibères traversèrent le détroit de Gibraltar et que les Ligures arrivèrent d'Italie par les Pyrénées. En 900 av J.-C., les Celtes, venus de Gaule et des îles Britanniques, s'installèrent en Espagne.

Le terme de Celtibères utilisé pour désigner l'ensemble de ces groupes ethniques ne signifie pas pour autant qu'ils se soient mélangés au point de se confondre. Le territoire qu'occupaient les Celtes comprenait les Asturies, la Galice et le Portugal, ainsi que le nord-est de la Meseta, où de nombreux forts (*castros*) ont été exhumés. Rudes et querelleurs, les Celtes ont souvent fait de bons mercenaires ; ils introduisirent l'usage du fer et le port des braies dans la péninsule.

Les Ibères s'étaient implantés dans le Sud. Ils habitaient des villes fortifiées et construisaient pour leurs morts des sépultures raffinées. Ils ont été les premiers à exploiter les gisements de cuivre autour d'Almería. Ce peuple de fermiers paisibles se montra nettement plus ouvert aux étrangers et à leur culture que ne le furent leurs voisins celtes. Néanmoins, le géographe grec Strabon (né vers 58 av. J.-C.) relevait déjà des similitudes de caractère entre les différents groupes ethniques de la péninsule : hospitalité, fierté, arrogance, endurance et aversion pour toute ingérence dans les affaires de la tribu. Cette vision un peu schématique du tempérament espagnol a fait fortune au point de devenir un cliché encore vigoureux.

UN ELDORADO

Les Ibères passèrent maîtres dans l'art de travailler les métaux ; attirés par leurs merveilleuses réalisations, des marchands venus de tous les pays du bassin méditerranéen commencèrent à affluer en Espagne. En 1100 av. J.-C., les Phéniciens découvrirent les immenses ressources minérales de la péninsule et y établirent de nombreux ports d'escale, notamment à Gadir (Cadix), qui devint la cité la plus prospère de leur empire. De Tyr, les Phéniciens importèrent la technique du salage du poisson, l'alphabet punique et la musique. Selon la légende, ils quittèrent Cadix tellement chargés de richesses que les cabestans et les ancres de leurs vaisseaux étaient en argent massif.

Célèbres eux aussi pour la vitalité de leur commerce maritime, les Grecs abordèrent en Espagne par hasard. Un vaisseau grec fit naufrage près de Tartessos, ville proche de Málaga. Ses habitants n'avaient que fort peu de relations commerciales avec les Phéniciens, et les rescapés en repartirent, selon un chroniqueur de l'époque, après avoir réalisé « *les plus gros bénéfices qu'ils aient jamais faits jusqu'alors* ».

Les Grecs commencèrent à coloniser le littoral espagnol au VIIᵉ siècle av. J.-C., s'établissant tout d'abord à Ampurias (Gérone) et à Mainake, dans le sud du pays. Ainsi la civilisation grecque vint-elle se greffer sur une côte déjà très cosmopolite. Outre une forte influence artistique, les Grecs transmirent aux Celtibères la passion des taureaux et apportèrent l'huile d'olive et le vin dans le pays. La *Dame d'Elche* (IVᵉ siècle av. J.-C.), célèbre statue de pierre représentant une princesse ibère, est un exemple typique de la fusion des styles grec et ibère.

A gauche, travail d'orfèvrerie ibère ; à droite, la « Dame d'Elche », synthèse des styles grec et ibère.

Véritable creuset des nations phénicienne, grecque et ibère, Cadix était réputée, au VIᵉ siècle av. J.-C., comme un lieu de luxe et de débauche ; la ville, où les grosses fortunes ne se comptaient plus, était célèbre pour ses immeubles, qui atteignaient la hauteur considérable de trois étages, et pour ses fêtes où l'on dansait au rythme des castagnettes. Tartessos, en revanche, était selon les Grecs une cité si raffinée que ses lois étaient rédigées en vers.

L'Espagne finit par s'introduire dans la mythologie grecque : elle avait vu pousser, disait-on, les pommes d'or du jardin des Hespérides, celles-là mêmes qu'Hercule fut chargé de dérober – ce fut l'un des douze travaux. Le héros aurait également accompli ses derniers travaux en Espagne et, pour

en marquer le terme, érigé, de part et d'autre du détroit de Gibraltar, sur la pointe d'Europe et le cap de Ceuta, deux colonnes commémoratives : les fameuses Colonnes d'Hercule de la cartographie des Anciens. Par ailleurs, certains historiens ont vu en Tartessos le Tarshish de la Bible, pays fabuleux de « *l'or et de l'argent, de l'ivoire, des singes et des paons* », où Jonas voulait se rendre avant d'être malencontreusement avalé par la baleine. Certains ont même situé l'Atlantide à proximité de Cadix. Les Romains, quant à eux, connaissaient la péninsule Ibérique sous le nom d'Hispania, tiré d'un mot sémitique signifiant « éloigné, caché ». Cette terre mystérieuse, perdue aux confins de l'Europe, devait bientôt devenir l'objet de la conquête et du commerce romains.

ROMAINS ET WISIGOTHS

Au Ve siècle av. J.-C., le sort de la péninsule Ibérique était entre les mains de Rome et de Carthage, les deux grandes puissances d'alors, qui rivalisaient pour obtenir la suprématie militaire et économique dans tout le bassin méditerranéen occidental. Vaincus par les Romains en 241 av. J.-C. au cours de la première guerre punique, les Carthaginois furent contraints de quitter la Sicile et passèrent plusieurs décennies à reconstituer leur armée et à préparer une nouvelle offensive depuis leur base africaine. Seul le détroit de Sicile séparait Carthage de l'Italie, mais les Carthaginois décidèrent d'emprunter une route nettement plus détournée pour attaquer Rome : le point de départ serait la péninsule Ibérique, à plusieurs centaines de kilomètres de là.

LA BATAILLE POUR LA PÉNINSULE

Les Carthaginois gagnèrent l'Espagne sous le commandement d'Hamilcar Barca. Grâce à la supériorité écrasante de son armée, Hamilcar s'empara de la majeure partie de l'Andalousie, chassant les Grecs et rasant Tartessos au passage. Il remonta ensuite la côte jusqu'à Valence, mettant en déroute les troupes ibères qui avaient le malheur de lui faire front. En 218 av. J.-C., la prise de Sagonte, petit port allié aux Romains, provoqua le déclenchement de la deuxième guerre punique.

Pour alimenter la machine de guerre carthaginoise, les autochtones étaient enrôlés de force dans l'armée ou bien forcés de travailler comme esclaves dans les mines d'or et d'argent. Hamilcar Barca entreprit ensuite de fortifier les villes côtières tombées sous sa domination et donna son nom à la première d'entre elles, Barcelone. La deuxième possession carthaginoise fut appelée Carthago Nova, l'actuelle Carthagène.

A la mort d'Hamilcar, son fils Hannibal poursuivit la lutte contre les Romains et leva une armée de 60 000 hommes qui fit route vers le nord, en direction des Pyrénées. Au cours de sa progression, il s'assura l'alliance de diverses tribus celtes et ibères qui vinrent grossir les rangs de ses troupes. Escorté de ses célèbres éléphants, il traversa la Gaule, franchit les Alpes et déferla sur Rome par le nord. Hannibal défit l'armée romaine à Cannes en 216 av. J.-C., mais la victoire finale devait pourtant lui échapper. Pendant les treize années qui suivirent, ses troupes parcoururent

A gauche, statue de Romaine ; à droite, mosaïque de Segóbriga, représentant les jours de la semaine.

l'Italie du nord au sud sans pour autant vaincre les Romains de façon décisive. En 203 av. J.-C., Hannibal fut contraint de battre en retraite vers l'Afrique du Nord ; un an plus tard, il fut définitivement vaincu près de Carthage et se réfugia en Bithynie où il se suicida en 183 av. J.-C.

Dans le même temps, les Romains avaient dû combattre les Carthaginois sur le sol de la péninsule Ibérique. En 218 av. J.-C., Publius Scipio, dit Scipion l'Africain, avait débarqué à Emporia avec un corps expéditionnaire. Il combattit les Carthaginois durant plusieurs années et occupa Carthago Nova en 209 av. J.-C., avant de se rendre enfin maître de Cadix en 206 av. J.-C., chassant définitivement les forces carthaginoises d'Espagne.

L'ESPAGNE SOUS LA DOMINATION DE ROME

Il ne fallut que sept ans aux Romains pour soumettre la Gaule, mais la conquête de l'Espagne dura presque deux siècles. Les guerres successives avaient sensiblement entamé la trésorerie romaine et l'armée fut obligée de recruter par conscription, car personne ne voulait aller se battre en Espagne : les indigènes qui commerçaient si courtoisement avec les marchands grecs et phéniciens s'étaient mués en féroces guerriers. Les Romains furent également confrontés aux difficultés de communication inhérentes au pays. Leurs troupes durent traverser des terres mornes et désolées sous un soleil brûlant ; l'eau était rare, les provisions et le fourrage pour les animaux aussi. De leur côté, les Espagnols – parfaitement acclimatés et habitués aux privations – opposèrent à l'envahisseur une farouche résistance.

Le siège le plus long et le plus pathétique fut celui de Numance, une ville de 4 000 habitants située dans le Centre. Il fallut plusieurs années à une armée de 60 000 hommes pour s'en rendre maître. A l'issue du siège, les rares habitants qui avaient survécu à la famine et aux épidémies préférèrent se jeter dans les flammes qui ravageaient leur cité plutôt que de se rendre aux Romains. Cet épisode de la résistance prit une valeur symbolique et, plusieurs siècles plus tard, on citait encore les habitants de Numance en exemple pour exhorter les Espagnols à défendre leur pays contre les

qu'en 19 av. J.-C. que la *Pax romana* fut enfin établie dans la péninsule, sous le règne d'Auguste.

La vie au temps des Romains

Sous le règne de César, le latin devint la langue officielle de l'aristocratie ibérique. Peu à peu unis par une langue commune, les Espagnols adoptèrent bientôt les lois et les coutumes romaines. A l'instar de leurs prédécesseurs carthaginois, les Romains ne tardèrent pas à découvrir l'immense richesse minérale du sol hispanique et tirèrent profit des ressources en or et en argent, apparemment illimitées. Par ailleurs riche en bétail et en produits agricoles, la péninsule, rebaptisée Hispa-

envahisseurs. Toutefois, cette ferveur patriotique ne saurait s'étendre à tous les Celtibères, et nombreuses furent les tribus qui trahirent. Paradoxalement, c'est précisément ce manque d'unité qui a freiné les Romains dans leur progression, du moins au début, car chaque victoire n'était qu'une victoire ponctuelle remportée sur un groupe isolé.

L'étape finale de la conquête romaine fut la guerre contre les Cantabres (29-19 av. J.-C.), à laquelle prirent part sept légions romaines. L'empereur Auguste en personne dirigea la dernière campagne, qui se déroula dans les monts Cantabriques. Les habitants de cette région étaient si rebelles qu'ils continuèrent à lutter contre les vainqueurs bien après que leurs propres chefs eurent été crucifiés par les Romains. Ce n'est

nie, devint l'une des provinces les plus prospères – et par conséquent l'une des mieux exploitées – de l'Empire romain.

La citoyenneté romaine, au début de la colonisation, était réservée aux colons d'origine romaine ou italienne. Dès 74 apr. J.-C., elle fut accordée à tous les Celtibères par l'édit de Vespasien, provoquant la romanisation rapide du pays et lui conférant, du moins en apparence, une unité culturelle.

Le christianisme apparut en Espagne au premier siècle de notre ère, sous le règne de Néron. On dit que saint Jacques y aurait prêché l'Évangile et que saint Paul se serait rendu en Aragon entre 63 et 67. Mais l'intransigeance de Rome face au christianisme aboutit à la persécution de nombreux Espagnols, dont plusieurs dizaines subirent le martyre. Parmi eux, sainte Eulalie, une fillette de treize ans qui avait osé défier les autorités romaines sur la grand-place de Mérida en s'écriant : « *Les dieux anciens ne valent rien, l'empereur lui-même n'est rien !* » Après avoir été torturée, Eulalie fut précipitée dans un puits ; on dit que son âme s'en échappa sous la forme d'une colombe blanche qui s'envola droit vers les cieux, attestant ainsi qu'elle était vouée au paradis. La Légende dorée espagnole regorge de récits similaires. Les hymnes de Prudentius (348-405) racontent complaisamment, avec un luxe de détails, les divers supplices infligés aux premiers chrétiens.

Pourtant, malgré les persécutions dont elles étaient l'objet, les communautés chrétiennes se

pont de Cordoue. Tarragone, en Catalogne, a conservé ses fortifications, bâties au IIIe siècle av. J.-C. par les Scipions, et son amphithéâtre.

Dans le domaine de la littérature et de la philosophie, l'occupation romaine a donné naissance à ce que l'on appelle communément l'Age d'argent espagnol, qui vit se distinguer les poètes Martial et Lucain, et l'oncle de ce dernier, le philosophe stoïcien Sénèque. Citons encore Quintilien, maître de rhétorique qui devint le professeur de Pline le Jeune et de Tacite. Mais bien que tous fussent nés en Espagne, ils firent leurs études dans des écoles de rhétorique latines et vécurent surtout à Rome. Seul Martial, qui se retira dans son Aragon natal, célébra dans ses vers les paysages d'Espagne.

développaient inexorablement. En majorité chrétienne à l'avènement de Constantin en 325 apr. J.-C., l'Espagne fut reconnue officiellement comme telle sous le règne de Théodose Ier (379-395), empereur d'origine espagnole.

L'influence de la civilisation romaine en Espagne se reflète tout particulièrement dans le domaine de l'architecture. Des aqueducs, des ponts et des routes datant de l'époque romaine sont encore en service, comme l'aqueduc à deux étages d'arches et long de 728 m de Ségovie, et le

A gauche, le théâtre romain de Mérida accueille aujourd'hui des pièces du répertoire classique ; ci-dessus, détail d'un sarcophage romain du musée de l'Alcázar, à Cordoue.

VANDALES ET WISIGOTHS

Le Ve siècle a marqué la décadence de l'Empire romain dans toute l'Europe méridionale. En 401, les Wisigoths, tribu guerrière venue de Germanie, traversèrent les Alpes sous la conduite d'Alaric et réussirent à s'emparer de Rome neuf ans plus tard. Dans le même temps, les Suèves, les Vandales et les Alains déferlèrent en Espagne par les Pyrénées et écrasèrent sous leur nombre les armées privées des propriétaires terriens espagnols. Tristement célèbres pour leur barbarie et leur cruauté, ces guerriers à qui nous devons le terme de « vandalisme » mirent définitivement fin à cinq siècles de domination romaine durant laquelle la péninsule avait prospéré.

Les tribus germaniques achevèrent d'occuper presque toute l'Hispanie en 415. Elles forgèrent des alliances et se partagèrent le pouvoir jusqu'à ce que les Wisigoths débarquent à leur tour de Gaule et installent leur propre dynastie sur la péninsule Ibérique. Curieusement, ces envahisseurs barbares avaient eu le temps de subir l'influence des Romains puisqu'il leur était jadis arrivé de s'allier à eux ou de les servir en tant que mercenaires, de sorte que cette nouvelle conquête apporta peu de changement en territoire occupé. Les Wisigoths instaurèrent un commandement militaire mais permirent toutefois à la culture hispano-romaine de se perpétuer à travers son administration, ses lois et sa religion, ce qui était assu-

rément l'attitude la plus sage à adopter, étant donné leur petit nombre, 200 000 environ, face à une population indigène de plusieurs millions d'individus. Ainsi les différents groupes hispano-romains purent-ils conserver leurs propres souverains, du moins en théorie, et ils continuèrent à mener une vie sociale quasiment indépendante de l'occupant, à tel point que les mariages mixtes furent interdits jusqu'à l'avènement de Léovigild (568-584).

Léovigild fit plus pour l'unité de la péninsule que tout autre roi wisigoth. Il assujettit les Basques, soumit les Suèves, qui avaient réussi à former un royaume autonome en Galice, et reprit la Bétique, laquelle correspondait approximativement à l'Andalousie, aux Byzantins qui la contrô-

laient jusqu'alors. Il permit au latin de devenir la langue dominante dans toute la péninsule et il autorisa les mariages entre Wisigoths et Hispano-Romains. En renforçant l'unité culturelle, géographique et linguistique, Léovigild donna pour la première fois à l'Hispanie le sentiment d'une destinée nationale totalement indépendante de Rome.

Dans le domaine de la religion, cependant, Léovigild ne parvint pas à convertir les Hispano-Romains à l'arianisme, culte hérétique qu'avaient embrassé les Wisigoths et qui niait le concept de la sainte trinité. Certes, il permit à son fils Herménégild d'épouser une catholique, mais lorsque ce dernier se convertit au catholicisme et voulut s'opposer à lui, il n'hésita pas à le tuer et à poursuivre les chrétiens de sa vindicte, pillant les églises, extorquant d'énormes sommes aux riches chrétiens et condamnant à mort un grand nombre de ses adversaires.

Mais dorénavant la brèche était ouverte. A la mort de Léovigild, son second fils, Reccared, se convertit au catholicisme et devint le premier roi catholique d'Espagne. La querelle religieuse étant enfin résolue, les Hispano-Romains firent allégeance à la monarchie wisigothique.

La conversion de Reccared fut le symbole de la victoire de la civilisation hispano-romaine et marqua le commencement d'une nouvelle alliance entre l'Église et l'État, situation qui s'est perpétuée presque sans interruption jusqu'au XXᵉ siècle.

S'appuyant sur le modèle romain, les Wisigoths promulguèrent par la suite un *Liber judiciorum,* code applicable à tous les sujets, et mirent en vigueur un système d'impôt valable sur l'ensemble du territoire. Ils souhaitaient en quelque sorte devenir les « nouveaux Romains ». Néanmoins, bien qu'ils aient adopté les coutumes romaines et le latin, ils n'acceptèrent jamais de renier leur foi en une monarchie élective. La société wisigothique était en effet une assemblée de guerriers libres, particulièrement attachés au droit de pouvoir élire leur roi ; ce droit coutumier permettait à n'importe quel noble d'avoir une chance de monter sur le trône s'il en avait l'ambition. Cependant, dans les faits, de telles successions en douceur furent exceptionnelles. Durant les trois siècles de domination wisigothique, plus de trente rois se succédèrent sur le trône d'Espagne, dont beaucoup périrent de mort violente et prématurée.

Le règne des rois wisigoths fut marqué par la construction de nombreuses églises, comme celles de Quintanilla de las Viñas et de San Pedro de la Nave. Ces édifices modestes se distinguent par leurs absides carrées et surtout par des arcades en fer à cheval et des bas-reliefs décorés d'entrelacs et de rinceaux. Ces motifs ornent également leurs somptueux bijoux d'or ornés d'émaux retrouvés dans les sépultures des grands personnages.

LE DÉCLIN DE LA MONARCHIE WISIGOTHIQUE

Les juifs avaient immigré en Hispanie sous le règne d'Hadrien (117-138). Sous la suprématie romaine, les juifs pouvaient circuler librement. Sous les Wisigoths, ils continuèrent à jouir des mêmes libertés jusqu'à l'avènement de Sisebut, en 613. Selon un décret royal, les juifs devaient se faire baptiser ou bien quitter le pays. Cette alternative concernait plusieurs milliers de personnes et ceux qui refusèrent de se convertir tout en res-

chie héréditaire, en désignant son fils Akhila comme héritier de la couronne ; il châtia impitoyablement les nobles qui s'opposèrent à son projet, mais quand il mourut en 710, Akhila se trouvait alors dans le Nord, et Rodéric, duc de Bétique, fut proclamé roi par les Wisigoths du Sud.

Estimant que Rodéric avait usurpé le trône, la famille de Witizia fit appel aux Maures d'Afrique du Nord pour récupérer la couronne d'Espagne. Le gouverneur de Tanger, Tariq ibn Ziyad, fervent adepte de la nouvelle religion de Mahomet, accepta de prêter main-forte à l'ex-famille royale. Il traversa le détroit de Gibraltar (Djebel al-Tariq, « montagne de Tariq ») et débarqua en Espagne avec 12 000 hommes, en grande majorité berbères.

tant sur le territoire ibérique furent torturés, se firent confisquer leurs biens et chasser de leur foyer. En 693, les juifs non convertis se virent refuser l'accès aux places de marché et il leur était interdit de commercer avec les chrétiens. Il n'est donc pas étonnant que les juifs d'Espagne aient été les premiers à rallier les Maures d'Afrique du Nord lors de leur offensive, en 711.

L'Espagne wisigothique allait subir une importante transformation au début du VIIIᵉ siècle. En 702, le roi Witizia tenta de déroger à la tradition de la monarchie élective et d'instaurer une monar-

A gauche, couronne wisigothique en or battu incrusté de pierreries ; ci-dessus, décor sculpté wisigothique du VIIᵉ siècle, église de Quintanilla de las Viñas, près de Burgos.

Écrasée sous leur nombre, l'armée du roi fut mise en déroute lors de la bataille de Guadalete, au cours de laquelle Rodéric périt noyé.

En 711, les Wisigoths se retrouvèrent donc sans chef ; ils se replièrent à Mérida et tentèrent une ultime résistance, mais les Maures remportèrent la victoire finale. Tariq aurait pu rentrer en vainqueur dans son pays, mais deux désirs le poussèrent à rester sur place ; le premier était de répandre sa religion parmi les infidèles, le second, de s'approprier le trésor légendaire du roi Salomon, censé se trouver à Tolède. Avec une rapidité étonnante et sans rencontrer beaucoup d'opposition, les troupes de Tariq se déployèrent à travers toute l'Espagne. En 714, les Maures contrôlaient la quasi-totalité de la péninsule.

L'ESPAGNE MAURESQUE

L'invasion musulmane mit fin à l'unité culturelle, linguistique et religieuse que les Wisigoths s'étaient efforcés d'établir. Il serait toutefois inexact de considérer ces siècles d'occupation – de 711 à 1492, date à laquelle les Maures furent officiellement chassés d'Espagne – comme une période d'influence exclusivement mauresque. Tandis que les Maures s'emparaient de Séville, Mérida, Tolède et Saragosse, les nobles wisigoths se réfugièrent dans les montagnes des Asturies. Dans cette région où, sept cents ans plus tôt, d'intrépides montagnards avaient tenu tête aux légions romaines pendant dix ans, la petite armée chrétienne de Pélage dut résister à un envahisseur encore plus puissant. En dépit de leur ferveur – c'est au nom de la religion de Mahomet qu'ils menaient une guerre acharnée –, les Maures ne purent venir à bout des troupes de Pélage et se firent ravir la victoire à Covadonga, en 722. Ce triomphe marqua le début de la reconquête de l'Espagne, la *Reconquista,* et finit par prendre une valeur symbolique : pour les chrétiens, c'était la preuve que Dieu n'avait pas abandonné son peuple.

Dans leur ambition de conquérir l'Europe, les Maures ne se laissèrent point impressionner par cette défaite et continuèrent à progresser vers les Pyrénées. Les troupes de Charles Martel les arrêtèrent à Poitiers en 732, mettant un terme définitif à leur progression européenne.

Contrairement aux Romains qui avaient toujours gardé le contact avec un gouvernement très centralisé situé hors de la péninsule, les Maures n'entretinrent qu'un contact symbolique avec le calife de Damas. Les conquérants rivalisèrent pour se partager le butin et le contrôle du territoire. Les premières années de domination maure furent donc marquées par de nombreuses rébellions et des luttes intestines entre les royaumes musulmans récemment constitués. De plus, l'Espagne devint la terre d'élection des nouveaux convertis à l'islam, comme les Berbères venus de Mauritanie qui se virent attribuer une grande partie de la vallée du Douro ; ils devaient en repartir quelques années plus tard, après avoir été frappés par la famine.

Pendant que les Maures tentaient d'enrayer l'expansionnisme des Berbères dans le Sud,

A gauche, un roi espagnol selon Alonso Cano, ou l'archétype du souverain médiéval ; à droite, sous le règne des Maures, la peinture était considérée comme un art majeur.

Pélage, soutenu par son fils Favila, entreprit de former un puissant royaume chrétien dans le Nord. Plus tard, sous le règne d'Alphonse Ier (739-757), les Asturies s'étendirent de la Galice à l'est des monts Cantabriques. Sous Alphonse II, la capitale du royaume fut établie à Oviedo, où les Asturiens tentèrent de restaurer la monarchie wisigothique. Dans l'intervalle, les Basques, d'ordinaire soucieux de sauvegarder leur indépendance, acceptèrent de s'allier à leurs coreligionnaires catholiques. Toutes ces manœuvres n'avaient qu'un seul objectif : expulser les Maures et rétablir le catholicisme en Espagne. Quand Charlemagne s'empara de Pampelune, puis de la Catalogne à la fin du VIIIe siècle, il créa la Marche

espagnole, une zone tampon destinée à repousser les musulmans. Ces derniers n'eurent bientôt plus d'autre choix que de se replier dans l'extrême Sud de la péninsule, la *Vandalusia* (pays des Vandales).

L'ÉMIRAT

En 756, Abd al-Rahman Ier, prince omeyyade, fonda l'émirat de Cordoue, lequel était aligné sur Damas mais indépendant. Abd al-Rahman se proclama émir d'Andalousie et son influence marqua la naissance de la civilisation la plus brillante du Moyen Age. Cordoue devint alors le centre culturel et artistique le plus important d'Europe occidentale. A son apogée, au milieu du Xe siècle, cette cité de 300 000 habitants comptait plus de 800 mosquées (l'islam y était la religion majoritaire), et pas moins de 700 établissements de bains publics où les musulmans faisaient leurs ablutions rituelles quotidiennes.

Les califes qui se succédèrent à Cordoue encouragèrent vivement le développement des sciences et de l'érudition. Sous le règne d'Al-Hakem II (961-976), on construisit une bibliothèque de 250 000 volumes. Pour la première fois, l'Europe découvrait les textes grecs que les Arabes avaient réunis au cours de leur marche triomphante à travers le Moyen-Orient. Les ouvrages d'Aristote, d'Euclide, d'Hippocrate, de Platon et de Ptolémée furent traduits et commentés par de célèbres philosophes arabes tels qu'Avicenne et Averroès. Ce

dernier se fit l'exégète de l'œuvre d'Aristote et tenta d'unifier la science et la religion.

L'INFLUENCE ARABE

La poésie tenait également une place importante à Cordoue. On dit que le puissant Al-Mansur était entouré de trente à quarante poètes lorsqu'il partait au combat. Nombreux et respectés, les poètes écrivaient généralement en arabe, plus rarement en castillan, en galicien ou en hébreu. L'art de la métaphore, chère aux Arabes, influença les poètes lyriques espagnols du XVe siècle, et certains vers de García Lorca en portent l'empreinte.

La langue espagnole utilise encore plus de 4 000 mots d'origine arabe. Les produits agricoles importés par les Maures – le sucre (*azucar*), les pastèques (*sandias*), les aubergines (*berenjenas*) et les oranges (*naranjas*) – font souvent partie des repas quotidiens. De même, les termes relatifs à l'administration, à l'irrigation, aux mathématiques, à l'architecture et à la médecine remontent à l'époque de la domination mauresque.

Presque toutes les expressions ayant trait à la courtoisie et à la religion puisent leurs racines dans la culture arabe. La part importante accordée à Dieu dans la vie de tous les jours atteste certaines réminiscences mauresques fortement enracinées dans le comportement espagnol, que l'on retrouve en particulier dans l'habitude de se signer ou d'invoquer Dieu à tout propos.

Au Moyen Age, Cordoue devint aussi la capitale européenne des sciences. L'introduction des chiffres arabes, et surtout du zéro inconnu des Romains, permit aux mathématiciens de l'époque de faire des progrès considérables ; on leur attribue d'ailleurs l'invention de l'algèbre et de la trigonométrie sphérique. Les astronomes et astrologues étaient fort nombreux et les sciences occultes avaient beaucoup d'adeptes.

De nouvelles industries se sont développées sous le règne des émirs de Cordoue. La manufacture royale de tapis était célèbre dans toute l'Espagne et la remarquable habileté des tisserands de Cordoue augmenta la réputation de la ville, où l'on pouvait se procurer des étoffes de première qualité et des vêtements raffinés. On construisit des fabriques de verre et de céramique et la lourde vaisselle de métal fut bientôt remplacée sur toutes les tables par des verres fins et de la poterie émaillée. On venait à Cordoue des quatre coins de l'Espagne pour admirer les dessins inédits des orfèvres et des artisans du cuir. Les médecins arabes étaient réputés pour la sûreté de leur diagnostic et leur dextérité comme chirurgiens. Les rois et les nobles chrétiens n'hésitaient pas à parcourir des centaines de kilomètres pour venir les consulter, malgré les dangers de la route. Les Maures connaissaient déjà l'anesthésie et pratiquaient des interventions délicates, telles que l'opération de la cataracte ou la trépanation.

Mais c'est incontestablement dans le domaine architectural que les Maures ont laissé l'empreinte la plus marquante. Les églises romanes des siècles précédents furent supplantées par des constructions plus fines, plus claires, plus aérées et plus colorées. Les dômes, les arches en fer à cheval et les fines colonnes – souvent en onyx, en marbre ou en jaspe – sont l'œuvre des architectes arabes ; l'un des plus beaux exemples en est la Mezquita (mosquée) de Cordoue. Comme le Coran proscrit toute représentation humaine, les artistes musulmans surent créer des motifs géométriques souvent associés aux gracieuses calligraphies arabes, utilisant la mosaïque et des pierres de couleur pour former d'éclatantes réalisations.

Outre les nombreux bains publics, l'eau coulait à flots dans leurs palais et leurs villas. Cette profusion de bassins, de fontaines et de jets d'eau est particulièrement remarquable à l'Alhambra et dans les jardins du Generalife de Grenade, où se tenait la résidence d'été des califes. Bâti vers la fin de l'occupation maure (fin XIVᵉ-début XVᵉ siècle), cet édifice où l'eau et la végétation se marient à la perfection est un exemple typique du raffinement et de la splendeur des constructions arabes en Espagne.

dans le commerce ou la diplomatie. Le ministre des Finances du premier calife Abd al-Rahman III (912-961) était juif et, au XIᵉ siècle, le vizir du souverain de Grenade l'était également. En raison de leur honnêteté, les juifs étaient souvent changeurs ou percepteurs d'impôts, ce qui leur attira la haine des classes populaires. Mais dès l'arrivée des Almoravides (fin XIᵉ-début XIIᵉ siècle), puis des Almohades (Berbères fanatiques convertis à l'islam qui régnèrent sur la moitié de l'Espagne et la totalité du Maghreb de 1147 à 1269), les juifs furent contraints d'émigrer vers les royaumes chrétiens s'ils voulaient échapper à la mort.

La population juive fut particulièrement prospère sous le califat de Cordoue (929-1031).

LES JUIFS D'ESPAGNE

L'histoire de l'occupation maure serait incomplète si l'on faisait abstraction du rôle important qu'a joué la population juive durant cette période.

Après avoir été persécutés par les Wisigoths, les juifs furent tenus en grande estime par les envahisseurs musulmans. Ils jouissaient de la protection des souverains et des nobles, et occupaient de hauts postes dans l'administration tout comme

A gauche, Alfonso el Sabio (Alphonse le Sage ou Alphonse X, 1252-1284) encouragea les clercs à étudier la culture arabe et à traduire les auteurs grecs; ci-dessus, fresque de Galice représentant une bataille entre les chrétiens et les Maures.

Le théologien et philosophe Maïmonide, auteur du *Guide des égarés*, naquit à Cordoue et y vécut jusqu'à ce que les Almohades le forcent à fuir vers l'Égypte. L'école talmudiste de Cordoue attira les grands penseurs juifs de toute l'Europe. Les juifs bénéficiaient aussi de l'estime des souverains chrétiens en raison de leurs compétences administratives et médicales. Alphonse X (1252-1284), dit le Sage, roi de Castille et fondateur de l'université de Salamanque, créa une école de traducteurs à Tolède, où chrétiens, juifs et musulmans travaillaient de concert. C'est à sa demande que la Bible, le Talmud, le Zohar et le Coran furent traduits en espagnol.

Mais, bientôt, les effets des croisades, qui se développèrent à travers toute l'Europe afin de délivrer les lieux saints occupés par les musulmans, se firent sentir en Espagne. Dans ce climat de peur, de suspicion et d'intolérance, on en vint même à tenir les juifs pour responsables d'une épidémie de peste qui décima la population. Des moines zélés soulevèrent une vague d'antisémitisme qui aboutit à la destruction des *juderías*. Le judaïsme fut proscrit, et de nombreux juifs, surtout ceux de Castille, furent obligés de se convertir sous peine de ne pouvoir conserver leurs fonctions. Au XIVᵉ siècle, les *Urdenamientos* de Valladolid privèrent la communauté juive de son autonomie financière et juridique. Mais une menace plus grande encore la guettait : l'Inquisition, créée sous le règne des Rois Catholiques.

Le Cid

Né près de Burgos en 1043, Rodrigo Díaz de Bivár servit d'abord le roi de Castille, puis le frère ennemi de ce dernier, Alphonse VI. Tombé en disgrâce, il fut chassé de Castille et parcourut l'Espagne, offrant ses services à différents princes chrétiens et musulmans. Les victoires éclatantes qu'il remporta lui valurent le nom de Cid (de l'arabe *sidi*, « mon seigneur ») Campeador (en espagnol, « guerrier illustre »). En 1094, il s'empara du royaume maure de Valence, dont il fut le souverain jusqu'à sa mort, en 1099. Symbole de la chevalerie castillane au temps de la Reconquête, Díaz de Bivár devint un personnage légendaire et inspira dès 1140 l'un des chefs-d'œuvre de la littérature espagnole, le *Cantar de mio Cid*. Écrit en castillan par un auteur anonyme, ce poème épique, apparemment influencé par la *Chanson de Roland,* reste fidèle aux faits historiques et donne au lecteur une idée précise de ce que pouvait être la vie d'un héros indépendant dans la société espagnole du XIᵉ siècle. Par la suite, la légende du Cid inspira de nombreux auteurs dramatiques, dont les plus importants sont Guilhem de Castro et Corneille.

LA RECONQUÊTE

La Reconquête de l'Espagne s'étendit sur sept cent cinquante ans ; ce ne fut pas seulement une guerre menée contre l'envahisseur, mais un combat contre l'islam. La longue bataille entreprise pour repousser les Maures avait donc deux objectifs, l'un religieux, l'autre territorial.

A la fin du IXᵉ siècle, Alphonse II (866-911) tira parti des conflits internes qui régnaient parmi les Maures pour coloniser la vallée du Douro, que les Berbères avaient abandonnée.

A l'est, il fit bâtir de nombreuses forteresses. Descendants du peuple des Asturies – comme le précisent les premières chroniques chrétiennes existantes –, les partisans d'Alphonse II se proclamaient les héritiers des Wisigoths qui avaient vaincu les Maures.

Mais lorsque la capitale des Asturies (Oviedo) fut transférée dans la ville de León en 914, les Maures – entre-temps réconciliés et soumis à l'autorité des califes de Cordoue – s'unirent pour infliger une cuisante défaite aux chrétiens. Al-Mansur prit le pouvoir en 976 et, pour détourner les musulmans de la mauvaise gestion du royaume, il commença à harceler les cinq États de l'Espagne chrétienne : Asturies, León, Navarre, Aragon et Catalogne. En 985, il incendia Barcelone, dont les habitants furent massacrés ou réduits en esclavage. Trois ans plus tard, il pillait Burgos et León ; puis ce fut le tour de Saint-Jacques-de-Compostelle. Sur son ordre, les célèbres cloches et les portes de la cathédrale furent acheminées par des esclaves jusqu'à Cordoue où on les transforma en lampes et en décor de plafond pour la Mezquita. Al-Mansur prit ensuite le contrôle du Maroc, qu'il annexa au califat de Cordoue.

La riposte chrétienne survint en 1002, à la mort d'Al-Mansur. Le comte de Barcelone, Ramón Borrell, conduisit ses troupes vers le sud, où il rejoignit des rebelles maures. Cordoue fut mise à sac en 1010 ; ainsi prit fin la suprématie de cette cité en Andalousie. A la même époque, Sanche III le Grand devint roi de Navarre (1000-1035). Par alliance et grâce à certaines victoires militaires, il vint à régner sur les provinces d'Aragon, de Castille, de Ribagorza, de Sobrarbe et sur la ville de León.

Par la suite, des luttes confuses entre différentes bandes et le morcellement du territoire en petits royaumes appelés *taifas* accélérèrent le déclin du pouvoir maure sur la péninsule. Les rois chrétiens profitèrent de la situation pour dresser les souverains maures les uns contre les autres.

La prise de Tolède par les Castillans, en 1085, fut une victoire déterminante, car la ville était considérée comme la capitale de l'Espagne.

Dans le même temps, le royaume d'Aragon annexait Saragosse et les Catalans reprenaient les villes de Lérida et de Tarragone. Quand la fille du

conquis une grande partie de l'Afrique occidentale. Sous le commandement de Yusuf, les Almoravides débarquèrent dans la péninsule avec des caravanes de chameaux et une puissante armée de soldats africains. Ils s'emparèrent assez facilement de Badajoz, de Lisbonne, de Guadalajara et de Saragosse, mais furent repoussés aux portes de Barcelone et de Tolède. Malgré ces deux échecs, ils restèrent maîtres des territoires acquis pendant cinquante ans.

Le pouvoir des Almoravides commença à s'affaiblir au milieu du XIIe siècle, et les chrétiens parvinrent à reconquérir la majeure partie de l'Andalousie. Mais c'est alors qu'arrivèrent les Almohades. Vainqueurs des Almoravides en

roi d'Aragon épousa Ramón Berenguer, comte de Barcelone, en 1151, la Catalogne et l'Aragon s'unirent pour former un seul et même royaume.

LES GUERRES SAINTES

Les Maures n'entendaient cependant pas renoncer si facilement à l'Espagne. Pour contrecarrer les forces chrétiennes de plus en plus menaçantes, les rois musulmans sollicitèrent l'aide des Almoravides – « ceux qui sont voués à Dieu ». Ce peuple du Sahara récemment converti à l'islam avait déjà

A gauche, statue du Cid à Burgos, sa ville natale; ci-desssus, la soumission des Maures aux Rois Catholiques après la chute de Grenade.

Afrique du Nord, ces Berbères originaires de l'Atlas imposèrent leur domination à l'Espagne musulmane, écrasèrent le roi de Castille Alphonse VIII à Alarcos (1195), puis expulsèrent d'Andalousie des milliers de juifs et de mozarabes (chrétiens vivant en territoire maure). En réponse à cet acte, le pape Innocent III incita les royaumes chrétiens des autres pays d'Europe à partir en croisade. Plusieurs contingents de chevaliers partirent donc en guerre contre les « infidèles » et remportèrent la victoire de Las Navas de Tolosa, au sud d'Irún, en 1212. Ferdinand III de Castille exploita ce succès en dressant les armées de Navarre, d'Aragon et du Portugal contre les forces de Miramolin, chef des Almohades. Les chrétiens l'emportèrent de nouveau et ce triomphe leur permit d'occuper une position stratégique à la frontière nord de l'Andalousie.

La soumission de toute l'Espagne musulmane n'allait pas tarder à suivre. En 1229, Jacques Iᵉʳ d'Aragon conquit les Baléares, puis le royaume de Valence en 1238. Dans le même temps, Ferdinand III rassembla les deux royaumes de Castille et de León, unissant ainsi leurs forces pour combattre les Maures. Cordoue se rendit en 1236 et les autres possessions musulmanes résistèrent en vain aux troupes chrétiennes. En 1246, Ferdinand III assiégea Jaén, qui céda après de longs mois. C'est après un siège de plus de seize mois, durant lequel les chrétiens firent le blocus du Guadalquivir, que Séville se rendit enfin en 1248. La ville et ses environs furent mis à sac et seul le minaret de la mosquée, la célèbre Giralda, resta debout. A la fin du XIIIᵉ siècle, seules les provinces de Grenade et de Málaga, ainsi qu'une partie des provinces de Cadix et d'Almería, n'étaient pas encore tombées aux mains des chrétiens. Un État musulman bénéficiant de la protection chrétienne fut formé à Grenade ; la dynastie des Nasrides y régna de 1238 à 1492 et la ville accueillit les réfugiés musulmans venant des autres parties d'Espagne.

Pourtant, l'unification de l'Espagne était loin d'être achevée ; les rébellions nobiliaires, les conflits de succession et de minorités en empêchèrent la réalisation pendant cent cinquante ans. Pierre Iᵉʳ, dit le Cruel, qui monta sur le trône en 1350, s'efforça de ramener la noblesse à l'obéissance avec une rigueur implacable. Jusqu'en 1369, son règne fut marqué par une longue série de meurtres visant aussi bien les membres de sa famille que ses amis.

Pierre Iᵉʳ fut poignardé à Montiel et, à sa mort, la branche bâtarde des Trastamar prit le pouvoir en Castille, grâce à l'aide des « Grandes Compagnies » amenées de France par Du Guesclin. Dans les années qui suivirent, le pays ne connut qu'instabilité politique, guerres et trahisons.

FERDINAND ET ISABELLE

Au début du XVᵉ siècle, la maison d'Aragon prit le contrôle de la Catalogne et de Valence, tandis que la dynastie castillane assumait la charge de Murcie et d'Almería. Les deux grandes familles s'unirent en 1474, quand Ferdinand II d'Aragon épousa Isabelle de Castille. Mais l'union des couronnes ne signifiait cependant pas l'union des royaumes, et chaque région conserva son propre gouvernement et ses institutions. Il fut également stipulé que la couronne de chaque royaume reviendrait à des héritiers distincts à la mort des souverains régnants.

Entre 1483 et 1497, les Cortes (assemblée représentative des nobles de la cour) ne se réunirent pas. Durant toutes ces années, en effet, les Rois Catholiques – ainsi nommait-on Ferdinand et Isabelle – étaient parvenus à étendre leur autorité sur tous les États de la péninsule, jusqu'aux plus petits d'entre eux ; peu à peu, ils mirent fin à l'ordre féodal et établirent une monarchie absolue. Ils limitèrent les privilèges de la vieille noblesse, préférant favoriser le développement d'une grande bourgeoisie qui allait devenir l'un des facteurs prédominants de l'Espagne nouvelle.

L'INQUISITION

Soucieux de donner à l'Espagne l'unité religieuse qui lui faisait défaut, ils obtinrent du pape Sixte IV l'autorisation de fonder une Sainte Inquisition visant à combattre « *l'influence diabolique* » des juifs en Espagne et à s'assurer de la sincérité des *conversos* (juifs convertis au christianisme). Constituée comme une sorte de tribunal royal dès 1478, l'Inquisition espagnole accueillait toutes les dénonciations, ne commettait pas d'avocat à la défense des accusés et pratiquait la torture. Les accusés ne pouvaient pas demander de contre-interrogatoire des témoins à charge. Des milliers de *conversos* furent ainsi condamnés à mort, tandis que des milliers d'autres fuyaient le pays à la hâte. Les juifs ne pouvaient demeurer en Espagne que si leur conversion avait été jugée sincère et totale. Parmi ces *conversos,* nombreux étaient ceux qui occupaient des postes importants au gouvernement et au sein de l'Église elle-même. Dans l'intervalle, l'armée des Rois Catholiques avait entrepris d'assiéger Grenade. Le statut particulier qui avait été accordé à la ville allait désormais à l'encontre de la politique de plus en plus intolérante suivie à l'égard des minorités religieuses. Le 2 janvier 1492, après onze années de lutte et de résistance, le roi maure Boabdil remit personnellement les clefs de Grenade aux Rois Catholiques.

Deux mois après la prise de Grenade, Ferdinand et Isabelle, sur le conseil de Tomás de Torquemada, premier Grand Inquisiteur – lui-même issu d'une famille convertie –, ordonnèrent l'expulsion de tous les juifs qui refusaient le baptême. 170 000 d'entre eux s'empressèrent de gagner l'Afrique du Nord, la Grèce ou la Turquie, où ils perpétuèrent la culture et la langue de leurs ancêtres espagnols. Mais la situation des quelque 300 000 *conversos* d'Espagne restait précaire. Toutefois, sans eux, le Siècle d'or de l'Espagne n'aurait pas pu s'épanouir.

A droite, un autodafé, par Pedro Beruguete (XVᵉ siècle).

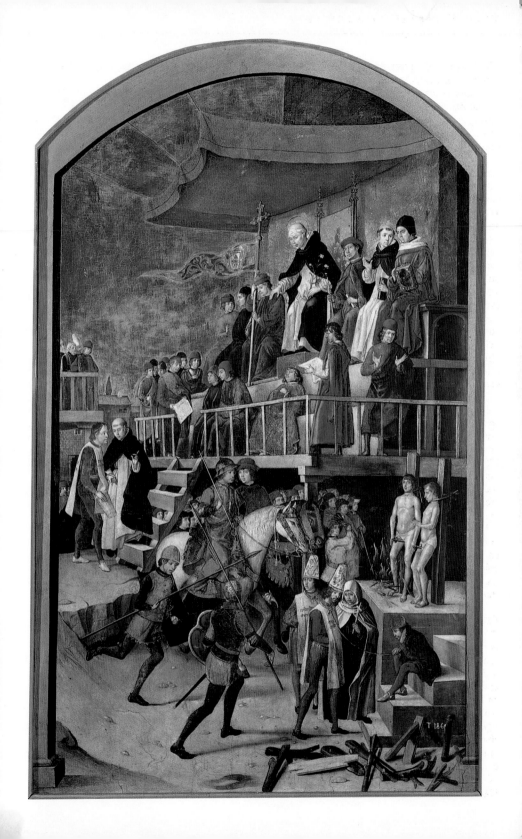

L'EMPIRE COLONIAL

A la fin du xve siècle, le Portugal était l'une des plus grandes puissances maritimes du monde. Explorant sans relâche le littoral atlantique, les Portugais fondèrent des colonies à Madère, aux Açores et dans les îles du Cap-Vert. En 1485, après avoir soumis en vain au gouvernement portugais son projet de trouver par l'ouest la route des Indes, Christophe Colomb, un navigateur génois, vint proposer ses services à Ferdinand et à Isabelle. Il les gagna à sa cause et obtint d'eux le financement de l'expédition en échange de nouveaux territoires et d'abondantes richesses.

LA DÉCOUVERTE DE L'AMÉRIQUE

Le 12 octobre 1492, environ soixante-dix jours après son départ d'Espagne, Colomb et son équipage atteignirent les côtes de l'île de San Salvador, aux Bahamas (qu'il prit pour les Indes), puis les Grandes Antilles, Cuba et Haïti. Il revendiqua la possession de ces nouvelles terres au nom de la couronne d'Espagne. A son retour, le 15 mars 1493, il fut accueilli en grande pompe et confirmé dans ses fonctions de vice-roi. Encouragés par une bulle du pape qui leur cédait une grande partie du Nouveau Monde, Ferdinand et Isabelle multiplièrent les expéditions maritimes au cours desquelles Christophe Colomb allait découvrir l'Amérique latine. Quelques années plus tard, le Mexique et le Pérou vinrent grossir l'Empire.

Ayant financé les expéditions, la Castille revendiquait le droit de contrôler tout le commerce des colonies et exigeait que le *quinto real* (le « cinquième royal ») des transactions fût reversé à la couronne espagnole. Sur un plan plus spirituel, les Espagnols prenaient à cœur leur rôle de missionnaires et souhaitaient aller prêcher la parole chrétienne jusqu'en ces lointaines contrées où l'on pratiquait souvent le sacrifice humain.

Plusieurs empires indiens furent anéantis et leurs richesses minières dilapidées pour financer des guerres européennes qui se déroulaient à des milliers de kilomètres de là. A la mort de la reine Isabelle en 1504, sa fille Jeanne, épouse de Philippe Ier le Beau, monta sur le trône de Castille. Elle devait perdre la raison à la mort de son mari (d'où son surnom de Jeanne la Folle, « Juana la Loca ») et la régence fut assurée par son père, Ferdinand d'Aragon.

A gauche, « Les Ménines », un des plus célèbres tableaux de Vélasquez ; à droite, détail d'une représentation de l'Invincible Armada, détruite en 1588.

Le règne de Ferdinand fut jalonné de nombreuses batailles visant à consolider la couronne d'Espagne. L'Aragon, qui possédait déjà la Sicile et la Sardaigne, annexa le royaume de Naples, jusque-là territoire français, en 1504. Cette lutte marqua la rupture de l'alliance traditionnelle entre la France et la Castille. En 1512, Ferdinand s'empara de la Navarre. Par une habile politique de mariages, il réussit à renforcer la position de l'Espagne vis-à-vis de certains de ses rivaux européens.

LES HABSBOURG

A la mort de Ferdinand en 1516, la couronne d'Espagne revint à son petit-fils Charles, fils de Jeanne

la Folle et de Philippe. Héritier des terres des Habsbourg en Autriche et en Allemagne, prince de Bourgogne et des Pays-Bas, Charles, encore inexpérimenté, se trouva subitement à la tête d'un immense empire. Quand il arriva à Santander en 1517, l'Espagne ne cacha pas sa réticence à être gouvernée par un étranger. De fait, la première attitude de Charles n'apaisa pas les craintes. Non content d'avoir choisi ses principaux conseillers parmi les Flamands et les Bourguignons, il répugnait à consulter la noblesse espagnole. L'une des mesures les plus impopulaires fut de nommer son propre neveu au poste prestigieux d'archevêque de Tolède. Charles voulut en outre lever un nouvel impôt sur l'Église et la noblesse, ce qui ne fit qu'aggraver la situation.

Lorsque son grand-père Maximilien mourut, en 1519, Charles fut proclamé empereur du Saint-Empire sous le nom de Charles V, ou Charles Quint. Mais alors qu'il faisait route vers l'Allemagne, les Castillans, écrasés par les impôts et se sentant de plus en plus tenus à l'écart des grandes décisions, se rebellèrent. Ce fut la fameuse révolte des *comuneros* (1520-1521). Partis de Tolède, les *comuneros* voulaient détrôner Charles Quint pour le remplacer par Jeanne la Folle, qui était toujours reine en titre de Castille. Ils exigeaient que les hautes fonctions administratives ne soient occupées que par des Castillans de pure souche et que les Cortes aient seules le droit de déclarer la guerre. Après quelques hésitations, les nobles se

DETTES ET HÉRÉSIE

Au XVIe siècle, malgré la paix retrouvée à l'intérieur de ses frontières et l'or qui lui arrivait à flots de ses possessions d'outre-Atlantique, l'Espagne, puissance prépondérante d'Europe, se trouva impliquée dans de nombreuses et coûteuses guerres étrangères. En défendant l'Italie du Sud contre les invasions turques, Charles Quint fut amené à lutter directement contre l'Empire ottoman, qui contrôlait alors une vaste partie de l'Afrique du Nord. Dans le même temps, il déclarait la guerre à la France et, jusqu'à la fin de son règne, il se trouva tour à tour en conflit avec chaque pays d'Europe.

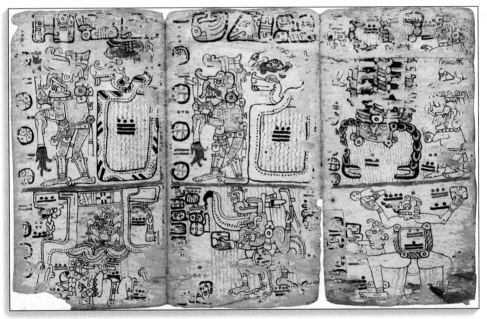

rallièrent à la cour ; le mouvement fut écrasé par l'armée royale en 1521 (bataille de Villalar) et les chefs *comuneros* décapités. Le pouvoir de la monarchie fut donc restauré et, pour prouver sa reconnaissance envers les nobles qui lui avaient apporté leur soutien, Charles Quint supprima certains des impôts qui les frappaient.

La politique de Charles Quint favorisa l'ouverture vers l'Amérique du Sud. Sous son règne, Hernán Cortés conquit l'empire des Aztèques et Francisco Pizarro celui des Incas du Pérou. Le pillage des vaincus et l'ouverture de mines d'or et d'argent au Mexique, en Bolivie et au Pérou (mines du Potosi) rapportèrent d'immenses richesses. Séville, devenue le centre du commerce de l'or, doubla de taille en quelques années.

Entretenir une armée de plusieurs milliers d'hommes exigeait évidemment d'énormes ressources. Pour combler un déficit grandissant, il lui fallut de nouveau augmenter les impôts et établir un contrôle des prix sur les rares produits manufacturés de l'époque. Les nobles avaient préféré investir dans les terres, les bijoux et les objets d'art plutôt que dans l'industrie ou l'agriculture ; l'Espagne demeurait économiquement faible et peu compétitive. Sa dette s'alourdit d'année en année alors que ses rivaux européens développaient considérablement leur secteur industriel.

L'autre grand combat de Charles Quint fut d'assurer le triomphe de l'orthodoxie sur la Réforme et les infidèles. Alors que les idées de Martin Luther s'implantaient fermement en Allemagne, en Suisse et en Angleterre, le pape fit appel à Charles Quint pour mettre fin au mouvement réformé. Celui-ci apporta son soutien à plusieurs institutions catholiques, dont la Compagnie de Jésus, ordre fondé par saint Ignace de Loyola. Une Contre-Réforme se développa en Espagne même ; certains livres furent interdits et les idées de l'humaniste Érasme déclarées hérétiques.

Prématurément usé et las de ces conflits permanents, Charles Quint abdiqua en 1556 et se retira au monastère de Yuste, en Estrémadure. Son frère Ferdinand reçut les possessions germaniques de l'empire des Habsbourg, tandis que son fils Philippe II se voyait confier les possessions espagnoles, les Pays-Bas et une partie de l'Italie.

Philippe II poursuivit la politique de son père d'une façon beaucoup plus systématique et rigide. Il s'attacha tout particulièrement à résoudre des problèmes d'ordre intérieur et surtout à assurer le triomphe du catholicisme dans ses États. Quand les calvinistes se révoltèrent aux Pays-Bas, créant les Provinces-Unies, Philippe II fit assassiner leur stathouder, Guillaume d'Orange-Nassau, et massacrer bon nombre de ses partisans, ce qui lui valut une réputation de despote fanatique et impitoyable. Il n'hésita pas à faire arrêter son propre fils, don Carlos, accusé de trahison et d'hérésie, ni à faire destituer de ses fonctions le primat d'Espagne, lequel avait imprudemment clamé son admiration pour Érasme. Impénétrable et méfiant, alliant le goût du faste à l'austérité – attitude symbolisée par la configuration de l'Escurial –, tour à tour cruel ou tendre pour son entourage, le personnage de Philippe II a été immortalisé par Schiller dans *Don Carlos* et par Goethe dans *Egmont*.

Vers 1560, l'Espagne était, en dépit d'une apparente opulence, dans une situation financière catastrophique. L'économie stagnait, les guerres extérieures, qui s'étaient révélées autant d'échecs, avaient épuisé le Trésor, et les pirates anglais commençaient à détourner les navires espagnols qui revenaient des Amériques avec leurs précieux chargements. En 1575, Philippe II, à court d'argent, fut obligé de suspendre le paiement de ses dettes auprès des banques étrangères.

Mais la scrupuleuse religiosité de Philippe II continua de l'emporter sur les considérations d'ordre économique. Pour lutter contre les Turcs qui menaçaient régulièrement le littoral espagnol, il forma une ligue avec le pape Pie V, Malte et Venise, alliance qui aboutit à la victoire de Lépante, près de Corinthe, en 1571.

A gauche, fragment du Codex maya ; à droite, portrait de Hernán Cortés, le conquistador du Mexique.

LE NAUFRAGE

Dans le cadre de la lutte contre l'Angleterre, les préoccupations économiques et religieuses étaient étroitement liées : Philippe II lança l'Invincible Armada contre les forces de la reine Élisabeth, non seulement parce qu'elle protégeait les pirates qui attaquaient les galions espagnols, mais aussi parce qu'elle persécutait les catholiques et avait fait emprisonner sa cousine, Marie Stuart. Mais l'Armada se trouva confrontée en 1588 à la flotte de sir Francis Drake, plus rapide et plus manœuvrable. L'Espagne dut alors subir la perte de plusieurs milliers d'hommes et la destruction de plus de la moitié de ses navires. La victoire d'Élisabeth

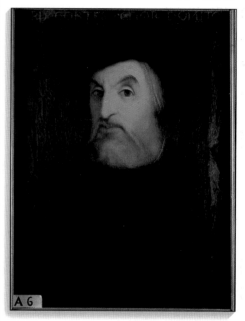

marquait la fin de la suprématie maritime de l'Espagne. Philippe II décida alors de se retirer à l'Escurial, où il passa le restant de ses jours.

Au cours du XVIIᵉ siècle, l'Espagne fut gouvernée par les trois derniers rois de la dynastie des Habsbourg. Quand Philippe III monta sur le trône en 1598, son empire comprenait l'Espagne, le Portugal, les Flandres, une grande partie du centre et du sud de l'Italie, les Amériques de la Californie au cap Horn, ainsi que les Philippines. Mais peu soucieux de ses responsabilités, Philippe III confia les affaires de l'État à des favoris, dont le duc de Lerma, qui pratiqua une politique extérieure pacifique mais une politique intérieure plus douteuse. Non content de profiter de sa position pour s'enrichir et placer parents et amis à de hauts postes,

Lerma conseilla à Philippe III d'expulser les Morisques (musulmans convertis de force au catholicisme). Parmi les 270 000 Morisques qui furent contraints de quitter le pays en 1609 se trouvaient les plus grands fermiers d'Espagne. Bientôt les terres cessèrent d'ère cultivées, aggravant une situation économique déjà bien fragile. La production des mines d'argent déclina, la corruption se mit à régner partout ; de plus, l'Espagne allait se trouver impliquée dans un nouveau conflit avec la Hollande, la France et l'Angleterre, dans le cadre de la guerre de Trente Ans.

Philippe IV prit le pouvoir en 1621 ; dominé, comme son prédécesseur, par un favori, le comte-duc d'Olivares, son règne se distingua par

son caractère belliqueux qui mena l'Espagne au bord de l'effondrement. Quand, en 1640, Olivares tenta de faire payer l'entretien des troupes castillanes aux Catalans, ces derniers sollicitèrent l'aide de Louis XIII, à qui ils prêtèrent serment d'allégeance ; Philippe IV s'inclina et fut contraint d'accorder son autonomie à la Catalogne. La même année, le duc de Bragance se proclama roi du Portugal, qui reprit ainsi son indépendance. Parallèlement, des mouvements séparatistes se développèrent en Andalousie et à Naples. Les Français vainquirent les Espagnols à Rocroi en 1643 et le traité de Westphalie (1648) marqua la fin de l'hégémonie espagnole en Europe.

Cependant, les défaites militaires ne furent pas seules responsables du déclin de l'Espagne. Le pays n'avait pas su tirer parti de l'or américain pour donner une base solide à son industrie. La laine produite en quantité était vendue à bas prix aux pays d'Europe du Nord, qui la revendaient, après transformation, à des prix exorbitants dans la péninsule. Après le départ des Morisques, les meilleures terres furent abandonnées au bétail et il fallut donc importer les produits agricoles. Comme l'Église et la noblesse étaient exemptées d'impôts, les paysans et les commerçants eurent à supporter les frais de l'État. L'escudo, jadis accepté comme devise dans toute l'Europe, perdit de sa valeur, et l'Espagne se retrouva incapable de garantir sa dette étrangère. En conséquence, les vastes armées de l'Empire furent sous-payées, et le moral tomba au plus bas.

L'entêtement de Philippe IV dans son dogmatisme religieux se retourna finalement contre lui : en refusant d'admettre les marchands anglais dans les colonies espagnoles, il s'attira les foudres de l'Angleterre qui, en représailles, s'empara de plusieurs navires espagnols chargés de richesses dont l'Espagne aurait pourtant eu grand besoin.

À sa mort, en 1665, Philippe IV laissait une économie en ruine et une montagne de dettes à son fils Charles, un enfant de cinq ans. Sa mère, nommée régente, gouverna le pays jusqu'à ce que Charles II ait atteint l'âge de 15 ans. Son règne fut marqué par une certaine renaissance intérieure mais se révéla désastreux sur le plan extérieur. Toujours en guerre contre la France, l'Espagne dut finalement céder à Louis XIV la Flandre, l'Artois et la Franche-Comté en 1678 (traité de Nimègue). Ce que la France n'avait pu remporter sur les champs de bataille, elle l'obtint par le testament de Charles II qui, sans héritier, laissait la couronne à Philippe, duc d'Anjou, petit-fils de Louis XIV.

LE SIÈCLE D'OR

Malgré le déclin politique et militaire qui s'était amorcé dès l'avènement de Charles Quint, l'Espagne fut le théâtre d'une brillante renaissance littéraire et artistique connue sous le nom de Siglo de Oro, « Siècle d'or ». Les historiens en font remonter le début à 1543, date de la publication posthume d'un recueil de poèmes de Juan Boscán et de Garcilaso de la Vega. Les poèmes de saint Jean de la Croix, carme ascétique et mystique (1542-1591), concilient l'idéal médiéval, les réminiscences populaires et l'élan de la foi.

La prose s'était enrichie de plusieurs chefs-d'œuvre dès la fin du XVe siècle. *Tirant le Blanc* est un récit écrit en catalan aux environs de 1460, où se mêlent aventures galantes et militaires. *La Célestine*, ouvrage écrit en 1499 par Fernando de

Rojas, est considéré comme la première grande œuvre littéraire de la Renaissance espagnole. Ce roman en forme de dialogue est une peinture magistrale des mœurs du temps ; il fut connu de Machiavel et de Shakespeare et exerça une influence considérable sur le théâtre européen. Citons également l'autobiographie et les œuvres mystiques de sainte Thérèse d'Avila.

Le *Don Quichotte* de Miguel de Cervantès, publié au début du XVIIe siècle, annonce le roman moderne où les personnages sont mus par leur psychologie individuelle. Cette tragi-comédie narre les exploits du « chevalier à la triste figure », qui parcourt la Castille en compagnie de son écuyer Sancho Pança. Alors que Sancho le réaliste

lui l'humoriste le plus impitoyable de son temps. Le Siècle d'or de la littérature s'éteignit en 1681, à la mort de Calderón de la Barca, dont les tragédies étaient admirées par Shelley et Schopenhauer.

Cette période de cent cinquante ans fut également l'âge d'or de la peinture espagnole. Le Greco (1541-1614), originaire de Crète, fut l'élève de Titien avant de venir s'installer à Tolède. Son style original et tourmenté dénote une forte influence byzantine. Diego Vélasquez (1599-1660) s'imposa comme le peintre majeur du XVIIe siècle ; il fut peintre officiel de la cour sous Philippe IV, ce qui ne l'empêcha pas d'exprimer la décadence de l'aristocratie à travers des portraits sans concession. Ribalta, Zurbarán et Ribera comptent égale-

reflète le sens commun, don Quichotte tente d'imposer son idéal d'amour, d'honneur et de justice au mépris des trivialités de la vie.

Lope de Vega (1562-1635) fut le fondateur du théâtre national espagnol et l'auteur de quelque 500 pièces. Ses comédies reflètent parfaitement l'esprit de son temps, et son langage simple et accessible lui gagna les faveurs du grand public. On lui oppose le style baroque et raffiné de Luis Góngora (1561-1625), considéré comme le type même du sonnettiste espagnol. Francisco de Quevedo (1580-1645) fut à la fois poète et romancier ; ses œuvres politiques et philosophiques firent de

ment parmi les grands peintres de cette période. Les toiles de Murillo, décrivant des scènes de la vie populaire dans un style picaresque vif et aimable, ponctuèrent la fin du Siècle d'or de la peinture espagnole.

LES BOURBONS

Premier Bourbon de la dynastie, Philippe V monta sur le trône d'Espagne en 1700 et dut faire face à la guerre de Succession, qui allait durer treize ans. Son manque d'expérience lui fit chercher l'appui de conseillers français. Dans le même temps, l'Autriche, alarmée par l'hégémonie française en Europe, déclara la guerre à la France ; la Catalogne, Valence et les Baléares y virent alors une

A gauche, Philippe V par Hyacinthe Rigaud ; ci-dessus, parade sur la Plaza Mayor de Madrid, vers 1700.

occasion de s'opposer à Philippe V et acceptèrent comme souverain l'archiduc d'Autriche, Charles de Habsbourg. Pour la première fois depuis la Reconquête, un ennemi étranger marchait sur la Castille. Le traité d'Utrecht (1713) reconnut Philippe V comme roi d'Espagne, au prix d'un lourd tribut : la Flandre et les possessions italiennes furent perdues, et Gibraltar cédé aux Anglais.

Les Bourbons s'efforcèrent d'unifier l'Espagne, de renforcer le pouvoir de l'État et de réduire le rôle de l'Église. Au milieu du XVIIIe siècle, l'économie du pays se stabilisa enfin. L'armée et la flotte avaient été restructurées et de nouvelles industries commencèrent à se développer, particulièrement en Catalogne.

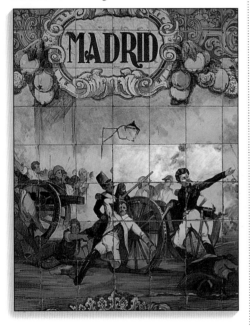

L'influence française, tant sur le plan des idées que des mœurs, s'accrut, notamment à la cour. Charles III, fils de Philippe V, régna de 1759 à 1788. Il se conduisit en despote éclairé, accentuant la centralisation, encourageant l'agriculture et le commerce, et réformant les finances. Fervent catholique, il lutta néanmoins contre l'emprise de l'Église et fit expulser les jésuites en 1767, sous prétexte d'intrigues politiques de leur part. Malheureusement pour les Bourbons, le peuple espagnol était très conservateur et réticent envers toute tentative de changement. L'œuvre de renouveau de Charles III, fondée sur des réformes mal assimilées, ne lui survécut donc pas.

L'Espagne connut pourtant des progrès significatifs à cette époque. Charles III ordonna que les travaux du Palais royal fussent terminés et fit construire le musée du Prado, qui abrite toujours certaines des plus grandes œuvres d'art existant au monde. Il lança également un vaste projet de travaux publics incluant le percement de nombreux canaux et la construction de nouvelles routes et de voies de communication. La hausse régulière des prix fut un facteur de développement économique et de prospérité générale. Sous son règne, le théâtre, qui avait stagné durant plus d'un siècle, redevint un pilier de la vie culturelle espagnole.

L'année 1793 fut décisive dans l'histoire espagnole. Quand Louis XVI fut guillotiné, son cousin Charles IV, qui gouvernait alors l'Espagne, s'effraya de l'essor des idées révolutionnaires à la frontière nord du pays et déclara la guerre à la France. L'Espagne sortit vaincue du conflit et perdit la Trinité, la Louisiane et la moitié de l'île d'Hispaniola, l'actuelle Saint-Domingue.

Charles IV fut un roi faible et un piètre homme d'État. Il subit fortement l'influence de la reine Marie-Louise et du favori de cette dernière – un soldat du nom de Godoy qui avait réussi à grimper rapidement les échelons et termina Premier ministre et prince de la Paix. Après avoir pris le pouvoir en France, Napoléon se tourna vers l'Espagne. Sous prétexte d'occuper le Portugal, il conduisit l'armée impériale en terrain espagnol et contraignit la famille royale à le rejoindre à Bayonne. Tirant parti des factions qui existaient au sein de la famille d'Espagne, Napoléon obtint l'abdication de Charles IV et de son fils Ferdinand, lequel avait formé une ligue contre Godoy et avait été jeté en prison par ses propres parents. Charles quitta l'Espagne, Ferdinand fut interné au château de Valençay, et Napoléon donna la couronne à son frère, Joseph Bonaparte.

Mais le 2 mai 1808, les paysans espagnols se soulevèrent spontanément pour protester contre cet état de fait. Dans Madrid, tout citoyen français devint la cible des rebelles. La répression des troupes françaises ne se fit pas attendre : elle fut violente et brutale, telle que Francisco Goya l'a immortalisée dans deux tableaux célèbres : le *Dos de Mayo* et le *Tres de Mayo*. D'autres soulèvements se produisirent dans les régions et la France eut de plus en plus de mal à gouverner le pays. La guerre d'indépendance dura ainsi jusqu'à l'écrasement des troupes françaises par Wellington en 1813 à Vitoria.

Durant ces années de conflit, les Cortes se réunirent régulièrement à Cadix pour élaborer un projet de Constitution qui fut adopté en 1812. Cette Constitution abolissait l'Inquisition, la censure et le servage et stipulait que, désormais, le roi devrait se soumettre aux décisions des Cortes.

Un retour en arrière

En dépit de la Constitution, Ferdinand VII, sorti de sa retraite, monta sur le trône d'Espagne en 1814 et se déclara monarque absolu. Il rétablit l'Inquisition, persécuta les libéraux et permit aux jésuites de revenir. Refusant de s'accommoder de ce régime despotique, les provinces américaines se soulevèrent et arrachèrent leur indépendance. Ferdinand VII était loin d'être un homme d'avenir. Il tourna résolument le dos aux trois mouvements essentiels du XVIIIe siècle – les Lumières, la Révolution française et la révolution industrielle.

L'épouse de Ferdinand VII, Marie-Christine de Bourbon-Sicile, issue d'un milieu libéral, obtint de

les libéraux fondèrent la Ire République espagnole mais, en raison des dissensions qui existaient parmi eux, de l'hostilité des Cortes à leur égard et des intrigues menées par les monarchistes, celle-ci fut de courte durée.

Ce climat de conflits ne prit fin qu'à l'avènement d'Alphonse XII (1875-1885). Se proclamant monarque constitutionnel, celui-ci tenta de faire l'unité des Espagnols en signant le manifeste de Sandhurst : « *Quoi qu'il advienne, je m'efforcerai d'être un bon Espagnol ; comme mes ancêtres, un bon catholique et, comme un homme du présent, un libéral sincère.* » La Constitution de 1873 fonctionna jusqu'en 1923. Elle instaurait une monarchie parlementaire avec deux chambres : Sénat et

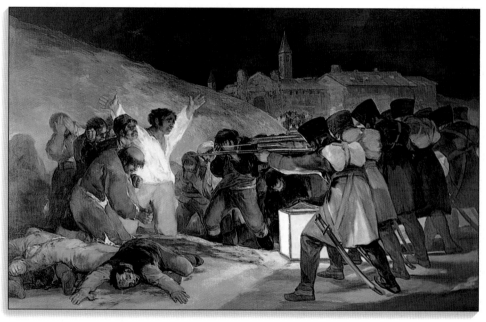

lui qu'il révoque la loi salique de 1714 et laisse le trône à leur fille Isabelle au détriment de don Carlos, frère du roi. Cela déclencha l'insurrection d'une faction ultra-religieuse, les apostoliques. Les conservateurs se joignirent à eux et apportèrent leur soutien à don Carlos.

Les guerres carlistes furent en réalité une guerre civile entre les libéraux, partisans d'un gouvernement constitutionnel affranchi de la domination de l'Église, et les conservateurs favorables au rapprochement de l'État et de l'Église. Le pouvoir oscilla longtemps entre les deux partis. En 1873,

A gauche, les troubles de l'occupation napoléonienne ; ci-dessus, « Les exécutions du 3 mai », hommage de Goya au soulèvement des Madrilènes en 1808.

Cortes. Le suffrage restreint fut remplacé par le suffrage universel en 1890.

Les deux partis acceptèrent d'un commun accord le principe de l'alternance au sein du gouvernement. La population espagnole s'accrut, de même que le niveau de vie. Les transports et les communications firent d'énormes progrès et, pour la première fois depuis des siècles, l'agriculture connut un essor. Le point faible demeurait l'enseignement ; malgré l'adoption d'un plan de réforme de l'université en 1845 et l'instruction primaire obligatoire (en théorie), la masse de la population était illettrée (75 % d'analphabètes en 1877, 66 % en 1900). L'Espagne restait, à la fin du XIXe siècle, à l'écart du grand mouvement scientifique et moderniste européen.

LA GUERRE CIVILE ET LE RÉGIME FRANQUISTE

En 1878, l'armée espagnole avait réussi à mater l'insurrection de Cuba et des Philippines. Mais à la fin du siècle, les partisans de l'indépendance se soulevèrent de nouveau. L'intervention des États-Unis aux côtés des insurgés allait conduire l'Espagne à un véritable désastre.

Au début de l'année 1898, les États-Unis envoyèrent à Cuba un navire de guerre, le *Maine*, pour protéger les intérêts américains ; pour une raison mal définie – à cause d'une mine ou d'une avarie –, le navire explosa dans le port de La Havane. L'événement bouleversa l'opinion publique américaine et le président McKinley, tenant l'Espagne pour responsable de la destruction du *Maine*, exigea l'armistice et la libération immédiate de tous les rebelles emprisonnés. Devant le refus de l'Espagne, il s'ensuivit une série de batailles navales, d'où l'Espagne sortit vaincue, écrasée par la supériorité de l'artillerie américaine. Dans le même temps, la marine américaine attaquait la flotte espagnole aux Philippines et, le 12 août 1898, Manille capitulait. Le traité de Paris, signé le 22 décembre, reconnaissait l'indépendance de Cuba et rattachait Porto Rico et les Philippines aux États-Unis.

La perte de ces territoires, douloureusement ressentie par le peuple espagnol, sonna le glas des ambitions internationales de l'Espagne. La « génération de 98 », célèbre groupe d'écrivains et d'intellectuels comprenant, entre autres, Miguel de Unamuno, Antonio Machado et Ortega y Gasset, répondit à cet échec en déclarant que l'Espagne devait abandonner une fois pour toutes ses rêves de suprématie mondiale afin de se consacrer à son propre épanouissement.

TROUBLES SOCIAUX ET POLITIQUES

Au début de son règne en 1902, Alphonse XIII se trouva confronté à des problèmes plus graves que ceux qu'avaient connus ses prédécesseurs. Le carlisme était devenu à peu près inoffensif mais, à sa place, se développaient des mouvements régionalistes fort puissants. C'est pendant cette période, au lendemain de la défaite de 1898, connue sous le nom d'*el Desastre*, que les syndicats ouvriers firent leur apparition, tout d'abord dans les régions

Pages précédentes : « Guernica » de Picasso, tableau longtemps interdit en Espagne et aujourd'hui exposé à Madrid. A gauche, soldats dans Madrid déchiré par la guerre ; à droite, le roi Alphonse XIII et Eduardo Dato.

industrielles de Catalogne. Parallèlement, l'anarchisme, qui avait fait une percée en 1870 avec la diffusion des idées de Bakounine, refit surface de façon plus sensible ; il trouva une formidable audience dans les régions méditerranéennes et en Andalousie, où journaliers et ouvriers vivaient dans la misère. En 1902 naquit un syndicat anarchiste à Barcelone, qui prôna la grève en guise d'action politique.

A la mort du leader libéral Práxedes Mateo Sagasta en 1903, les libéraux et les conservateurs (dont le chef avait été assassiné en 1897) se trouvèrent les uns comme les autres en plein désarroi. De son côté, l'armée, constituée principalement de Castillans libéraux opposés aux tendances

absolutistes des conservateurs, était considérée par la majorité des Espagnols comme le garant traditionnel de l'ordre. Mais la défaite de 1898 la rendit vulnérable aux critiques. Les sentiments antisocialistes et antianarchistes de l'armée s'intensifièrent lorsque Morral, un anarchiste catalan, jeta une bombe sur le carrosse d'Alphonse XIII le jour de son mariage.

LE SOULÈVEMENT DU PEUPLE

Quand l'armée espagnole fut assaillie au Maroc en 1909, le gouvernement conservateur alors au pouvoir fit appel aux réservistes catalans. Une grève générale fut déclenchée en Catalogne et pendant la « Semaine tragique » qui suivit, deux cents églises et plus de trente couvents furent rasés par les grévistes. En représailles, l'armée tira sur la foule et exécuta bon nombre de grévistes. L'Espagne entière fut provisoirement placée sous la loi martiale. Après l'exécution sommaire d'un anarchiste catalan très populaire, accusé à tort d'avoir fomenté la grève, les conservateurs furent renversés et le libéral José Canalejas prit le pouvoir.

En accordant aux Catalans le contrôle régional de l'enseignement et des projets de travaux publics, Canalejas pensait pouvoir juguler les forces anarchistes en pleine expansion. Il alla même plus loin en autorisant les socialistes à faire partie des conseils municipaux dans toute l'Espagne, et chercha à marquer des points auprès de

l'extrême gauche en limitant le nombre des membres du clergé. Mais lorsqu'il fit appel à l'armée pour réprimer la grève des cheminots en 1912, Canalejas s'attira la haine d'une grande partie de la classe ouvrière. Il devait mourir peu après, assassiné par un anarchiste.

Pendant la Première Guerre mondiale, l'Espagne garda la neutralité. Cette démarche opportuniste lui permit de continuer à faire du commerce avec les Alliés tout comme avec le camp austro-allemand. A l'instar de la Suisse, l'Espagne devint le pays où se réglaient les questions financières et internationales. Mais quand l'Allemagne établit le blocus de l'Atlantique, la pénurie dont l'Espagne souffrit en même temps que les Alliés fit monter les prix. En 1917, les syndicats de ten-

dance anarchiste et socialiste appelèrent à la première grève nationale pour protester contre la vie chère et la nomination de ministres conservateurs au sein du cabinet du roi Alphonse XIII. L'armée intervint pour casser les grèves.

Par la suite, quand l'essor industriel favorisé par la guerre s'arrêta brutalement, des milliers d'ouvriers se retrouvèrent sans emploi. Emportés par le succès de la révolution russe, les anarchistes reprirent le combat, déclenchant une nouvelle vague de grèves quasi insurrectionnelles. La loi martiale fut de nouveau décrétée à Barcelone.

L'armée était très impopulaire auprès du peuple espagnol. Le gouvernement fut renversé à la suite d'une enquête sur la conduite des militaires au Maroc et Garcia Prieto, un ancien monarchiste, accéda au pouvoir. Une vague de terrorisme déferla sur l'armée et l'Église – le cardinal-archevêque de Saragosse fut assassiné –, mais le gouvernement refusa de céder à la pression de l'armée qui souhaitait réprimer brutalement ce mouvement.

Toujours en 1917, alors que les deux grands partis étaient déjà affaiblis par des dissensions, éclata une crise d'une extrême gravité : des « juntes de défense militaire », formées par des officiers mécontents de leur sort, traitèrent d'égal à égal avec le pouvoir civil. Les crises ministérielles se succédèrent à un rythme effréné et le plus grand désordre régna dans tout le pays.

En septembre 1923, la garnison de Barcelone se révolta et le gouvernement civil s'effondra. C'est avec le plein accord d'Alphonse XIII que Miguel Primo de Rivera, capitaine général de Barcelone, prit alors le pouvoir.

LA FIN DE L'ANARCHIE

Primo de Rivera suspendit immédiatement la Constitution de 1876, créa un directoire militaire et mit fin au pouvoir parlementaire en dissolvant les Cortes. Il imposa des gouverneurs militaires aux provinces, soumit la presse à la censure, suspendit l'activité de tous les partis politiques, abrogea l'autonomie nominale de la Catalogne et parvint à neutraliser les forces anarchistes. La période du terrorisme était enfin révolue.

Sans adhérer à la doctrine fasciste, l'Espagne entretenait de très bonnes relations avec l'Italie, avec qui elle signa un traité d'amitié en 1926. A l'exemple de Mussolini, Primo de Rivera créa un parti, l'Union patriotique, et une « Assemblée nationale suprême » au rôle purement consultatif. Sa politique de redressement économique et de financement des grands travaux publics lui valut un certain prestige. Mais cet expansionnisme entraîna un énorme déficit budgétaire qui ne fit que s'aggraver avec la dépression mondiale de 1929 et la chute de la peseta.

Abandonné par ses pairs à la suite de ses projets de réforme du système de promotion de l'armée et des mauvais résultats obtenus dans les domaines social et politique, Primo de Rivera fut renvoyé par le roi en janvier 1930. Alphonse XIII tenta vainement de revenir au régime parlementaire en faisant appel à des cabinets de transition présidés tout d'abord par le général Berenguer qui relâcha la censure, rouvrit les universités et autorisa les grèves. Mais celui-ci fut forcé de donner sa démission après avoir ordonné l'exécution de deux jeunes officiers de la garnison de Jaca accusés

et les libéraux accédèrent au pouvoir. La monarchie venait d'être renversée sans aucune effusion de sang et l'Espagne put enfin connnaître une brève accalmie.

Pourtant, les constitutionnels se trouvaient pris entre le feu d'une droite soucieuse de préserver les acquis d'un glorieux passé, et celui des forces anarchistes qui s'opposaient systématiquement à toute forme de gouvernement.

Les élections de juin 1931 donnèrent une énorme majorité à une coalition de gauche. Six mois plus tard, une nouvelle Constitution faisait de l'Espagne une «république démocratique des travailleurs, laïque et parlementaire». En novembre 1931, Manuel Azaña devint président

d'avoir fomenté une révolte. L'opinion publique devenait nettement défavorable à la monarchie et l'amiral Aznar, successeur de Berenguer, décida de procéder à des élections municipales.

LA IIᵉ RÉPUBLIQUE

Les élections d'avril 1931 furent décisives. Les partis de gauche remportèrent une majorité écrasante et Alphonse XIII, sans abdiquer officiellement, fut néanmoins contraint de quitter l'Espagne. La IIᵉ République fut proclamée le 14 avril

A gauche, « Barcelone, la ville des bombes », dessin satirique des années 1920; ci-dessus, corrida improvisée dans la Gran Vía de Madrid.

du Conseil. Il entreprit aussitôt une œuvre de grande envergure qui visait non seulement à l'instauration d'un nouveau régime, mais encore à des transformations profondes de la société espagnole. Il commença par expulser les jésuites – toujours considérés par la gauche comme une «cinquième colonne» en raison de leur allégeance au pape – et confisqua leurs biens. Le mariage civil et le divorce furent autorisés, malgré l'Église, et l'éducation fut laïcisée. L'archevêque de Tolède protesta vivement contre ces mesures anticléricales. Des extrémistes lui répondirent en brûlant et pillant plus de cent cinquante églises.

Ayant pris le portefeuille de la Guerre, Azaña réalisa une réforme militaire et permit aux officiers qui ne voulaient pas prêter serment à la république de prendre leur retraite à des conditions avantageuses.

La réforme agraire de 1932 avait pour but de supprimer les grands domaines privés, les *latifundia*, et de distribuer la terre aux paysans. Enfin, pour satisfaire les aspirations autonomistes des Catalans, des Basques et des Galiciens, Azaña instaura une organisation semi-fédérale de l'État.

AGITATION POLITIQUE

Les réformes entreprises par Azaña et l'agitation anarchiste suscitèrent une inquiétude croissante, non seulement dans les couches supérieures, mais aussi dans les classes moyennes et dans une frac-

tion de la paysannerie. On le vit bien aux élections de novembre 1933, où la gauche fut écrasée. Le pouvoir revint aux radicaux centristes, lesquels étaient soutenus par une coalition de droite regroupant les monarchistes, les démocrates-chrétiens, conservateurs mais plus modérés, et le nouveau parti de la Phalange, créé par José Antonio Primo de Rivera, fils du général. On découvrit bientôt que l'Espagne était scindée en deux parties inconciliables représentées d'un côté par une gauche organisée mais divisée, et de l'autre par un parti de droite en pleine expansion, la Phalange, inspiré des partis fascistes d'Italie et d'Allemagne. Le gouvernement centriste dut faire face aux nouvelles revendications des Basques et des Catalans ; à l'hostilité des paysans et des anarchistes, mécon-

tents de la décision d'arrêter l'expropriation des grandes fortunes terriennes. Le gouvernement s'affaiblit encore sensiblement à l'occasion de l'insurrection des mineurs d'Oviedo. Il fallut l'intervention de l'armée, dirigée de Madrid par le général Franco, pour la réduire. Le bilan des affrontements fut lourd (plus de 1 400 morts et plusieurs milliers de blessés).

Quand se tinrent les élections de 1936, les partis de gauche – qui s'étaient unis en un « front populaire » – recueillirent la majorité des suffrages, bien que la droite demeurât presque aussi puissante ; le centre, quant à lui, s'était effondré. Une nouvelle vague de violences succéda à ces élections : pillages d'églises, appropriation des terres

par les paysans, assassinats commandités par la gauche comme par la droite. Le gouvernement se montra incapable de contrôler la situation. L'assassinat du député monarchiste Calvo Sotelo, le 13 juillet 1936, mit le feu aux poudres.

LA GUERRE CIVILE

L'armée, soutenue par les régimes fascistes italien et allemand, décida alors de s'emparer du pouvoir et de mettre un terme à la IIe République par un *pronunciamiento*. Le soulèvement fut mené par les généraux Sanjurjo, Mola et Franco, ancien chef d'état-major de l'armée, éloigné aux Canaries par le Frente popular. Le 17 juillet 1936, la Légion étrangère espagnole et les troupes stationnées au

Maroc espagnol, à Ceuta et Melilla, traversaient le détroit de Gibraltar. La guerre civile venait de commencer.

Tandis que les républicains s'assuraient le soutien des populations des provinces catalanes et des grandes zones urbaines – Madrid, Barcelone, Murcie et Valence –, les nationalistes, bien armés et bien entraînés, menaient une guerre éclair, s'emparant de Tolède dès septembre 1939, puis de Burgos, où Franco fut nommé Généralissime des armées et chef d'État. Ils s'empressèrent de contrôler les zones rurales et les provinces les plus conservatrices : Andalousie, Galice, Vieille et Nouvelle-Castille. Comme l'armée, la police et la garde civile s'étaient rangées du côté des nationa-

tenter de limiter l'afflux des armes en Espagne et de restreindre l'ampleur du conflit. Les États-Unis acceptèrent également de respecter l'embargo des armes. Mais pendant que les Alliés ménageaient la chèvre et le chou, le Portugal de Salazar et surtout l'Allemagne et l'Italie procuraient des armes et des munitions à foison aux forces nationalistes, auxquelles elles avait accordé un crédit intégral et illimité (le dernière remboursement de la dette de Franco à l'égard de l'Italie eut lieu en 1967).

Au début de 1937, l'Allemagne et l'Italie avaient officiellement reconnu le régime de Franco, les troupes italiennes avaient participé à la prise de Málaga, et des navires allemands et italiens patrouillaient le long des côtes méditerra-

listes, les républicains furent obligés d'improviser une force armée en donnant des armes aux milices ouvrières. L'Espagne se trouva scindée en deux zones où s'instaurèrent des régimes opposés.

Franco avait dès le départ prévu d'internationaliser le conflit : quelques jours après le début de la rébellion, des avions de guerre italiens arrivèrent au Maroc et les forces italiennes envahirent les Baléares. La France et l'Angleterre répliquèrent en formant un Comité de non-intervention pour

A l'extrême gauche, le centre de Madrid après une attaque éclair en 1937 ; à gauche, le bombardement du port de Barcelone par l'aviation italienne, venue appuyer Franco ; ci-dessus, le départ des réfugiés pour la France (septembre 1936).

néennes d'Espagne. Entre-temps, les républicains avaient confié l'essentiel de leurs réserves d'or (environ 700 tonnes) à l'Union soviétique afin qu'elle leur procure du matériel. A l'initiative du Komintern furent constituées des brigades internationales de volontaires qui contribuèrent à arrêter l'offensive nationaliste sur le front de Madrid. Les États-Unis dépêchèrent la brigade Abraham-Lincoln, essentiellement composée d'intellectuels, de socialistes et de communistes qui menaient un combat acharné en faveur du prolétariat.

Dès le départ, les républicains étaient en position de faiblesse ; ne fût-ce que sur le plan militaire, ils se trouvaient à un contre dix, pour les effectifs comme pour le matériel, disparate et obsolète. Plus grave, ils manquaient d'unité : en 1937 se déroula une véritable guerre civile dans la guerre civile, opposant les communistes staliniens du PCE (Parti communiste espagnol), les trotskystes du POUM (Partido obrero de unificación marxista), dénoncés par les premiers comme « alliés objectifs du franquisme », et les anarchistes qui avaient pris pour leur propre compte le contrôle des provinces de Valence et d'Aragon. Ces luttes fratricides, où la NKVD (les services secrets de la police soviétique) joua un rôle essentiel, firent des milliers de victimes et eurent des conséquences désastreuses dans les opinions publiques.

Sur le terrain, le tournant de la guerre fut la prise de Teruel par les républicains à Noël 1937,

blicains capturés par les nationalistes furent exécutés sommairement et des dizaines de milliers d'autres furent emprisonnés et torturés.

Les véritables héros de la guerre civile furent les intellectuels qui défendirent la IIᵉ République. Le premier d'entre eux fut le grand poète andalou Federico García Lorca, fusillé par les franquistes en 1936 pour avoir signé un document prorépublicain. De nombreux écrivains furent condamnés à l'exil, comme Rafael Alberti, Jorge Guillén et Luis Cernuda. En peignant *Guernica*, saisissant tableau inspiré du bombardement d'une petite ville basque par une escadrille allemande, Pablo Picasso réussit à mobiliser un grand nombre d'artistes et d'intellectuels contre Franco. Le composi-

suivie par une contre-offensive nationaliste. Fin février 1938, les républicains, écrasés, avaient perdu 15 000 hommes sans compter 7 000 prisonniers, et une énorme quantité de matériel. Dès le mois d'avril, les forces nationalistes étaient parvenues à couper en deux l'Espagne républicaine ; l'issue de la guerre ne faisait plus de doutes.

Le glas des républicains sonna avec l'entrée des forces de Franco à Barcelone, au début de l'année 1939, après un long siège. Les 250 000 républicains qui restaient furent forcés de se retirer et de gagner la France en passant par les Pyrénées, dans le froid et la neige. Le 1ᵉʳ avril 1939, Franco entra dans Madrid ; la guerre civile était terminée. Elle avait fait 600 000 morts ; 400 000 Espagnols s'étaient réfugiés en France, des milliers de répu-

teur Manuel de Falla mourut en exil et le violoncelliste Pablo Casals refusa de se produire en Espagne tant que Franco serait vivant.

L'Espagne pendant la Seconde Guerre mondiale

Lors du déclenchement du conflit mondial, Franco se retrouva dans une position ambiguë. D'une part, la France et la Grande-Bretagne avaient reconnu son gouvernement dès le 27 janvier 1939. D'autre part, sa dette idéologique et financière à l'égard des puissances de l'Axe était immense. Quand Hitler refusa de lui céder, comme il le souhaitait, le Maroc, la Tunisie et l'Algérie, il opta tout simplement pour la non-intervention. D'une

main, il accorda des gages à la cause antibolche-
vique, en dépêchant 17 000 volontaires, la légion
Azul, pour combattre l'Union Soviétique aux
côtés des Allemands. De l'autre, il permit aux juifs
qui fuyaient la France occupée de gagner
l'Afrique du nord. Cependant, il fut puissamment
aidé dans sa politique de neutralité par une Allemagne peu désireuse de voir le front atlantique se
développer au sud de la France.

L'ÈRE FRANQUISTE

A la fin de la Seconde Guerre mondiale, les Alliés
empêchèrent l'Espagne d'entrer aux Nations
unies et à l'OTAN, et l'exclurent du plan Marshall.
Totalement isolée, frappée de blocus économique,
l'Espagne ne put survivre que grâce aux cargai-
sons de viande et de céréales envoyées par l'Argentine. Lors du référendum de 1947, les Espagnols votèrent sans illusion en faveur d'une
monarchie catholique, en sachant que Franco res-
terait à vie à la tête de l'État.

En 1953, deux accords importants furent signés,
qui allaient marquer un certain rapprochement de
l'Espagne avec le monde extérieur. Le gouvernement Truman, s'inquiétant des visées soviétiques
en Europe et en Afrique du Nord, signa avec l'Espagne un traité concédant aux Américains des
bases militaires dans la péninsule en échange
d'une aide de 226 millions de dollars. Le second
accord fut un concordat signé avec le pape. Le
catholicisme fut reconnu seule et unique religion
de l'Espagne ; l'Église obtint le soutien financier
de l'État et le droit de contrôler l'éducation, et les
biens du clergé furent exemptés d'impôts. Selon le
concordat, la nomination de tous les prélats devait
être ratifiée par le pape et par Franco.

En 1955, l'Espagne fut admise aux Nations unies
et son isolement prit fin. Dès lors, la situation économique commença à s'améliorer, surtout grâce au
tourisme. Franco profita de l'afflux de devises
pour revitaliser l'industrie et lancer un vaste programme de travaux : développement du réseau
routier, construction de centrales hydro-élec-
triques et irrigation des plaines du Centre. La
Sécurité sociale fut généralisée et les soins médi-
caux gratuits accordés aux indigents. L'éducation
fut laïcisée et des milliers d'Espagnols eurent accès
aux universités. Une grande bourgeoisie très puissante se développa. Grâce à l'argent envoyé par les
nombreux Espagnols travaillant à l'étranger – plus
d'un million –, l'Espagne continua de prospérer.

*A gauche, le général et Mme Franco accueillent le pré-
sident Eisenhower à Madrid ; à droite, le 20 novembre
1975, l'annonce de la mort de Franco.*

L'essor économique s'accompagna d'une certaine libéralisation. Désireuse d'être admise au
sein du Marché commun, l'Espagne adopta en
1966 une loi sur la liberté religieuse, qui atténuait
l'emprise de l'Église catholique et, en 1968, une loi
sur la presse, qui relâchait quelque peu la censure.
En 1969, Juan Carlos, petit-fils d'Alphonse XIII,
était proclamé héritier du trône d'Espagne.

QUARANTE ANS DE POUVOIR

Les presque quarante années de franquisme furent
caractérisées par la prééminence d'un ordre moral
lié à des valeurs traditionnelles. Les manifestations
– parfois violentes – des autonomistes basques et

catalans étaient écrasées par la force. La plupart
des artistes et des intellectuels vivant en Espagne
furent obligés de rester à l'écart de la vie politique.
Jusqu'à sa mort, Franco bénéficia de l'appui incon-
ditionnel de l'Église, de l'armée et de la Phalange.
Mais, à mesure que le niveau de vie s'élevait nais-
sait une bourgeoisie plus libérale, réceptive au
changement et qui, au contact des millions de touristes qui affluaient en Espagne, s'ouvrit spontanément aux idées et aux mentalités étrangères.

Le décès de Franco, le 20 novembre 1975, marqua la fin d'une époque. Il fut enterré dans la Vallée
de los Caídos, dans un énorme mausolée surmonté
d'une croix en ciment de 150 m de haut qui commémore les 600 000 morts de la guerre civile et
prétend symboliser la réconciliation nationale.

L'ESPAGNE CONTEMPORAINE

En l'espace de dix ans, l'Espagne a connu des transformations politiques et sociales que d'autres pays ont mis des décennies à réaliser. Dès la mort de Franco, les Espagnols ont pris leur avenir en main. Il y a eu, depuis, six élections législatives, en plus des élections régionales et municipales, des référendums à l'échelon national et d'autres concernant l'autonomie des régions. Avides de changement, les Espagnols ont franchi toutes ces étapes avec succès.

Le 22 novembre 1975, deux jours après la mort de Franco, le prince Juan Carlos fut couronné roi d'Espagne. Surnommé à tort « Juan Carlos le Bref » par Santiago Carrillo, ex-secrétaire général du parti communiste, le jeune roi avait été personnellement formé par Franco, et rares étaient ceux qui croyaient que l'héritier choisi par le *Caudillo* serait capable et désireux de faire passer le pays du système qui l'avait nourri à une démocratie qui promettait d'être turbulente.

Au cours des dernières années du régime franquiste étaient nés toutes sortes de partis d'opposition ; tout en demeurant dans l'illégalité, leurs chefs pressentaient que la fin de Franco était proche et que de nouvelles possibilités allaient bientôt s'offrir à eux. Parmi ces partis figuraient le parti communiste (PCE) – le plus important de tous –, les chrétiens-démocrates, les sociaux-démocrates, les libéraux, les maoïstes, les marxistes-léninistes et le parti socialiste (PSOE), lequel était resté dans l'ombre pendant plusieurs années mais avait resurgi au début des années 1970 avec le futur Premier ministre, Felipe González, et ses jeunes camarades de Séville.

Il y avait aussi des partis de droite fidèles aux idées de Franco, ainsi que des partis conservateurs, telle l'Alliance populaire (AP) dirigée par Manuel Fraga Iribarne, ancien membre du cabinet de Franco, qui avaient compris qu'il leur faudrait désormais s'adapter au nouveau système.

La première tâche du roi fut d'assurer une certaine stabilité politique dans un pays qui connaissait une inflation de près de 30 %, un pays dont les forces armées venaient d'être privées de leur chef, dont les prisons renfermaient encore des détenus politiques et où il n'existait pour ainsi dire pas d'institutions aptes à servir de véhicule aux transformations nécessaires.

A gauche, l'Exposition universelle de Séville a accueilli le monde entier en 1992 ; à droite, manifestation d'indépendantistes catalans à Gérone en 1988.

Trois semaines après être monté sur le trône, Juan Carlos demanda à Carlos Arias Navarro, dernier Premier ministre de Franco, de former un nouveau gouvernement. Arias resta en fonction jusqu'en juillet 1976. Ensuite, à la surprise générale, le roi nomma comme Premier ministre Adolfo Suárez, l'ancien chef de la Phalange. On peut dire que Juan Carlos, Adolfo Suárez et Santiago Carrillo ont accompli à eux trois la transition politique de l'Espagne avec succès.

LE RETOUR DE LA DÉMOCRATIE

En décembre 1976, les Espagnols participèrent au premier vote démocratique depuis la fin de la

guerre civile, en 1939. Le référendum de la « Réforme politique », qui fut approuvé à une écrasante majorité, amorça les premières élections législatives du post-franquisme en juin 1977.

Mais avant tout, il fallait légaliser les partis politiques. A l'initiative d'Adolfo Suárez, l'un des premiers bénéficiaires de cette mesure fut le PCE. En signe de protestation, le ministre de la Marine donna sa démission et pour la première fois, mais non la dernière, les militaires menacèrent de reprendre le pouvoir. Suárez était Premier ministre, mais il n'appartenait à aucun parti qui pût asseoir son pouvoir. Il créa donc l'Union du centre-démocrate (UCD), qui regroupait divers partis centristes et remporta 27 % des sièges aux élections du 15 juin 1977.

Grâce au Parlement élu démocratiquement, les représentants de tous les partis en présence allaient enfin pouvoir travailler à la nouvelle Constitution espagnole. Le 2 décembre 1978, les électeurs espagnols l'approuvèrent après qu'elle eut été acceptée par le Parlement. Il y eut tout de même 33 % d'abstentions et, au Pays basque, les votes négatifs et les abstentions dépassèrent nettement les votes positifs. Par ce rejet, le nord de l'Espagne réaffirmait son désir d'autonomie.

Une fois la Constitution entérinée, le Parlement fut dissous et de nouvelles élections législatives eurent lieu ; les résultats furent similaires à ceux de 1977, mais cette fois l'UCD donnait des signes de fatigue et de dissensions internes.

L'évolution de l'armée au cours de ces années de post-franquisme rendait cette tentative de coup de force parfaitement prévisible. Depuis 1977, en effet, plusieurs complots avaient été déjoués, notamment la « conspiration Galaxie » – d'après le nom du restaurant où ses instigateurs avaient coutume de se retrouver – organisée par l'un des officiers responsables de la tempête qui allait secouer le Parlement.

Environ six heures après le début de l'opération, Juan Carlos prit la parole à la télévision et ordonna aux insurgés de se rendre. C'est effectivement ce qu'ils firent douze heures plus tard, mettant ainsi fin à une longue nuit de crainte et de doute pour le peuple espagnol.

T<small>ENTATIVE DE COUP D'</small>É<small>TAT</small>

Finalement, en janvier 1981, Aldolfo Suárez abandonna simultanément ses fonctions de chef de parti et de Premier ministre. Mais avant que Leopoldo Calvo Sotelo ne prenne ses fonctions, un événement grave allait secouer le pays.

Le 23 février 1981, alors même que le vote d'investiture du nouveau Premier ministre était en cours au Parlement, un groupe de plus de trois cents gardes civils et de militaires avec, à leur tête, le lieutenant-colonel Antonio Tejero Molina, fit irruption dans l'hémicycle pour tenter un coup d'État. Dans le même temps, un général déclara l'état d'urgence à Valence, et des chars d'assaut se mirent à quadriller les rues de la ville.

L'investiture de Calvo Sotelo eut lieu le 25 février ; deux jours après, un million d'Espagnols défilaient dans les rues de Madrid pour manifester leur soutien à la jeune démocratie. Pour la première fois – et peut-être la dernière – les chefs de tous les partis politiques marchaient la main dans la main.

Malgré son échec, le coup d'État du 23 février 1981 était le signe indiscutable que les militaires n'étaient pas prêts à lâcher les rênes. Comme les instigateurs du *pronunciamiento* s'étaient vu infliger des peines relativement légères, il n'est pas étonnant qu'une autre conspiration ait eu lieu en juillet de la même année, et une troisième encore avant les élections de 1982. Signe qui ne trompait pas, la télévision espagnole des années 1980 accordait une large place aux retransmissions de cérémonies et de défilés miliaires. Sous le masque du respect pour l'institution se cachait mal la nervosité du pouvoir civil à l'égard des anciens maîtres du pays.

L'UCD, fondamentalement instable, revint au pouvoir mais ses jours étaient comptés. En octobre 1982, le PSOE l'emporta à la majorité absolue. C'était la première fois depuis 1936 que les socialistes étaient au gouvernement et la première fois de tous les temps qu'un gouvernement entièrement socialiste était à la tête de l'Espagne. Au cours de ces mêmes élections, l'UCD fut pratiquement réduite à néant, passant de 168 à 12 sièges au Parlement. A l'inverse, la Coalition populaire des conservateurs passait de 9 à 106 sièges. Le système bipartite actuel était en train de prendre forme.

Quatre ans plus tard, le même schéma se reproduisit : le 22 juin 1986, le PSOE conservait le pouvoir pour quatre ans encore, tandis que les conservateurs gardaient le même nombre de sièges.

Au début, Juan Carlos fut rejeté par bon nombre d'Espagnols anti-franquistes, lesquels ne voyaient en lui que le successeur du Caudillo. Ils voulaient revenir au système républicain qui avait été aboli si violemment par la guerre civile et exigeaient une purge de grande envergure dans la police, les forces armées et le système judiciaire.

Rien de tel n'arriva, et tous ceux qui réclamaient la rupture à cor et à cri finirent par accepter une réforme plus lente et plus douce quand ils constatèrent que le roi était sincère en affirmant qu'il ferait tout pour être le roi de « tous les Espagnols ». La gauche et la droite adoptèrent dès lors une position plus modérée, garantissant par là même la stabilité de la nouvelle démocratie.

L'Espagne rejoint l'Europe

A partir de 1975, l'une des tâches les plus importantes du gouvernement espagnol fut d'intégrer l'Espagne à la communauté internationale. Après la guerre civile, en effet, presque tous les pays du monde avaient interrompu leurs relations diplomatiques avec l'Espagne. La visite du président Eisenhower, en 1953, avait eu pour effet d'accorder au régime de Franco une aide militaire et financière, permettant au pays de renouer avec l'expansion économique, mais l'Espagne, considérée comme la dernière dictature fasciste avec le Portugal voisin, restait au ban des nations.

A gauche, en février 1981, une bande armée conduite par le lieutenant-colonel Antonio Tejero Molina interrompt une session parlementaire ; à droite, le roi Juan Carlos.

Immédiatement après la mort de Franco, les relations diplomatiques reprirent avec la plupart des pays. Les ambassades des pays du bloc de l'Est s'installèrent en Espagne en 1977, et Israël fut enfin reconnu en janvier 1986 ; ce retard était dû à la politique traditionnellement pro-arabe de l'Espagne. Cette politique d'ouverture ne tarda pas à porter ses fruits : en 1975, un seul chef d'État, le Maltais Dom Mintoff, s'était rendu en visite officielle en Espagne. En 1989, le pays avait accueilli 29 chefs d'État étrangers.

La volonté de l'Espagne de s'intégrer à l'Europe s'exprima principalement dans la campagne intensive qu'elle entreprit pour faire partie de la Communauté économique européenne et de

l'OTAN. Pendant plus de vingt ans, l'Espagne avait tout tenté pour se faire admettre dans la CEE, mais ses violations flagrantes des principes démocratiques l'en avaient toujours empêchée.

Lorsque les gouvernements constitutionnels arrivèrent au pouvoir dès 1975, les négociations se multiplièrent et, le 1er janvier 1986, l'Espagne put enfin adhérer à la CEE, dont elle devint membre à part entière en 1992.

L'histoire de l'entrée de l'Espagne à l'OTAN est plus compliquée. Malgré l'opposition des socialistes, le pays fut admis au sein de l'Alliance atlantique en 1981, sous le gouvernement de Calvo Sotelo. Quand le parti socialiste accéda au pouvoir l'année suivante, il promit d'organiser un référendum au sujet du maintien de l'Espagne au sein de l'OTAN. Néanmoins, le Premier ministre Felipe González et son gouvernement se rallièrent peu à peu aux vertus de l'Alliance atlantique. Après quatre ans d'atermoiements, le référendum eut lieu en mars 1986. Malgré une importante campagne anti-OTAN menée par les mouvements pacifistes, le maintien de l'Espagne dans l'OTAN fut finalement approuvé par 52 % des électeurs.

LA CRISE ÉCONOMIQUE

Tout en essayant de retrouver son équilibre politique, l'Espagne dut également affronter la crise économique. Quand la récession se fit sentir au début des années 1970, les autres pays européens

reprises dans l'expérience démocratique – en 1931 et en 1976 –, et chaque fois en pleine crise économique mondiale.

Aujourd'hui encore, un des plus graves problèmes que la société espagnole ait à résoudre est le chômage. En 1986, il y avait 3 millions de chômeurs, c'est-à-dire 22 % de la population active, dont un tiers à peine percevait une aide de l'État. Dans la plupart des pays, ce chiffre alarmant aurait entraîné un véritable chaos social. L'Espagne en a réchappé, grâce à la remarquable solidité des structures familiales et au fait que l'économie parallèle représente, selon des estimations, l'équivalent de 20 % du PNB. De plus, l'analyse des chiffres montrait que si le chômage touchait

se trouvaient en bien meilleure posture pour y résister.

L'Espagne, pour sa part, était handicapée par les nationalisations pratiquées sous Franco, et une économie marquée par le protectionnisme, le paternalisme et l'archaïsme d'une grande partie des équipements. La structure économique espagnole manquait avant tout de souplesse et le plan d'action entrepris après la mort de Franco pour lui faire rattraper son retard ne fit qu'exacerber ses problèmes internes à court terme. Les mesures protectionnistes furent supprimées, mais les affaires en pâtirent. Au début des années 1980, la restructuration des industries entraîna la suppression de plus de 65 000 emplois. Curieusement, au cours du xxᵉ siècle, l'Espagne s'est lancée à deux

effectivement de plein fouet les femmes et les jeunes, il concernait moins de 8 % des chefs de famille, ce qui en amortissait les conséquences.

Il semble aujourd'hui que le pire de la crise soit passé. En douze ans, le redressement économique du pays est net : en 1998, le taux de chômage était retombé à 17 % de la population active, avec 2,7 millions de sans-emploi, et la croissance atteignait le taux record de 3,8 %, un des plus élevés de la CEE. En trois ans, l'Espagne a créé autant d'emplois à elle seule que tous les autres pays de l'Union européenne réunis. Si le PIB par habitant reste nettement inférieur à celui de la France (14 350 dollars contre 26 270 dollars en 1998), le rattrapage est en vue, et le « miracle espagnol » fonctionne toujours.

AUTONOMIE RÉGIONALE

L'un des traits les plus frappants de la démocratie espagnole est la structure autonome des régions. Contrairement à la centralisation toute-puissante que Franco avait instaurée, le nouveau régime a défini un système fédéral comprenant dix-sept « régions autonomes », avec leurs propres corps gouvernemental et législatif, leur propre juridiction dans le domaine des services sociaux, du logement, de la santé, de l'agriculture, de la culture, de l'urbanisme, et même de la police dans le cas du Pays basque.

Alors que Franco et l'armée étaient de fervents partisans de la centralisation, les anti-franquistes sont encore parlées en plus – voire à la place – du castillan officiel. L'une des revendications majeures du mouvement autonomiste des années 1970 portait précisément sur le statut des langues.

Le Pays basque est de loin le plus connu pour ses sentiments séparatistes. Ceux-ci se manifestent ouvertement à travers l'organisation séparatiste ETA (*Euskadi Ta Askatasuna*, « Pour la patrie et la liberté des Basques ») et divers groupes armés qui se sont créés au début des années 1960. En raison de la répression particulièrement sévère du régime de Franco à l'encontre des provinces basques, la lutte anti-franquiste a toujours été étroitement liée au nationalisme basque. La pratique des interrogatoires musclés dans les commis-

croyaient aux vertus du fédéralisme. Cependant, l'implantation du fédéralisme ne se fit pas sans heurts, en raison de la réticence des fonctionnaires et des différences inhérentes à chaque région. Si certaines provinces ne sont pas clairement définies en termes de particularités régionales ou politiques, d'autres, comme le Pays basque, la Catalogne et la Galice, sont considérées comme des « nationalités historiques » et, sauf sous Franco, ont toujours bénéficié d'un certain degré d'autonomie, voire d'indépendance, depuis l'unification de l'Espagne au XVIᵉ siècle. Les langues locales y

A gauche, manifestation pour la liberté d'expression en 1981 ; ci-dessus, session du Parlement basque.

sariats basques, le soutien apparemment solide de l'électorat en faveur de Herri Batasuna, l'aile politique légale de l'ETA, qui recueille environ 20 % des votes à chaque élection, enfin l'incapacité du gouvernement à trouver une solution politique satisfaisante contre le terrorisme sont autant de facteurs qui ont contribué à faire du séparatisme basque le problème le plus épineux de l'Espagne, plus délicat encore que celui du chômage.

La gravité de la situation tient aux relations très particulières que l'État entretient avec les militaires. L'unité de la patrie avant toute chose était le credo de l'armée de Franco et il continua d'en être de même bien longtemps après que le *generalísimo* fut dans la tombe. Ainsi, certains militaires impliqués dans les tentatives de coup d'État furent mutés au Pays basque, sous prétexte de surveiller la frontière franco-espagnole. Conséquence ou coïncidence, c'est dans ces années-là que se développa la « guerre sale » entre l'ETA et les groupes de lutte anti terroriste du GAL, responsables de plusieurs dizaines de meurtres et d'actes de torture. De son côté, l'ETA a multiplié les actions spectaculaires : assassinats d'un général en 1994, puis d'un leader du Parti populaire en 1995, suivis d'une tentative d'attentat contre Juan Carlos la même année... En 1997, l'enlèvement et l'assassinat d'un conseiller municipal suscitèrent une réprobation unanime : 6 millions d'Espagnols descendirent dans la rue manifester leur colère. L'assassinat d'un autre membre du Parti populaire

en 1998 provoqua à nouveau l'indignation générale. Depuis, l'ETA a décrété une trêve et des négociations discrètes ont lieu avec le gouvernement de Madrid. Mais la paix demeure fragile, d'autant plus que certaines revendications considérées comme essentielles par les indépendantistes, comme le regroupement au Pays basque des détenus basques membres de l'ETA, les *Etarras,* considérés comme prisonniers politiques, restent pour le moment insatisfaites.

UNE ÉVOLUTION RAPIDE

Quiconque a connu l'Espagne à l'époque de Franco a bien du mal à la reconnaître aujourd'hui ; à l'inverse, le visiteur qui découvre le pays aura de la peine à imaginer qu'il y a seulement quelques décennies, la scène culturelle et intellectuelle était encore contrôlée par une censure rigoureuse ; la liberté de la presse n'existait pas ; superstitions et lieux communs tenaient lieu de savoir à la majorité de la population ; la liberté individuelle ou la licence sexuelle étaient envisagées avec la plus grande méfiance.

Le bouleversement rapide de la situation politique s'est reflété, de manière plus sensible encore, dans les aspects les plus divers de la vie quotidienne des Espagnols. Et tandis que certains secteurs se transformaient à l'issue d'un long combat politique, d'autres évoluaient d'eux-mêmes. Qu'il s'agisse de l'école, de l'Église, de la famille, de la culture, des services sociaux, tout a ainsi profondément changé.

A l'époque de Franco, l'influence de l'Église catholique et la nature conservatrice du régime laissaient peu de place à la souplesse au sein de la famille et des relations personnelles. Le divorce, la contraception, l'avortement, l'homosexualité et l'adultère étaient illégaux. Ce qui n'empêchait pas les couches supérieures de la population d'échapper à ce carcan moral.

Au fur et à mesure que les gouvernements centristes et socialistes abolissaient certaines lois, parmi les plus archaïques, le comportement social commença à s'aligner sur celui des autres pays européens. Le mouvement des femmes débuta en décembre 1975 et ses premières campagnes portèrent sur la libéralisation de la contraception, du divorce et de l'avortement. En 1985, l'avortement fut légalisé, mais la loi adoptée alors apparaît inadaptée. Ainsi, durant la première année de son application, 200 femmes seulement purent bénéficier d'une IVG légale, tandis que, selon les estimations, 90 000 autres durent recourir à l'avortement clandestin.

Ayant moins d'enfants, les femmes commencèrent tout naturellement à entrer dans le monde du travail, quoique à un degré moindre que dans les autres pays de l'OCDE. Cela est dû, en partie, au taux de chômage très élevé, mais aussi aux habitudes qui ont cours en Espagne. Il n'existe pas, en effet, de loi garantissant à la femme espagnole un salaire égal pour un travail égal, et la discrimination des femmes dans le travail reste encore bien réelle. Toutefois, le fameux machisme espagnol est en perte de vitesse : comme un peu partout désormais, les pères s'impliquent de plus en plus dans l'éducation des enfants, les jeunes couples se partagent les tâches ménagères, et plus personne ne fronce les sourcils quand une femme entreprend de devenir médecin, journaliste ou avocate – voire députée ou ministre.

LE RECUL DE L'ÉGLISE

Malgré les nouvelles lois de réforme, le système éducatif espagnol se révéla incapable de répondre aux besoins de la nouvelle société espagnole ; dans une certaine mesure, il accuse toujours un certain retard. L'engouement pour les cours privés de langues en est une preuve flagrante. Du temps de Franco, l'enseignement des langues étrangères avait été très négligé mais, étant donné l'isolement politique du pays à cette époque, les Espagnols n'avaient pas vraiment besoin de parler une autre langue que le castillan (d'autant plus que les autres langues du pays étaient alors interdites). Avec l'entrée de l'Espagne dans le Marché commun, la hausse du niveau de vie qui a favorisé les voyages à l'étranger, et l'afflux considérable des sociétés étrangères sur le territoire espagnol, nombreux furent ceux qui se lancèrent dans l'étude des langues, en particulier de l'anglais. Face à cette ruée, les écoles et les universités ont vite été débordées et sont encore mal équipées pour répondre à une demande massive.

Par crainte de perdre son emprise sur l'un des secteurs clefs de la société espagnole. l'Église s'est longtemps opposée à certaines innovations au sein du système éducatif. En raison du soutien qu'elle avait apporté au régime de Franco, l'Église fut bien évidemment considérée comme le bastion du conservatisme, exception faite de Madrid, où il existait une tradition de « prêtres ouvriers », et du Pays basque, où les séparatistes avaient toujours trouvé un appui efficace auprès du clergé.

Après avoir perdu de nombreuses batailles dans le domaine de l'éducation, de la contraception, de l'avortement et du divorce, l'Église s'est vu priver d'une partie des privilèges accordés du temps de Franco, telles les subventions de l'État et l'exemption d'impôts. Par ailleurs, le nombre de vocations a chuté de façon vertigineuse et le nombre de pratiquants également. L'affaiblissement du rôle de l'Église est apparu clairement lors de l'élaboration de la Constitution de 1978 ; les archevêques du pays durent se battre farouchement pour que l'Église y fût mentionnée. Elle le fut finalement, mais en des termes pour le moins équivoques : « *Les autorités devront tenir compte des croyances religieuses du peuple espagnol et des relations de coopération avec l'Église catholique et les autres cultes.* » Un autre signe indiscutable de la perte d'influence de l'Église a été, en 1996, le refus catégorique du nouveau chef du gouvernement, José

A gauche, l'ancien Premier ministre socialiste Felipe González avant sa deuxième victoire électorale en 1986 ; à droite, vision d'avenir à l'Expo'92 de Séville.

María Aznar, pourtant ouvertement catholique et président d'un parti qui réunit les héritiers du franquisme, de remettre en question la libéralisation de l'avortement.

L'ART ET LES MÉDIAS

S'il fallait préparer la jeunesse espagnole à affronter les défis de la société moderne par le biais de l'école, les adultes avaient grandement besoin, eux aussi, de s'adapter à l'évolution des mentalités. Ce sont les médias qui le leur permirent.

En Espagne, les tendances politiques des principaux quotidiens nationaux vont de l'extrême droite au centre gauche, l'un d'eux, *El País,* sor-

tant très nettement du rang. Publié pour la première fois le 4 mai 1976, *El País,* à l'avant-garde du combat pour la démocratie, est devenu depuis lors le support de référence du débat politique, à tel point qu'on l'a parfois accusé d'être le porte-parole du parti socialiste. Il n'a pourtant pas été le dernier à dénoncer les scandales qui ont entaché les dernières années du gouvernement González – sous la pression, disent certains, de son principal concurrent *El Mundo,* qui soutenait le Partido Popular (parti de centre droit) et son candidat, José María Aznar, vainqueur des élections législatives de 1996.

Cependant, dans le domaine de l'information, ce sont les radios et les télévisions qui, plus que la presse écrite, ont la faveur des Espagnols. Depuis le début des années 1980, les stations et les chaînes privées, désormais autorisées, se sont multipliées, assurant une meilleure pluralité de l'information et donnant la parole aux régions autonomes du Pays basque, de Galice, de Catalogne et d'Andalousie.

Après avoir été étouffée pendant longtemps, la presse écrite et parlée a donc refleuri au cours des dernières années. On ne peut pas en dire autant de la littérature et du théâtre, tantôt durement réprimés, tantôt largement manipulés sous Franco, et où l'émergence d'une nouvelle génération d'auteurs se fait attendre. A l'exception peut-être d'Arturo Pérez Reverte, aucun des jeunes talents actuels n'a encore atteint le prestige d'un Camilo

José Cela, prix Nobel de littérature 1989, qui ouvrit la voie au nouveau roman espagnol dès 1942 avec *La Famille de Pascal Duarte* – ouvrage qui fut alors immédiatement saisi.

Le renouveau du cinéma espagnol est plus spectaculaire. Les films espagnols ont commencé à intéresser la critique internationale à la fin des années 1970. Le ministère de la Culture, créé en 1977, subventionne les œuvres cinématographiques qui font preuve de valeur artistique et encourage les jeunes metteurs en scène tout en essayant d'aider les anciens, censurés sous Franco, à retravailler. Aujourd'hui, les films espagnols sont régulièrement primés et des réalisateurs comme Carlos Saura, Bigas Lunas et Pedro Almodóvar ont acquis une renommée internationale.

Madrid s'est découvert une vocation de capitale culturelle au début des années 1980. Dans le passé, on pouvait s'estimer heureux d'assister à un événement culturel par an ; aujourd'hui, les manifestations artistiques sont si nombreuses qu'on a l'embarras du choix. Phénomène de mode il y a quelques années, la culture fait désormais partie intégrante de la vie espagnole, et les musées ne désemplissent pas ; depuis 1983, l'entrée en est gratuite pour les Espagnols.

1992, L'ANNÉE DÉCISIVE

1992 a été l'année de tous les succès pour l'Espagne. La première Exposition universelle depuis plus de vingt ans fut inaugurée au mois d'avril à Séville. L'ouverture des Jeux olympiques de Barcelone eut lieu en juillet. Et, durant toute l'année, des festivités marquèrent la désignation de Madrid comme capitale culturelle de l'Union européenne.

1992 marquait aussi le cinquième centenaire de la découverte de l'Amérique par Christophe Colomb. De façon symbolique, l'Expo'92 de Séville, organisée sur le thème de « L'ère des découvertes », ouvrit ses portes le 20 avril, cinq cents ans jour pour jour après le départ de l'expédition de Colomb, pour se refermer le 12 octobre, date anniversaire de son débarquement. Elle attira des millions de visiteurs au parc de la Cartuja, aménagé sur une île du Guadalquivir. Le site est aujourd'hui devenu un parc scientifique et technologique et un espace culturel où se déroulent concerts et représentations théâtrales.

Si le projet de transformer l'Andalousie en une nouvelle Californie se révéla un peu trop ambitieux, l'Expo'92 insuffla une énergie nouvelle à une ville qui connaissait de graves problèmes économiques. Ce fut l'occasion de multiplier les nouvelles infrastructures, comme la restructuration de la gare principale, l'extension de l'aéroport et la construction de plusieurs ponts sur le Guadalquivir. Séville, jusqu'alors la ville la plus enclavée du pays, est devenue l'une des plus accessibles. Elle est désormais au centre d'un réseau autoroutier vers Madrid et les principales villes d'Andalousie. Elle est également reliée à la capitale par un train à grande vitesse, l'AVE (jeu de mots entre *ave*, « oiseau », et les initiales de *alta velocidad*, « grande vitesse »). Cet équivalent du TGV français est significatif de la volonté de l'Espagne de s'ancrer durablement à l'Europe : il circule en effet sur des voies à écartement européen, et non plus sur les voies larges qui isolent encore les réseaux espagnols (et portugais), en obligeant à de longs et coûteux transbordements à la frontière française.

Il est prévu de prolonger le réseau AVE par une ligne Madrid-Barcelone, puis par une liaison nouvelle vers la France, avec un long tunnel sous le col du Perthus, afin de le connecter au TGV français. Cet ambitieux projet devrait permettre, à moyen terme, de relier Madrid à toutes les autres capitales européennes par trains directs.

Madrid et Barcelone ont également bénéficié directement des événements de 1992. Si les 1 800 manifestations organisées dans le cadre du festival « Madrid, capitale de la culture » appartiennent désormais au passé, l'impact sur l'aménagement de la ville reste évident. A cette occasion, tous les musées ont été réaménagés. Le palais de Linares, entièrement restauré, est devenu le centre culturel d'Amérique latine. La collection Thyssen-Bornemisza (près de 800 tableaux, du XIIIᵉ siècle au début du XXᵉ siècle) a définitivement trouvé place dans le palais de Villahermosa, dont les 18 000 m² ont été totalement restructurés pour la circonstance. Et la gare principale d'Atocha, rénovée pour accueillir l'AVE, a vu son hall central Arts déco transformé en forêt tropicale.

Mais c'est à Barcelone que les transformations ont été les plus radicales. La ville a saisi l'occasion des Jeux olympiques pour se lancer dans un ambitieux programme de rénovation urbaine. Les principaux objectifs en étaient la réouverture de la cité vers la mer, l'élimination des taudis et la réhabilitation des friches industrielles portuaires, réaménagées en plages. Tous ces projets ont été réalisés, ainsi que l'extension et la modernisation de l'aéroport, la construction d'un nouveau périphérique, l'installation d'un réseau de télécommunications ultra moderne et l'amélioration du réseau d'égouts.

Les équipements olympiques édifiés sur la colline de Montjuïc sont devenus une « université du sport ». D'autres travaux se sont poursuivis jusqu'en 1995 afin d'achever le nouveau complexe de loisirs de Port Vell. L'année suivante vit l'inauguration du musée d'Art contemporain, conçu par l'architecte américain Richard Meier.

Quelques années plus tard, Bilbao s'est à son tour lancé dans un vaste projet de revitalisation urbaine, dont le détonateur aura été l'implantation du musée Guggenheim. Surnommée « le Manchester ibérique », cette ville d'un million d'habitants connaissait les mêmes problèmes économiques que son homologue britannique : crise de la sidérurgie et de la construction navale, ralentissement de l'activité portuaire et par conséquent

hausse vertigineuse du chômage. Deux ans après l'ouverture du Guggenheim en 1997, les premiers bilans économiques sont éloquents : 2 millions de visiteurs, 4 000 créations d'emplois indirects, doublement de la clientèle hôtelière, injection de l'équivalent de 1,2 milliard de francs dans l'économie locale... Bilbao y a aussi gagné une image de ville innovante, capable d'attirer autant le tourisme international que de nouvelles entreprises.

« L'ESPAGNE EST DIFFÉRENTE »

Dans les années 1960, quand l'Espagne tentait de devenir l'un des hauts lieux du tourisme international, le slogan de sa campagne de publicité était :

« L'Espagne est différente » ; on mettait alors l'accent sur les corridas, les joueurs de castagnettes et le flamenco – bref, sur les pires clichés, peut-être pour faire oublier le bétonnage systématique de la côte méditerranéenne. Cette devise racoleuse ne rendait guère justice à la formidable richesse de la culture espagnole.

Pourtant, l'Espagne est vraiment différente. Économiquement et politiquement : peu de pays auraient été capables d'accomplir de tels progrès en l'espace de vingt-cinq ans. La première chance de la démocratie espagnole avait été anéantie par la guerre civile ; Juan Carlos a su faire de la seconde un succès exemplaire. Et culturellement : passer les Pyrénées, c'est toujours découvrir un art de vivre profondément original.

A gauche, la cérémonie d'ouverture des Jeux olympiques de Barcelone en 1992 ; à droite, le musée Guggenheim de Bilbao, ouvert en 1997.

LA SOCIÉTÉ ESPAGNOLE

Quatre facteurs ont façonné les principaux traits du tempérament espagnol : la tradition de la noblesse, les influences des invasions, l'importance du régionalisme et... l'omniprésence du soleil. Ainsi, à première vue, l'essentiel de la vie sociale espagnole semble résider dans le bonheur communicatif de se mêler à la foule et l'une des principales raisons en est la chaleur du climat, qui permet aux habitants de rester dehors une grande partie de l'année et de profiter de la fraîcheur de la nuit après une journée torride.

HIDALGOS

Lorsque les chrétiens ont commencé à reconquérir les territoires occupés par les Maures, au début du Moyen Age, les rangs de l'aristocratie se sont mis à grossir rapidement. Cette prolifération s'explique par l'attribution massive du titre de *hidalgo*, abréviation de trois mots signifiant littéralement « fils de quelque chose » (*hijo de algo*). Ce terme est souvent lié au concept des *fueros*, privilèges royaux accordés autrefois aux paysans qui avaient reconquis leurs terres par la force des armes et avaient accédé à un certain degré d'indépendance vis-à-vis de la Couronne. En réalité, ce titre de petite noblesse fut souvent attribué comme récompense pour des exploits aussi variés que le fait d'avoir engendré sept fils d'affilée ou d'avoir contribué au développement de l'industrie (au XVIIIᵉ siècle).

A l'origine, les *hidalgos* devaient s'abstenir de tout travail pouvant interférer avec leurs fonctions guerrières. Et, une fois achevées les étapes de la Reconquête et de la colonisation de l'Amérique, les habitudes sociales s'étaient si fortement enracinées que la plupart ont continué à considérer le travail comme une tâche avilissante.

Les *hidalgos* ne s'estimaient dignes de travailler que dans des secteurs bien précis : armée, clergé et administration ; comme il n'y avait pas suffisamment de postes, des centaines de milliers d'entre eux furent réduits à la plus extrême pauvreté en vertu d'un code social qu'ils n'osaient renier. Pas question de s'abaisser à travailler pour le simple appât du gain : dans ses *Mémoires*, Casanova décrit ainsi sa visite à un cordonnier lors d'un voyage : l'homme s'excusa de ne pas pouvoir lui fabriquer de souliers, car il n'avait plus les moyens d'avoir un

Pages précédentes : « toros » d'Estrémadure ; l'Alhambra de Grenade. A gauche, moment de pause à Barcelone ; à droite, enfants de Capileira.

apprenti et son titre d'*hidalgo* lui interdisait de se baisser pour prendre les mesures d'un pied.

Le tempérament espagnol a aussi été fortement marqué par les nombreuses invasions. Il fut un temps où les chrétiens vivaient en bonne intelligence avec les colons étrangers ; cette cohabitation harmonieuse a permis un échange d'idées qui a laissé un formidable héritage culturel. Mais les rivalités ultérieures modifièrent rapidement les relations entre les divers groupes socioculturels, transformant les habitants en de farouches défenseurs de leurs propres mœurs et croyances.

Au fil de l'histoire, l'Espagnol est devenu plus circonspect. Retranché au sein du seul milieu auquel il pouvait se fier – sa famille, son village ou

sa région – il a appris, au gré d'événements souvent tragiques, à n'agrandir le cercle de ses alliés qu'en fonction de la taille de l'ennemi à combattre. Cet isolationnisme a donné naissance à un caractère arrogant, fortement individualiste mais qui, sous ces latitudes, n'a rien de péjoratif. De même, cet instinct grégaire qui pousse les gens hors de chez eux ne va pas à l'encontre de leur égocentrisme dans la mesure où, plus il y a de monde autour de soi, plus on est à même de se montrer. Mais si les signes de richesse sont souvent ostentatoires, la joie de vivre espagnole tient surtout à une assurance personnelle qui ne requiert aucun artifice et qui s'exprime principalement à travers la grandiloquence, la vivacité d'esprit, la courtoisie, la générosité et la fierté.

La vie en ville

Les bars et *tascas* (tavernes) sont les lieux de prédilection des Espagnols et la qualité de l'*ambiente* qui y règne, souvent assimilée au niveau sonore, est de la première importance ; en général, l'Espagnol fuit la tranquillité. Il est difficile de savoir qui fait le plus de bruit dans les cafés : les clients qui discutent à très haute voix, ou les serveurs qui s'interpellent en virevoltant avec leurs plateaux, à moins que ce ne soit la télévision dont le volume sonore est toujours au maximum.

Tout est prétexte à une conversation animée. L'Espagnol est prolixe de nature et manie les mots recherchés, voire rares, avec une aisance décon-

certante. On sent qu'il aime la sonorité de sa langue et qu'il prend un réel plaisir à en faire rouler, chanter ou claquer les mots. Une conversation banale peut facilement tourner à la performance littéraire, ponctuée de références et de citations.

Un peuple généreux

Les Espagnols consacrent un tiers de leurs revenus à l'alimentation, y compris boissons et tabac. Si les cigarettes américaines et les alcools étrangers bénéficient d'un grand prestige, les « fast-foods » et les pizzerias n'attirent qu'une faible partie de la population. La cuisine traditionnelle, riche et copieuse, reste fermement ancrée dans le mode de vie espagnol. Il n'est pas rare de voir une famille de

dix personnes aller au restaurant et choisir les meilleurs plats sans regarder à la dépense. La générosité est l'un des traits les plus frappants du tempérament espagnol. Si un touriste engage la conversation avec un autochtone, cela se terminera invariablement par une invitation, ne serait-ce qu'à l'apéritif. Dans le Sud, les patrons de café offrent si souvent la tournée qu'on en vient à se demander s'ils font des bénéfices. Dans la rue, l'Espagnol répond de bon cœur à toutes les sollicitations ; il n'hésitera pas à offrir une cigarette ou à faire l'aumône ; si un étranger demande son chemin, il l'accompagnera volontiers jusqu'à destination.

Les Espagnols consacrent une bonne part de leurs revenus à l'habillement. Les vêtements traditionnels, sombres ou d'un blanc immaculé, ont été relégués au placard. Dans les campagnes, seules les anciennes générations gardent le deuil plusieurs années après la mort d'un parent et sont vouées, par conséquent, à le garder toute leur vie, étant donné la taille des familles. Dans les villes, cette coutume a quasiment disparu.

Le régionalisme

On entend souvent dire que l'Espagne, en tant que nation, est une utopie issue des rêves et des ambitions des politiciens et des idéologues. Au fil du temps, tous les dirigeants qui se sont succédé à la tête de l'État se sont efforcés, par la force ou par le biais des alliances, d'en faire l'unification spirituelle et politique. A la fin de la guerre civile, Franco proclama l'Espagne « libre, grande et une » ; mais il s'appliqua à étouffer toutes les manifestations d'identité régionale, allant même jusqu'à interdire l'usage des langues et des dialectes locaux, ainsi que l'attribution de prénoms typiquement régionaux aux nouveau-nés.

De nos jours, le regain du régionalisme est tel qu'un Espagnol parlant le castillan devra se munir d'un dictionnaire et d'une bonne dose de patience s'il se rend en Catalogne, en Galice ou au Pays basque, où l'abandon de l'ancienne langue officielle a été fortement encouragé par les gouvernements régionaux.

L'Andalousie, éternellement chaude et ensoleillée, offre à l'étranger un panorama particulièrement pittoresque. Dans cette vaste région où l'influence arabe a été extrêmement forte, l'exaltation de la joie de vivre se marie souvent à l'expression d'un fatalisme tragique. Les visages parcheminés des paysans semblent refléter l'aridité du sol. Une corrida menée de main de maître est le symbole de la conception de l'existence qui règne ici : à la fois belle et cruelle. Les Andalous sont de loin le peuple d'Espagne le plus exubérant.

Les Galiciens sont tout le contraire. Retranché au fond des vallées verdoyantes et brumeuses du Nord-Ouest, ce peuple de pêcheurs, de fermiers et de bergers – dont certains se livrent parfois à la contrebande du tabac, facilitée par les nombreuses petites criques du littoral – se montre réservé, conservateur, et parle une langue proche du portugais. Réputés austères, les Galiciens sont souvent comparés aux Écossais ; comme eux, ils descendent des Celtes, jouent de la cornemuse et se sont expatriés en masse après de cruelles périodes de famine.

En remontant plus au nord-est, on entre dans le Pays basque (Euskadi) dont les habitants, travailleurs et bons vivants, revendiquent leur indépendance depuis la nuit des temps. Parmi eux,

ment que le pays leur appartient de droit divin. Après tout, ce peuple des plaines arides du Centre n'est-il pas à l'origine de l'unité de l'Espagne ?

Le régionalisme pur et dur s'est trouvé quelque peu tempéré par les vagues de migration successives, allant du Centre et du Sud vers les régions prospères du Nord et du littoral, et des zones rurales vers les grandes agglomérations. Aujourd'hui, les endroits les moins peuplés d'Europe ne sont qu'à une heure de route de Madrid.

LA FAMILLE

La famille espagnole est un vaste et chaleureux clan dans lequel la tolérance mutuelle et l'esprit

beaucoup descendent des Ibères, les tout premiers habitants de la péninsule. Leur langue, le basque ou *euskera*, n'offre aucune similitude avec les langues indo-européennes et ses origines restent mystérieuses.

Les Catalans, nourris de culture française pendant plusieurs siècles, partagent avec les Basques le désir ardent de rompre les liens qui les rattachent au reste du pays. Tandis que Basques et Catalans tendent à considérer tout ce qui se trouve au-delà des frontières de leur territoire comme de peu d'intérêt, les Castillans, pour leur part, esti-

A gauche, discussion tauromachique dans un bar de Pampelune lors des Sanfermines ; ci-dessus, jeunes femmes en costume traditionnel aragonais.

de solidarité sont de rigueur. Il suffit de se promener dans un jardin public pour constater qu'un Espagnol, quel que soit son âge ou sa condition, ne sera jamais un paria dans son propre cercle familial. Un jeune prêtera aimablement le bras à son grand-père tout en tenant un petit par la main, et rien – ni les difficultés, ni le chômage – n'empêchera jamais les enfants de jouer au soleil sous le regard attendri de trois générations réunies pour passer un bon moment.

Chacun défend farouchement l'honneur et les droits de sa famille et même de sa belle-famille. Les enfants espagnols sont des enfants-rois, certainement parmi les plus gâtés et les plus choyés du monde, mais ils n'en demeurent pas moins ouverts et aimables.

En ce qui concerne la sexualité, le changement le plus frappant s'est produit dans le cadre des relations avant le mariage. On ne parle plus que très rarement de fiançailles, ou *noviazgo*. Auparavant, deux jeunes gens de la classe moyenne souhaitant se marier restaient fiancés pendant une longue période (jusqu'à dix ans), durant laquelle chacun travaillait de son côté pour réunir l'argent nécessaire à l'établissement du ménage. Aujourd'hui, hommes et femmes changent de partenaires avec autant de liberté, avant de se décider à convoler ; la diminution du nombre des mariages – 271 347 en 1975 à la fin de l'époque franquiste, à peine la moitié aujourd'hui – en est un indice, tout comme l'augmentation de l'union libre.

Cette évolution est due en grande partie à l'émancipation des femmes, longtemps bloquée par le conservatisme de la période franquiste et le faible niveau de vie. Jusqu'en 1970, les femmes mariées devaient avoir l'autorisation écrite de leur mari pour pouvoir voyager, même à l'intérieur du pays, ou pour ouvrir un compte en banque à leur nom. Les Espagnoles sont désormais dégagées de ces contraintes. On estime à 400 000 le nombre de mères célibataires dans le pays ; 60 % des Espagnoles, mariées ou non, prennent des contraceptifs et le taux de fécondité est tombé à 1,3 enfants par femme. Mis à part une minorité attachée aux valeurs traditionnelles, il est surprenant de voir à quel point ce bouleversement des mœurs a été bien accepté.

LA RELIGION

Les plaisirs temporels et la foi spirituelle ne sont pas forcément incompatibles pour les Espagnols. Lors de manifestations religieuses, le vin coule à flots, les chants et les danses vont bon train. A Séville, le vendredi saint, quand l'immense char de la Vierge de Macarena transporté à dos d'homme commence à cheminer à travers les rues de la ville, dès les premières lueurs du jour, des milliers de voix s'écrient sur son passage : « *¡Guapa! ¡Guapa!* » (« Belle ! Belle ! »), la fanfare entonne un air joyeux, et la Vierge, malgré les larmes de diamant qui scintillent dans ses yeux, esquisse une petite danse guillerette. Il ne s'agit nullement d'un manque de respect, mais d'une familiarité de bon aloi.

A la messe, l'assistance se comporte avec une parfaite désinvolture. Les fidèles arrivent en retard, se saluent à voix haute et se rendent même à l'église en tenue légère dans les stations balnéaires. L'office ne dure que vingt minutes, mais la foule attend à peine que le prêtre ait donné sa bénédiction pour se ruer vers la sortie.

Malgré la simplicité des relations qu'ils entretiennent avec Dieu, les Espagnols sont nettement plus réservés à l'égard de l'institution religieuse. Pour beaucoup, l'Église est associée à un mode de vie austère et contraignant. A l'issue de la guerre civile, Franco avait fait siéger les évêques au Parlement et au conseil d'État, et placé des membres du clergé à la tête de l'éducation primaire et secondaire. Les plus de trente ans se rappellent encore les processions nocturnes interminables et la sévérité des pénitences imposées aux élèves. Le plus dur pour la génération de l'époque fut sans doute d'avoir à subir la pression de l'Église dans le domaine de la vie intime.

Le nombre des catholiques pratiquants a sensiblement baissé ; en 1985, il ne s'élevait qu'à 50 % de la population et 18 % seulement d'entre eux assistaient régulièrement à la messe.

LA NOUVELLE GÉNÉRATION

Situés au croisement de deux systèmes politiques et économiques, de deux cultures et de deux continents – l'Europe et l'Afrique –, les Espagnols sont sortis de la léthargie imposée par quarante ans d'isolement. L'homme de la rue, qui se sentait jadis inférieur, du fait d'appartenir à un pays politiquement archaïque et économiquement faible, est désormais heureux de faire partie intégrante de l'Union européenne et fier d'être citoyen d'un pays dynamique, qui a quasiment rattrapé ses voisins en moins de vingt-cinq ans.

LES GITANS D'ESPAGNE

Originaires du nord-ouest de l'Inde, les gitans émigrèrent en masse au VIIIe siècle, sans doute pour fuir les persécutions mongoles. A la tête de grands troupeaux de moutons et de chèvres, ils se sont lentement déplacés vers l'ouest via la Perse pour gagner l'Espagne au XVe siècle, apportant avec eux leur langue, le *caló*, et leurs lois.

A la veille du triomphe de la Reconquête, cette communauté méprisée et redoutée, soupçonnée de magie noire, fut une cible de choix pour les partisans de l'unification sociale, raciale et religieuse de l'Espagne. Alors que les juifs étaient sommés de choisir entre la conversion et l'exil dès 1492, en 1499, les « Égyptiens » reçurent des Rois Catholiques l'ordre de se sédentariser et de prendre un métier avant soixante jours, sous peine de recevoir des coups de fouet. En cas de récidive, il était prévu de leur couper les oreilles et de les condamner au bannissement. Nombre d'entre eux se réfugièrent alors dans les Alpujarras, comme les Morisques, et se joignirent à la rébellion de leurs compagnons d'infortune lors des guerres de Grenade (1568-1570). Plus tard, en 1633, le Pragmatique de Philippe II leur interdisait leur langue, leur costume, le commerce des chevaux, la possession d'armes, le mariage et la tenue de réunions publiques, et avait banni le mot « gitan » du vocabulaire, sous peine de travaux forcés à perpétuité. Même les lois de Charles III, en 1783, qui pourtant leur garantissaient l'égalité des droits de travail et de résidence, les punissaient en cas d'infraction par le marquage au fer rouge ou la peine de mort.

A la fin du XVIIIe siècle cependant, les persécutions cessèrent et les gitans firent souche, en particulier dans les faubourgs des villes (comme le quartier de Triana, à Séville) où ils devinrent forgerons, musiciens, diseurs de bonne aventure... Les mariages mixtes se multiplièrent, gitans et *payos* (non-gitans) purent vivre en bonne entente.

Aujourd'hui, les gitans sont au nombre de 800 000 environ en Espagne et, comme leur taux de natalité est le plus élevé d'Europe, ce chiffre devrait doubler dans les trente ans à venir. Plus du quart d'entre eux vivent en Andalousie. La plupart sont brocanteurs, ferrailleurs, cueilleurs de fruits, marchands forains, dresseurs de chevaux, bijoutiers, musiciens de flamenco ou vendeurs de fleurs. Leur niveau de vie est souvent très bas : une enquête récente a établi que le revenu mensuel moyen d'une famille de gitans andalous est de 35 000 pesetas (environ 1 400 francs). Certes, la Constitution protège désormais leurs droits, mais les *gitanos* vivent encore en marge de la société et connaissent des taux d'échec scolaire, de chômage et de délinquance particulièrement élevés.

S'ils taisent souvent leurs origines lorsqu'il travaillent à l'extérieur de leur communauté, les gitans sont fiers de leur culture. Quelques mots seulement de *caló* émaillent encore leur parler, mais ils restent très liés à leurs règles sociales, aux solidarités familiales, à l'autorité patriarcale. Les processions gitanes de la Semaine sainte sont parmi les plus ferventes d'Espagne du Sud, et certaines communautés gitanes, notamment celles de

Madrid, se sont converties en masse ces dernières années à l'Église évangélique.

Si certains gitans sont devenus des vedettes du flamenco ou de la tauromachie, comme Joaquín Cortes ou Curro Romero, la majorité subit le racisme au quotidien. Ils sont quasiment absents de l'histoire, de la littérature et de l'art espagnols – Carmen est née de l'imagination de Prosper Mérimée. Mais les *payos* ne peuvent s'empêcher d'éprouver une certaine fascination pour ces hommes libres, d'autant qu'ils sont maîtres des deux activités andalouses les plus « nobles », la tauromachie et le flamenco, ce qui fit dire à García Lorca que le « *gitano* est le plus haut, le plus profond, le plus aristocrate, le sang et l'alphabet de la vérité andalouse et universelle ».

A gauche, trois générations réunies pour un repas de famille à Madrid ; à droite, jeunes gitans dans la cour de récréation.

VOYAGEURS D'ESPAGNE

LA TAUROMACHIE

« Le spectateur qui va à une course de taureaux pour la première fois ne peut s'attendre à voir la combinaison du taureau idéal et du torero idéal pour ce taureau ; cela n'arrive pas plus de vingt fois dans toute l'Espagne en une saison, et il n'aurait aucun profit à voir cela pour commencer. Son œil serait confondu par tout ce qu'il y a à voir, son regard n'arriverait pas à tout embras-

s'il était trop près ; et qu'enfin ce soit une journée chaude et ensoleillée. Le soleil est très important. Théorie, pratique et mise en scène de la course de taureaux ont été construites sur la supposition de la présence du soleil, et lorsqu'il ne brille pas, un tiers de la corrida manque. L'Espagnol dit : *"El sol es el mejor torero."* Le soleil est le meilleur torero, et, sans soleil, le meilleur torero est incomplet. Il est comme un homme sans ombre. »

Ernest Hemingway,
Mort dans l'après-midi,
traduction de rené Daumal,
© Gallimard

ser, et un spectacle qu'il ne reverrait peut-être jamais de sa vie ne signifierait pas plus pour lui qu'un spectacle ordinaire.

S'il y a quelque chance pour qu'il soit apte à goûter les courses de taureaux, le mieux pour lui est de voir d'abord une corrida moyenne, deux taureaux braves sur six, les quatre autres quelconques pour donner du relief aux exploits des deux excellents ; trois toreros, qui ne soient pas trop richement payés, en sorte que tout ce qu'ils pourront faire d'extraordinaire paraisse difficile plutôt qu'aisé ; qu'il ne soit pas assis trop près de la piste, de sorte qu'il puisse voir tout le spectacle sans avoir à rompre continuellement son attention entre le taureau et le cheval, l'homme et le taureau, le taureau et l'homme, ce qui arriverait

LA RUE

« Quand il se promenait, dans une cohue tumultueuse, sur la Rambla aux mille cris, il sentait merveilleusement dans ses nerfs, dans ses veines, la grande ville chaude et aussi la présence de la mer qui, au bout de l'avenue, offrait aux vagabonds son espace liquide semé de bateaux et de taches de soleil. A la terrasse de l'hôtel Colon où il s'établissait lorsque midi approchait, il ne proposait pas ses humbles services, il ne guettait point avec inquiétude et avidité, comme le faisaient les autres cireurs, l'appel du client. Assis un peu à l'écart, sur le marchepied de sa boîte, il contemplait les visages, devinait les étrangers, imaginait leur pays. Ou bien il riait aux museaux naïfs, aux yeux à peine ouverts des petits chiens que les marchands montraient de table en table.

Ou encore, si le spectacle le fatiguait, si les cris des vendeurs de journaux et de pistaches se faisaient obsédants, et que s'émoussait la flèche bienheureuse dont son corps entier lui semblait percé, il tournait ses regards vers la place de Catalogne, de l'autre côté de la rue. Là, visibles malgré le courant pressé des tramways, des autobus rouges et des voitures, les jets d'eau tordaient leur molle et brillante chevelure et des vols de pigeons tournoyaient. Aussitôt, une félicité légère s'emparait d'Alejandro. Il n'existait plus que par le jeu cadencé des gouttes, des plumes duveteuses, et au-dessus d'elles par l'éclat profond et dur du ciel de midi.

Bref, tout, dans Barcelone, était forte et riche nourriture pour la faim de son cœur.

Quant à l'autre, celle du ventre et que la plupart des hommes tenaient pour seule et véritable, Alejandro ne comprenait point qu'elle fît l'objet de tant d'efforts, de luttes, de bassesses.

Était-il si difficile de la rassasier ? Un peu de pain, quelques piments crus, un plat de pois chiches – chacun les pouvait gagner, sans inutiles sueurs et sans servilité. »

Joseph Kessel,
Une balle perdue,
© Gallimard

LES PROCESSIONS

« Laïques, mais non profanes, les confréries qui organisent les parades saintes se préparent l'année entière pour cette nuit-là. Tout pour Jésus, pour la Vierge, pour la renommée de la ville, pour le quartier ou la rue, rien pour soi que l'humilité de la bure et l'anonymat de ce capuchon rabattu sur la figure, la cagoule.

Les processions sortent de leurs églises, couvents ou chapelles, parcourent tout Séville, saluent son municipe, traversent la cathédrale ouverte de bout en bout, et rentrent dans leurs sacristies pour ne plus ressortir que l'année suivante.

La tradition dure depuis des siècles ; l'ordonnance, le jour, l'heure des défilés sont immuables. Ces processions, transmises par une

A gauche et à droite, le mélange bariolé des traditions et des apports de la société de consommation ne dérange pas la jeunesse espagnole.

génération à l'autre ainsi qu'un bien dévolu, fendent les âges comme elles fendent la foule. »

Paul Morand,
Le Flagellant de Séville,
© Fayard

LA GUERRE CIVILE

« Les pierres devinrent plus nombreuses. Enfin, âpre comme sa terre de rochers, toits sans arbres, vieilles tuiles grises de soleil, squelette berbère sur des terres africaines : Badajoz, son Alcàzar, ses arènes vides. Les pilotes regardaient leurs cartes, les bombardiers leurs viseurs, les

mitrailleurs les petits moulinets des points de mire qui tournaient à toute vitesse hors de la carlingue. Au-dessous, une vieille ville d'Espagne rongée, avec ses femmes noires derrière les fenêtres, ses olives et ses anis au frais dans des seaux d'eau de puits, ses pianos dont les enfants jouaient avec un doigt, et ses chats maigres aux aguets des notes qui se perdaient l'une après l'autre dans la chaleur… Et une telle impression de sécheresse qu'il semblait que tuiles et pierres, maisons et rues dussent se craqueler et se pulvériser à la première bombe, dans un grand bruit d'os et de pierrailles. »

André Malraux,
L'Espoir,
© Gallimard

LA TAUROMACHIE

La tauromachie est peu connue en dehors de l'Espagne et du sud de la France et tous les touristes, fascinés, qui décident pour la première fois d'assister à une corrida, ne peuvent s'empêcher d'éprouver une certaine appréhension en entrant dans l'arène.

Assis sur les gradins, dans la fébrilité de l'attente du début du spectacle, ils savent déjà que ce qui va se dérouler est bien plus qu'une simple manifestation sportive. D'ailleurs, c'est dans la rubrique « spectacles » que les journaux espagnols classent la *corrida de toros* et tous les *aficionados*

Dans l'Antiquité, Égyptiens, Mésopotamiens et Crétois vénéraient les taureaux ; de nombreuses religions païennes avaient même élevé cet animal au rang de divinité généralement associée au rituel de la fertilité. Le mithracisme (culte du dieu solaire Mithra, qui s'était répandu dans tout l'Empire romain) fut sans doute la plus célèbre de ces croyances. Les prêtres de Mithra sacrifiaient un taureau dans une enceinte sacrée, le *taurobolium*, et arrosaient les fidèles du sang de la bête égorgée, afin de leur transmettre la force, la fertilité, voire l'immortalité.

Le taureau que l'on peut voir aujourd'hui dans les arènes espagnoles n'est pas un animal ordinaire. Il appartient à une race parfaitement pure,

affirment que la tauromachie est avant tout une forme d'art. Opinion difficilement réfutable si l'on pense à l'importance de ces combats entre l'homme et le taureau dans la peinture, la sculpture, la musique, la danse et la littérature, non seulement en Espagne même, mais dans tout le bassin méditerranéen.

Depuis des temps immémoriaux, l'homme s'est mesuré au taureau, et dans bien des cas, ce n'était pas seulement pour se procurer la chair et le cuir nécessaires à sa subsistance. Ainsi, lorsqu'il dessine la mise à mort d'un taureau ou d'un buffle, l'homme préhistorique nous parle plus de rituel et de mystère que de nourriture : il suffit de regarder les peintures qui ornent les parois des célèbres grottes d'Altamira pour s'en persuader.

sélectionnée depuis des siècles pour son caractère sauvage et inflexible : c'est un *toro bravo*, un taureau de combat.

Personne ne le dresse à attaquer ; seul l'instinct pousse cet herbivore à se battre pour affirmer sa supériorité et à charger tout ce qui bouge. Si, contrairement aux idées reçues, la couleur rouge ne l'excite pas (ce qui est bien naturel puisqu'il voit le monde en noir et blanc), le mouvement l'insupporte et on a déjà vu plus d'un taureau égaré charger un train ! Mais si la sélection rend le taureau de corrida agressif et dangereux (pour les autres comme pour lui-même d'ailleurs), elle lui permet aussi d'échapper au sort qui attend tous ses congénères : l'abattoir, et de mener une existence presque « agréable ». Choyé comme un véritable pur-sang, le *toro bravo* passe quatre ou cinq belles années dans un pré bien gras avant d'affronter son destin dans l'arène.

UN SPECTACLE D'ARISTOCRATES

La tauromachie existe depuis des siècles, voire des millénaires, et on rapporte que Jules César lui-même aurait combattu un taureau sur son cheval. Du couronnement d'Alphonse VII à celui de Philippe V, toutes les chroniques royales relatant un mariage, un baptême ou la signature d'un traité de paix mentionnent parmi les festivités les *cañas de toros* (joutes taurines). Plusieurs personnages illustres comme Hernán Cortés, Francisco Pizarro ou le duc de Medina Sidonia ont été décrits en train d'affronter ces bêtes sauvages sur leurs terres. Déjà au XIᵉ siècle, le Cid aurait décidé de fêter sa victoire sur les Maures en combattant en public un taureau en furie. Tout au long de la période la plus glorieuse de l'histoire espagnole, la tauromachie a tenu un rôle important dans la vie de l'aristocratie : pendant six siècles, les nobles ont sélectionné et élevé des taureaux dans le seul but d'affirmer leur courage devant le roi et la cour.

Pourtant, cette pratique prit fin au XVIIIᵉ siècle, avec l'arrivée d'un Bourbon, Philippe V d'Anjou, sur le trône d'Espagne. Le nouveau monarque. élevé dans les raffinements de Versailles, interdit immédiatement à tous les membres de sa cour de risquer inutilement leur vie dans un spectacle qu'il jugeait stupide.

Cette décision fut à l'origine du plus grand tournant de l'histoire de la tauromachie, elle quitta les sphères aristocratiques pour devenir un divertissement populaire. Le premier à faire des combats de taureaux un véritable métier fut Francisco Romero, un charpentier de Ronda ; mais c'est son petit-fils, Pedro Romero, qui est aujourd'hui considéré comme le père de la tauromachie moderne.

Armé d'une *muleta* (étoffe rouge fixée sur un bâton d'environ 60 cm) dans la main gauche et d'une épée dans la main droite, il manœuvrait l'animal jusqu'au moment fatal où il pouvait le transpercer de son arme. Il tua ainsi plus de 5 600 taureaux entre 1771 et 1779, sans jamais recevoir plus qu'une simple égratignure. Aucun matador n'a d'ailleurs jamais renouvelé cet exploit depuis. A l'origine, le combat était très rudimentaire, le plus important étant de tuer le taureau. Mais aujourd'hui, le spectacle du *toreo* s'est enrichi ; le

A gauche, un taureau de cinq ans arborant les rubans aux couleurs de son élevage ; à droite, l'instant du face à face.

matador se sert de sa cape et de sa *muleta* pour effectuer des figures complexes, et il n'est plus un simple *matador* (tueur), mais un artiste qui, à travers le combat pour dominer un animal sauvage, cherche à exprimer sa personnalité et ses sentiments.

Derrière l'apparat et le chatoiement des couleurs se révèle un univers dangereux, empreint de beauté, mais aussi de sang et de peur, dont le torero est à la fois le créateur et l'un des deux principaux acteurs. Si certains considèrent la corrida comme une pratique gratuite et cruelle, d'autres voient dans ce combat un ballet noble et tragique dans lequel l'homme, intelligent et courageux, fait face à la bête, indomptable et brutale.

L'APRÈS-MIDI DE LA CORRIDA

Trois est le nombre clef de la tauromachie moderne : ils sont en effet trois matadors à combattre successivement six taureaux, préalablement divisés en trois groupes de deux lors du *sorteo* (le tirage au sort du matin).

Si la ponctualité ne semble pas être un des points forts des Espagnols, que ce soit pour le départ des trains ou pour les représentations théâtrales, une corrida, elle, ne commence jamais en retard, et la sonnerie de trompette, ou *clarin*, qui annonce le début du spectacle n'attend personne.

Dès que la trompette se tait commence un paso doble rapide, au son duquel le *paseillo* (la parade), ouvert par les *alguacilillos* (cavaliers portant les costumes de la police montée du XVIᵉ siècle), défile dans l'arène (*ruedo*). Les alguacilillos sont suivis par les matadors et leurs trois *cuadrillas* (équipes) respectives. Chaque matador est assisté par trois *banderilleros* qui dévient les charges du taureau grâce à leurs capes et plantent les banderilles (bâtons pointus décorés de crépon multicolore) dans le cou de l'animal.

Même s'ils aspirent tous à être un jour matadors, les *banderilleros* ne seront que quelques-uns à participer à l'*alternativa*, cérémonie officielle au cours de laquelle le matador vétéran remet au novice les deux objets symboliques, la *muleta* et l'épée, qui lui donnent le droit de tuer des taureaux adultes et lui confèrent le titre de matador

La porte, ou *toril*, qui communique avec les *chiqueros* (stalles individuelles dans lesquelles les taureaux sont enfermés depuis le tirage au sort du matin), s'ouvre, et le taureau fait irruption dans l'arène où l'attend un *banderillero* ou un matador.

A ce moment, le torero effectue quelques passes avec la cape rose et or, ou attaque directement l'animal afin d'observer ses réactions et d'évaluer son comportement : la corne dont il se sert le plus souvent, la partie de l'arène vers laquelle il tend à se réfugier (la *querencia*), la rapidité et la force de ses charges, sa vue, sa nervosité, sa combativité… autant de détails qui l'inspireront et lui permettront de déterminer sa façon de combattre et sa « chorégraphie ».

de toros. Après les trois rangs de *banderilleros* entrent les picadors à cheval. Chaque matador est assisté de deux picadors, qui combattent chacun un de ses taureaux. Le paseillo est fermé par les autres employés de l'arène : les *monosabios*, qui guident les chevaux des picadors, les *mulilleros*, qui conduisent l'attelage de mules chargées d'emporter le taureau mort, et les *areneros*, qui nettoient le sable. Tous, malgré leur rôle secondaire, sont vêtus de costumes chatoyants et défilent en grand apparat au rythme entraînant de la musique.

Lorsque chacun a rejoint son poste, le président de la corrida agite un mouchoir blanc, annonçant ainsi l'entrée du premier taureau. Débute alors le premier *tercio* de ce drame en trois actes.

Dès que le matador connaît mieux son adversaire, il réalise un enchaînement de *verónicas* – la plus classique des passes de cape – destiné à attirer le taureau au centre de l'arène. La série se termine par une *media verónica* qui fait faire un demi-tour au taureau et donne au torero le temps de s'éloigner.

C'est alors que commence la partie la plus passionnante du combat : les picadors, qui ont pour tâche de préparer l'animal pour la phase finale de la corrida, la *faena*, entrent en scène. Armés de leurs piques, ils ralentissent le taureau pour qu'il suive les mouvements de cape du torero, lui font baisser la tête, et surveillent sa façon de charger, prêts à intervenir dès que l'attitude du matador le met en trop grand danger.

Les picadors ont aussi un autre rôle, moins facile, qui consiste à exciter le taureau jusqu'à ce qu'il charge leur cheval (dont le corps est entièrement protégé par un caparaçon), le forçant ainsi à manifester son courage devant le public, lequel attend de lui comme du torero la meilleure performance possible. Selon le code de la tauromachie, le taureau ne devrait pas recevoir plus de trois coups de pique, ou *puyazo*, au cours du combat ; mais en fait, le nombre de ces coups dépend de la résistance dont il fait preuve. Pendant ce premier *tercio*, les trois matadors se retrouvent en compétition dans l'arène. Après avoir éloigné le taureau du cheval grâce à des mouvements de cape appelés *quites*, ils l'attirent vers eux dans le but de réaliser le maximum de passes différentes : *verónicas, chicuelinas, gaoneras, navarras, delantales*, etc., et de dévoiler le meilleur de leur savoir-faire.

Lorsqu'il juge que le taureau a reçu suffisamment de coups de pique, le président agite de nouveau son mouchoir blanc pour indiquer le commencement du second *tercio* : les *banderillas*. Certains matadors placent eux-mêmes leurs banderilles, mais la plupart du temps, ce sont leurs aides qui s'en chargent.

Ce second *tercio* permet au taureau de reprendre quelques forces après ces attaques.

LA MINUTE DE VÉRITÉ

Les trompettes annoncent le troisième et dernier acte du drame. Armé de son épée et de sa *muleta*, le matador vient saluer le président, auquel il demande le droit de tuer le taureau. Ensuite, il dédie la mort de l'animal à l'un de ses proches, à l'un des dignitaires assis dans l'arène ou à l'assistance en général.

La partie devient alors beaucoup plus difficile ; c'est le face à face final entre l'homme et l'animal. Non seulement le taureau, qui a appris les règles du jeu, est plus dangereux qu'à son entrée, mais en outre, la nouvelle *muleta* du matador est deux fois plus petite que son ancienne cape.

Les deux principales passes de *muleta* sont le *derechazo*, ou passe à droite, dans lequel l'épée est glissée dans les plis de l'étoffe afin de l'élargir et de lui donner une plus grande rigidité, et le *natural*, qui s'effectue du côté gauche. Pour le *natural*, la passe la plus difficile et la plus pure des deux, le matador se sert de la *muleta* sans l'étendre et tient

A gauche, les matadors et leur « cuadrilla » font leur entrée au rythme de la fanfare ; à droite, le taureau, surgissant à l'ouverture des portes du « toril », rencontre un « banderillero ».

son épée de la main droite. Une série de *naturales* se termine généralement par une passe par le haut : il s'agit du *pase de pecho* (passe de poitrine), qui refait passer le taureau devant le matador avant de l'écarter sur la droite. Le matador dispose d'un quart d'heure pour accomplir son œuvre maîtresse : la *faena*, durant laquelle il déploiera tout son talent.

Vient enfin le moment fatal : la mise à mort. Le matador s'élance l'épée haute puis, avec sa *muleta*, il dirige le taureau vers la droite en le forçant à détourner la tête – et les cornes – de son corps, puis il vise entre les omoplates et l'épine dorsale, au sommet du garrot de l'animal, et y enfonce son arme de toutes ses forces.

Si l'estocade manque sa cible ou qu'elle ne suffise pas à tuer le taureau, le matador utilise alors un *descabello* (épée plus courte, munie d'une lame transversale près de la pointe) qu'il plante dans la nuque de l'animal afin de lui trancher la moelle épinière. Dès que le taureau s'effondre sur le sol, les *puntilleros* accourent avec une *puntilla* (poignard) pour lui administrer le coup de grâce et mettre un terme à ses souffrances.

C'est alors que le public donne son avis sur le combat. S'ils sont satisfaits, les spectateurs agitent leurs mouchoirs pour réclamer une oreille du taureau pour le matador. Cette étrange coutume remonte au XIXe siècle, à l'époque où les héros de la Fiesta Nacional recevaient pour seul salaire le cadavre de l'animal qu'ils venaient de tuer. C'est l'oreille qui leur servait de preuve lorsqu'ils venaient réclamer la carcasse chez le boucher.

Aujourd'hui, seuls les matadors qui ont réalisé une excellente prestation reçoivent les oreilles (une ou deux) et la queue comme trophées. Ceux qui se sont montrés brillants pendant tout le combat mais qui ont rencontré des difficultés lors de la phase finale sont cependant applaudis et invités à faire une *vuelta* (un tour d'honneur dans l'arène).

Quant au taureau, qui partage la vedette avec le matador, il est lui aussi applaudi au moment où les mules l'emportent hors de l'arène : il arrive même qu'on lui fasse faire un tour de piste avant de l'emporter. Dans certains cas tout à fait exceptionnels, il arrive qu'on accorde le pardon, c'est-à-dire la

LA SAISON TAURINE

Officiellement, la saison des corridas débute le 19 mars (jour de la Saint-Joseph) et se termine le 12 octobre (fête nationale espagnole). Néanmoins, de nombreux combats ont lieu en dehors de ces dates, notamment les jours de fête. Lors de ces corridas non officielles, les *festivales*, les toreros combattent gratuitement ; les gains sont généralement reversés à des œuvres de charité. Les cornes des taureaux sont coupées ou limées, et les participants troquent les paillettes des *trajes de luces* (habits de lumière) contre un simple costume.

Toutes les villes, même les plus petites, organisent une fois par an des festivités en hommage à

vie sauve, à un taureau particulièrement courageux. En revanche, un animal peureux, qui a refusé d'attaquer ou a fait montre de couardise dans ses charges, sort sous les huées du public.

La trompette résonne de nouveau ; le deuxième taureau quitte l'ombre de sa stalle pour s'élancer dans l'arène écrasée de soleil. Le matador le plus ancien affronte les premier et quatrième taureaux, le deuxième combat le second et le cinquième, et le dernier, le troisième et le sixième.

Bien évidemment, aucun combat ne ressemble à un autre. Chaque matador possède un art de toréer qui lui est propre et l'inspiration de l'artiste tout autant que la bravoure du taureau qu'il affronte déterminent la qualité de ce ballet, de cette œuvre fugitive.

leur saint patron ; bien sûr, la corrida en fait toujours partie. Madrid, qui célèbre San Isidro le 15 mai, organise à cette occasion la fête la plus longue du pays : 23 jours consécutifs de corridas. Parmi les autres grandes fêtes, on trouve les Fallas de Valence en mars, la Feria de Séville en avril, les cérémonies de la Fête-Dieu à Grenade en juin, les Sanfermines (fête de la Saint-Firmin, célèbre pour son lâcher de taureaux et immortalisée par Ernest Hemingway) à Pampelune en juillet, la foire d'été de Valence et la Semana Grande de Bilbao en août. Le mois de septembre est le plus chargé, avec les foires de Salamanque et de Valladolid, et la fête des vendanges de Jerez et Logroño. La saison se termine à la mi-octobre par les festivités d'El Pilar à Saragosse.

Avant d'acheter un billet pour une corrida, il faut savoir que les gradins sont divisés en trois parties : une partie *sombra* (à l'ombre), la plus chère et la plus confortable ; une partie *sol* (au soleil), nettement moins chère, mais où les spectateurs peuvent être exposés en plein soleil pendant toute la durée du combat ; enfin une partie *sol y sombra*.

LA TAUROMACHIE AUJOURD'HUI

Même si l'on continue à la désigner comme la Fiesta Nacional, la tauromachie n'est plus le seul passe-temps des Espagnols. Le football est lui aussi devenu très populaire et, le dimanche après-midi, les stades sont aussi combles que les

sont devenus moins vigoureux, moins combatifs qu'autrefois. Sélectionner et élever des taureaux de combat pendant quatre ou cinq ans revient très cher et la rentabilisation de ces dépenses, ajoutée aux lourdes taxes qui frappent le *festejo*, a entraîné une hausse considérable du prix des places.

La seule chose qui n'ait pas changé, c'est l'essence même de la corrida, c'est-à-dire le danger mortel encouru par les participants. Entre la fin de l'été 1984 et l'automne 1985, deux des plus grands matadors ont trouvé la mort dans l'arène : Francisco Rivera, le célèbre « Paquirri », fut tué par le taureau Avispado (du ranch Ayalero y Bandrès à Cordoue), le 26 septembre 1984 ; et le jeune José Cubero, dit « Yiyo », reçut un coup de corne en

arènes. Pourtant, en dépit de cette évolution, une vraie fête de village ne se conçoit pas sans corrida.

Mais les taureaux ont changé. Des années de sélection ont transformé le bovin capricieux et fier des débuts de la corrida en un animal plus noble, d'humeur plus égale, mais aussi d'une constitution moins robuste que celle de ses ancêtres.

En outre, l'économie espagnole s'est profondément modifiée au cours du siècle dernier : les grandes propriétés terriennes ont été morcelées, la taille des prairies réduite et les animaux, qui ne disposent plus d'autant de place pour s'ébattre,

A gauche, le matador Espartaco exécute une passe à droite dite « derechazo » ; ci-dessus, il termine une superbe passe « natural ».

plein cœur en affrontant le taureau Burlero (du ranch Marco Nuñez), le 30 août 1985, dans l'arène de Colmenar Viejo.

Le pays fut profondément affecté par la mort de ces deux matadors. En effet, plus que n'importe quelle personnalité, le torero représente pour les Espagnols un être unique, un artiste romantique et un peu fou qui symbolise à la fois le courage, la grâce, l'élégance, l'habileté et l'agilité. Sans en être conscient, le torero développe une religion ou une philosophie qui lui sont propres et lui permettent d'affronter régulièrement la mort avec sérénité. « *Le matador n'oublie jamais que, vivant à cinq heures de l'après-midi, il sera peut-être mort une demi-heure plus tard* », explique un célèbre torero.

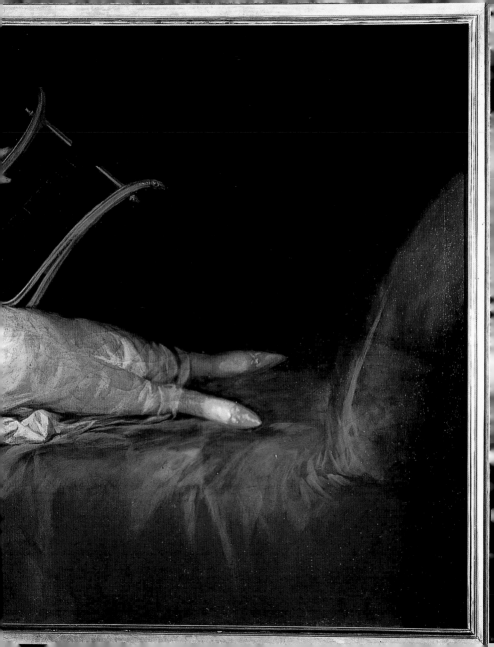

LA PEINTURE ESPAGNOLE

Jusqu'à la fin du XIXe siècle, si les touristes n'hésitaient pas à se rendre en Italie pour admirer les réalisations des grands maîtres, ils n'étaient guère tentés par les conditions difficiles d'un voyage en Espagne. Ainsi, au XVIIe siècle (l'âge d'or de la peinture espagnole), José de Ribera, surnommé *lo Spagnoletto* (le petit Espagnol), et Bartolomé Estebán Murillo, dont on retrouve le style dans certains portraits des peintres anglais Reynolds et Gainsborough, étaient les seuls peintres espagnols connus à l'extérieur du pays.

Généralement commandées par l'Église, la cour et l'aristocratie, la plupart des œuvres d'art espagnoles avaient quatre grands sujets d'inspiration : les nobles, la Passion du Christ, la vie des saints et la puissance de l'Église. La majorité d'entre elles appartenaient à des personnes privées, et ce n'est qu'à partir de la fin du XIXe siècle qu'elles commencèrent à sortir du cénacle auquel elles étaient jusque-là confinées, sous l'influence d'amateurs de plus en plus nombreux à traverser les Pyrénées.

C'est par la France que l'art hispanique commença son expansion en Europe. En effet, pendant la campagne d'Espagne de 1810, une importante collection d'œuvres de Murillo et d'autres peintres espagnols fut dérobée et expédiée vers Paris. Parmi ces toiles se trouvait la *Vierge* de Murillo, représentée debout sur un croissant de lune et entourée d'anges.

Par la suite, le roi Louis-Philippe fit venir à Paris d'autres toiles, exposées dans la « galerie espagnole ». En 1840, Paris possédait le plus grand nombre d'œuvres hispaniques jamais réunies hors d'Espagne. Cette période marqua le début d'une meilleure compréhension de la peinture espagnole, malgré la présence de mauvaises copies, d'attributions erronées – notamment à Ribera – et d'originaux de mauvaise qualité, qui donnèrent parfois un faux aperçu de l'école espagnole. Néanmoins, les thèmes qui évoquaient l'ambiance inquiétante des cloîtres et les souffrances des martyrs ne pouvaient que séduire et exciter l'imagination romantique des Parisiens du XIXe siècle.

AMNISTIE SUR L'ART

Cependant, même si les objets d'art espagnols sont désormais très appréciés, un grand nombre

d'entre eux demeurent inconnus, cachés dans des collections privées. Ainsi, lorsqu'en 1986 le gouvernement décida de diminuer les taxes qui frappaient les œuvres d'art et d'amnistier les propriétaires qui n'avaient pas encore déclaré les leurs, pas moins de 30 000 peintures réapparurent au grand jour, dont 80 œuvres de Goya, inconnues jusqu'alors, ainsi que de très nombreux tableaux contemporains signés Juan Miró ou Salvador Dalí.

Selon les termes de l'amnistie, les propriétaires autorisent le gouvernement à leur emprunter leurs toiles un mois sur douze et s'engagent à ne pas les vendre hors du pays. Ces dispositions ont permis, au cours des dernières années, d'organiser plusieurs expositions internationales à Madrid,

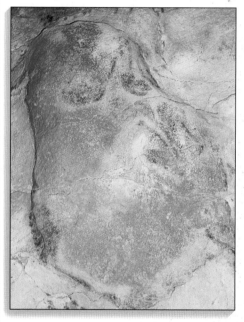

Londres, Lugano, Bruxelles, Dallas, Lille, etc., et d'offrir au public une vision plus complète de l'art pictural espagnol, en réunissant des œuvres aussi diverses que celles de Ribera, de Murillo, du Greco, de Goya, de Vélasquez... Longtemps isolés du reste de l'Europe, les artistes espagnols et leurs mécènes ont contribué au développement d'une peinture originale, dont les caractéristiques essentielles sont l'invitation à la contemplation, la description minutieuse de la vie dans sa vérité la plus crue et l'authenticité de l'expression.

LES PEINTURES RUPESTRES

Les premières œuvres picturales espagnoles, peintures rupestres préhistoriques et fresques médié-

Pages précédentes : « La Marquise de Santa Cruz » par Goya. A gauche, « Le Chevalier à la main sur la poitrine » par le Greco ; à droite, peinture préhistorique de la grotte d'Altamira.

vales recouvertes de badigeon, ont été les dernières à réapparaître. Ainsi, les fameux bisons magdaléniens d'Altamira, révélés au public en 1879, ne furent authentifiés qu'en 1902.

Les dessins et peintures qui couvrent les parois des grottes semblent correspondre à un système primitif de symbolisation et représentent principalement des animaux, souvent accompagnés de signes énigmatiques : quadrillages, points colorés... Il est généralement admis que l'art animalier préhistorique avait une fonction magique, visant à garantir une bonne chasse à la tribu.

La force, la spontanéité et la spiritualité qui imprègnent ces œuvres ont influencé plusieurs artistes du XXᵉ siècle comme Miró ou Picasso.

Bâtie au IXᵉ siècle, l'église pré-romane **Santullano** (ou San Julián de los Prados) d'Oviedo possède une des plus étonnantes fresques que nous ait léguées le haut Moyen Age. Des mosaïques de villas romaines ont été retrouvées aux alentours, et il ne fait aucun doute que ce sont des peintures murales similaires à celles de Pompéi qui ont inspiré la décoration en trompe l'œil de cette église.

A deux heures d'Oviedo, le **Panteón de los Reyes de León**, crypte royale bâtie au XIᵉ siècle près de la Colegiata de San Isidro, renferme une peinture murale de 1175 étonnamment bien conservée. León étant située sur une des routes du pèlerinage de Saint-Jacques-de-Compostelle, il est possible que ce soient des artistes français qui aient

A ses débuts, l'art espagnol a subi plusieurs influences. Au Moyen Age, marchands et pèlerins qui sillonnaient l'Espagne apportaient avec eux des œuvres de France, d'Italie, de Hollande, mais aussi d'Afrique de l'Est et du Nord. Circulant dans les innombrables établissements catholiques du pays, elles ne tardèrent pas à inspirer tous les artistes qui travaillaient pour l'Église. Ainsi retrouve-t-on, dans les enluminures des manuscrits des bibliothèques des cathédrales espagnoles (notamment celles de León et de l'Escurial), ces mêmes personnages, très colorés aux contours épais qui caractérisent les peintures murales médiévales. Au XXᵉ siècle, ces enluminures – principalement celles datant du haut Moyen Age – inspireront à nouveau les peintres modernes.

peint le Christ en majesté, dans un style assez naturaliste, et quelques-unes des scènes du Nouveau Testament qui ornent le mur. Cependant, celle de ces scènes dans laquelle l'ange apparaît aux bergers est souvent citée comme un exemple typique du réalisme espagnol. Certains détails très ordinaires, comme un berger en train de nourrir son chien, sont coutumiers d'autres écoles européennes, mais ils apparaissent beaucoup plus fréquemment dans l'art sacré hispanique, et la vérité avec laquelle ils sont traités reflète l'importance que les Espagnols accordent à la vie quotidienne.

L'**Ermita de San Baudelio de Berlanga**, dans le village de Castilla de Berlanga, date du XIᵉ siècle et abrite plusieurs fresques du XIIᵉ siècle. Son architecture et ses peintures murales constituent un merveilleux exemple d'art mudéjar. Elles illustrent des passages de la Bible et représentent des animaux exotiques et des scènes de chasse. Classé en 1917, cet édifice a cependant été la proie des trafiquants d'art qui, avec l'aide de villageois, arrachèrent les fresques et les montèrent sur châssis pour les revendre à l'étranger. Cette opération endommagea encore plus les peintures, déjà très abîmées par un séjour prolongé sous le badigeon.

L'ART ROMAN CATALAN

Les historiens d'art ont également retrouvé des similitudes de style entre les fresques de Maderuelo et celles exécutées en 1123 dans l'abside de

sule Ibérique, jouèrent eux aussi un rôle important dans l'évolution de l'art hispanique. Le style roman catalan reflète tout particulièrement l'influence byzantine sur l'art espagnol : les personnages représentés n'expriment aucune émotion. Même lorsqu'il s'agit de martyrs (comme ceux peints au XIIᵉ siècle sur le parement en bois de l'autel de l'**Ermita de Santa Julita de Duero**, province de Lérida, exposé à Barcelone), leurs visages ne portent aucune trace de souffrance. Si le modèle byzantin est perceptible dans les fresques de Tahull, on y trouve aussi certains détails typiquement espagnols, comme la scène où Lazare, soutenu par des béquilles, se fait lécher les pieds par un petit chien.

la petite église pyrénéenne **Sant Climint de Tahull** (province de Lérida), que l'on peut admirer aujourd'hui, avec d'autres œuvres majeures du roman primitif catalan au **Museu d'Art de Catalunya** de Barcelone.

En envahissant l'Espagne, les Maures introduisirent leur art dans le pays et renforcèrent encore le goût des artistes pour les représentations stylisées, très colorées, aux contours épais. Mais les Maures ne constituent pas la seule influence orientale : les motifs byzantins, qui traversèrent la Méditerranée et l'Italie avant d'atteindre la pénin-

A gauche, fresque du XIIᵉ siècle dans l'abside de Santa Maria d'Aneu, Pyrénées catalanes ; ci-dessus , « La Cène » par Jaime Huguet.

LES ÉCOLES RÉGIONALES

A mesure que la Reconquête progressait, de nouvelles écoles de peinture régionales se développaient. Les œuvres qu'elles produisirent étaient souvent naïves, parfois grossières, mais certaines innovations apparurent cependant sous l'influence de quelques artistes de retour des Flandres ou d'Italie. Au cours des XIVᵉ et XVᵉ siècles (c'est-à-dire la fin du Moyen Age et le début de la Renaissance), le réalisme des écoles d'Europe et d'Italie du Nord se répandit sur tout le continent.

Au début du XIVᵉ siècle, le Florentin Giotto di Bondone rompit avec la tradition italo-byzantine ; profondément original, il campait des p̶ nages solides, à l'expression impassible, ᶜ vaste paysage, et donnait à ses œuvres une intensité dramatique inconnue jusqu'alors. Giotto fut sans doute l'un des premiers peintres antérieurs à la Renaissance à avoir été reconnu comme un génie par ses contemporains.

Il est difficile de savoir combien d'artistes espagnols sont allés étudier en Flandre ou en Italie, mais le Catalan Ferrer Bassa, au XIVᵉ siècle, semble avoir été de ceux-là. Son voyage italien lui aurait inspiré les personnages trapus et le réalisme parfois saisissant de ses toiles, qui le classent parmi les *giotteschi* (imitateurs de Giotto). Mais on trouve également dans ses œuvres des thèmes typiquement espagnols, comme cette représentation de Marie soulevant tendrement le suaire du Christ.

de la première moitié du XVᵉ siècle, dit le maître d'Atguis, le retable de la *Légende de saint Michel* (dont plusieurs panneaux sont exposés au Prado) reflète à la fois la sincérité de la peinture espagnole et l'élégance décorative du style gothique.

L'ART HISPANO-FLAMAND

Lluis Dalmau, peintre catalan du XVᵉ siècle, étudia à Bruges avant de revenir à Barcelone, où il réalisa un merveilleux retable : la *Vierge des conseillers*, qui représente une Vierge à l'enfant, assise sur un trône de style gothique, devant un magnifique paysage flamand. Également exposé au musée de Barcelone, un panneau de Jaime

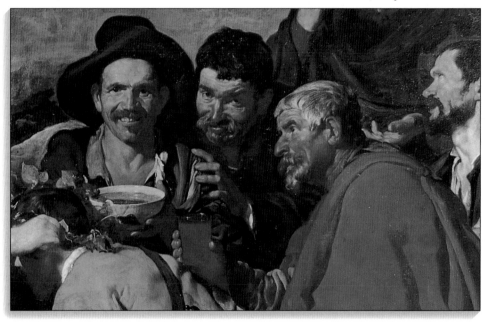

Vers la fin du XIVᵉ siècle, un style nouveau, encore profondément gothique, se répandit dans toute l'Europe à partir du duché de Bourgogne et du royaume de France. Ce style gothique international se caractérise par son élégance courtoise et un intérêt nouveau pour la personnalité du sujet. Réalisé vers 1435, le retable de la *Déposition* du peintre flamand Rogier Van der Weyden (exposé au Prado) est sans doute l'un des plus beaux exemples de ce mélange des styles qui marqua les débuts du XVᵉ siècle. Le retable de Santa Clara à Barcelone, exécuté vers 1412 par Lluis Borrassá, offre une version catalane du style gothique. L'époque de la Reconquête vit disparaître les fresques murales, remplacées par d'imposants retables. Réalisé par un artiste aragonais anonyme

Huguet, élève de Dalmau, foisonne de détails anecdotiques typiquement espagnols, comme les ex-voto suspendus au-dessus de saint Vincent, ou le minuscule démon s'échappant de la bouche d'un des malades.

C'est sous le règne de Ferdinand et d'Isabelle, monarques esthètes et centralisateurs, que l'art hispano-flamand connut son apogée. Des peintres flamands, ou formés à l'école flamande, réalisèrent de nombreux portraits royaux, exposés aujourd'hui au château de Windsor et au Palais royal de Madrid. L'artiste castillan Fernando Gallego (dont on peut voir la *Pietà* au Prado) est connu pour ses œuvres qui allient l'élégance du style gothique et la solennité des tableaux de Giotto.

Austère, l'Espagne ne fut pratiquement pas touchée par la Renaissance italienne. Quant à la perspective chère aux peintres italiens, elle ne rencontra que peu d'adeptes chez les artistes espagnols. Toujours dessinée de façon empirique aux XVIIe et XVIIIe siècles, elle confère aujourd'hui un caractère étrangement moderne à leurs tableaux. Les artistes formés en Italie et les nombreuses commandes des Habsbourg contribuèrent à ouvrir la peinture espagnole sur d'autres horizons, sans lui faire perdre pour autant son caractère. Ainsi peut-on voir parmi les détails du *Saint François visité par un ange* de Francisco Ribalta (1554-1628), exposé au Prado, un charmant petit mouton en train de grimper sur le lit du saint, scène typique du naturalisme espagnol.

LE MANIÉRISME ET L'ÂGE D'OR

Vers la fin du XVIe siècle, les artistes italiens et espagnols créèrent le maniérisme en réaction au style Renaissance. Le plus célèbre peintre maniériste, Domenikos Theotokópoulos, dit le Greco, se rendit à la cour d'Espagne dans l'espoir de travailler pour Philippe II à l'Escurial ; mais ses compositions irréelles et ses personnages mystiques nimbés d'une lumière étrange ne séduisirent pas le monarque, qui attendait autre chose de la part d'un élève de Titien, le génie de la Renaissance vénitienne tant apprécié par son père.

Spécialisé dans le portrait et les sujets religieux, le Greco ne tarda pas, cependant, à voir affluer les commandes. C'est à travers ses portraits que s'exprime le mieux le réalisme de sa peinture : dans l'*Homme avec une main sur la poitrine*, la couleur sombre utilisée pour le fond souligne l'expression du visage du sujet et la noblesse de sa main aux doigts effilés. Les œuvres religieuses du Greco traduisent un sentiment souvent très proche de l'exaltation mystique.

Le XVIIe siècle fut dominé par quatre grands artistes : d'une part les Sévillans Francisco Zurbarán, Bartolomé Esteban Murillo et Diego Vélasquez, d'autre part José de Ribera, installé dans le royaume espagnol de Naples. Si les thèmes historiques et mythologiques firent alors leur apparition, la majorité des tableaux traitaient encore de sujets religieux. La peinture devait se conformer aux préceptes de la Contre-Réforme, qui considérait l'art comme un moyen d'expression au service de la foi.

A gauche, ce détail du « Triomphe de Bacchus », ou « Les Buveurs », par Vélasquez, met en évidence le réalisme du peintre et sa connivence avec ses modèles ; à droite, autoportrait de Goya.

Zurbarán est celui qui y parvint le mieux. Ses œuvres, assez austères, représentent le plus souvent un saint ou un moine solitaire absorbé dans sa méditation et baignent dans un violent contraste où l'ombre et la lumière s'affrontent dans un symbolisme évident. Ribera se complut dans des scènes de martyres sanglants où il déployait une verve qui évoque le Caravage. Le style de Murillo, tout en finesse, connut les faveurs du public, et les gravures reproduisant ses tableaux furent largement diffusées, en particulier ses représentations de l'Immaculée Conception, de la Sainte Famille et de la Vierge à l'enfant. Aujourd'hui, il est surtout apprécié pour ses portraits d'enfants et de mendiants, vivants et réalistes.

VÉLASQUEZ ET LES NATURES MORTES

C'est également au XVIIe siècle que la nature morte connut son apogée. Au contraire de la surabondance flamande, la nature morte espagnole est minimaliste : quelques fruits, légumes et poteries, disposés avec beaucoup de simplicité. Des natures mortes miniatures figurent souvent dans les tableaux de genre, en particulier les *bodegones* représentant des intérieurs de cuisines ou de tavernes. Dans ce domaine, l'artiste le plus doué fut sans conteste Vélasquez, notamment avec sa *Vieille femme faisant frire des œufs*.

Peintre préféré de Philippe IV à 24 ans, Diego Vélasquez connut une brillante carrière. Ses modèles furent aussi bien des rois que des nains de la cour. Le pape Innocent X trouva son portrait par l'artiste « *troppo vero* », trop vrai. *Les Ménines* (au Prado) représentent une visite de la famille royale à l'atelier du peintre, à l'Alcázar. La virtuosité de l'exécution, la profondeur donnée par le reflet des personnages dans le miroir et surtout la puissance qui se dégage du portrait royal font de ce tableau l'un des chefs-d'œuvre de tous les temps.

Vélasquez ne se limita pas aux *bodegones* et aux portraits. Sa monumentale *Reddition de Breda* (au Prado), peinte pour Philippe IV, commémore la magnanimité du monarque fit preuve à la fin du siège de cette ville des Pays-Bas, située à quelques kilomètres de l'atelier de Rubens à

Anvers. Sa *Vénus au miroir*, l'un des rares nus de la peinture espagnole, montre sa connaissance de l'œuvre de Titien, qui représenta souvent Vénus s'admirant dans un miroir tendu par Cupidon.

Goya avait certainement en tête ce tableau qui appartenait alors à sa bienfaitrice, la duchesse d'Albe, lorsqu'il peignit sa *Maja nue*, cent cinquante ans plus tard. Comme Vélasquez, Goya était un peintre de cour et ses tableaux sont d'un réalisme saisissant : « *Il a peint son crachat sur chaque visage* », a déclaré Hemingway à propos de la *Famille de Charles IV* (au Prado). Il fut aussi le peintre de l'horreur : après une grave maladie qui le rendit sourd, Goya orienta son travail vers l'exploration de la noirceur de l'âme humaine. Les gravures de la suite des *Caprices* attaquent avec

un sens aigu du grotesque la superstition, la bêtise et les vices. Les eaux-fortes des *Désastres de la guerre* dénoncent les atrocités commises par les troupes françaises en Espagne. Ces visions hallucinées culminèrent dans les « peintures noires », aujourd'hui au Prado, exécutées à l'origine sur les murs de sa maison. Ce cycle explore le mythe de Saturne, symbole de la mort et de la destruction.

Goya fut le seul grand artiste espagnol du XVIIIe siècle, et le XIXe siècle ne connut aucun peintre de stature comparable. Ce fut pourtant à cette époque que l'Europe commença à découvrir l'art espagnol. Les impressionnistes furent fascinés par Vélasquez et Goya, tandis que certains Espagnols, comme Joaquín Sorolla, étaient à leur tour influencés par l'impressionnisme.

LE XXe SIÈCLE

Si le XXe siècle vit naître quelques très grands artistes espagnols, la plupart d'entre eux, Pablo Picasso en particulier, travaillèrent surtout hors d'Espagne. Venu étudier à Paris avec son ami le peintre cubiste Juan Gris, Picasso passa l'essentiel de sa vie en France. Pourtant, toute son œuvre est inspirée par son pays natal. Selon les mots de Gertrude Stein, « *en plus de la peinture espagnole, il avait en lui le cubisme espagnol, qui reflète la vie quotidienne de ce pays* ». Son tableau le plus célèbre, *Guernica* (au centre Reina Sofia), est né de son désespoir devant le bombardement de la ville durant la guerre civile.

Salvador Dalí partagea son existence entre Paris, les États-Unis et sa résidence d'été de Cadaqués. Catalan, tout comme Picasso et Miró, il adopta une technique réaliste pour exprimer son inspiration surréaliste, afin de produire, disait-il, « *des photographies de rêves, peintes à la main* ».

Joan Miró fut le seul à revenir vivre en permanence en Espagne. Son surréalisme est radicalement différent de celui de Dalí. A partir d'un matériau né de son imaginaire, il se livre à une sorte de collage où apparaissent des éléments issus de l'art primitif, de sa mythologie personnelle et de l'abstraction afin de créer un monde enchanté.

L'artiste espagnol le plus important de l'aprèsguerre est certainement Antoní Tapiés, né en 1923 et lui aussi catalan. Influencé à ses débuts par Miró, il s'est tourné vers l'abstraction à partir des années 1950, utilisant les matériaux les plus variés pour exprimer son angoisse du monde dans ses compositions monumentales, les « parois ».

A gauche, Picasso à 20 ans, dessin de l'artiste barcelonais Ramon Casas ; à droite, « La Bouteille de vin » de Miró fait référence aux maîtres du passé.

LA VIE SAUVAGE

Des pics des Pyrénées aux marais de la Costa de la Luz, voyager en Espagne donne l'occasion d'observer, partout, une foule d'animaux sauvages. Dans ses vastes étendues presques désertes, l'Espagne héberge en effet une grande diversité d'animaux, et notamment d'oiseaux.

Plus de 200 réserves naturelles, dont 11 parcs nationaux, ont été aménagées dans le pays, certaines depuis très longtemps : ainsi, la vallée d'Ordesa, dans les Pyrénées aragonaises, a été déclarée parc national dès 1918. Après une extension considérable en 1982, le parc a pris le nom d'Ordesa y Monte Perdido et couvre désormais quelque 16 000 ha. Mais il est en fait beaucoup plus vaste pour les animaux qui y vivent, puisqu'il est prolongé, sur le versant français, par le parc national des Pyrénées. Parmi les parcs les plus importants figure également celui de Covadonga (cordillère Cantabrique) également créé en 1918. Il couvre aujourd'hui 80 000 ha et a été rebaptisé parc national de los Picos de Europa (pics d'Europe) et Aigüestortes y Lago Sant Maurici (Pyrénées catalanes). Au sud-ouest, entre l'océan Atlantique et l'estuaire du Guadalquivir, se déploie l'immense zone humide (environ 78 000 ha) du célèbre parc national de la Doñana, où vivent six espèces animales protégées à l'échelle internationale, telles que l'aigle impérial, et où des milliers d'oiseaux qui migrent entre l'Europe et l'Afrique viennent trouver refuge en hiver. Plus petite (2 000 ha), la zone humide de Tablas de Daimiel, dans La Mancha, accueille elle aussi une avifaune variée. Enfin, il existe également un parc national aux Baléares dans l'île de Cabrera, et quatre aux îles Canaries (les mois de mai-juin sont la meilleure période pour visiter les parcs d'Ordesa ou de Covadonga ; celui d'Aigüestortes est aussi intéressant en mai. Pour observer des oiseaux migrateurs lors de leur déplacement, il faut se rendre au parc de Doñana ou de Tablas de Daimiel au printemps ou à l'automne).

Cependant, les disparités régionales de l'Espagne, tant sur un plan géographique que politique, ont longtemps été un obstacle à la protection de la nature. Il s'en est même fallu de peu que les querelles entre les défenseurs de la vie sauvage, les indifférents et même les opposants ne soient fatales à certaines espèces. Ainsi, le majes-

A gauche, les serpents sont un des aliments préférés des aigles impériaux; à droite, le lynx pardelle, aussi bon grimpeur que nageur, se camoufle souvent dans les arbres.

tueux aigle ibérique a été menacé d'extinction totale à la suite de la dégradation de son habitat. Devenu très rare – on en recensait onze couples seulement dans le parc de la Doñana –, il vit désormais confiné à quelques zones protégées.

LES OISEAUX

C'est dans le sud-ouest du pays, le long des côtes, que l'on a le plus de chances d'apercevoir ce superbe prédateur et, parfois même, d'assister à sa parade nuptiale. Les couples se font la cour en plein vol. Ils commencent par décrire des cercles fort élégants, les ailes déployées et les rémiges en éventail. Après quelques minutes de vol plané, un

des oiseaux plonge sur son partenaire. Mâle et femelle entament alors une série de figures où les piqués vertigineux alternent avec les poursuites. L'un d'eux se renverse parfois sur le dos et exhibe ses serres déployées. Enfin accouplés, ils se laissent tomber ensemble à la verticale puis, parvenus à quelques dizaines de mètres du sol, effectuent un brusque redressement avant de se séparer.

Le couple choisit ensuite un chêne-liège au sommet duquel il construit un vaste nid assez grossier, fait de branchages, de brindilles, d'herbes sèches et de fougères. La femelle pond deux ou trois œufs. Dès l'âge d'un mois, les jeunes restent seuls au nid tandis que les deux parents partent chasser. A deux mois, leur plumage passe du blanc au brun cannelle ; ils apprennent à planer et à fondre sur leurs proies. Au bout d'un an, alors qu'il est de nouveau temps pour les adultes de se reproduire, ils sont devenus tout à fait autonomes.

Espèce désormais protégée en Espagne, la grande outarde, ou outarde barbue, est l'oiseau sauvage le plus grand du continent eurasien (elle pèse en moyenne 15 kg mais il y a une grande différence entre les mâles et les femelles). Très farouche, cet oiseau des steppes et des étendues découvertes, dont il ne reste que quelques dizaines d'individus, se laisse très difficilement approcher. Ce volatile hors du commun, qui se reconnaît à ses longues moustaches de soies blanches, est connu pour sa spectaculaire parade nuptiale. C'est qu'il s'agit, pour les mâles, d'attirer des femelles qui se

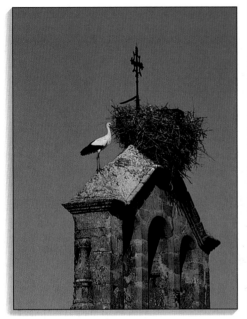

trouvent à des kilomètres de distance. Pour ce faire, ils se métamorphosent en d'étonnantes fleurs de plumes en gonflant leur sac gulaire (situé dans le cou) dans lequel la tête finit par disparaître complètement ; en même temps, l'oiseau redresse la partie postérieure de son corps puis retourne ses ailes, si bien qu'il ne forme plus qu'une boule blanche comme neige.

Ce sont les femelles qui s'occupent ensuite de chercher des herbes hautes ou un champ de céréales pour installer leur nid. Elles feront tout pour le défendre contre leurs principaux ennemis, les corbeaux, mais il n'échappera pas toujours aux moissonneuses-batteuses.

Présente un peu partout en Espagne, la huppe fasciée fouille l'herbe à la recherche d'insectes.

Les marcheurs ont souvent l'occasion de repérer sa crête de plumes or et noir, son plumage brun rosâtre et ses ailes barrées de noir et blanc. Ses atours et son caractère joueur confèrent à cet oiseau un charme certain.

Vision souvent fugitive, la talève sultane fréquente les étendues marécageuses de Doñana ; ce bel oiseau au plumage bleu intense, aux pattes et au bec rouges, se sert de ses pattes pour porter la nourriture à son bec. La pie bleue, une voleuse d'œufs, est tout aussi remarquable avec ses ailes couleur d'azur. Originaire d'Extrême-Orient, elle ne se rencontre en Europe que dans le sud-ouest de l'Espagne, où elle apprécie les zones de dunes stabilisées de la Doñana. Mais c'est le héron pourpré qui, avec sa crête noire et son long cou strié, demeure l'oiseau le plus spectaculaire qu'on puisse voir. Les Espagnols ne s'y sont pas trompés, qui ont qualifié ce migrateur d'« impérial » alors qu'il n'est dit que « pourpré » (*Ardeae purpurea*) partout ailleurs. Comme la talève sultane, c'est un habitant discret des roselières où il pêche poissons et grenouilles.

Dans les Pyrénées, le gypaète barbu est en déclin à cause, notamment, de la chasse, et surtout de la funeste habitude qu'ont les éleveurs de donner en pâture aux loups des carcasses empoisonnées. En effet, le régime alimentaire de ce grand rapace (3 m d'envergure) consiste essentiellement en cadavres d'animaux, sauvages ou domestiques. Pourtant, cet éboueur des montagnes joue un rôle essentiel dans l'équilibre écologique. En vol, ce charognard est aussi impressionnant que beau ; dépourvu du long cou nu assez répugnant des autres vautours, il ressemble plutôt à un faucon. Excellent planeur, il peut rester en l'air des heures durant, scrutant le sol à la recherche de nourriture. Le gypaète barbu doit son nom espagnol, *quebrantahuesos*, « briseur d'os », à la façon astucieuse dont il améliore son quotidien : planant les ailes déployées, il part à la recherche de dépouilles laissées par d'autres prédateurs ; lorsqu'il en a repéré, il fonce vers le sol, s'empare d'un os, gagne de l'altitude puis laisse tomber sa prise d'une hauteur suffisante pour que celle-ci libère sa moelle appétissante en éclatant au sol.

Dans la campagne espagnole, la cime des arbres résonne parfois de curieux grincements. Ce peut être le craquettement d'une cigogne noire, *cigüeña negra*. Au retour de son hivernage africain, ce gros oiseau au plumage noir comme du jais revient toujours vers le nid de brousailles qu'il a quitté l'année précédente. A l'inverse de la cigogne blanche que l'on voit nicher sur les clochers ou les hautes cheminées un peu partout en Espagne, l'espèce noire préfère les bois d'orme ou de chêne, les falaises surplombant les fleuves ou les corniches rocheuses des sierras. C'est un solitaire, qui vole parfois en petits groupes au cours de la migration. Répugnant à faire usage de leurs lourdes ailes, les cigognes noires préfèrent planer en utilisant les courants ascendants pour rester en altitude. Comme ces ascendances sont rares sur les grandes étendues d'eau, elles recherchent les passages les plus courts d'un continent à l'autre, comme le détroit de Gibraltar.

Chez la cigogne noire comme chez son homologue blanche, l'organe vocal est atrophié et l'oiseau communique par des claquements de bec. Dès qu'il sort de son œuf, l'oisillon réclame à manger en rejetant la tête en arrière et en faisant

couple se lance dans un duo de claquettements, renversant la tête et le cou sur le dos. Mâle et femelle se partagent ensuite l'élevage des cigogneaux – en général de trois à cinq. Les cigognes, monogames, sont aussi connues pour leur fidélité au nid, au point qu'en cas de décès de la mère, le père reste pour s'occuper de sa couvée.

L'oie cendrée, qu'on retrouve également par milliers au parc de la Doñana lors de sa migration, est également connue pour sa fidélité ; si un des oiseaux du couple meurt, l'autre demeure seul jusqu'à la fin de sa vie.

Environ 12 000 flamants roses font une halte saisonnière dans les vasières de la Doñana, se déplaçant entre le parc, la vaste lagune de Fuente

claquer son bec rapidement pour montrer qu'il a faim. Le bec étant très souple à la naissance, il n'émet alors aucun bruit, mais il produira plus tard son claquettement caractéristique. Et si ce bruit de castagnettes sonne parfois comme un avertissement, il peut aussi traduire l'excitation sexuelle. Ainsi, au moment des amours, les mâles – que rien ne différencie apparemment des femelles – signalent leurs intentions en se lissant les ailes, en sautant, en s'emparant ostensiblement de brindilles destinées à bâtir un nid. Dès que ces démonstrations ont attiré l'attention d'une partenaire, le

de Piedra, près de Málaga, où ils nichent, l'Odiel et la Camargue. Ces échassiers fréquentent les étangs littoraux peu profonds, les marécages, les marais salants et les zones inondables du Sud, soit autant de milieux où le climat favorise la prolifération d'algues, de mollusques et de crustacés. Leur long cou gracile leur permet de sonder la vase sous les eaux peu profondes et d'en extraire leur pitance, à l'aide de leur bec fort et busqué, en renversant la tête.

Grégaires, les flamants roses communiquent entre eux par des sons de trompette à terre et des jacassements d'oies en vol. Ils volent en rangs serrés et se tiennent alors à l'horizontale, le cou tendu vers l'avant et les pattes vers l'arrière. Ils se reproduisent en groupes et construisent, à

A gauche, nid de cigognes blanches au sommet d'un clocher ; ci-dessus, les monts Cantabriques sont l'un des derniers refuges de l'ours des Pyrénées.

quelques centimètres au-dessus de la surface des eaux saumâtres, un nid circulaire fait d'amoncellements de vase mêlée de plumes et de végétaux aquatiques. En avril, la femelle pond un œuf unique qui éclôt un mois après. L'oisillon, gris-brun, est chétif mais à peine est-il sorti du nid qu'il est mis en «crèche» avec des centaines d'autres petits et d'adultes attachés à sa surveillance; après trois mois de colonie, il prendra le large.

Si elles constituent leur lieu de prédilection, les zones chaudes peuvent cependant être une menace pour les flamants roses : un été particulièrement torride peut assécher un lac ou un marais et le transformer en steppe désertique où les oiseaux peinent à trouver leur nourriture et

qui jouent le rôle d'antennes ; elles sont sensibles au moindre courant d'air (lorsque l'animal chasse contre le vent) et au bruissement le plus ténu. Interceptant des sons inaudibles pour l'oreille humaine, elles compensent en fait un odorat peu développé.

Ses yeux verts ou ambrés lui confèrent une acuité visuelle qui lui permet de localiser sa proie à des distances considérables, même par une nuit sans lune. Très actif à l'aube et au crépuscule, souple, grimpeur agile, il est aussi bon nageur. Des pattes puissantes terminées par d'épais coussinets, une queue étonnamment courte et des moustaches blanches complètent le tableau. Mais le lynx d'Espagne se distingue encore par son man-

deviennent, de surcroît, une proie facile pour les chasseurs.

LES FÉLIDÉS

Le sud-ouest de l'Espagne abrite aussi l'un des animaux les plus farouches de la faune ibérique, le lynx d'Espagne (ou lynx pardelle). Emblème du parc de la Doñana, ce gros chat à l'allure de jeune léopard se laisse difficilement entrevoir.

Pesant environ 12 kg, le roi des félidés d'Europe méridionale se distingue par un pelage aux taches plus marquées que celles de l'espèce européenne d'origine. Ses oreilles sont également plus grandes et plus effilées. Mais, comme chez les autres lynx, celles-ci se terminent par un pinceau de poils noirs

teau ocre jaune ou brun, parfait camouflage dans une végétation brûlée par le soleil, où il se confond avec les massifs de genévriers et de bruyères.

Le lynx d'Espagne passe l'essentiel de son temps à chasser. Il installe sa tanière au creux d'un arbre ou dans des crevasses et fréquente les *corrales* (cuvettes de broussailles entre les dunes stabilisées) et le *monte negro* (maquis des zones basses). Mais il ne dédaigne pas non plus les sous-bois humides ou les montagnes enneigées.

Autre célèbre représentant de la famille des félidés espagnole, la genette est reconnaissable à sa robe mouchetée et à sa queue rayée. Ce petit carnivore, solitaire et nocturne, apprécie les arbres et arbustes des oliveraies.

L'OURS, LE DESMAN ET LE LOUP

Les Pyrénées, la cordillère Cantabrique et les monts Ibériques ont été, jusqu'au siècle dernier, le territoire de prédilection de très nombreux ours. Mais en voir aujourd'hui exige force patience et matériel. Même les chercheurs qui les étudient n'en ont vu, au mieux, qu'un ou deux spécimens durant toute leur carrière. Pourtant, avec sa stature (2,10 m) et un poids moyen de 200 kg, l'ours brun des Pyrénées (*Ursus arctos arctos*) est le plus gros animal terrestre espagnol. Ce colosse est capable de retourner des blocs de rochers de 100 kg, et il ne faut pas se fier à ses airs balourds : il peut courir à 40 km/h et sauter de 4 à 6 m en longueur. Mais la population compte actuellement à peine une centaine d'individus : bien qu'étant plus omnivore que carnassier, et autant sinon plus amateur de fruits et de miel que de brebis, ce grand prédateur était considéré comme une telle menace pour les troupeaux qu'il a fait l'objet d'une chasse intensive durant des siècles, quand il n'était pas capturé pour servir d'attraction foraine. Il a donc tout naturellement quitté les contreforts des montagnes pour chercher refuge dans les forêts d'altitude les plus inaccessibles. Depuis 1973, l'ours est protégé en Espagne ; le chasser ou le tuer est passible d'amendes qui se montent à plusieurs millions de pesetas, voire de peines de prison. Cependant, des ours continuent à être abattus chaque année, au nom de la légitime défense ou de la protection des agneaux.

Quand vient le froid, les ours se terrent dans des grottes ou des crevasses pour leur longue hibernation sur un lit de feuilles. Au cours de cette période, l'animal plonge dans un sommeil léger, son rythme cardiaque et respiratoire ralentit, tandis que sa température corporelle perd 10 % de sa valeur. Les femelles qui ont mis bas juste avant d'hiberner dorment allongées en rond dans leur tanière pour garder au chaud les oursons, encore dépourvus de fourrure (leur pelage définitif n'apparaît qu'à l'âge de trois mois). Traditionnellement, la fin de l'hibernation de l'ours annonçait le début du printemps, et ce jour était célébré à la Chandeleur. Quelques villages pyrénéens perpétuent cette coutume en février.

Le minuscule desman des Pyrénées est tout aussi discret que l'ours. Rarement photographié, il est resté inconnu de la science jusqu'au XIXᵉ siècle, et c'est l'un des plus étranges animaux de la planète. Apparenté à la taupe, ce petit mammifère

insectivore (il mesure entre 24 et 29 cm et pèse entre 50 et 80 g) se distingue par une longue queue écailleuse, un museau terminé par une trompe flexible et dont les narines peuvent se refermer en plongée, des yeux presque inexistants, des pattes antérieures courtes, griffues et partiellement palmées, et des pattes postérieures entièrement palmées. Son pelage est brun sur le dos et gris argenté sous le ventre.

Nocturne, sédentaire et solitaire, ce bon nageur passe l'essentiel de son temps sous l'eau. Il fouille avec sa trompe le sable et les graviers du fond afin de capturer les insectes, les larves aquatiques, les vers et les crustacés (surtout les crevettes d'eau douce) dont il est friand. On le rencontre norma-

lement entre 400 et 2 200 m d'altitude, mais la pollution des rivières, la sécheresse, les crues consécutives au déboisement et l'augmentation de la salinité des eaux provoquée par le salage des routes conduisent le desman toujours plus haut dans les montagnes, car il ne peut vivre que dans les eaux les plus pures.

Couleur de poussière avec leur pelage variant du gris-brun au gris jaunâtre, les derniers loups espagnols, surtout présents à l'ouest du pays, sont tout aussi difficiles à apercevoir. Ils rôdent dans les régions vallonnées, broussailleuses, plantées de bosquets de pins. Mais le randonneur a toutes les chances de croiser en chemin le bouquetin des Pyrénées, fréquent dans la sierra de Gredos, et le *garrano*, cheval sauvage de Galice.

A gauche, bouquetin des Pyrénées ; à droite, la huppe, à la touffe de plumes en éventail caractéristique, est répandue dans toute l'Espagne.

LE FLAMENCO

Miles Davis, le grand trompettiste de jazz, confiait un jour : « *Quand j'écoute du flamenco, j'en tombe à genoux.* » A la fois chant, musique et danse, le flamenco est apprécié dans le monde entier. Même si l'on connaît souvent mal sa complexité musicale, il est impossible d'échapper à sa richesse émotionnelle. En quelques mots très évocateurs, le chant flamenco va droit au cœur, même pour celui qui n'en comprend pas les paroles. Selon l'anthropologue William Washabaug, « *cette poésie rustique fonctionne comme une clé psychique, capable d'ouvrir les vannes de l'émotion* ».

DES ORIGINES ANTIQUES ET RELIGIEUSES

L'origine exacte du flamenco se perd dans la nuit des temps. Probablement venus d'Afrique, les habitants de Tartessos (VIe - IVe siècle av. J.-.C.) étaient connus pour leur talent de musiciens et de danseurs. Plus tard, sous l'occupation romaine, les danseuses de Cadix s'embarquaient pour Rome, où l'on appréciait leur sens du rythme et la sensualité presque lascive de leur danse.

Entre autres influences, certaines ornementations orientalisantes du chant flamenco s'inspirent des chants liturgiques byzantins. L'empreinte arabe est également indéniable et certains fragments de cantiques juifs sont toujours présents dans les *saetas*, chantées lors des processions de la semaine sainte. De son côté, la musique *andalusí* du XIe siècle est à l'origine des danses traditionnelles du Sud comme le *fandango*, la *farcha* et la *zambra*, dont le flamenco tire ses structures. C'est peut-être du *ziriab*, musique originaire du califat de Damas, que provient une des suites mélodiques typiques du flamenco, consistant à répéter une même note jusqu'à produire une sorte d'incantation rituelle. Un conte arabe rapporte ainsi l'histoire d'un vendeur de poisson qui, pris de frénésie en écoutant du *ziriab*, se mit à déchirer ses vêtements – tout comme le font encore les gitans dans les moments de transe.

Après la Reconquête, la musique populaire espagnole intégra les tonalités plaintives du plain-chant grégorien, lui-même issu des cantiques byzantins. Le chanteur Enrique el Mellizo composa un jour une chanson flamenco après avoir entendu une messe à la cathédrale de Málaga.

A gauche, même dans ses figures les plus endiablées, le flamenco tire son inspiration de la tristesse et de la douleur qui imprègnent l'âme andalouse ; à droite, gitans du Sacromonte vus par Gustave Doré.

LE CHANT DES GITANS

Comme la tauromachie et le banditisme, le flamenco est né dans la société semi-nomade du XVe siècle où se croisaient musulmans convertis, paysans chassés de leurs terres par la Reconquête et gitans nouvellement installés dans le pays. Le mot flamenco serait une déformation de l'arabe *felag mengu*, littéralement « paysan réfugié ».

Souvent musiciens professionnels, les gitans s'empressèrent d'apprendre les mélodies traditionnelles du Sud, puis les enrichirent de rythmes de plus en plus complexes, de paroles lyriques, et surtout de leur douleur de vivre. Lors des *ferias*, où se retrouvaient maquignons et marchands de

chevaux, ils mendiaient en chantant des romances castillanes de la Renaissance ou d'interminables épopées en vers.

Au XVIIIe siècle, les persécutions contre les gitans se faisant moins brutales, le flamenco commença à se répandre dans les villes andalouses. A partir de 1760, certains voyageurs eurent l'occasion de découvrir son art à Cadix, Jerez et Séville. Quelques-uns, comme Giacomo Casanova, nous ont laissé des *Mémoires*, premiers témoignages écrits de l'existence du flamenco.

LA CHANSON PROFONDE

La chanson (*cante*) est au cœur du flamenco. En elle sont conservées toutes les influences orientales de cet art espagnol. Deux lignes mélodiques fondamentales la caractérisent : dans la première, l'interprète chante plusieurs fois de suite la même note, répétition obsédante qui plonge le chanteur et l'auditoire dans un état second ; tandis que, dans la seconde, il fait vibrer sa voix autour d'une note centrale, comme autant d'inflexions autour du mot primordial d'un texte. Le flamenco fait partie de la tradition orale et il n'existe aucune partition permettant de le jouer.

La voix des chanteurs (*cantaores*) doit être plus expressive que réellement belle, et plus la chanson est triste ou amère, plus la voix de l'interprète devra être profonde et grave afin de faire passer dans ses intonations toute la douleur et le tour-

il peut improviser. Le public, s'il est connaisseur, l'encourage alors par des *¡Olé !* frénétiques. Souvent, en concert, le style de chaque chanson est précisé avant son interprétation.

Sérieux, cynique ou ironique, le flamenco sert à exprimer toutes les émotions humaines, les peines et les joies de la vie quotidienne, l'amour, la haine ou le désespoir. Certains musicologues classent les chansons du répertoire flamenco en *cante chico* (petit chant), *cante intermedio* (chant intermédiaire) et *cante grande* (grand chant).

Le *cante chico*, particulièrement apprécié pour la danse, se caractérise par des airs enlevés et des paroles drôles ou moqueuses ; les formes les plus répandues de *cante chico* sont les *bulerías*, les *ale-*

ment contenus dans le texte. Passant en quelques secondes du murmure rauque au cri strident et de l'aigu au grave, l'interprète est à la recherche de ce que le chanteur Manuel Torres appelait « *les notes noires* ». Mais les fioritures comptent moins que le talent du chanteur à pousser sa voix jusqu'aux limites de l'émotion. Un bon flamenco doit « prendre aux tripes » ses auditeurs.

Derrière l'apparente liberté d'expression se cache en réalité une grille musicale très structurée : pas moins de cinquante styles de chant, les *palos*, sont définis chacun par une inflexion rythmique précise, la *compá*. Chaque *palo* est lui-même parfois subdivisé en plus de trente variantes. Tout musicien flamenco se doit de maîtriser l'intégralité de ce répertoire, à partir duquel

grías et les *tangos*. Le *cante intermedio*, forme préférée des chanteurs andalous, est plus dramatique. Y sont rattachées les *malagueñas*, les *rondeñas*, les *sevillanas*, variations régionales du *fandango grande*. Les *canciones de ida y vuelta* sont des adaptations de rythmes hispano-américains comme la *gujira*, la *rumba* (typiquement gitane), la *colombiana* et la *milonga*.

Toutefois, ce sont les chants les plus tragiques que les puristes considèrent comme la quintessence de cet art. Ces chansons appelées *cante jondo* (chant profond) se divisent en deux groupes : les *soleares* et les *seguiriyas*. La *seguiriya* est la plus émouvante du répertoire flamenco. Ses paroles sont un cri passionné de rage et de désespoir, une expression de l'angoisse de l'âme qui se lamente. Son schéma rythmique met en évidence la complexité du flamenco : chaque strophe comporte quatre vers et chaque vers sept syllabes, à l'exception du troisième qui en compte onze. L'accompagnement repose sur une mesure à douze temps, interprétée en marquant fortement les contretemps.

Le *solear*, dont le nom correspond à la prononciation gitane du mot espagnol *soledad*, qui signifie solitude et abandon, est apparu au XIXᵉ siècle à Triana, le quartier gitan de Séville. Il admet un nombre infini de variations et traite des thèmes les plus divers, avec des paroles pleines de sagesse et d'ironie amère.

Les *tonas* constituent un troisième style de chant. Nées dans les forges et les prisons, elles constituent une survivance du flamenco des origines, et sont chantées *a cappella*.

LA DANSE FLAMENCO

La danse flamenco (*baile*) résulte d'une synthèse de plusieurs danses anciennes, dont les danses paysannes et les boléros aristocratiques. Elle a toujours eu une forte charge sensuelle : les registres du conseil de Cadix, en 1761, observaient que « *le fandango est une incitation à la débauche lorsqu'il est dansé par les gitans* ». Dès 1800, la danse flamenco, née dans les quartiers gitans de Cadix, de Séville et de Grenade, avait successivement conquis les tavernes et les cabarets pour finalement atteindre les académies de danse.

La tension palpable entre la liberté de mouvement des bras et des jambes et la rigidité du corps évoque irrésistiblement l'interdit du désir. Les danseurs, ou *balaiores*, n'obéissent à aucune chorégraphie, mais se laissent porter par le rythme selon leur propre sensibilité. L'esthétique des gestes est moins importante que l'expression des sentiments et le déchaînement d'énergie marqué par les *zapateados*, ces martèlements rythmiques des talons et de la pointe du pied.

Le flamenco s'est souvent mêlé à d'autres danses pour donner naissance à des versions théâtrales. Les opéras représentés dans des arènes au début du siècle, ainsi que certains films, comme *Carmen* (1983) de Carlos Saura (chorégraphie d'Antonio Gadès), s'inscrivent dans cette tradition.

LES « CAFÉS CANTANTES »

A partir de 1850, le flamenco conquit un nouveau public dans les *cafés cantantes* (sortes de cafés-

A gauche, le « cante » est le cœur du flamenco ; à droite, Paco de Lucía, célèbre guitariste de flamenco-jazz.

concerts). C'est là que les spectacles de flamenco ont trouvé leur organisation actuelle, où chaque membre d'un groupe, le *cuadro*, installé sur une estrade, se produit comme soliste, tandis que les autres l'accompagnent. C'est également là que la guitare s'est imposée. Née d'un croisement entre deux instruments, l'un, d'origine arabe, à cordes pincées et l'autre, d'origine chrétienne, à cordes grattées, la guitare ne servait jusque-là qu'à accompagner le chanteur. Avec l'apparition des *cuadros*, le guitariste commença à se produire en solo, et si l'accompagnement reste sa fonction principale, les introductions et les passages instrumentaux entre les couplets tendent à devenir de plus en plus longs, complexes et ornementés.

Le terme *El Toque* désigne tout ce qui est relatif à l'art de jouer de la guitare en général. Avec un « t » minuscule, ce mot fait simplement référence au style d'interprétation d'un artiste, à la façon de jouer dans une région particulière ou encore, plus communément, à la technique d'accompagnement d'un style de chanson spécifique comme, par exemple, le « *toque de soleares* ».

Le son typique de la guitare flamenco est produit grâce à la technique du *rasgueado* : les cordes sont grattées avec la main droite. Le *rasgueado* est effectué suivant un ensemble de modèles de positions et de mouvements de doigts permettant de réaliser des rythmes très différents. Le *rasgueado* alterne avec des passages plus mélodiques : les *falsetas*.

La guitare flamenco a bénéficié de la renaissance de la guitare classique en Espagne vers 1870-1880, en incorporant à sa technique celles de l'*arpeggio* et du *tremolo*. Mais ces innovations n'ont en rien retiré à la guitare flamenco la spécificité de ses sons, qui sont une réponse instrumentale à la voix du chanteur et aux mouvements du danseur. Placées très près du manche, les cordes produisent, lorsqu'elles sont pincées, un son discordant qui rappelle la voix éraillée du chanteur.

Le guitariste reproduit également les *zapateados* du danseur, en frappant la caisse de son instrument avec les extrémités et les articulations de ses doigts, selon une technique appelée *golpe*. Il existe également une étonnante similitude entre le

et andalous, en se rencontrant dans les *cafés cantantes* et en prenant l'habitude de jouer ensemble, ne tardèrent pas à mêler leurs répertoires respectifs, donnant naissance à de nouveaux styles de chants qui forment la base du flamenco actuel.

Vers 1900, les *cafés cantantes* commencèrent à décliner. L'avenir du flamenco semblait sombre. Pourtant, sa vitalité est demeurée intacte et son public n'a jamais été aussi large, malgré le dédain dont il fit longtemps l'objet, tant de la part de l'industrie du disque que des programmes de radio et des politiques culturelles gouvernementales.

Dans les années 1920, un groupe d'artistes célèbres, dont le poète Federico García Lorca et le compositeur Manuel de Falla, dénoncèrent ce

rasgueado du guitariste et la précision des mouvements de mains rythmés des danseurs.

Parmi les plus grands guitaristes flamenco des dernières décennies, il faut citer des musiciens comme Paco el de Lucena, Javier Molina, Ramón Montoya, Niño Montoya, Sabicas et Paco de Lucía.

LE FLAMENCO CONTEMPORAIN

En devenant un métier, le flamenco s'est transformé de façon définitive. Puisqu'on leur permettait de vivre de leur art, les musiciens et les danseurs purent dès lors consacrer une grande partie de leur temps à en améliorer la technique et à en explorer toutes les ressources. Les artistes gitans

qu'ils pensaient être la décadence du flamenco. Sans le vouloir, ils sont à l'origine du mythe qui voudrait que seul le flamenco spontané et gratuit soit authentique, par opposition au « flamenco-dollars ». Pourtant, depuis les mendiants des foires aux bestiaux, la créativité des interprètes du flamenco commercial ne s'est jamais démentie. C'est le cas, par exemple, des nouvelles formes de danse comme la *seguiriya*, la *martinete* ou la *rondeña*, inventées par le danseur soliste Antonio. Carmen Amaya (1913-1963) eut également une importance décisive en créant des mouvements de pieds qui bouleversèrent les danses masculines et féminines. Nous avons heureusement gardé des images d'elle grâce au film *Los Tarantos* (1962), version gitane de *Roméo et Juliette*.

Il existe aujourd'hui deux groupes distincts de jeunes artistes : ceux qui sont venus au flamenco après une formation classique, comme Joaquín Cortés ou Antonio Canales, et ceux qui sont nés dans la tradition flamenco, comme Joaquín Grilo ou Eva La Yierbabuena.

Chaque génération a connu ses grands chanteurs. Dans les années 1950, Antonio Mairena et Fosforito ont marqué le retour à un chant gitan dépouillé de ses fioritures et à la tradition *payo* (non gitane). Quelques décennies plus tard, Camarón de la Isla fit connaître le *cante jondo* à un très large public dans le monde entier. Sa disparition prématurée en 1992 a jeté un voile de tristesse sur tout le flamenco. Aucun de ses successeurs, qu'il s'agisse d'Enrique Morente, d'El Lebrijano, de José Mercé, de Carmen Linares ou encore de Mayte Martín, malgré leur talent et leur réputation, n'est encore considéré comme une idole.

L'époque actuelle marque aussi l'âge d'or de la guitare et le renouveau du flamenco, sous l'influence en particulier du rock et du jazz. Dès 1973 naquit le mouvement Cano Roto (nom d'une banlieue gitane de Madrid), sous l'impulsion de goupes de jeunes musiciens, gitans pour la plupart. Ces novateurs mêlèrent guitares acoustiques et électriques, basse et batterie pour créer, sur le rythme de la rumba gitane, une musique vive, proche de ce qu'allaient faire les Gipsy Kings quinze ans plus tard.

A la même époque, Paco de Lucía, qui fut l'accompagnateur de Camarón de la Isla, inventa un « flamenco fusion » qui force toujours l'admiration de la plupart des amateurs (mais ne fait pas l'unanimité). Il a mis sa virtuosité au service d'une approche ouverte du flamenco, y associant des mélodies et des rythmes latino-américains, en collaboration avec des guitaristes de rock ou de jazz comme John McLaughlin et Al di Meola. Il est aussi celui qui a rapporté d'un voyage au Pérou le *cajón*, boîte à percussion dont l'emploi s'est généralisé.

UNE SOIRÉE FLAMENCO

Le flamenco contemporain doit son nouveau visage autant à ses interprètes qu'à ses nouveaux espaces scéniques. Dans le Sud, les festivals de plein air se multiplient, que ce soit sur les places publiques, dans les arènes ou dans les stades. La biennale d'automne de Séville réunit les plus

A gauche, une danse centrée sur le corps ; à droite, les spectacles organisés de flamenco ont altéré le caractère spontané de cette forme musicale.

grands artistes du genre. Mais il faut bien reconnaître que le flamenco perd beaucoup de son esprit d'improvisation lorsqu'il se donne en spectacle dans un théâtre ou une salle de concert.

C'est dans des petites salles intimes, tard dans la nuit, que l'on peut découvrir le meilleur flamenco. En Andalousie, il existe encore des centaines de *peñas*, ou clubs privés, qui acceptent d'accueillir – contre paiement – les clients de passage. Leurs membres s'y retrouvent régulièrement pour chanter entre amis, et la complicité est grande entre les artistes et l'assistance. On trouve également de nombreux *tablaos*, qui vont du piège à touristes pur et simple à des établissements proposant des spectacles chers, mais d'assez bonne qualité.

Madrid, aujourd'hui considéré comme la capitale du flamenco, programme des spectacles toute l'année. La ville est aussi le berceau du *nuevo flamenco*, où se mêlent des rythmes de salsa et de rumba. De son côté, Barcelone a vu s'épanouir quelques talents exceptionnels du flamenco traditionnel. Même à Jerez, bastion du flamenco classique, de jeunes artistes expérimentent tous les mélanges, du rap et de la musique africaine aux mélodies orientales. En ce sens, le flamenco est un art capable d'évoluer éternellement, toujours conscient des apports du présent. Mais l'essence même du flamenco n'a pas changé. Tant qu'existeront l'amour et le désespoir, l'honneur et la trahison, et la beauté du geste face à la mort, le flamenco ne pourra pas mourir.

LA GASTRONOMIE

« L'Espagne est le dernier grand pays européen où la cuisine varie réellement d'une province à l'autre », écrivait Jean-François Revel en 1982. Un voyage en Espagne permet de vérifier rapidement la véracité de ses propos. Le choix aux étals des marchés, dans les pâtisseries, les charcuteries, et même les bistrots de routiers varie non seulement entre les régions, mais aussi entre villes et villages voisins. Et, dans une même ville, chaque restaurant ou bar à *tapas* propose des spécialités différentes.

Sur les côtes, les cuisines régionales ou provinciales se divisent en *montaña y mar*, « montagne et mer ». A l'intérieur des terres, les mêmes distinctions existent entre la montagne, la vallée et la plaine. A cela vient se superposer le réseau des chemins traditionnellement suivis par les bergers, les muletiers et les moissonneurs qui emportaient avec eux des préparations comme le *gazpacho* ou l'*ajo arriero* (morue salée braisée). Sans compter les régions comme l'Empordá, en Catalogne, El Bierzo, en Castille-León, le Maeztrago, au Levant, et les villes telles que Ségovie, Cuenca et Saint-Sébastien, qui ont réussi à élever leur cuisine locale au rang de gastronomie.

Aujourd'hui, les spécialités régionales sont servies non seulement aux menus de saison des *casas de comida* (restaurants), des *tascas* (tavernes) et des *ventas* (auberges au bord des routes), mais aussi dans les plus grands restaurants espagnols. La mise en valeur des recettes traditionnelles date des années 1970, lorsque les chefs basques ont iunauguré la *nueva cocina* (nouvelle cuisine). Vingt ans plus tard, une nouvelle génération de jeunes chefs talentueux a essaimé dans tout le pays. Qu'ils s'appellent Ferran Adriá, du restaurant El Bulli à Gérone, ou Martín Berasategui (vainqueur du Grand Prix 1989 dans la catégorie Espoirs) du Guipuzkoa, tous allient un solide sens des traditions à une créativité débridée.

Enfin, si diverse que soit la gastronomie ibérique, elle a sa propre identité. L'influence de la cuisine française, par exemple, y est faible, comme le notait déjà Alexandre Dumas vers 1840. En revanche, beaucoup de recettes font appel à des parfums et des couleurs aux notes exotiques, usages venus des Maures ou du Nouveau Monde, et les influences romaines sont encore très sensibles.

A gauche, le grand maître-queue Iñaki Izaguirre ; à droite, les « churros », beignets traditionnels, sont souvent accompagnés d'un chocolat chaud.

L'HÉRITAGE ROMAIN

Le pain, l'huile d'olive et le vin agrémentent les repas depuis l'Antiquité. La qualité et la variété des huiles d'olive et des vins d'Espagne se sont nettement améliorées depuis vingt ans, et certaines appellations qui ne sont pas exportées, comme l'Albariño, vin blanc de Galice, et les vins rouges de Priorato, Ribera del Duero, Toro, Somontano et Jumilla, méritent d'être découvertes.

Le poisson est aussi un aliment de base depuis les Romains. Il était alors le plus souvent séché ou salé. Aujourd'hui, les Espagnols consomment davantage de poisson frais. Aussitôt débarquée, la pêche est expédiée par camions réfrigérés vers les

poissonniers du pays. Le marché de gros de Madrid se situe au deuxième rang mondial pour la pêche. Les grossistes et les restaurateurs qui s'y fournissent exigent une qualité et une fraîcheur irréprochables, et nombre d'Espagnols considèrent qu'il n'y a pas de meilleur endroit pour choisir un poisson.

INFLUENCES EXOTIQUES

L'héritage des Maures est particulièrement sensible dans le sud-est du pays, région qui s'étend de Valence à Murcie et qui comprend toute l'Andalousie. Cette influence se retrouve dans les pâtisseries au miel, aux amandes, à la cannelle ou au sésame, les pains d'épice au cumin et à l'anis, les apprêts de riz, les sauces et les purées à base d'amandes ainsi que les jus de fruits sur glace pilée (*granizadas*).

Certains légumes, dont les plants avaient été rapportés d'Amérique latine au temps de la Conquête, se sont acclimatés avant de se répandre dans l'ensemble du pays à partir du XVIIe siècle et de devenir des ingrédients de base. Ainsi, les haricots d'Espagne (*alubias*), découverts à Cuba, et les pommes de terre (*patatas*) figurent dans tous les pot-au-feu régionaux (*cocidos*), tandis que les tomates, venues du Pérou, les poivrons, originaires du Mexique et le piment rouge moulu (*pimentón*) habillent et parfument les plats les plus divers. Aux îles Canaries, étape entre l'Europe et le Nouveau Monde, les

qu'on les retrouve à la tête des meilleurs restaurants de toute l'Espagne.

Plus à l'ouest, les Asturies proposent une robuste cuisine campagnarde. Parmi ses spécialités figurent le ragoût de haricots au lard et au mouton (*fabada*), le gâteau de riz au lait (*arroz con leche*), plus de vingt fromages fermiers et du cidre sec.

Plus fine, la cuisine de Galice propose d'excellentes pièces de bœuf, une grande variété de poissons et de coquillages, de copieuses tourtes (*empanadas*), du jambon bouilli aux feuilles de navet (*lacón con grelos*) et des plats au piment rouge.

A l'intérieur des terres, dans la Rioja, en Navarre et en Aragón, on utilise les produits de la fertile vallée de l'Èbre pour concocter diverses spécialités :

papas arrugadas, pommes de terres grillées au barbecue et arrosées d'une épaisse sauce rouge, *mojo*, sont une spécialité fort appréciée.

D'une région a l'autre

Comme en témoigne la tradition des confréries gastronomiques masculines, la nourriture et la cuisine sont un élément essentiel de la culture et de l'identité basques et la table est encore un lieu de réunion privilégié, que ce soit à la maison, dans les *asadores* (restaurants-grills) ou lors des banquets de fête. On y prépare magnifiquement le poisson, et nombre de restaurants de Saint-Sébastien et de Bilbao ont été distingués par des étoiles Michelin. D'ailleurs, la réputation des chefs basques est telle

conserves de pêches et de poires au vin rouge ; *menestras* (ragoûts) de légumes de printemps braisés ; *chilindrón* (garniture à base de poivrons doux, de piments rouges et de tomates qui accompagne le poulet basquaise, l'agneau ou le gibier). Les *patatas a la Riojana* (ragoût de pommes de terre rehaussé de piment rouge), ont été célébrées par Paul Bocuse comme une véritable œuvre d'art.

Plus au sud, les mets du plateau central, la *meseta*, semblent tout droit sortis du Moyen Age, qu'il s'agisse des viandes rôties au feu de bois comme l'agneau de lait (*cordero lechal*), des tripes (*callos*), du manchego (un fromage de brebis) ou des soupes à l'ail (*sopas de ajo*).

En comparaison, la table méditerranéenne semble beaucoup plus contemporaine. Ses salades variées, ses légumes rôtis (*escalivada*), son poisson en croûte de sel et sa soupe de poisson composent une cuisine aussi saine que savoureuse.

La tradition culinaire catalane remonte au XIVᵉ siècle. Parmi les plats classiques figurent le *romesco* (sauce aux amandes pilées, à l'ail, à l'huile d'olive et au piment) servi avec du poisson ou des oignons nouveaux grillés, la *zarzuela* (matelote de fruits de mer) et l'*escudella* (ragoût de poisson). Chaque île des Baléares a ses spécialités : Minorque est réputée pour ses langoustes et Majorque pour sa viande de porc et ses *ensaimadas*, brioches saupoudrées de sucre glace.

La région de Valence est le pays du riz. Ce qu'on appelle généralement *paella* est en fait un genre de fourre-tout, synthèse des centaines de plats de riz différents qui figurent au menu des restaurants de la région – les uns cuits dans les *paelleras* (grandes poêles profondes auxquelles la *paella* doit son nom), jusqu'à ce que le riz se dessèche ; les autres plus moelleux, où on laisse mijoter le riz dans des poêlons de terre cuite. Les Valenciens sont en outre les spécialistes des crèmes glacées et des *granizadas*, dont la plus typique est la *horchata*, délicieuse boisson rafraîchissante à base de suc de *chuja*, ou souchet jaune, sorte de papyrus originaire des marais du Guadalquivir.

La cuisine andalouse possède aussi ses classiques. Emblématique, le *gazpacho*, issu d'une recette ibérique ou romaine, constituait le repas quotidien des paysans et des journaliers. Ce potage de concombre, de tomate, d'oignon, de poivron et de mie de pain se mange froid avec du pain grillé coupé en dés, mais il existe des variantes chaudes. L'*ajo blanco*, autre recette de *gazpacho*, est à base de purée d'amandes relevée d'ail. L'Andalousie est également la région des ragoûts de haricots (*potajes*) et du poisson ; en fin de journée, les *freidurías de pescaíto* vendent calmar, merlu, petites soles, poissons à chair ferme cuits après avoir mariné dans un apprêt de piment doux. Dans les montagnes, on peut encore déguster des plats traditionnels très simples, souvenirs d'une époque plus pauvre : les *migas*, faites de farine ou de miettes de pain frites, relevées de dés de viande, de poisson ou de fruits, d'ail et d'herbes. Enfin, l'Andalousie et la proche Estrémadure sont aussi les principaux producteurs de *jamón ibérico*, jambon sec provenant de cochons noirs élevés en semi-liberté et nourris de glands et de châtaignes. L'appellation *patas negras* (« pattes noires ») est particulièrement réputée. Le *jamón*

A gauche, spécialités basques au Zalacain, l'une des grandes tables madrilènes ; à droite, la variété des tapas *est une invitation perpétuelle à la dégustation.*

serrano (« jambon de montagne ») est en général servi en fines tranches à l'apéritif ; les plus recherchés sont ceux de Pedroches (Cordoue), de Trevelez (Grenade) et surtout de Jabugo (Huelva).

AU BONHEUR DES « TAPAS »

Les *tapas*, ces mises en bouche servies avec les consommations dans les bars, ont fait bien du chemin depuis leur modeste origine andalouse. Initialement, il s'agissait d'une bouchée de jambon salé ou de fromage présentée dans une soucoupe posée sur un verre de vin afin de le protéger des mouches et de la poussière – parfois, une simple rondelle de saucisson faisait office de couvercle.

Aujourd'hui, chaque région, chaque ville et chaque bar propose sa propre palette de *tapas*. Mais les règles sont les mêmes partout : *tapear* consiste à aller de bar en bar, en grignotant seulement deux *tapas* dans chacun. En général, on a le choix entre les *tapas* proprement dites (« bouchées »), appelées *pinchos* au Pays basque, la *media ración* (« demi-assiette ») qui fait office de collation, et la *ración* (« assiettée ») qui s'apparente parfois à un vrai repas. Les *tapas* de *tortilla* (« omelette ») sont servies partout. Les plus courantes sont au jambon sec, au chorizo, au poisson (thon, merlan, anchois ou sole selon les régions) ou aux fruits de mer (gambas et calmar). On peut commander une *tapa* après l'autre et, dans certaines villes comme Saint-Sébastien, on ne paie qu'à la fin.

LES FÊTES
DES QUATRE SAISONS

Chaque village d'Espagne, même le plus petit, s'accorde au moins un jour férié par an pour célébrer son saint patron. Qu'il s'agisse d'une journée au cours de laquelle la population se rend en pèlerinage

(*romería*) jusqu'à une chapelle ou un ermitage isolé, ou d'une semaine entière de processions, c'est de toute façon l'occasion de faire la fête, de se déguiser, de danser, de lancer des pétards ou de se mesurer à des taureaux. Certaines célébrations sont de simples prétextes à s'amuser, d'autres sont de solennelles professions de foi, ou encore la survivance d'antiques rites de fertilité où s'entremêlent paganisme et symboles chrétiens.

AU RYTHME DE L'ANNÉE CHRÉTIENNE

Les rituels les plus extravagants sont de toute évidence d'origine médiévale, comme l'*encierro*, le lâcher de taureaux dans les rues de Pampelune lors des fêtes de la Saint-Firmin, ou les fêtes de l'eau et du jambon, à Lanjarón où l'on s'inonde d'eau et de boue. Mais la plupart des fêtes espagnoles sont d'inspiration nettement baroque dans leur expression et leurs excès. La majorité des célébrations ont lieu à l'Épiphanie (la fête des Rois, le 6 janvier), pour le Carnaval (février ou mars, à la veille du mercredi des Cendres qui marque le début du Carême), durant la Semaine sainte (mars ou avril selon la date de Pâques), début mai, à la Pentecôte et à la Fête-Dieu (mai ou juin), durant la nuit de la Saint-Jean (du 23 au 24 juin) et aux alentours de l'Assomption (15 août).
Le plus grand carnaval d'Espagne se déroule à Cadix (ci-dessus); durant la fête, des groupes de joyeux drilles vêtus de costumes éclatants parcourent les rues en chantant des chansons burlesques.

◀ *Les jours qui précèdent le Carême sont prétexte à toutes les extravagances. Farces et déguisements à faire peur sont de rigueur.*

▲ *A Valence, des centaines de « fallas », extraordinaires mannequins édifiés en carton-pâte et bourrés de feux d'artifice, sont incendiés à minuit au cours de la Nit del Foc, la « nuit du feu », le 19 mars.*

◀ *Durant la Semaine sainte, des cortèges de pénitents encagoulés et de pasos, chars portant des statues, se déroulent dans toute l'Espagne.*

▲ *A San Vicente de la Sonsierra (La Rioja), les picaos, nu-pieds, revivent la passion du Christ en portant la croix et en se flagellant le dos (les Jeudi et Vendredi saints).*

La *feria de abril* (foire d'avril) qui se déroule à Séville remonte à 1847. Elle était à l'origine un simple marché aux bestiaux, qui est devenu une gigantesque fête. Pendant six jours – et surtout six nuits –, plus de 1 000 *casetas* construites pour l'occasion résonnent au son du flamenco sévillan, la *sevillana*. Ces kiosques de bois et de toile, décorés avec soin, comportent une piste de danse sur une estrade et un comptoir. Chacun se met sur son trente et un et les femmes revêtent des robes de style flamenco pour parader à cheval ou en calèche. L'autre temps fort de la fête sont les corridas, qui se déroulent aux arènes de la Maestranza et marquent l'ouverture de la saison taurine.

▲ *Dans la province de Teruel, à Alcañiz, le roulement incessant de milliers de tambours, la « tamborrada », crée une atmosphère solennelle le Vendredi saint.*

Les grandes fêtes de Madrid se déroulent aux alentours du 15 mai, en l'honneur de San Isidro. Au programme, danses folkloriques et concerts de rock. ▼

▲ *La Catalogne du Sud a conservé la tradition des tours humaines. Les équipes de « castellers » s'affrontent en rivalisant de hardiesse – c'est bien entendu à qui montera le plus haut.*

Lors des fêtes d'été des villes du Sud, les femmes revêtent la « bata de cola », la robe traditionnelle andalouse, chargée de volants. ▶

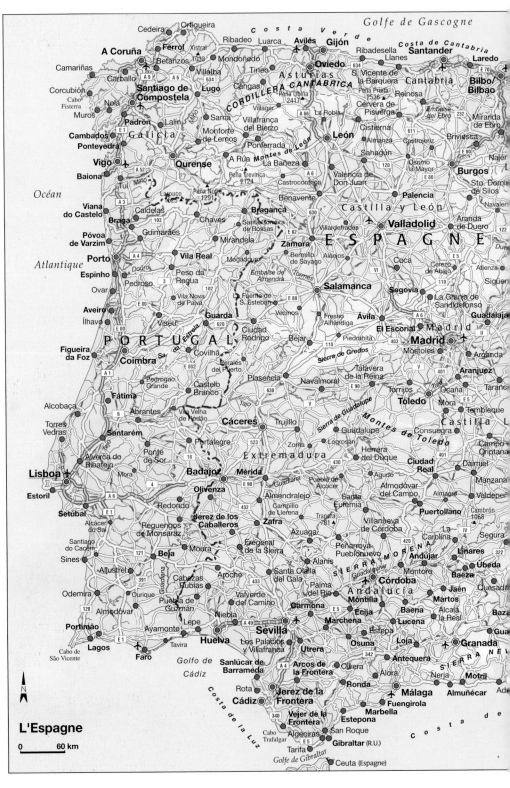

L'Espagne

0   60 km

Mont-de-Marsan · Jegun · Graulhet · Bédarieux
Dax · Aire s-l'Adour · **Auch** · Mazamet · **Toulouse** · **Montpellier**
Biarritz · Capbreton · Orthez · Masseube · F R A N C E · E 15
Donostia/ · A 64 · Salies- · Tarbes · St. Gaudens · Carcassonne · E 80 · Béziers
an Sebastián · de-Béarn · Lourdes · Foix · Quillan · Narbonne
A 63 · Cambo- · Cauterets · St. Lary- · Bagnères- · Tarascon · Port-Barcarès
·ais · les-Bains · 933 · Soulan · de-Luchon · Estagel · Perpignan
·asco/ · A 15 · **Iruña/** · Jaca · Vielha · ANDORRA · Font- · Port-Vendres
·uskadi · **Pamplona** · 138 · Benasque · Andorra · Romeu · Roses
Gasteiz/ · Navarra · 240 · Campo · 230 · la Vella · Ripoll · Figueres · L'Escala
·itoria · Sos del Rey · Sabiñánigo · Graus · Berga · Olot · Torroella
Logroño · Tafalla · Católico · 230 · Tremp · Girona · de Montgrí
·ioja · Calahorra · Ejea de los · Barbastro · Vic · Palamós
Arnedo · Caballeros · **Huesca** · Monzón · Cataluña · Sant Feliu de Guíxols
·ebollera · Tudela · Tarazona · Aragón · 240 · **Lleida** · Manresa · **Terrassa** · Lloret de Mar
·142 · Soria · Ciria · A 68 · Fraga · Igualada · **Sabadell** · Blanes
·lmazán · Calatayud · 330 · **Zaragoza** · E 90 · Valls · Sitges · **Barcelona**
·II · Daroca · Herrera · E 90 · Flix · Reus · L'Hospitalet
·aranchón · Retuerta · Caspe · Móra la · **Tarragona** · de Llobregat
Zaorejas · 211 · Monreal · Alcañiz · L'Espina · Cambrils
·ar de · del Campo · 234 · Calanda · 232 · **Tortosa** · de Mar
·astilla · S. Alta · Palomera · Cañada de · Benicarló · Vinaròs
Mogorrit · Javalón · Benatanduz · Peñíscola
·062 · Javalambre · **Teruel** · A 7 · Pollença
·uenca · Collado Bajo · 420 · Onda · **Benicàssim** · Port de
·ntrediños · Cuerda · Segorbe · **Castelló** · Sóller · Inca
·320 · Embalse · **Valenciana** · Liria · de la Plana · Manacor
·ancha · de Alarcón · 111 · Golfo de · **Palma de**
Villanueva · A 3 · **Sagunt/** · **Mallorca**
·301 · A 31 · de la Jara · Requena · **Sagunto** · Campos
·La Roda · Júcar · **Valencia**
Albacete · 430 · Almira · Gandia · Ibiza
·322 · Pozo · Xàtiva/ · S. Antoni · **Eivissa**
·lcaraz · Losa · Cañada · Játiva · **Xàbia/**
·1038 · Tobarra · Villena · **Jávea** · Formentera
Hellín · 412 · **Benidorm** · Altea
·ste · **Elda** · La Vila Joiosa/
Cieza · **Elx/** · Villajoyosa
Caravaca · Mula · **Elche** · **Alacant/**
de la Cruz · **Murcia** · Orihuela · **Alicante**
·uéscar · Vélez · 301 · San Javier
Blanco · Totana
Lorca · **Cartagena**
·úllar · Águilas
Baza · Cuevas del
·lbox · Almanzora
Mojácar · 344
Almería
·s o l

Menorca · Ciutadella · Maó/ Mahón
Islas Baleares
Mallorca

Mer Méditerranée

Iles Canaries

0   50 km

Océan Atlantique

Alegranza · Graciosa · Lanzarote · **Arrecife**
2426 · **Santa Cruz** · Tenerife · Fuerteventura
de la Palma · **Santa Cruz** · **Puerto del**
La Palma · 3718 · **de Tenerife** · **Las Palmas de** · **Rosario**
La Gomera · **Gran Canaria**
San Sebastián · 1949
El Hierro · **de la Gomera** · Gran Canaria
Valverde

ITINÉRAIRES

Les 50 provinces qui composent l'Espagne couvrent un vaste territoire montagneux dominé, au centre, par le plateau de la Meseta et les hautes sierras qui l'entourent. Au cœur de ce plateau, Madrid est le point où convergent toutes les grandes routes du pays. Imposante et majestueuse, fière de son Prado et de son somptueux Palais royal, la capitale n'est qu'à courte distance de Tolède et de l'Escurial qui offrent un contraste saisissant entre le faste hérité de l'occupation mauresque et l'austérité catholique de l'empire.

Au nord de Madrid, sur les hauts plateaux de la Vieille-Castille, se dressent les cités et les châteaux de la Reconquête. Aride et vallonnée, nichée entre le Portugal et la Castille, l'Estrémadure est la terre natale des conquistadors et des *toros bravos* destinés au combat. Dans cette région isolée, les villes médiévales, balayées par les vents, n'ont rien perdu de leur authenticité.

L'Andalousie déploie ses terres gorgées de soleil et son éblouissante architecture mauresque à l'extrême sud de la péninsule. Outre Séville, Cordoue et Grenade, elle cache dans son arrière-pays de minuscules villages aux maisons blanchies à la chaux. En toile de fond s'élèvent les sommets de la Sierra Nevada, dont le Mulhacén (3 482 m) est le point culminant d'Espagne.

Frange côtière de la Méditerranée, le Levant, qui regroupe les régions de Valence et de Murcie, bénéficie d'un climat chaud et humide et les terres, enrichies par les alluvions des torrents de montagne, y sont les plus fertiles d'Espagne ; c'est la *huerta*. Pendant plus de mille ans, Valence a tiré sa richesse de l'agriculture grâce aux travaux d'irrigation réalisés par les Maures. Au nord de la capitale provinciale s'étire le superbe littoral de la Costa Dorada et de la Costa Brava. C'est là que commence la Catalogne qui, outre sa capitale prestigieuse, Barcelone, offre une grande diversité de paysages, des petites criques sauvages et des plages de sable aux montagnes pyrénéennes.

Le Nord est encore plus varié. Le Pays basque, avec ses collines luxuriantes et sa côte riante, est le paradis gastronomique de l'Espagne. Au milieu des paysages montagneux de la Navarre et de l'Aragon, les églises romanes doivent leur charme à la simplicité de leur style. Plus à l'ouest s'étirent les longues plages de Cantabrie, puis celles des Asturies dont la côte est festonnée de rias et de promontoires rocheux. Enfin, à l'extrême ouest du pays, tapie entre des monts couverts de brume et un littoral déchiqueté, la Galice, riche d'un important patrimoine celtique, a conservé tout le charme des pays mystérieux.

Mais l'Espagne doit aussi sa beauté à ses îles. A quelques encablures de la Catalogne, les Baléares, dont Majorque, la plus grande île, est un véritable continent en miniature, méritent une place à part entière. Plus lointaines, les Canaries, qui déploient un paysage volcanique d'une étrange beauté, sont déjà une porte ouverte sur l'Afrique.

Pages précédentes : plaine de Castille ; Arcos de la Frontera, village blanc d'Andalousie ; danse folklorique de Minorque. A gauche, foule en liesse lors des Sanfermínes, à Pampelune.

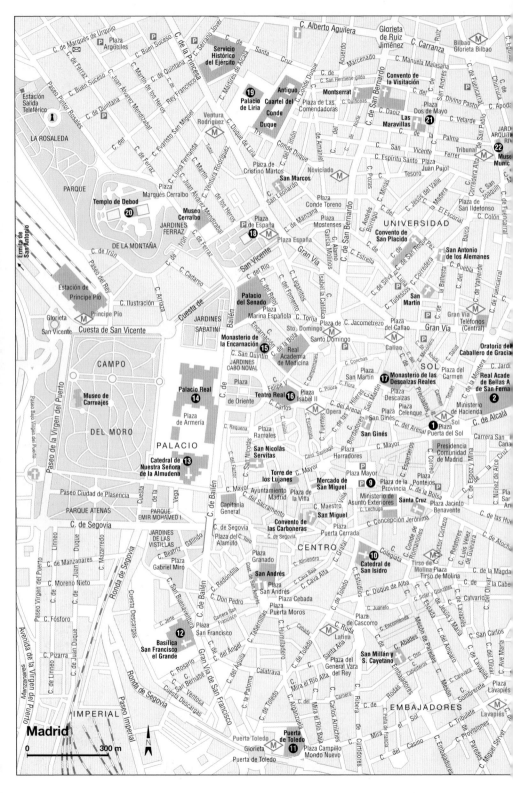

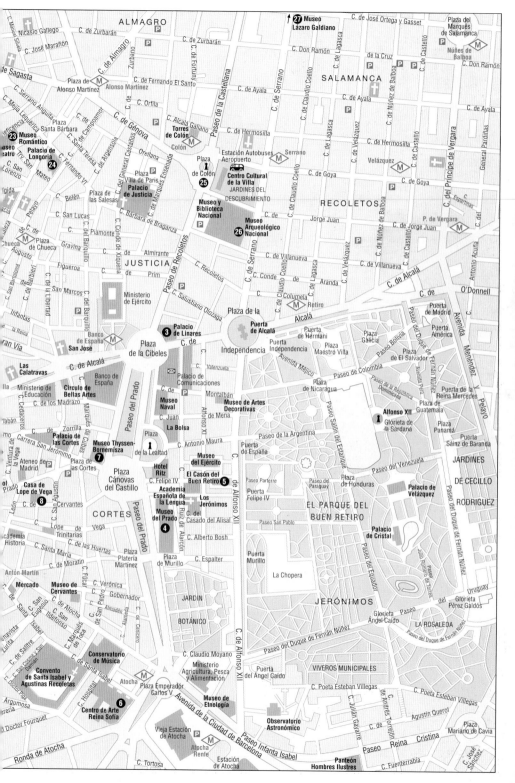

MADRID

Avec ses 600 m d'altitude, Madrid est la plus haute capitale d'Europe. Certes, la pollution que dégagent les 2 millions d'automobiles et le chauffage au mazout ont dégradé cet air «*pétillant comme du champagne*», selon une expression du XIXᵉ siècle, quand des princesses étrangères n'hésitaient pas à le respirer et à accoucher à Madrid... Mais, par une belle journée de printemps, la Sierra de Guadarrama est si nette qu'elle paraît à portée de la main.

La démocratie a apporté un dynamisme nouveau à la ville. Devenue capitale en 1561, par le caprice du roi Philippe II qui y transféra sa brillante cour de Tolède, elle est l'une des cités les plus visitées d'Europe, grâce à ses monuments, ses vieux quartiers, ses rues colorées et sa vie nocturne.

LA « PROVINCIALE »

Pendant dix-sept siècles, Madrid ne fut qu'une petite communauté rurale nichée au pied de la Sierra de Guadarrama. Entouré de vastes forêts, ce haut plateau attira d'abord l'attention des Maures, qui y construisirent une forteresse, le Magerit, sur les rives du Manzanares. Les chrétiens s'en emparèrent en 1083, mais les deux religions parvinrent à coexister dans une certaine harmonie, à l'écart des conflits politiques et des troubles qui secouaient les autres cités castillanes.

Lorsque Philippe II fit de Madrid la capitale de son royaume, des courtisans réticents insinuèrent qu'il cherchait à se rapprocher de son palais de l'Escurial. Pourtant, les nobles et le clergé y établirent rapidement leur résidence afin d'appartenir à la nouvelle sphère d'influence. A mesure que la ville s'agrandissait, le déboisement incontrôlé qu'exigeaient les constructions entraîna une érosion, une sécheresse et une hausse sensible de la température ; le climat de Madrid en fut changé.

Lorsqu'ils succédèrent aux Habsbourg, au XVIIIᵉ siècle, les Bourbons furent horrifiés par l'état des rues sales et mal famées, la vétusté des habitations. Le délabrement des églises aux briques noircies n'était pas révélateur des trésors artistiques qu'elles renfermaient. Les Bourbons s'appliquèrent dès lors à donner à la capitale une allure plus digne.

Les transformations et les améliorations ne furent pas toujours du goût des Madrilènes. Charles III estima que les multiples intrigues qui agitaient Madrid étaient favorisées par les longues capes et les chapeaux à large bord qu'affectionnaient les citadins ; aussi imposa-t-il le port de capes courtes et de tricornes à l'européenne. Ce décret déclencha une véritable rébellion qui s'acheva dans un bain de sang. Joseph Bonaparte lança ensuite un vaste projet de plantation d'arbres et d'espaces ouverts. Mais il avait occupé le trône par la force et, malgré ses louables efforts, il fut critiqué et reçut même le sobriquet désobligeant de « Rey-Plazuelas », le roi des Placettes.

Au début du XXᵉ siècle, de grandes banques élurent domicile sur la Calle de Alcalá augmentant ainsi la puissance

Plan p. 124

Madrid

Pages précédentes : vue de Madrid depuis le toit de l'hôtel Plaza. A gauche, Don Quichotte et Sancho Pança sur la Plaza de España.

Le parc du Retiro invite tous les Madrilènes à se détendre et les peintres à travailler sur le motif. Pour les Espagnols, qui aiment la foule, la vie est dans la rue. Quand le soleil tape, ils se réfugient dès 14 h dans les maisons pour déjeuner et faire la sieste. Vers 17 h 30, la «tarde», moment de détente qui dure jusqu'à 21 h ou 22 h, est idéale pour flâner et s'attarder à la terrasse des cafés.

financière de Madrid. Ses larges artères et ses fontaines monumentales lui donnèrent une allure majestueuse, bien qu'elle conservât sa réputation de ville provinciale. Le romancier basque Pío Baroja la taxa de « *village de la Mancha qui a grandi trop vite* ».

Officiellement, cette cité d'environ 4 millions d'habitants est encore appelée la Villa y Corte (le Bourg et la Cour), titre que lui conférèrent les Habsbourg. Malgré le bouillonnement culturel qu'elle connaît et le raffinement de sa vie nocturne, beaucoup estiment qu'elle est restée « provinciale ». Quoi qu'il en soit, les Madrilènes sont réputés pour leur simplicité et leur ouverture, et c'est peut-être grâce à ce tempérament que la mutation politique et culturelle s'est opérée si facilement.

LE CŒUR DE LA VILLE

La Puerta de Alcalá, de style néo-classique

La **Puerta del Sol** ❶, place ovale bordée d'immeubles du XVIIIᵉ siècle, est le cœur de la ville. Elle marque le kilo-

mètre 0 de toutes les routes d'Espagne, et le centre de la plupart des lignes de métro et d'autobus de Madrid. La statue qui se dresse au milieu, un grand ours en bronze, est un haut lieu de rendez-vous. Le soir du nouvel an, les Madrilènes s'y rassemblent pour croquer les traditionnels douze grains de raisin pendant que retentissent les douze coups de minuit.

Dans le passé, la place a été le cadre d'événements historiques. Le peuple y résista aux troupes napoléoniennes en 1808 ; en 1830 éclata une révolte contre les nonnes des couvents de Madrid, accusées d'avoir empoisonné l'eau de la ville ; la IIᵉ République y fut proclamée en 1931, et dans les années 1980, elle a été le siège des manifestations en faveur de la liberté d'expression et contre l'OTAN ; en 1997, un million de Madrilènes l'ont investie pour protester contre le terrorisme.

Du nord de la Puerta del Sol part la **Calle Preciados**, où se dresse le grand magasin de Madrid, le **Corte Inglés**, qui est ouvert tous les jours.

Au nord-est, sur la Calle de Alcalá, se profile l'**académie des Beaux-Arts de San Fernando ❷**. Elle contient des œuvres des principaux artistes de l'école espagnole, en particulier le tableau de Goya intitulé l'*Enterrement de la sardine*, une parodie tragi-comique d'une tradition madrilène qui consiste à enterrer un poisson le mercredi des Cendres.

A l'intersection d'Alcalá et du **Paseo del Prado** s'étend la Plaza de la Cibeles, ornée d'une fontaine dédiée à la déesse Cybèle. Le grand bâtiment blanc qui lui fait face est la **Casa de Correos** (la poste centrale), un édifice représentatif de la tradition architecturale madrilène, dans lequel on devine une tendance Art nouveau. Au coin nord-est de la place, le **Palacio de Linares ❸** fut négligé pendant longtemps. Restauré en 1992, il abrite aujourd'hui le centre culturel de l'Amérique latine. Il se distingue par ses intérieurs de 1870 décorés de dorures, de soie, de marbre, de miroirs et de chandeliers. Alcalá se termine par la **Puerta de Alcalá**, arc de triomphe construit en 1778, sous Charles III, pour embellir l'entrée est de la cité.

LE QUARTIER DES TRÉSORS

Le Paseo del Prado, prolongement sud du boulevard de la Castellana, est devenu une sorte de « triangle d'or » des collections d'art.

Le **Museo Thyssen-Bornemisza ❼**, installé depuis 1993 dans le très beau palais de Villahermosa, renferme les quelque 800 œuvres de la collection du baron Hans Heinrich Thyssen-Bornemisza, considérée comme la plus belle collection privée au monde, après celle de la reine Élisabeth d'Angleterre. Elle s'échelonne de 1290 aux années 1980. Parmi les artistes figurent des maîtres hollandais du XVIIᵉ siècle, des peintres nord-américains du XIXᵉ siècle, des constructivistes russes et des expressionnistes allemands du XXᵉ siècle.

Derrière le musée, sur la Carrera San Jerónimo, se dresse le **Palacio de las Cortes**, la chambre des députés espa-

Plan
p. 124

L'infante Marguerite peinte par Vélasquez dans « Les Ménines ».

La statue de Vélasquez devant le Prado.

gnole. Les lions en bronze qui en gardent l'entrée ont été fondus à partir des canons pris aux Marocains en 1860. Non loin du parlement, le **Museo del Jamón** est une charcuterie célèbre qui propose toutes sortes de jambons et de saucissons. Le *serrano*, jambon tendre et savoureux, n'a rien à envier au meilleur *prosciutto* italien.

En partant des Cortes, les amateurs de littérature peuvent faire un détour par la Calle San Augustin et rejoindre la **Casa de Lope de Vega ❶**, au 11 Calle Cervantès. Le grand poète et dramaturge y écrivit ses œuvres majeures. Le mobilier et les «effets personnels» ne sont pas d'origine, mais ils évoquent assez bien l'atmosphère d'un intérieur espagnol du XVIIᵉ siècle.

Pour rejoindre le musée du Prado, il suffit d'emprunter la **Calle Cervantès**. Des trois musées regroupés dans le «triangle d'or», le **Prado ❶** justifie à lui seul un séjour à Madrid. Il renferme non seulement la plus grande collection au monde de maîtres espagnols, mais aussi un large éventail de peintures de provenances diverses, lesquelles reflètent les goûts, les croyances et les ambitions politiques de la couronne d'Espagne depuis le règne de Ferdinand et Isabelle.

Ironie de l'histoire, c'est Joseph Bonaparte qui eut le premier l'idée de faire connaître aux Espagnols les œuvres d'art de leur pays. Mais il fut chassé avant d'avoir pu achever son projet que Ferdinand VII mit à exécution. En 1819, les collections royales furent exposées dans un bâtiment destiné au départ à accueillir un muséum d'histoire naturelle. Avec l'évolution des mœurs et des mentalités, on en vint à montrer des tableaux jusqu'alors cachés, telles la *Vénus* de Titien et *Les Trois Grâces* de Rubens. Aujourd'hui, le Prado possède plus de 7 500 peintures, dont 60 % sont exposées en permanence.

Il est recommandé de commencer par le niveau supérieur qui regroupe les maîtres espagnols des XVIIᵉ et XVIIIᵉ siècles, tels que Zurbarán. Diego Vélasquez (1599-1660), le grand artiste

Au Prado, les maîtres espagnols font encore des émules.

du Siècle d'or, réalisa plusieurs portraits de personnages royaux en pied, notamment *Les Ménines* (1656) représentant l'infante Marguerite entourée de sa cour ; mais il peignit aussi des autoportraits. Le Greco (1541-1641) et Francisco de Goya (1746-1828) sont présents avec, pour ce dernier, le beau portrait de Charles IV et de sa famille. Les peintures des plus grands artistes italiens ne sont pas oubliées : Fra Angelico, Botticelli, Mantegna ou encore le Caravage. Le rez-de-chaussée comprend la période « noire » de Goya, qu'il explora vers la fin de sa vie. Ce niveau présente également les Flamands, les Hollandais et les Allemands dont le travail fut proche de l'art espagnol. La salle consacrée au Flamand Hieronymus Bosch (vers 1450-1516) est particulièrement remarquable.

Le billet d'entrée au Prado donne accès au troisième musée, le **Cason del Buen Retiro** ❺, qui est situé à quelques minutes de marche et comprend des peintures des XIXᵉ et XXᵉ siècles. A proximité du Cason, dans la Calle Mon-talbán, le **Museo Naval** et le **Museo de Artes Decorativas** permettent de se familiariser avec les épisodes glorieux de la capitale.

LE PARC DU RETIRO

Aménagé dès le XVᵉ siècle au temps du roi Henri IV de Castille, le parc du **Retiro** fut restauré au XVIIᵉ siècle pour permettre à la noblesse espagnole d'échapper à la misère des rues de Madrid. Derrière les grandes portes de fer forgé, les réceptions mondaines et les distractions de la cour tournaient fréquemment à la débauche sous le règne de Philippe IV, qui était, selon les termes de l'historien Mesoneros, un roi « *adonné à la luxure, amateur passionné d'art et de beauté, un enfant aux mains duquel la machine fragile et complexe du gouvernement n'était qu'un simple jouet* ».

Les bassins, les fontaines, les statues et le délicat **Palacio de Cristal** ont donné à l'ensemble une allure royale. Si les amateurs de course à pied et de

Plan p. 124

Balade en bateau au parc du Retiro.

patin à roulettes font partie du paysage, pour la plupart des Madrilènes, passer la journée au parc est une sortie élégante et raffinée.

Proche du Retiro, le **Jardín Botánico** fut créé en 1774 sous Charles II. Les milliers de plantes dispensent une fraîcheur et des senteurs diverses qui en font un asile de choix.

Une foire aux livres se tient le long de l'enceinte sud du jardin, sur la **Cuesta de Moyano**. Elle est ouverte toute l'année, mais les meilleures affaires se font le dimanche matin et l'on peut se procurer des éditions rares ou des ouvrages récents à bon prix.

Non loin du Jardín botánico et du Prado s'élève le **Centro de Arte Reina Sofia ❶**, Calle de Santa Isabel, qui contient des œuvres de Dalí (dont *Le Grand Masturbateur*), de Miró et de Juan Gris, des sculptures de J. González ainsi que des réalisations d'artistes contemporains. Ce centre possède surtout le célèbre *Guernica* de Picasso, allégorie en noir et blanc du bombardement qui anéantit la ville basque de Guernica en 1937, durant la guerre civile. Depuis 1981, l'œuvre était exposée au Casón. C'est en effet à cette date que le tableau fut cédé à l'Espagne, après avoir séjourné au Museum of Modern Art de New York. Mais elle a rejoint le centre Reina Sofia en 1992, malgré les protestations des partisans de son maintien au Casón.

Inauguré en 1986, cet édifice suscite la controverse et certains le surnomment ironiquement « le Sofidou », allusion au Centre Georges-Pompidou de Paris. En effet, il est aménagé dans l'ancien hôpital général de Madrid, bâtiment du XVIIIe siècle qui, pour la circonstance, a subi de profondes transformations, à l'image des ascenseurs transparents d'allure futuriste. Au second étage, une salle spéciale est consacrée entre autres à Dalí, Miró, Gris et Picasso, tandis que l'imposant *Guernica* et ses nombreuses esquisses en occupent une à eux seuls. En dehors de la collection permanente, le centre Reina Sofia organise d'importantes expositions temporaires.

La Plaza Mayor, réservée aux piétons, est idéale pour boire un café et étudier plans et cartes disponibles à l'office du tourisme.

LE VIEUX MADRID

Au sud de la Puerta del Sol s'étend l'un des plus vieux quartiers de Madrid. Dans un dédale de ruelles pavées, les maisons ornées de balcons en fer forgé offrent au regard leurs entrées sombres et fraîches. Mais attention, certaines rues ne sont pas toujours très sûres. Il est donc préférable de prendre ses précautions en laissant ses objets de valeur à l'hôtel et en évitant par exemple les Calles Cruz et Espoz y Mina ainsi que le secteur situé au nord, au-delà de la Gran Vía.

La **Plaza Mayor ⓿** est une merveille du XVIIe siècle qui abritait un important marché. L'architecture et l'ambiance rappellent la fonction première de cette grande place qui fut le centre des principaux événements de la vie de Madrid : autodafés, supplices et exécutions publiques, cérémonies de couronnement, de canonisation, tournois et corridas. Elle est aujourd'hui utilisée pour des représentations théâtrales, des ballets et des défilés de mode. A l'ouest

de la Plaza Mayor se dresse le **Mercado de San Miguel**. La structure finement ouvragée qui le couvre date du début du XXe siècle. Outre le parfum lourd du chorizo et les montagnes de fruits, les somptueux étalages des poissonneries justifient le surnom de plus grand port d'Espagne que l'on donne parfois à Madrid. Les arrivages sont quotidiens.

Non loin de la Calle Mayor s'ouvre la **Plaza de la Villa**, une charmante place piétonne offrant un panorama de l'architecture madrilène du XVe au XVIIe siècle. La perle en est la **Casa de la Villa** (1640), la mairie actuelle, qui servit jadis de prison. Avec son portail gothique et ses arches, la **Torre de los Lujanes** est l'un des rares exemples de l'architecture madrilène du XVe siècle.

A proximité, l'église de **San Isidro ❿**, sur la Calle de Toledo, garde les reliques du saint patron de Madrid. Le dimanche matin, derrière la cathédrale, se tient le **Rastro**, un énorme marché aux puces et bazar de plein air où vêtements, meubles et animaux font l'objet de marchandages opiniâtres.

Plan
p. 124

Le Rastro permet de faire de très bonnes affaires.

Danseurs célébrant la fête de la Vierge de la Paloma, dans le vieux Madrid.

Ci-dessous, la nouvelle cathédrale de Santa María de la Almudena; à droite, le Palacio Real, du XVIIIᵉ siècle.

Le Rastro est situé dans l'une des parties de Madrid dites *castizas* (authentiques). C'est là que l'accent guttural propre à la ville est le plus marqué. C'est l'endroit le plus animé lors de la fête de la Vierge de la Paloma, qui se déroule au mois d'août. Au sud s'élève la **Puerta de Toledo ⓫**, un ancien marché au poisson transformé en un joli centre commercial.

RENDEZ-VOUS AVEC LES ANGES

Les plus belles églises de Madrid se dressent non loin de la Plaza Mayor. La plus imposante est la **Basilica de San Francisco el Grande ⓬**, de style néoclassique, bâtie sur le site d'un monastère du XIIIᵉ siècle peut-être fondé par saint François lors d'un pèlerinage en Espagne. La rotonde fut dessinée par un moine du nom de Francisco Cabezas, mais les plans de l'édifice furent ensuite revus et corrigés par l'architecte italien Sabatini, en 1784. L'intérieur, à la décoration chargée du XIXᵉ siècle, présente des œuvres très intéressantes de Calleja, Vélasquez, Zurbarán et Goya avec, entre autres, un autoportrait.

Madrid a attendu le 15 juin 1993 pour que sa cathédrale soit enfin consacrée par un pape. En effet, **Nuestra Señora de la Almudena ⓭** fut commencée au XIXᵉ siècle, car Alphonse XII voulait y enterrer sa première épouse, María de la Mercedes, morte en 1878 à l'âge de 18 ans. N'ayant pas laissé d'héritier, elle ne pouvait reposer au panthéon de l'Escurial. Mais il a fallu environ un siècle pour que le bâtiment soit enfin terminé. Et la défunte a tout de même sa sépulture au palais. Dans la crypte est conservée une image de la sainte patronne de la ville, la Vierge de la Almudena, que vénérait María, et qui doit son nom à l'ancienne muraille mauresque où l'on trouva sa statue.

LE PALAIS ROYAL

En raison de sa situation exceptionnelle et de la richesse de sa décoration intérieure, le **Palacio Real ⓮** est, après le

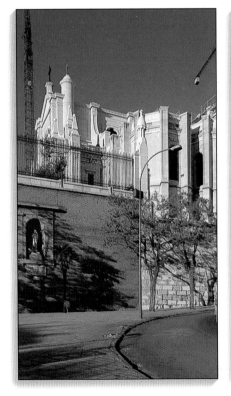

Prado, le haut lieu touristique de Madrid. Le 31 décembre 1734, l'incendie qui ravagea l'Alcázar des Habsbourg permit à Philippe V d'édifier un palais mieux adapté aux exigences d'un Bourbon. En découvrant le somptueux bâtiment dessiné par les maîtres italiens Sachetti et Sabatini, Napoléon, dit-on, se serait plaint que son frère Joseph fût mieux logé que lui aux Tuileries.

Les vastes salles abritent de splendides plafonds de Giambattista Tiepolo, des tapis, du mobilier, des chandeliers, des pendules, de l'argenterie et des œuvres d'artistes tels que Vélasquez, Goya, le Greco, Rubens ou Tiepolo. Le luxe est partout, notamment dans la salle à manger Comedor, le salon du Trône et le salon Gasparini.

Le palais comprend aussi l'**Armurerie royale** – où sont exposées les épées du Cid, de Cortés et de Ferdinand le Catholique – ainsi que le **musée des Carrosses** et la **Pharmacie royale**, riche d'une impressionnante collection de bocaux qui renferment les étranges médications des siècles passés.

Alphonse XIII fut le dernier occupant des lieux. De nos jours, la famille royale a établi sa résidence hors de la capitale, réservant les fastes du Palacio aux seules fonctions officielles. Cependant, les majestueux jardins du **Campo del Moro** sont également ouverts au public.

Commencé au début du XVIIe siècle, le **Monasterio de la Encarnación** ⑮ était jadis relié au Palais royal par un passage souterrain. Cette précaution avait été prise pour que le couvent pût servir d'asile aux membres féminins de la famille royale, « *en cas de quelque événement imprévu* », comme le sous-entendit dans une lettre sa fondatrice, la reine Marguerite d'Autriche. Restauré au XVIIIe siècle par Ventura Rodriguez, cet édifice renferme une superbe collection de portraits de cour. Un flacon du sang d'un saint y est conservé ; on prétend qu'il se liquéfie chaque annnée, le 27 juillet. Enfin, les amateurs de cuisine espagnole peuvent se régaler au **Bola**, restaurant installé près du couvent.

Plan
p. 124

Juan Carlos.

LA FAMILLE ROYALE D'ESPAGNE

Lorsque Juan Carlos monta sur le trône après la mort du général Franco en 1975, il fut dans une position inconfortable : les Espagnols ont la fâcheuse habitude de renverser les souverains Bourbons qu'ils n'aiment pas. Dès le début de son règne, il s'employa à convaincre son peuple de ses intentions démocratiques et de sa volonté de justice sociale. Aujourd'hui, au vu de ce qu'il a réalisé, personne ne doute de la sincérité de ses intentions.

Juan Carlos a contribué à faire de l'Espagne un pays libre, débarrassé du carcan conservateur dans lequel il était enfermé. Son aisance naturelle, plus évidente en privé qu'en public, lui a permis de s'imposer auprès de la population espagnole. Sportif émérite – il participa aux courses de voiliers des jeux Olympiques de 1972, à Munich –, il bénéficie de l'image d'un homme bon, réputation que renforce la grande gentillesse de son épouse, la reine Sophie, passionnée de musique classique, en particulier de Bach.

L'attention que portent les Espagnols aux enfants royaux s'est accrue. Hélène, cavalière accomplie, enseigne l'anglais à Madrid. Christine, talentueuse navigatrice, travaille dans une fondation de Barcelone. Le prince Philippe, héritier de la couronne, impressionnant du haut de ses deux mètres, allie le sens pratique à une sensibilité qu'il tient de sa mère.

Le **Teatro Real** ⓰, situé en face du Palais, de l'autre côté de la Plaza de Oriente, nécessita trente-huit années de travaux. Il remplit la fonction d'opéra dès son ouverture, en 1850. D'après la légende, la scène accueillit même des éléphants. Restauré, il a rouvert ses portes en 1997 et s'affirme comme l'un des plus grands et des plus modernes opéras d'Europe, avec une capacité de 1800 places. Il est désormais entouré de rues piétonnières.

Non loin du théâtre, sur la Plaza de San Martin, le **Monasterio de las Descalzas Reales** ⓱ (les « Déchaussées royales ») fut fondé au XVIᵉ siècle par Jeanne d'Autriche, fille cadette de l'empereur Charles Quint et sœur de Philippe II. Il renferme des trésors que léguèrent les nombreuses dames de sang royal qui s'y étaient retirées. La majorité des œuvres d'art sacré ont pour thème des enfants, qui, pour les peintres du Siècle d'or, symbolisaient le triomphe de la vie sur la mort. Le portrait d'un petit prince espagnol qui pose avec un crâne illustre parfaitement cette conception de l'enfance. Enfin, les tapisseries à thème eucharistique, exécutées d'après des dessins de Rubens, sont la perle des collections que contient ce couvent-musée.

LA PLAZA DE ESPAÑA

La **Plaza de España** ⓲ occupe le centre du quartier ouest de Madrid. La statue en bronze de Don Quichotte et Sancho Pança est tournée vers le soleil couchant. Bien qu'elle soit un nœud de communications – elle marque la fin de la Gran Vía et le début de la Calle de la Princesa –, cette place est aussi un lieu de rencontre agrémenté, en son centre, d'un plaisant jardin.

Au nord de la Plaza de España, le **Palacio de Liria** ⓳ fut la résidence des ducs d'Albe. Cette construction est la fidèle réplique du bâtiment original de 1773, détruit pendant la guerre civile, et qui avait été conçu par Ventura Rodriguez et Sabatini, l'architecte du Palais royal. Il contient une étonnante collection de meubles et de tableaux allant de

La fresque de Goya à l'ermitage de San Antonio de la Florida.

Fra Angelico à Chagall. Les ducs d'Albe sont une grande famille de mécènes, dont le plus illustre membre féminin fut la treizième duchesse, Cayetana, amie de Goya qui en fit deux célèbres portraits en pied, dont l'un est conservé au palais. La légende veut que ce soit Cayetana qui ait posé pour la *Maja nue*.

Une remarquable fresque de Goya justifie à elle seule le détour le long du Paseo de la Florida, au nord du Campo del Moro, afin de visiter l'**ermitage de San Antonio de la Florida**. Goya exécuta en effet la décoration de la coupole à la demande de Charles IV. La dépouille mortelle du peintre, décédé en 1828, fut déposée dans la petite chapelle, et la popularité de ce sanctuaire est telle qu'il a fallu en construire une copie conforme, juste à côté (saint Antoine est le patron des amoureux déçus et de ceux qui ont perdu un objet). Non loin de l'ermitage, les gourmands peuvent se rendre à la Casa Mingo, un restaurant renommé pour ses spécialités des Asturies.

Situé dans le même secteur, le **temple de Debod** ⓴ fut offert à l'Espagne par l'Égypte en remerciement de l'aide apportée en 1970, lors de l'inondation de la vallée de la Nubie consécutive à la construction du barrage d'Assouan. Cet temple, bâti au IVe siècle av. J.-C., devait être englouti par les eaux.

Le temple de Debod est proche du téléphérique qui mène, par-delà le **Parque del Oeste**, à la Casa de Campo, gigantesque jardin qui accueille à l'occasion des concerts de rock. Il contient un parc d'attractions, une piscine et un zoo. Du haut du téléphérique, il est possible de voir les traces qu'ont laissées les tranchées creusées pendant les trois années de siège de la guerre civile.

La **cité universitaire** s'étend non loin du Parque del Oeste. Jusqu'en 1927, les établissements d'études supérieures étaient éparpillés dans Madrid. Cette année-là, une commission, présidée par Alphonse XIII, décida de créer un site entièrement dévolu aux universités. L'architecte Modesto Lopez Otero commença les travaux en 1929.

Plan
p. 124

Vue de Madrid depuis le téléphérique.

Le Parque del Oeste.

Plaza Dos de Mayo : cet arc de triomphe célèbre les Espagnols tués ici par les Français, en 1808.

Un bar dans le quartier de Malasaña.

MALASAÑA

Le secteur qui s'étend au nord de la Gran Vía est une mosaïque de quartiers qui possèdent chacun son ambiance et sa couleur particulières. L'un des plus typiques est celui de **Malasaña**, délimité par les Calles San Bernardo et Fuencarral, au sud de la Calle Carranza. Outre son charme un peu désuet, il est réputé depuis très longtemps pour sa tradition radicale.

Le cœur de ce quartier, la **Plaza Dos de Mayo ㉑**, a été réhabilité récemment. La place fut le théâtre d'un affrontement sanglant qui opposa les Madrilènes aux troupes de Napoléon Ier, le 2 mai 1808. Les Espagnols investirent les rues, armés avec ce qu'ils trouvaient sous la main. Ils perdirent, mais on compta de nombreux morts dans les deux camps. Il y a quelques années, il fut question de raser les vieilles bâtisses du quartier ; les habitants du *barrio* se sont immédiatement mobilisés pour empêcher la réalisation du projet.

Le jour, la Malasaña prend des accents de vieux Madrid, avec ses devantures de magasins aux mosaïques colorées du XIXe siècle. Au coin de la Calle San Andrés et de Vincente Ferrer, la **Farmacia Juanse** est célèbre pour ses faïences anciennes qui vantent encore des remèdes miracles.

Au crépuscule, l'atmosphère change. Dans les bars retentit la musique rock, grunge ou jazz. Les rues se remplissent d'une foule décidée à s'amuser.

Le **Museo Municipal ㉒**, Calle Fuencarral, occupe l'ancien hospice de San Fernando dont le portail baroque est le plus beau de la ville. Au XIXe siècle, époque du néo-classicisme, il était considéré comme l'incarnation du mauvais goût. Ses moulages exubérants et ses statues ont été restaurés et l'ensemble fait partie des monuments historiques d'Espagne. Le musée retrace l'histoire de Madrid, du paléolithique à nos jours, à travers des dessins des XVIIIe et XIXe siècles, d'anciens plans de la ville, des caricatures des Bonaparte, des affiches de propagande de guerre,

sans oublier la charmante maquette du Madrid de 1830, l'*Allégorie de la Villa de Goya* ou des photographies de 1850.

Le **Museo Romántico** ❷, 13 Calle San Mateo, fut créé par le marquis de Vega Inclán. La majeure partie du mobilier et des tableaux qu'il a rassemblés date des règnes de Ferdinand VII et d'Isabelle II. Parmi les curiosités figurent les pistolets de duel qui furent à l'origine de la mort de l'écrivain satirique José de Larra.

Le **Palacio de Longoria** ❷ se dresse au coin de la Calle Fernando et de la Calle Pelayo. Ce bâtiment est l'œuvre de l'architecte catalan José Grases Riera qui en dessina les plans en 1902. Antonio Gaudí ne l'aurait pas renié car il s'agit de l'un des plus beaux exemples du modernisme catalan à Madrid. La Société des auteurs y a son siège.

LA PLAZA DE COLÓN

Quelques pâtés de maisons séparent le Palacio de la **Plaza de Colón** ❷ (ou place Christophe-Colomb) que bordent les **Jardínes del Descubrimiento**. Cette place s'organise autour d'une grande colonne néo-gothique coiffée, depuis 1885, d'une statue érigée à la mémoire du célèbre navigateur. Les fontaines représentent les caravelles de Christophe Colomb et, sur les sculptures en béton, peu réussies, des inscriptions relatent la découverte de l'Amérique en 1492.

Une chute d'eau marque l'entrée du Centre culturel de la ville de Madrid, qui abrite un théâtre, une salle de concert et des salles d'expositions. Enfin, au sud de la Plaza de Colón, la **Calle del Almirante** est la vitrine des nouvelles tendances de la mode espagnole.

Près de la place, au 18 Paseo de Recoletos, la **Biblioteca Nacional**, inaugurée en 1892 pour commémorer le 400e anniversaire du voyage de Christophe Colomb, renferme de précieux manuscrits datant du Xe siècle. Près de la bibliothèque, Calle Serrano, le **Museo Arqueológico Nacional** ❷ partage le même bâtiment de style néo-

Plan
p. 124

Le Barrio de Salamanca.

Plan
p. 124

*Boîte aux lettres
à la poste
de Cibeles.*

classique. Il fut fondé en 1867 par Isabelle II. Dans le jardin, les peintures rupestres d'Altamira ont été fidèlement reproduites dans une grotte artificielle. Le musée est par ailleurs riche en vestiges archéologiques, en art ibérique ancien telle la *Dame d'Elche* du Ve siècle, en mosaïques, en sculptures romaines et en joyaux (notamment la couronne wisigothe ornée de pierres précieuses).

LE BARRIO DE SALAMANCA

Le **Barrio de Salamanca** fut construit à la fin du XIXe siècle pour l'aristocratie espagnole désireuse de fuir le bruit et l'encombrement du centre-ville. Le projet est à mettre à l'actif du marquis de Salamanque, par ailleurs personnage haut en couleur qui dut fuir en France après sa disgrâce. Aujourd'hui, le quartier est très respectable. Les détails raffinés des constructions confèrent à l'ensemble un air majestueux avec ses balcons ouvragés et ses larges porches où s'engouffraient les carrosses. Beaucoup de ces hôtels particuliers sont désormais occupés par des ambassades. Cependant, cette zone reste une solide enclave du riche Madrid, ce que ne démentent pas les magasins d'antiquités et les épiceries fines.

La principale rue commerçante est la **Calle Serrano**, où les couturiers français et italiens cèdent progressivement la place aux créateurs espagnols, comme Loewe ou encore Adolfo Dominguez.

Plus au nord, le **Lázaro Galdiano** ㉗ est l'un des plus beaux musées de Madrid. Ce palais à l'italienne porte le nom de l'écrivain et éditeur qui le fit construire au début du XXe siècle et qui légua ses collections d'art à l'État en 1947. Au premier étage, de superbes émaux de l'époque médiévale voisinent avec des calices d'or et d'argent, des reliquaires, des coffrets, une vierge en ivoire du XIIe siècle, ainsi qu'un petit tableau attribué à Léonard de Vinci et des œuvres de Goya. Dans les étages supérieurs sont exposés de nombreux objets (pendules, tables, armures, cristaux et céramiques) ainsi qu'une riche collection de tableaux, des primitifs espagnols et flamands à Reynolds et Constable.

LES DÉLICES DE LA PRINCESSE

Le **Paseo de la Castellana**, large avenue bordée d'arbres, fut percé sous le règne d'Isabelle II et portait à l'origine le nom de Delicias de la Princesa. La plupart des palais cossus du XIXe siècle sont devenus le siège de banques, beaucoup d'autres ayant été démolis pour permettre la construction de grands immeubles.

Malgré l'intensité de la circulation automobile, il s'agit d'un lieu de promenade agréable, orné de nombreuses fontaines placées aux intersections. Derrière des haies de troènes et des palmiers en pot, les cafés déploient leurs terrasses accueillantes à l'écart de la circulation. Pendant les douces soirées d'été, ces *terrazas* sont des endroits très animés et prisés des Madrilènes, qui viennent y écouter des formations musicales de styles divers.

Promenade sur le Paseo de la Castallena. Cette artère et ses prolongements, le Paseo de Recoletos et, le plus ancien, le Paseo del Prado, divisent Madrid en deux parties, de la gare d'Atocha, au sud, à la gare de Chamartín, au nord. Cette longue avenue bordée d'arbres à l'ombre reposante est aussi l'occasion de découvrir de magnifiques sculptures de la fin du XIXe siècle au début du XXe siècle.

CAFÉS, BARS ET «MOVIDA»

Madrid est la ville de la *movida*. Ce «mouvement» artistique, qui naquit après la mort de Franco, témoigne de la frénésie créative qui toucha toute une génération. Aujourd'hui, ce terme s'est banalisé et désigne tout ce qui «bouge» à Madrid. Car la capitale est active en permanence, notamment grâce à ses cafés.

En Espagne, l'essor des cafés remonte au XIXᵉ siècle. Choisir un établissement plutôt qu'un autre est moins une affaire de goût que de conviction personnelle. Il existe des cafés à la mode et d'autres dépassés, des cafés littéraires, d'autres fréquentés par les jeunes cadres aux dents longues, le monde du cinéma ou une clientèle très avant-gardiste. A la fois lieu où l'on consomme, endroit où passer le temps, sorte de refuge sécurisant où l'on se retrouve entre amis ou simples connaissances, le café peut se transformer en arène académique lors des *tertulias*, au cours desquelles les Madrilènes échangent des idées sur à peu près tous les sujets. La période franquiste étouffa ce foisonnement politique et philosophique qui faisait la renommée des cafés avant la guerre civile. Ceux-ci connurent ensuite un déclin dans les années 1960 et 1970, avant de reprendre du service.

Le céfé **Gijón**, proche de la Plaza de Cibeles, est sans doute le fleuron des cafés traditionnels espagnols. Cet établissement centenaire est une véritable institution. Des clients s'y livrent en effet à la traditionnelle *tertulia*. Le Gijón fut probablement le premier café madrilène à ressusciter après le retour de la démocratie.

Non loin de là, l'ambiance Art nouveau d'**El Espejo** est trompeuse : les tuiles et les grands miroirs datent en fait de 1978, tandis que, à l'occasion d'un agrandissement en 1990, on ajouta les glaces et les tuiles qui évoquent le début du XXᵉ siècle.

Le **Café de Oriente**, près du Palacio Real, autre exemple d'entrée réaménagée en style ancien, est orné de cuivres rutilants, de tentures de velours, de banquettes et de dentelles. De plus, on y sert des cafés de provenances diverses et des pâtisseries maison.

Le **Círculo de Bellas Artes**, 42 Calle Alcalá, près de la Plaza Puerta del Sol, se signale par ses jeunes filles pâles mais aussi par ses éléments de décoration qui remontent à 1926 : colonnes, chandeliers, plafonds peints ou encore un grand nu.

Tard dans la soirée, au **Café Central**, 10 Plaza del Angel, le jazz retentit dans ce cadre Arts déco.

Dans la Calle Prado toute proche, les amateurs de musique classique se régalent au **Salón del Prado**, doté d'une petite scène.

Quant au **Libertat 8**, il accueille les *cantautore*s (chanteurs, auteurs et interprètes) et les *cuentacuentos* (conteurs).

Dans l'élégant quartier de la Salamanca, le **Theatriz** est intégré dans un ancien théâtre reconverti.

Une nouvelle catégorie de cafés à la clientèle variée est apparue récemment : **The Net Café**, 81 Calle San Bernardo, est destiné aux «internautes»; **La Fídula**, 57 Calle Huertas, est connu pour ses concerts; le **Star's**, 5 Calle Marqués de Valdeiglesias, est apprécié pour danser.

Enfin, dans le vieux Madrid, c'est sur la Plaza Santa Anna et ses alentours que se concentrent les bars les plus réputés, comme le **Cervecíra Alemana**, le **Viva Madrid** ou le **Los Gabrieles**.

Un «au revoir» affectueux sur le trottoir du Café Gijón.

LA PROVINCE DE MADRID

Tenu par les uns pour la huitième merveille du monde, et par les autres pour une monotone symphonie de pierre, l'**Escurial ❶** fut laissé en héritage à l'Espagne par Philippe II. A la fois monastère, palais et mausolée, il se dresse au pied de la Sierra de Guadarrama, à 45 km de Madrid. Il est utile de préciser que la visite de ce monument et de ses nombreuses annexes nécessite une journée entière.

LE « ROI DE PIERRES »

L'origine de cette gigantesque construction remonte probablement au 10 août 1557, lorsque l'armée de Philippe II vainquit les Français à Saint-Quentin. Le roi décida de faire bâtir l'Escurial pour commémorer sa victoire et honorer saint Laurent dont la fête était célébrée ce même jour. Il n'hésita pas à recourir à des astrologues pour choisir le site le plus favorable, c'est-à-dire un lieu qui ne devait être ni trop chaud, ni trop froid, ni trop éloigné de la nouvelle capitale.

Introverti et mélancolique, austère et profondément croyant, Philippe II était de santé fragile et souhaitait posséder une retraite propice à la méditation afin de se reposer des devoirs que lui imposait le gouvernement du plus grand empire de l'époque, qui couvrait les trois quarts du monde connu. Il aspirait également à être entouré de moines et non de courtisans ; c'est ainsi qu'en dépit des appartements royaux, par ailleurs très sobres, l'Escurial fut avant tout un monastère.

L'emplacement de l'église monumentale, en plein cœur de l'édifice, est la manifestation de sa foi et du sentiment que toute action politique doit être gouvernée par les considérations religieuses, que l'esprit doit en toute circonstance l'emporter sur la chair. La géométrie de l'ensemble illustre parfaitement ce souci constant de l'ordre, et la symétrie de l'architecture traduit la rigueur de pensée du souverain. Théophile Gautier écrivit à ce propos qu'il n'existait pas de courbes dans le tracé de l'Escurial, mais uniquement des lignes droites. En vérité, le terme « palais » n'est guère approprié pour désigner ce bâtiment. Philippe II lui-même n'a-t-il pas précisé qu'il voulait bâtir un palais à la gloire de Dieu et une cabane pour le roi ?

Commencé en 1563, le chantier de San Lorenzo del Escorial exigea vingt et un ans de labeur ininterrompu. A l'origine, l'architecte en chef fut Juan Bautista, disciple de Michel-Ange. A sa mort, en 1569, Juan de Herrera lui succéda ; c'est à lui que l'on doit le plan définitif de la construction.

Les Habsbourg marquèrent l'Escurial de leur empreinte, comme le montrent les parquets de bois rustique ou les simples dalles de pierre constituant le sol. Mais le changement d'atmosphère est saisissant dès que l'on découvre les appartements des Bourbons qui commencèrent à régner en Espagne en 1700, avec Philippe V. Ils s'appliquèrent en effet à transformer les pièces froides et austères de leurs

Carte p. 144

A gauche, l'Escurial.

Portrait de Philippe II. Si, de son vivant, ce souverain exigea qu'aucun écrivain ne rédigeât sa biographie, l'Escurial s'en est chargé. Les victoires et les échecs militaires, la gloire et le déclin de l'empire, la succession de décès et de tragédies qui l'éprouvèrent, son insatiable quête de savoir, sa passion pour l'art, l'ordre et la religion se reflètent dans la configuration même des lieux.

prédécesseurs en un palais à la française, avec ses sols de marbre, ses tapisseries réalisées à la manufacture royale de Santa Bárbara ou encore ses trente-six pendules en bronze ornées de motifs mythologiques et toujours en parfait état de marche.

Les ailes nord et ouest du monastère abritent la Lonja, qui consiste en une enfilade de grandes cours ou de patios. A l'est et au sud s'étendent des jardins d'où l'on a une belle vue sur les champs et les vergers du monastère et, au-delà, sur la campagne madrilène. Une statue de Philippe II contemple le paysage par-delà le **Jardín de Los Frailes**, comme le monarque se plaisait à le faire. C'est dans ce jardin que les moines se reposaient de leurs travaux, comme l'atteste la **galerie des Convalescents**.

TOILES ET RELIGION

La visite peut débuter par les deux nouveaux musées, dans le palais d'été de Philippe II. Le premier relate l'histoire architecturale de l'Escurial grâce à des plans, des dessins, des outils, ainsi que des curieux fragments de machines que Herrera imagina pour résoudre divers problèmes techniques.

Un escalier mène à neuf pièces contenant des peintures du XVe au XVIIe siècle. Comme au musée du Prado, la qualité des œuvres, de Bosch, Véronèse, Tintoret ou Van Dyck, montre que, à l'époque où ils régnaient sur l'Espagne, les Habsbourg furent des amateurs d'art éclairés. La collection de l'école flamande, réunie par Isabelle, la grand-mère de Philippe II, et les créations de Titien, peintre de la cour de son père Charles Quint, sont particulièrement mises en valeur.

Les appartements des Habsbourg étaient occupés par la fille favorite de Philippe II, Isabel Clara Eugenia, qui s'occupa de lui lorsqu'il était mourant. L'austérité des lieux n'est égayée que par une belle collection de peintures et par une frise en céramique de Talavera qui court sur tous les murs. La salle adjacente renferme des portraits des

A l'intérieur de l'Escurial.

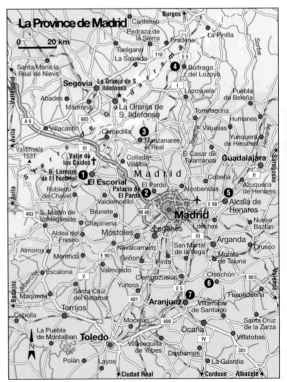

Habsbourg, ainsi que le tabouret sur lequel Philippe II, atteint de la goutte, reposait sa jambe malade.

Un vestibule permet d'accéder ensuite à une galerie d'où la vue sur les jardins est la plus belle de l'Escurial. La marqueterie des portes de la salle du Trône est composée de dix-sept essences de bois différentes ; elles furent offertes à Philippe II par Maximilien d'Autriche, en 1567. Ces portes donnent sur le salon des Ambassadeurs où sont exposés quelques-uns des plans originaux tracés par Juan de Herrera, et sur la chambre de Philippe II, qui, avec celle de l'infante, jouxtent le maître-autel de l'église. De cette façon, le roi pouvait entendre la messe de son lit ou bien gagner l'église par un passage spécialement aménagé, lorsque sa goutte lui laissait quelque répit. Derrière l'autel, les appartements privés de Philippe II ouvrent sur un plaisant jardin. C'est là qu'il mourut à l'âge de 71 ans, en 1598. Enfin, aux murs des quatre salles du chapitre, où se réunissaient les moines, sont accrochées des peintures, comme la *Tunique de Joseph* de Vélasquez (dans la première salle), ou le *Jardin des Plaisirs* de Bosch (dans la dernière).

LE PANTHÉON ROYAL

En faisant bâtir l'Escurial, Philippe avait aussi pour projet d'y faire transférer les restes de son père, Charles Quint. Cependant, ce n'est qu'en 1617, sous le règne de Philippe III, que fut entamée la construction d'un splendide panthéon de bronze, de marbre et de jaspe, situé exactement sous le maître-autel de l'église.

La plupart des souverains d'Espagne, de Charles Ier à Alphonse XIII, y sont enterrés, à l'exception de roi Philippe V, dont le corps est à Ségovie, et de Ferdinand VI, dont la sépulture est à Madrid. Les reines qui ont donné naissance à des fils y reposent également, tandis que le **panthéon des Infants** contient les dépouilles des princes, des princesses et des reines qui disparurent sans avoir donné de postérité mâle.

Carte p. 144

Portrait de la fille préférée de Philippe II, Isabel Clara Eugenia, par Sanchez Coelho.

L'élégance des appartements des Bourbons tranche avec l'austérité qui règne dans les autres salles de l'Escurial.

Le tombeau vide du panthéon est réservé à don Juan : le père de l'actuel souverain Juan Carlos est le premier Espagnol qui ait sa sépulture à l'Escurial sans avoir été roi. Les Espagnols estiment que sa façon de défendre la démocratie sous l'ère franquiste mérite cette marque de respect.

PRIÈRE ET CULTURE

De célèbres visiteurs ont vanté la majesté de l'église, dont Alexandre Dumas, qui a qualifié la cour des Rois d'« *entrée de l'éternité* ». D'autres, en revanche, en ont décrié les dimensions, comme Théophile Gautier : « *Dans l'église de l'Escorial, on se sent tellement submergé, écrasé, tellement enclin à la tristesse et soumis à un Pouvoir inflexible que la prière devient vaine.* »

Les fresques qui ornent les voûtes et les quarante-quatre autels sont l'œuvre de maîtres espagnols et italiens. Le retable principal est l'une des pièces maîtresses de Juan de Herrera ; entre les colonnes de marbre et de jaspe, des tableaux retracent la vie du Christ, de la Vierge et des saints. De chaque côté, les oratoires comportent deux groupes de statues en bronze doré figurant les membres de la famille royale en orants.

La **bibliothèque de l'Escurial**, dont la restauration a commencé à l'automne 1997, recèle, entre autres trésors inestimables, des manuscrits de saint Augustin, d'Alphonse le Sage et de sainte Thérèse d'Ávila ; la plus grande collection au monde de manuscrits arabes et hébreux, ainsi que des cantiques enluminés, des planches d'histoire naturelle, des cartes du Moyen Age et même des jeux d'échecs. Le plafond, peint par Pellegrino Tibaldi et sa fille, représente les sept arts libéraux : la grammaire, la rhétorique, la dialectique, l'arithmétique, la géométrie, l'astronomie et la musique. Les deux sciences majeures – la théologie et la philosophie – sont illustrées à chaque extrémité. Le pape Grégoire XIII ordonna l'excommunication de quiconque oserait dérober un manuscrit de cette bibliothèque.

Le panthéon royal de l'Escurial.

LES DÉPENDANCES

Sous le règne des Bourbons, deux palais furent édifiés non loin du monastère : la **Casita del Principe** (pavillon du Prince) et la **Casita de Arriba**. Le premier pavillon, qui est en cours de restauration, fut construit au XVIIIe siècle par Charles III qui le destinait à son fils, le futur Charles IV. Très richement décoré, il contient de nombreuses œuvres d'art, notamment des toiles de Luca Giordano, de Goya et de Guido Reni, ainsi que des plafonds évoquant Pompéi, des peintures italiennes, des bronzes, du marbre et des pièces de porcelaine. A 3 km sur la route d'Ávila, La Casita de Arriba, plus modeste, est entourée de jardins dessinés à l'intention de la troisième épouse de Ferdinand VII. Ce pavillon fut habité par le futur roi Juan Carlos en 1960, lorsqu'il faisait ses études.

La **Silla del Rey** s'élève deux kilomètres plus loin (toujours sur la route d'Ávila, à gauche au km 3). Des sièges et des marches taillés à même la pierre

permettaient à Philippe II et à sa suite de suivre l'évolution des travaux lorsque le monastère était encore en construction. Du haut de cette colline, la vue sur l'Escurial et toute la vallée est superbe.

Pendant les mois d'été, les Madrilènes échappent à la touffeur de la capitale et viennent se réfugier à l'Escurial et ses environs. C'est pourquoi, durant cette période, il n'est pas rare d'assister, la nuit, à l'une des représentations théâtrales qui sont organisées au **Teatro Real Coliseo**.

AU NORD DE MADRID

L'attrait principal du nord de la province de Madrid est la Sierra de Guadarrama qui domine le paysage. Le sommet, qui approche les 2 500 m d'altitude, est couronné de neige, même en été. Trois routes conduisent à la Sierra : la N 6 coupe à travers les montagnes et emprunte un tunnel ; la C 607/601, la plus pittoresque, passe par le col de Navacerrada ; la N 1 franchit le col de

Carte
p. 144

La croix plantée sur la basilique de la Valle de los Caídos.

La crypte de Santa Cruz del Valle de los Caídos.

LA VALLÉE DU DICTATEUR DÉCHU

A 13 km de l'Escurial, sur la route qui mène à Madrid, **Santa Cruz del Valle de los Caídos** est le mémorial dédié aux victimes de la guerre civile et l'endroit où repose Franco. Dès qu'il a acheté son billet d'entrée, le visiteur est obligé d'emprunter la voie qui conduit à la basilique, avec interdiction de s'arrêter en route. Pour ceux qui ne possèdent pas de véhicule, un bus assure une liaison quotidienne depuis l'Escurial.

Sur le site sont enterrés 40 000 soldats, qu'ils aient été républicains ou nationalistes. Construite entre 1940 et 1958, par des prisonniers politiques de gauche, dont beaucoup y laissèrent leur vie, la basilique en béton est d'un aspect particulièrement froid. Certains sont impressionnés par les travaux qu'elle nécessita, car il fallut creuser plusieurs centaines de mètres à l'intérieur de la roche.

La tombe qui fait face à celle de Franco est celle du chef de la Phalange, José Antonio Primo de Rivera, fils d'un autre dictateur qui sévit dans les années 1920, Miguel Primo de Rivera. Il fut exécuté par les républicains en 1936.

Les sépultures sont surmontées d'une imposante croix de 150 m de hauteur, visible à des kilomètres à la ronde. Depuis sa base, la vue sur le paysage qui entoure ce mémorial est magnifique.

Somosierra. En hiver, des panneaux de signalisation indiquent l'ouverture ou la fermeture des cols. Cette région présente de jolis points de vue, et l'on aperçoit parfois des bergers castillans conduisant leurs troupeaux vers les pâturages.

A environ 15 km du centre de Madrid se dresse le **Palacio del Pardo ❷**. Cet ancien relais de chasse royal est entouré de forêts de chênes verts. A l'intérieur sont exposées plusieurs centaines de tapisseries, dont certaines furent dessinées par Francisco Goya. Franco s'en servit de résidence, de même que Juan Carlos ; désormais, le bâtiment est réservé aux invités de la famille royale.

Un peu plus au nord, la jolie localité de **Manzanares el Real ❸** constitue une étape idéale pour un pique-nique. Elle est dominée par le **Castillo de los Mendoza**, qui fut construit au XVe siècle. Non loin, le parc de Pedriza est sillonné par des sentiers de randonnée et des routes qui montent à travers les collines de granit.

La ville fortifiée de **Buitrago del Lozoya ❹**, proche de la N1, est à environ 14 km du col de Somosierra. C'est dans le sous-sol de la mairie, sur la Plaza de Picasso, qu'est installé le **Musée Picasso**. Une collection y rassemble ce qui appartint au coiffeur du peintre. Ce dernier ayant été chauve durant la moitié de son existence, elle est plutôt mince !

ALCALÁ DE HENARES

L'ancienne ville universitaire d'**Alcalá de Henares ❺**, à 35 km de Madrid par la N2, est à visiter plutôt pendant le déjeuner et l'après-midi. Si les abords de la cité ne sont pas particulièrement engageants, le charme des bâtiments, des couvents et des églises fait rapidement oublier cette impression première.

Fondée en 1508 par le cardinal Francisco de Cisneros, l'université rivalisa rapidement avec Salamanque, et s'affirma comme l'un des meilleurs établissements d'enseignement d'Espagne.

La Plaza Mayor de Chinchón.

Elle fut construite à l'apogée du style plateresque, et beaucoup de ses cours et de ses bâtiments sont des exemples de ce style typique de la Renaissance espagnole. Il est ainsi appelé en raison des reliefs faiblement travaillés et très chargés, qui évoquent les ornementations des plats d'argent. La superbe façade est due à Rodrigo Gil de Honañón.

Alcalá de Henares est également la ville où naquit Miguel de Cervantes (1547-1661), écrivain du Siècle d'or et auteur de *Don Quichotte* (1605). Le **Museo Casa Natal de Miguel de Cervantès**, au coin de la Calle Imagen et de la Calle Mayor, est consacré à l'écrivain.

AU SUD DE MADRID

Située à 52 km au sud-est de la capitale, la ville pittoresque de **Chinchón ❻** est réputée à plusieurs titres. Sa Plaza Mayor, chargée d'histoire, fut utilisée pour les courses de taureaux depuis 1502. Elle est entourée de galeries en bois de trois étages qui lui confèrent un aspect à la fois rustique et élégant.

Chinchón se signale également par ses distilleries qui produisent un anis assez fort très apprécié des Espagnols (il porte le nom de la ville). Il est possible de le déguster au **Parador Nacional**, hôtel-restaurant installé dans un ancien couvent du XVIIᵉ siècle.

Aranjuez ❼ est à 45 km de Madrid, à l'écart de la N 4. Le **Palacio Real**, édifice baroque du XVIIIᵉ siècle, est inspiré de Versailles et regorge de portraits royaux, de porcelaines, de stucco et de bois travaillés. Sa situation, presque au confluent du Tage et du Jarama, explique peut-être que de nombreux visiteurs choisissent de s'y attarder. Les jardins royaux totalisent 300 ha, y compris le **Jardín de la Isla** qui jouxte le palais, et le vaste **Jardín del Principe**. Le premier contient la **Casa de Marinos** dans lequel sont exposées d'anciennes barques royales. Dans le second, la **Casa del Labrador**, bâti en 1803 sous Charles IV, est une réplique du Petit Trianon de Versailles.

Carte
p. 144

Détail d'une porcelaine du Palacio Real.

Le Palacio Real d'Aranjuez.

LA CASTILLE-LEÓN

Durant plusieurs siècles, la Castille fut le cœur de l'Espagne. Les grands courants de l'histoire espagnole y prirent naissance : l'unification des anciens royaumes ibères, la Reconquista, l'exploration et la conquête du Nouveau Monde. Philippe II choisit la Castille pour en faire le centre du gouvernement d'un immense empire qui se désagrégea ensuite en raison de certaines erreurs stratégiques et politiques. Comme l'a souligné Ortega y Gasset en 1921 : « *La Castille a fait l'Espagne, puis elle l'a défaite.* »

Dès son accession au pouvoir, Franco renforça la centralisation en décrétant que le castillan deviendrait la seule langue officielle du pays. Il n'est donc pas étonnant que les Espagnols des autres provinces considèrent la Castille un peu comme une sœur aînée respectable mais quelque peu envahissante.

« ANCHA ES CASTILLA »

« *Grande est la Castille* », affirme clairement un proverbe castillan. En 1983, la Castille devint la communauté autonome de Castille-León, un territoire couvrant presque un cinquième de l'Espagne et qui inclut six provinces en Vieille-Castille (Ávila, Burgos, Palencia, Ségovie, Soria et Valladolid) et trois dans le León (León, Salamanque et Zamora).

Autrefois région stratégique, la Castille se signale aussi par un sol riche qui en fit longtemps une terre à blé. Mais les villes, avec leurs imposantes cathédrales et leurs fortifications intactes, et les villages, avec leurs trésors d'art roman, sont indissolublement liés à la gloire et aux tragédies du passé. Conçus à l'origine comme des avant-postes destinés à contenir l'invasion des Maures, ils se dressent au milieu d'immenses étendues à moitié désertiques et semblent perdus entre ciel et terre. Sévèrement frappés par l'exode rural durant les dernières décennies, certains sont devenus des villages fantômes. Ce départ massif a fait chuter la densité de population de la Castille, qui est ainsi devenue l'une des plus faibles d'Europe de l'Ouest.

ÁVILA

A l'abri de ses remparts, **Ávila ❶** fut comparée par les poètes espagnols tantôt à un cercueil, tantôt à une couronne. Perchée à 1 131 m, c'est la capitale provinciale la plus élevée d'Espagne. Les hirondelles en ont fait leur ville d'élection et, le long de la muraille d'enceinte, les nids de cigognes ornent les tourelles. La légende prétend qu'Ávila aurait été bâtie par Hercule, mais l'origine de la cité est antérieure à l'arrivée des Grecs en Espagne, comme en témoignent les cochons et les taureaux gravés dans la pierre, qui remontent probablement à l'époque celtibère. Ávila fut christianisée au Ier siècle par l'évêque San Segundo, puis elle passa alternativement aux mains des Maures et des chrétiens jusqu'à ce qu'Alphonse VI s'en emparât définitivement en 1090. Il y fit aussitôt venir ses meilleurs chevaliers, et ce sont eux qui entreprirent d'édifier les fortifications actuelles.

La **muraille**, haute de 12 m et large de 3 m en moyenne, possède 88 tourelles et

Carte
p. 152

Madrid

A gauche, les remparts monumentaux à Ávila ; ci-dessous, jeune Castillane en costume.

Les Castillans définissent leur terre ainsi : « neuf mois d'hiver et trois mois d'enfer ». « Aride et désolée, par son manque même d'éléments spectaculaires », remarque le romancier castillan Miguel Delibes. Quant au poète Antonio Machado, il voit les paysages rocailleux et dénudés de la Castille « parcourus par l'ombre de Caïn ».

Les représentations de sainte Thérèse abondent à Ávila où l'on vend des pâtisseries à base de jaune d'œuf appelées « yemas de Santa Teresa ».

9 portes fortifiées. Son périmètre est de 2,572 km. En partant des jardins qui jouxtent le parador Raimundo de Borgoña, on accède au chemin de ronde qui domine les plaines environnantes.

Alphonse VI lui ayant accordé l'autonomie, Ávila resta murée dans son isolement pendant plusieurs siècles et sut résister à toutes les tentatives d'unification de Charles Quint. Son esprit d'indépendance se manifesta encore en 1970, lorsque les édiles de la cité refusèrent qu'on la proclamât « monument historique et artistique national ». Ils acceptèrent néanmoins ce statut cinq ans plus tard, en raison des nombreux avantages que confère cette qualité, mais c'est à contrecœur que la ville se résigna à devenir un centre touristique.

Depuis le XVIe siècle, Ávila est également un haut lieu de pèlerinage puisqu'elle est la ville natale de sainte Thérèse de Jésus. Teresa de Cepeda y Ahumada naquit en 1515. Issue d'une famille noble d'origine juive, elle fut confiée à un couvent tandis que ses frères étaient envoyés en Amérique, afin d'échapper à l'Inquisition. Le jour où elle quitta le foyer paternel, Thérèse écrivit : « *Je ne pensais pas que le jour de ma mort serait pire.* » A une époque ou la Réforme faisait de grands progrès en Europe et où les ordres monastiques abandonnaient la rigueur de leurs règles,

Carte
p. 152

Thérèse parvint à rétablir la stricte observance de l'ordre du Carmel. Femme d'action infatigable, elle commença à parcourir les routes d'Espagne afin de fonder des couvents et de susciter des vocations. Ses célèbres extases firent grande impression sur ses contemporains, mais l'austérité de ses exigences la rendit impopulaire auprès de certaines de ses « consœurs », et le manque d'orthodoxie de ses écrits attira sur elle la suspicion de la redoutable Inquisition. Elle mourut en 1582 mais fut canonisée quarante ans plus tard. De nombreux lieux de pèlerinage lui sont consacrés.

La **cathédrale** d'Ávila fait partie intégrante des remparts de la ville, dont elle a hérité l'aspect imposant et militaire. Son architecture romane d'origine a reçu par la suite des éléments gothiques et Renaissance. A l'intérieur, on retrouve le grès tacheté de rouge et de jaune, caractéristique de toutes les églises de la cité. Les stalles du chœur, sculptées au début du XVIe siècle par Cornélis de Hollande, sont intéressantes, de même que le retable retraçant des épisodes de la vie de Jésus. Ajoutons que Lope de Vega (1562-1635), auteur dramatique très prolixe, fut aumônier de la chapelle de San Segundo.

On quittera ensuite la ville par la **Calle Santo Tomás** pour se rendre au **Monasterio de Santo Tomás** situé au sud-ouest. Cet établissement fut fondé en 1482 par Ferdinand et Isabelle. Le cloître est décoré de grenades qui symbolisent la détermination des Rois Catholiques à reconquérir la ville du même nom. Le retable de l'église, qui illustre des scènes de la vie de saint Thomas d'Aquin, est considéré comme la pièce maîtresse de l'œuvre de Pedro Berruguete. Le couvent abrite également le tombeau de l'infant don Juan, fils unique de Ferdinand et d'Isabelle, qui mourut subitement à l'âge de vingt ans. Après sa mort, qui fut une véritable tragédie pour ses parents, l'Espagne fut livrée aux mains de Jeanne la Folle.

DE SAINTES RELIQUES

On empruntera la **Plaza de Santa Teresa** pour rentrer de nouveau dans l'enceinte de la ville. La grande statue blanche de la sainte fut érigée en l'honneur de la visite du pape en 1982, qui la proclama à cette occasion docteur de l'Église, faisant d'elle la première femme à porter ce titre.

Parmi les monuments consacrés à sainte Thérèse figure le **Convento de Santa Teresa**, bâti à l'emplacement de sa maison natale. Le musée qui porte son nom conserve plusieurs reliques. Le **Convento de las Madres**, appelé aussi Convento de San José, est la première institution fondée par la sainte ; il présente de fort beaux tombeaux, et le petit musée qui le jouxte comporte des souvenirs de la sainte.

On ne manquera pas de visiter le **Convento de la Encarnación**. C'est là que Thérèse prit le voile et passa près de trente ans de sa vie. On peut voir sa cellule et le **locutorio** où elle discutait avec son confesseur et compagnon en mysticisme, saint Jean de la Croix.

La **Sierra de Gredos** ❷ renferme de charmants villages de pierre, tels **Guisando**, **El Arenal** ou **Arenas de San**

Un paysage enneigé de la Sierra de Gredos. Les Madrilènes aiment quitter la capitale et venir passer le week-end dans cette région, dont ils apprécient l'air frais, les forêts de pins et les pistes de ski. Le sol et le climat de la Sierra s'avèrent même propices à la culture de plantes que l'on trouve d'ordinaire dans des zones plus méridionales.

Pedro avec son château du XVe siècle et son pont gothique. Au nord d'Ávila, un petit détour par **Madrigal de las Altas Torres** permettra de découvrir les ruines du château où naquit Isabelle de Castille.

SALAMANQUE

La ville universitaire de **Salamanque** ❸ est « *le plus grand triomphe dont peut s'enorgueillir l'Espagne* », proclama un historien de la cour des Rois Catholiques. Aujourd'hui, même si son heure de gloire semble révolue, cette belle cité ne porte pas les vestiges de son passé comme un fardeau. L'ocre doré de la pierre confère une majesté à ses constructions et l'ambiance estudiantine qui y règne a chassé le puritanisme castillan des anciens temps.

Deux mille ans avant la fondation de l'université, en 1218, Salamanque était déjà une importante cité ibère. Elle fut la conquête la plus occidentale d'Hannibal au IIIe siècle av. J.-C., devint une cité florissante sous les Romains, avant d'être occupée par les Maures en 711. Elle fut ensuite reprise en 1085 par les chrétiens qui édifièrent de nombreuses églises : San Julián, San Martín, San Benito, San Juan, Santiago, San Cristóbal et la vieille cathédrale. Toutes datent de l'apogée de l'art roman.

Les historiens soupçonnent Alphonse IX de León d'avoir voulu fonder l'université de Salamanque afin qu'elle rivalise avec celle de Plasencia, œuvre d'Alphonse VIII de Castille, son cousin et adversaire. Salamanque ne mit pas longtemps à surpasser l'école de Plasencia, et la valeur de l'enseignement qui y était dispensé lui assura rapidement une renommée internationale. Au XIVe siècle, elle était citée parmi les quatre meilleures universités d'Europe avec Paris, Oxford et Bologne. Elle atteignit son apogée au XVIe siècle, avec soixante-dix chaires et douze mille étudiants.

L'Inquisition mit fin à la réputation universitaire de Salamanque, qui accueillait des esprits novateurs et des penseurs. Durant le règne de Philippe II,

Ci-dessous, la Catedral Vieja de Salamanque vue du chevet ; à droite, la casa de las Conchas, à Salamanque toujours, doit son nom aux sculptures en forme de coquilles Saint-Jacques qui l'ornent.

Carte
p. 152

il fut interdit aux Espagnols d'y étudier. Au XXᵉ siècle, l'université connut un nouvel essor avec la nomination du philosophe et auteur dramatique Miguel de Unamuno (1864-1936) qui fut nommé au poste de recteur. Son livre *Le Sentiment tragique de la vie* est une analyse poétique et lucide de l'âme espagnole. Rendu fou par les atrocités de la guerre civile, Unamuno mourut en 1936. Avec l'ère franquiste, Salamanque, comme les autres universités espagnoles, plongea dans un profond sommeil. Aujourd'hui, elle est sortie de sa léthargie et a regagné son statut de référence en matière de littérature.

Salamanque possède actuellement trois universités, mais l'entrée de l'**Universidad** originale se situe sur le **Patio de las Escuelas**. La somptueuse façade plateresque est ornée de médaillons figurant les Rois Catholiques, et d'une multitude de portraits, de symboles littéraires, profanes et religieux.

Le patio donne sur plusieurs salles de classe, y compris celle où, après quatre ans passés dans les prisons de l'Inquisition, le grand humaniste Fray Luis de León commença son premier cours magistral par cette phrase devenue célèbre : « *Comme je vous le disais hier...* » Au premier étage est installée la **bibliothèque**, riche de quatre-vingt mille livres anciens et manuscrits.

A l'autre bout du patio, un portail plateresque s'ouvre sur les **Escuelas Menores**. L'une des salles de classe se signale par un plafond de Fernando Gallego représentant les constellations et les signes du zodiaque, vestige de l'ancien département d'astrologie.

La **Plaza de Anaya** est un gracieux quadrilatère entouré sur trois côtés par des bâtiments universitaires de diverses époques, le quatrième côté étant occupé par la nouvelle cathédrale. Cet imposant édifice fut commencé en 1513, à l'époque où la renommée de la ville était telle que la cathédrale primitive ne pouvait plus suffire. Elle fut achevée au XVIIIᵉ siècle, ce qui explique le mélange des styles gothique, Renaissance et baroque. Le portail de la façade occidentale est richement décoré de médaillons, de statues et d'écussons divers. A l'intérieur, la nef surprend par la richesse de ses voûtes, la finesse de ses corniches et la forme élancée de ses piliers. On remarque des stalles sculptées par Alberto de Churriguera au XVIIIᵉ siècle, et deux orgues, l'un baroque côté nord, l'autre plateresque côté sud.

La vieille cathédrale, tapie contre la nouvelle, a été transformée en musée. Elle est coiffée d'un dôme byzantin et les couleurs de ses fresques romanes ont gardé tout leur éclat.

Le **cloître** qui la jouxte abrite la **Capilla de Santa Barbara**, où les étudiants venaient réviser, la veille d'un examen ; ils s'y enfermaient toute la nuit dans la solitude et posaient les pieds sur la tombe d'un évêque pour que cela leur porte chance. Les résultats étaient annoncés en public et une grande partie de la population attendait au-dehors pour bombarder de détritus les recalés. Les reçus étaient portés en triomphe et écrivaient avec du sang de taureau le mot « vainqueur » sur les murs.

A l'est de la Plaza Mayor s'étend la Plaza del Mercado dont les étudiants

La Plaza Mayor de Salamanque.

Tout le monde s'accorde à dire que la Plaza Mayor de Salamanque est la plus merveilleuse place d'Espagne, tant par son architecture que par l'ambiance qui y règne. Dessinée par Churriguera en 1729, elle est bordée de chaque côté par des arcades sous lesquelles sont installés des commerces. Les habitants de Salamanque aiment s'y promener et y prendre un repas.

fréquentent les nombreux petits restaurants. On y déguste notamment une saucisse appelée *farinato*.

Non loin de la Plaza Mayor, la **Casa de las Conchas**, hôtel particulier de la fin du XVᵉ siècle, est décorée de coquilles de pèlerins. En quittant la Plaza Mayor par la Calle San Pedro, on parvient devant la Casa de la Salina, où l'impopulaire évêque Fonseca se vengea de ses ennemis en faisant sculpter des gargouilles à leur effigie le long de la façade. Un peu plus loin trônent deux exemples de l'art plateresque du XVIᵉ siècle : le **Convento de las Dueñas** et le **Monasterio de San Estebán**.

Pour avoir une belle vue de la ville, il est conseillé de rejoindre les berges du Tormes et de traverser le **pont romain**, au bout du Paseo de Santiago.

UN DÉTOUR HISTORIQUE

Au sud-ouest de Salamanque, à 90 km sur la N 620, s'étend la ville de **Ciudad Rodrigo ❹** avec ses remparts et ses bâtiments dorés. Lors de la guerre d'indé-pendance, le duc de Wellington y vainquit les forces françaises. Les traces de cette bataille sont encore visibles sur le beffroi de la **cathédrale** de style roman. A l'intérieur de celle-ci, les stalles du chœur sont dues à Rodrigo Alemán.

Le château du XIVᵉ siècle, qui surplombe l'Agueda, a été aménagé en *parador*, et la vieille ville abrite de nombreuses églises et des édifices Renaissance, dont la poste. Les remparts et les rues étroites qui entourent la Plaza Mayor se prêtent à d'agréables flâneries. Sur la place sont installées une pharmacie ancienne et la pittoresque boutique d'un glacier. Les taureaux destinés à combattre dans les arènes paissent dans la campagne environnante.

Zamora ❺, la « *très noble et très loyale cité de Zamora* », selon Henri IV, s'étale sur les bords du Douro, à 60 km au nord de Salamanque. Cette ville d'origine arabe, célébrée par le *Poème du Cid* (*Caantar del Mio Cid*), mérite une halte au moins pour sa **cathédrale** du XIIᵉ siècle. Cet édifice gothique a reçu un étonnant dôme byzantin à écailles

D'inspiration gothique, la Casa de los Botines, à León, due à l'architecte catalan A. Gaudí, tranche avec l'aspect général de la ville.

écailles qui, de l'intérieur, évoque une moitié d'orange. Elle renferme un portrait du Christ exécuté par Fernando Gallego et des stalles du XVᵉ siècle, ornées de personnages bibliques et de scènes allégoriques et burlesques portant sur l'existence monastique de l'époque.

A l'extérieur de la cathédrale se profilent les vestiges de l'ancienne muraille qui encerclait la ville. Zamora fut en effet le théâtre de combats acharnés opposant musulmans et chrétiens. Le roi Sanche II y fut assassiné et le **Postigo de la Traicíon**, « porte du Traître », qui se trouve dans les ruines du **château**, fut édifié pour commémorer ce drame. Par ailleurs, deux édifices se rapportent au Cid : la **Casa del Cid** et l'**église Santiago de Caballeros**, où le héros national fut armé chevalier.

LEÓN

En raison de ses liens historiques avec la Castille et les vertes contrées des Asturies et de la Galice, **León ❶** peut être considérée comme une ville frontière. Sa situation géographique en fait l'une des villes les moins visitées de la péninsule. Pourtant, tous ceux qui s'y sont rendus se sont émerveillés de sa splendeur médiévale. León vécut son apogée au Xᵉ siècle, lorsque Ordoño II y établit sa cour. Sous son règne, la ville devint le siège d'un gouvernement exemplaire, et l'incendie qui la ravagea en 996 lors de l'attaque des Maures est encore considéré comme un événement irréparable. La cité fut reconquise au XIᵉ siècle et fut pendant un temps la capitale de l'Espagne mozarabe et le siège de la Reconquête.

Il faudrait, pour bien faire, visiter la **cathédrale** à plusieurs reprises dans la journée afin d'admirer les reflets changeants de la lumière sur ses magnifiques vitraux, qui couvrent une surface totale de 150 m². Sa construction débuta en 1205, à l'époque de l'art roman, mais les travaux ne s'achevèrent qu'au début du XIVᵉ siècle, ce qui en fit l'un des plus beaux spécimens de l'architecture gothique. C'est le matin et en fin

Carte p. 152

Les vitraux de la cathédrale de León.

Une sculpture au monastère de Huelgas, à Burgos.

Le Paseo del Espolón, à Burgos.

d'après-midi que l'on apprécie le mieux l'éclat des rosaces. La nuit, la cathédrale se transforme grâce aux illuminations intérieures. Elle contient des sépultures remontant à plusieurs siècles, dont celle, ornementée, de Ordoño II. Le **cloître**, de style gothique tardif, et le musée renferment des trésors romans.

La **Colegiata de San Isodoro** est une basilique consacrée à saint Isidore de Séville, dont les reliques furent déposées là pour qu'elles échappent aux Maures. Le **Panteón de los Reyes** qui la jouxte, ou « panthéon des Rois », abrite les tombeaux des premiers souverains de León et de Castille. Les fresques qui l'ornent sont très appréciées des amateurs d'art roman.

UN PALAIS DEVENU PRISON

Sur les berges de la Bernesga, l'**Hostal de San Marcos** mérite une visite, même si l'on ne séjourne pas au **parador** cinq étoiles qu'il héberge en partie. Il fut fondé en 1168 par les chevaliers de l'ordre de Saint-Jacques afin de servir de gîte-étape aux pèlerins en route pour Santiago. Ajoutée en 1513, la façade platéresque, réalisée par Juan de Badajoz, est l'une des pièces maîtresses de la Renaissance espagnole. Par la suite, le monastère devint une prison politique (le poète Quevedo en fut l'hôte le plus illustre), puis une caserne. Dans le cloître et la sacristie loge désormais le **Museo de León** où l'on peut admirer, entre autres, le *Christ en Croix* de Carrizo, statuette en ivoire du XIᵉ siècle, et des croix mozarabiques du Xᵉ siècle.

A l'ouest de León, la cité romaine d'**Astorga** possède une cathédrale qui renferme notamment un maître-autel de l'école de Michel-Ange et un musée. Le **Palacio Episcopal** est dû à l'architecte catalan Antoni Gaudí. Ce bâtiment néogothique fut commencé à la fin des années 1880 et les travaux se poursuivirent jusqu'en 1961. Un musée y est consacré au pèlerinage de Compostelle.

BURGOS

Située en plein centre du plateau de la Vieille-Castille, **Burgos** ❼ est depuis longtemps le carrefour de l'Espagne.

Forteresse édifiée en 884 pour résister à l'invasion musulmane, la ville vénère encore le souvenir de son plus illustre enfant : Rodrigo Díaz de Vivar (1043-1099), *alias* le Cid Campéador (de l'arabe *sidi*, « seigneur »). Après avoir été exilé par Alphonse VI, le Cid entra au service du souverain maure de Saragosse pour lutter contre le roi maure de Valence, soutenu par les Catalans. Par la suite, réconcilié avec son ancien suzerain, il partit personnellement en campagne contre les Arabes et parvint à conquérir Valence. Si les historiens estiment que le *Caantar del Mio Cid*, long poème épique retraçant sa vie, relève pour une large part de la fiction, le personnage du Cid, incarnation de l'esprit chevaleresque, reste le héros incontesté de la Reconquête.

La **cathédrale** gothique, commencée en 1221, est le sanctuaire du Cid. Cette « *œuvre des anges* » selon l'expression de Philippe II, domine la cité. De nombreuses routes convergeant vers elle,

Le Paseo del Espolón suit le cours de l'Arlanzón, le fleuve qui baigne la ville. Il commence à l'Arco de Santa Maria, non loin de la cathédrale, et se termine vers la Plaza Primo de Rivera. Comme la plupart des « paseos », il est un lieu de promenade très apprécié.

les bedeaux durent autrefois fermer le portail principal afin que la nef ne fût pas utilisée comme voie publique ; la tradition persiste. Les visiteurs s'y pressent autant pour se recueillir sur la tombe du Cid et de Chimène, au centre de la nef, que pour l'horloge **Papamoscas** (« gobe-mouches ») avec son automate, ou le Christ grandeur nature, fait de cuir de buffle et portant des cheveux et des sourcils humains ; ou pour l'**escalier** à double révolution de Diego de Siloé, la **Capilla Santa Tecla**, avec sa voûte churrigueresque, la **Capilla de Santa Ana** où s'épanouit un Arbre de Jessé (généalogie du Christ).

Le **cloître** contient des statues, une quinzaine de tombeaux, des manuscrits rares – dont l'acte de mariage du Cid et de Chimène –, et le coffre que le Cid emplit de sable afin de duper les usuriers juifs (la légende dit qu'il s'empressa ensuite de les rembourser avec intérêts). Dans la salle capitulaire sont exposées des tapisseries flamandes du XVᵉ siècle, des vêtements sacerdotaux et des pièces d'argenterie.

Le visiteur gagne ensuite les rives de l'Arlanzón en traversant la Plaza Santa Maria. Célèbre ornement de Burgos, l'**Arcos de Santa Maria** faisait partie de l'enceinte qui enfermait la ville au XIᵉ siècle ; elle fut décorée au XVIᵉ siècle en l'honneur de la visite de Charles Quint. Les sculptures montrent le souverain entouré du Cid et d'autres héros locaux. Enfin, à l'intérieur de la ville, sur la Plaza Primo de Rivera, on peut voir une statue du Cid revêtu d'une cape qui virevolte.

AUTOUR DE BURGOS

A la sortie de Burgos, à 3 km à l'est, s'élève la **chartreuse de Miraflores**, fondation royale du XVᵉ siècle. Jean II la choisit pour être son panthéon et celui de sa femme Isabelle de Portugal. Leur mausolée de marbre blanc est l'œuvre de Gil de Siloé. La chapelle contient aussi le tombeau de l'infant Alphonse dont la mort prématurée permit à Isabelle la Catholique, sa sœur, de régner en Castille.

Carte
p. 152

La cathédrale de Burgos abrite le mausolée du Cid.

La chapelle wisigothique de Quintanilla de las Viñas.

Fondé au IXᵉ siècle, le **Monasterio de San Pedro de Cardeña**, près de Miraflores, est l'un des plus anciens édifices bénédictins d'Espagne. Le Cid y laissa sa femme et ses enfants lorsqu'il partit en exil. Il demanda à y reposer avec sa famille et son cheval Babieca, mais leurs cendres ont été transférées dans la cathédrale de Burgos en 1921. En 1940, des fouilles commanditées par le duc d'Albe ont dégagé des ossements de cheval, ce qui confirmerait cette version.

A 2 km à l'ouest du centre de Burgos, le **Monasterio de las Huelgas**, du XIIᵉ siècle, n'admettait que des femmes de haute lignée. Son abbesse était la deuxième dame d'Espagne après la reine, et l'on disait que si le pape avait été autorisé à se marier, seule l'abbesse aurait été digne de cet honneur. Outre des tombeaux royaux et princiers, l'édifice abrite un musée, le **Museo de Telas Medievales**, qui rassemble des étoffes précieuses et des parures découvertes dans les rares tombes qui ont échappé aux profanations de 1809.

La petite capitale provinciale de **Palencia**, à 70 km au sud-ouest de Burgos, se distingue à deux titres : elle fut résidence royale et siège de la première université d'Espagne. La **cathédrale**, très travaillée, édifiée de 1321 à 1516, se signale par ses retables, ses tapisseries, la tombe de la princesse Doña Urraca et une crypte wisigothique.

A 13 km au sud, la petite église de **San Juan Bautista**, à **Baños de Cerrato**, est l'un des plus anciens édifices religieux encore debout. Elle remonte probablement à 661 et contient des sépultures de Wisigoths.

LES VILLAGES DE BURGOS

La province de Burgos regorge de villages et de hameaux qui évoquent la chevalerie. A 50 km au sud, en quittant la N 1, se trouve **Quintanilla de las Viñas**, un ermitage wisigothique du VIIᵉ siècle. Il ne reste plus de l'église que l'abside et le transept, que l'on peut visiter en s'adressant au *turismo*. Des motifs stylisés ornent les murs

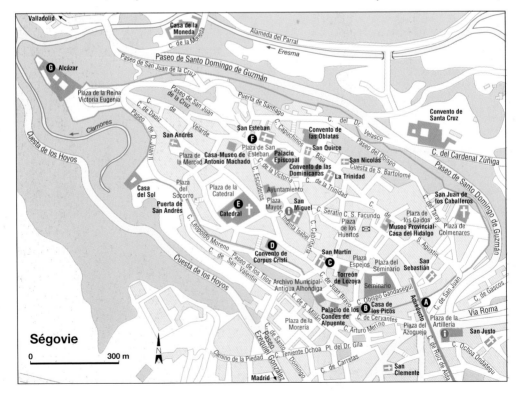

Ségovie

0   300 m

Cartes
pp. 152
et 160

extérieurs, mais les symboles gravés sur les imposts, les emblèmes du soleil et de la lune, témoignent des croyances païennes de l'époque.

Après les ruines du **Monasterio de San Pedro de Arlanza** on rejoint **Covarrubias**, village qui doit son nom aux grottes rougeâtres qui l'entourent. Il a conservé une partie de ses remparts du Xᵉ siècle et la cour de Doña Urraca, princesse au destin tragique qui y fut emprisonnée. La collégiale abrite plusieurs tombeaux médiévaux, dont celui de Fernán González, figure de l'histoire castillane, mort en 970.

La N 1 mène ensuite à **Lerma ❽** dont les hautes murailles surplombent l'Arlanza. De l'enceinte du XIIᵉ siècle, il ne reste qu'une porte romane. Malgré l'aspect médiéval de l'ensemble, la plupart des constructions datent du XVIIᵉ siècle, dont l'imposant palais du duc de Lerma (1605). Ce paradoxe illustre la nostalgie des Espagnols pour le Moyen Age.

A 20 km de Covarrubias, le **Monasterio de Santo Domingo de Silos ❾** est célèbre pour son cloître roman du XIIᵉ siècle et sa communauté de moines bénédictins qui entonnent des chants grégoriens. En 1994, leur disque figura parmi les meilleures ventes de musique classique. Il est possible de les écouter durant l'office. Ils occupent le reste de leur temps à jardiner, à pratiquer l'apiculture, à étudier, et servent également de guides pour les tombes et le cloître.

La N 234 conduit au sud-ouest, jusqu'à la petite capitale provinciale de **Soria ❿**. Le **Museo Numantino**, sur la Calle El Espolón, renferme des pièces archéologiques découvertes sur le site celtibère de Numance, au nord de la ville. Près du Duero et à l'est de Soria, Les ruines du **Monasterio de San Juan de Duero** comportent, dans le cloître, des arcs mudéjars. Les environs de Soria sont parfaits pour des excursions.

VALLADOLID

Haut lieu architectural, **Valladolid ⓫** est aussi un centre universitaire et industriel assez étendu, où il n'est pas facile de se repérer en voiture. L'église **San Pablo**, au nord du centre-ville, et son voisin, le **collège de San Gregorio**, illustrent les styles plateresque et isabélin, avec leurs façades décorées et ces reliefs en vogue aux XVᵉ et XVIᵉ siècles. Installé dans le collège, le **Museo Nacional de la Escultura** rassemble des sculptures majeures de la Renaissance espagnole, entre autres des travaux de maîtres : Juan de Juni, Alonso Berruguete et Diego de Siloé.

La **cathédrale** porte l'empreinte de Juan de Herrera. Au sud du centre-ville, le **Museo Oriental**, qui occupe un couvent augustinien, expose des objets décoratifs de Chine et des Philippines.

LA CITÉ DES POÈTES

Ségovie ⓬ attire en fin de semaine de nombreux Madrilènes qui n'hésitent pas à parcourir 90 km pour admirer son aqueduc romain et son Alcázar, et pour déguster sa cuisine réputée. Le cœur de la ville étant perché à 1 000 m d'altitude sur un promontoire rocheux, Ségovie a souvent été comparée à un vaisseau flottant entre ciel et terre, entre les Ríos Eresma et Clamores.

Une peinture dans l'ancien Monastério de Santo Domingo de Silos.

Cet ensemble est dû à l'initiative de Fernán González, comte de Castille, qui le fit construire au Xᵉ siècle. Ravagé puis reconstruit, il possède un cloître et des peintures qui en font un exemple majeur de l'art roman. A noter également la vieille pharmacie qui contient un alambic ainsi qu'une série de pots en faïence de Talavera.

L'aqueduc romain de Ségovie, l'une des plus grandes constructions romaines d'Espagne.

Ségovie gagna en importance à l'époque des Romains, qui édifièrent l'aqueduc au Iᵉʳ siècle apr. J.-C. Au Moyen Age, elle prospéra grâce aux Maures et s'attira ensuite les faveurs de la royauté castillane ; Isabelle la Catholique y fut proclamée reine en 1474. En 1480, Ségovie fut le quartier général du redoutable inquisiteur Torquemada.

Mais les guerres, la récession économique et la peste de 1599 faillirent la ruiner. Elle resurgit sous les Bourbons, qui édifièrent leur résidence d'été à la Granja toute proche. Elle devint dès lors la ville d'élection des artistes et des poètes, dont le plus célèbre est Antonio Machado. L'élégant **Parador Nacional**, bâti sur une colline surplombant la cité, est une retraite appréciée des metteurs en scène, acteurs et autres vedettes de la scène madrilène.

Les habitants de Ségovie sont réputés pour leur gaieté et leur humour : lors du festival de Santa Agueda en février, les femmes remplacent dans leurs fonctions les gouvernants provinciaux.

L'Alcázar de Ségovie.

L'EMPREINTE ROMAINE

Toutes les routes de Ségovie mènent à l'**aqueduc Ⓐ**. Avec ses 165 arches qui s'élèvent à 28 m au-dessus de la Plaza del Azoguejo et ses 813 m de long, cet ouvrage est l'une des plus grandes constructions romaines d'Espagne. Les énormes blocs de granit sont posés à sec, sans mortier ni ciment ; selon une légende médiévale, le diable l'aurait bâti en l'espace d'une seule nuit.

De la Plaza del Azoguejo, en remontant la Calle de Cervantès jusqu'à la vieille ville, on rejoint la **Casa de los Picos Ⓑ**, noble demeure du XVIᵉ siècle, à la façade ornée de pierres taillées en pointe de diamant, mais qui est fermée au public. Non loin, la **Plaza de San Martín** est bordée de belles maisons Renaissance qui cernent **San Martín Ⓒ**, remarquable église romane de Ségovie. Le centre de la place accueille la statue de Juan Bravo, héros de la ville qui mena la résistance contre Charles Quint. Tout autour se déploient en été les terrasses des restaurants.

L'église du **Convento de Corpus Cristi** , consacré en 1410, fut la plus grande synagogue de Ségovie. La *judería*, le long de la Calle San Frutos, a gardé des maisons d'époque, dont les fenêtres étroites permettaient juste de respirer, sans voir la rue.

Sur la **Plaza Mayor**, la cathédrale, bâtie par Juan Gil de Hontañón et son fils Rodrigo à partir de 1522, est un exemple de la survivance du style gothique au XVIᵉ siècle. Le cloître isabélin est celui de l'ancienne **cathédrale** , détruite en 1520 par les Comuneros lors de l'insurrection contre Charles Quint. La **Capilla de Santa Catalina** abrite le tombeau du jeune infant Pedro, que sa gouvernante laissa malencontreusement tomber d'un balcon.

Il existe dix-huit églises romanes à Ségovie, mais la plus belle est celle de **San Esteban** , derrière la Plaza Mayor. Elle est dotée d'une galerie à chapiteaux et d'une très belle tour aux arcades dorées du XIIIᵉ siècle, dite la « reine des tours espagnoles », caractéristique de la période de transition entre les styles roman et gothique.

LA SENTINELLE

L'**Alcázar** se dresse à l'ouest de Ségovie. Il remonte au milieu du XIVᵉ siècle mais fut remanié au XVᵉ siècle par Catherine de Lancastre, femme de Henri III de Castille, puis par Jean II.

Les deux salles les plus intéressantes sont la **Sala de Reyes**, qui renferme des sculptures sur bois des premiers rois de Castille, de León et des Asturies, et la **Sala del Cordón**, ornée d'une frise sculptée à l'image de la corde franciscaine. Selon la légende, Alphonse le Sage aurait un jour avancé l'idée que la Terre tournait autour du Soleil ; un éclair ponctua cette remarque audacieuse, et, terrifié, Alphonse fit le vœu de porter la corde de saint François en pénitence, jusqu'à la fin de ses jours.

Du sommet de la **Torre de Juan II**, on a un superbe panorama sur la campagne environnante et la Sierra de Guadarrama, qui se découpe dans le lointain.

UN PETIT VERSAILLES

San Ildefonso ou **La Granja** (« la Ferme ») s'étend à 18 km au sud de l'aqueduc de Ségovie. Ce palais à la française, conçu par une équipe d'architectes français et italiens, est né de la nostalgie de Philippe V, petit-fils de Louis XIV, pour le château de son enfance.

Il renferme des collections de peintures, meubles et objets d'art, y compris des tapisseries flamandes du XVIᵉ siècle. Les murs des salles sont décorés de marbres et les plafonds à fresques et stucs dorés s'ornent de lustres ouvragés. La plus belle partie de San Ildefonso est représentée par les jardins dessinés sur le modèle de Le Nôtre et dont les vingt-six fontaines monumentales sont comparables, sinon supérieures, à celles de Versailles. Elles sont alimentées par un lac artificiel surnommé el Mar (« la mer »). Ces jardins sont particulièrement beaux en automne, lorsque les tilleuls jaunes et les ormes se reflètent dans les bassins.

Cartes
pp. 152
et 160

Détail du décor somptueux de San Ildefonso.

Les habitants de la capitale provinciale, Salamanque, sont également appelés « los Charros », du nom de la fête locale. Dans leur ensemble, les Castillans pensent que l'Espagne est leur propriété. Ils ont un caractère fier et rigoureux, qu'ils tiennent des plaines arides du Centre d'où ils viennent. Ils ont en effet largement contribué à l'unité du pays.

LA CASTILLE-LA MANCHE

A l'origine, la Castille-La Manche faisait partie de la Nouvelle-Castille, que les rois castillans nommèrent ainsi après avoir repoussé les Maures en 1085. La Manche s'étend autour de Tolède, capitale des Wisigoths et fleuron artistique et architectural. Cuenca, avec ses quartiers gothiques et Renaissance, se distingue par ses Casas Colgadas («maisons suspendues») et son Museo de Arte Abstracto. Mais le Nord-Est compte aussi des villes telles qu'Albacete, Guadalajara ou Ciudad Real. Les villages et les villes pittoresques sont légion : Tembleque, Segóbriga, Sigüenza, Almagro, Ocaña et bien d'autres encore.

Les paysages sont variés, des contrées humides des Tablas de Daimiel au sommet de la Sierra de Alcaraz, en passant par les forêts et les prairies du parc national de Cabañeros. Enfin, les châteaux médiévaux de Belmonte, Calatrava la Nueva, Alarcón et Sigüenza font également la réputation de la Manche.

TOLÈDE, CREUSET DE CULTURES

Tolède ❶ a toujours joué un rôle prépondérant dans l'histoire espagnole ; elle fut autrefois la capitale de l'Espagne et demeure le centre religieux du pays. Sa position stratégique sur le Tage a de tout temps attiré les habitants de la péninsule Ibérique. Les Romains l'occupèrent dès 192, mais il ne reste plus grand-chose de leur présence : le **Circo Romano** près de l'Avenida de la Reconquista, quelques mosaïques et des ruines éparses.

Au VIe siècle, les Wisigoths firent de Tolède la capitale de leur royaume. Ils tenaient vraisemblablement leurs conseils à l'emplacement actuel de l'église **Cristo de la Vega**, à l'ouest des remparts. C'est dans ce petit ermitage fondé au IVe siècle qu'eut lieu un miracle célèbre dans la littérature espagnole. Un jeune homme aurait juré un amour éternel à une jeune fille en se tournant vers le crucifix de l'église. Il

rompit néanmoins peu après avec sa fiancée, et cette dernière porta l'affaire devant les tribunaux. Lorsqu'on lui demanda de produire un témoin, elle conduisit le juge à l'église et demanda au Christ de certifier ses dires. Le Christ aurait effectivement remué sur sa croix, ce qui explique pourquoi l'un de ses bras n'est pas attaché.

En 711, la ville fut prise par les Maures et devint la capitale de l'Espagne chrétienne en 1085 sous le règne d'Alphonse VI. Durant le XIIe siècle, elle accueillait une importante communauté juive de douze mille personnes. Au XIIIe siècle, sous Alphonse X le Sage, Tolède se présentait comme un centre culturel où musulmans, chrétiens et juifs se côtoyaient dans une mutuelle tolérance. Ces populations collaboraient également au sein d'écoles chargées de traduire des textes grecs et arabes traitant de science et de philosophie. Une somme de connaissances dont s'enrichira au Moyen Age la culture castillane et qui, à la Renaissance, rayonnera sur toute l'Europe.

Cartes pp. 166 et 168

A gauche, un berger castillan et ses moutons ; ci-dessous, le pays des moulins à vent.

Dans son « Don Quichotte de la Manche », Cervantès soulignait déjà l'austérité de la région qui s'étend au sud de Tolède et rendue fameuse grâce à ses moulins à vent. La route Don Quichotte part des moulins de Campo Criptana et se rend à El Toboso et à la lagune de Ruidera, que l'on peut identifier dans cet ouvrage.

Cette diversité d'influences se retrouve dans l'art et l'architecture de la ville. Le style mozarabe propre aux chrétiens vivant sous la domination maure coexiste avec le style mudéjar – le palais **Taller del Moro** qui s'élève derrière la cathédrale en est un exemple – que développèrent les maures restés après la conquête de la région par les chrétiens. L'héritage juif est le plus discret. Bien que Tolède ait été la capitale des juifs d'Espagne du XIe au XIIIe siècle, sur les dix synagogues qui existaient, seules deux ont survécu aux pogroms du XIVe siècle. Après l'expulsion des juifs en 1492 et la décision de Philippe II de transférer la capitale à Madrid, en 1561, Tolède connut un certain déclin. Au milieu du XVIIe siècle, sa population n'était plus que la moitié de ce qu'elle était cent ans auparavant.

Perchée sur les rives du Tage, Tolède est établie à 70 km au sud de Madrid. De nos jours, elle apparaît comme une ville de province avec ses soixante-deux mille habitants, mais, en vertu de son glorieux passé, elle a été proclamée monument national, ainsi que patrimoine mondial par l'Unesco.

L'entrée principale de Tolède est la **Puerta de Bisagra**, la plus imposante des neuf portes qui percent le vieux mur d'enceinte de la ville. Jadis, il fallait acquitter un droit d'entrée pour

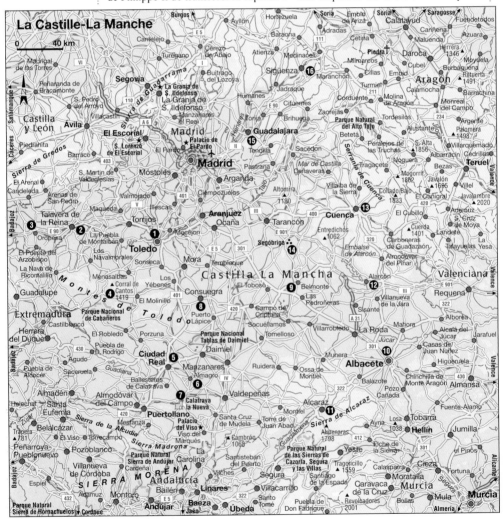

pénétrer dans Tolède ; à la **Puerta de Cambrón**, à l'ouest, une plaque de l'époque médiévale prévient que seuls les résidents étaient dispensés de ce droit.

Cependant, la gare de style néo-mudéjar est le point de départ idéal pour découvrir Tolède. Elle offre une magnifique vue d'ensemble de la cité. Il est conseillé de traverser le fleuve sur le **pont d'Alcántara** , le plus vieux pont de Tolède, qui fut construit par les Romains puis restauré à plusieurs reprises par les Maures et les chrétiens. On aperçoit au nord le **Castillo de San Servando**, bâti au XIᵉ siècle par les templiers afin d'assurer la défense de ce pont.

ÉGLISES, SYNAGOGUES ET MOSQUÉES

La **cathédrale** ❸, que l'on aperçoit depuis le plateau de la Meseta, témoigne du tumultueux passé religieux de Tolède. Fondée au VIᵉ siècle par le roi wisigoth Reccared Iᵉʳ, elle fut convertie en mosquée durant les quatre siècles de la domination musulmane, sous le nom de Bab al-Hardom.

En 1227, Ferdinand III ordonna la construction de la nouvelle cathédrale, qui ne fut terminée qu'en 1493. Dans l'intervalle, des éléments de style mudéjar, baroque et néo-classique furent ajoutés au bâtiment gothique d'origine. Le grand retable polychrome sculpté retraçant la vie du Christ, la sacristie et sa collection de tableaux du Greco, de Titien, de Goya et de Van Dyck, ainsi que les somptueuses stalles du chœur et le plafond mudéjar de la salle capitulaire, méritent que l'on s'y attarde longuement (prévoir deux bonnes heures pour visiter la cathédrale).

L'église **Santo Cristo de la Luz** ❹ est probablement l'une des plus anciennes constructions de Tolède. C'est là qu'Alphonse VI fit dire une messe après qu'il eut conquis Tolède en 1085. Derrière l'église s'étend un ravissant jardin qui mène à la **Puerta del Sol**, la vieille porte mauresque, superbe édifice militaire qui remonte au début du XIVᵉ siècle.

L'église **San Román** ❺ permet de mieux apprécier la présence des Wisigoths à Tolède. Elle accueille désormais le musée de la Culture et des Conseils wisigothiques. San Román était à l'origine une église gothique, mais elle fut par la suite modifiée par des apports de style mudéjar, puis roman, puis Renaissance, comme l'atteste son dôme. Le musée renferme des copies des couronnes des rois wisigoths ainsi que des vestiges archéologiques.

La plus ancienne synagogue de Tolède est **Santa María la Blanca** ❻, dans la Calle de los Reyes Catolicos. Édifiée vers 1180 et reconstruite au XIIIᵉ siècle, elle se signale tout particulièrement par ses chapiteaux d'influence byzantine. L'iris, symbole d'honnêteté, ainsi que l'étoile de David, sont les éléments de décoration prédominants. A l'exception des trois chapelles du fond, qui remontent au XVIᵉ siècle, la synagogue apparaît telle qu'elle était autrefois, avant d'avoir été convertie en église au cours de la seconde moitié du XVᵉ siècle.

Plan
p. 168

Procession à Tolède.

Les rendez-vous religieux ne manquent pas à Tolède, comme le Vendredi saint où l'on sort des sculptures du XVIIᵉ siècle. Tolède est aussi une ville de plaisir et de détente où l'on peut goûter le reconstituant « marzipan », un casse-croûte local vendu dans les cafés et les boutiques. La nuit, les rues se remplissent de promeneurs.

Détail du « Christ au jardin des Oliviers », du Greco (vers 1605).

El Tránsito ❻, l'autre synagogue de Tolède, date du XIVᵉ siècle. Elle contient de beaux plâtres sculptés de style almohade, et abrite le **Museo Sefardi**.

L'édifice catholique majeur de Tolède, après la cathédrale, est l'église **San Juan de los Reyes ❼**, située dans l'ancienne *judería* (quartier juif). Cette église gothique fut bâtie sous le règne des Rois Catholiques, Ferdinand et Isabelle, qui désiraient à l'origine y être enterrés.

LE GRECO

Tolède est étroitement liée au peintre Domenikos Theotokópoulos, plus connu sous le nom du Greco. L'artiste s'installa à Tolède en 1579, après avoir été chassé de l'Escurial par Philippe II, et y vécut jusqu'à sa mort, en 1614. Formé et influencé par les maîtres italiens, le Greco imprégna ses travaux d'une fraîcheur et d'une vigueur qui les rendent vivants et dont la modernité ne laisse pas d'étonner.

Ses peintures sont disséminées dans plusieurs musées, mais l'un de ses chefs-d'œuvre, l'*Enterrement du comte d'Orgaz*, se trouve dans l'**église Santo Tomé ❽**, située dans la rue du même nom. La complexité du tableau, la subtile synthèse du temporel et du spirituel, la présence de multiples portraits – y compris un autoportrait – marquent l'apogée de l'œuvre du peintre.

Le Greco vivait dans le quartier juif, juste derrière El Transito. Sa maison n'existe plus, mais une demeure datant du XVIᵉ siècle a été restaurée et renferme divers objets de l'artiste et des tableaux, notamment *Vue de Tolède* qui représente le nord de la ville. Elle est connue sous le nom de **Casa-Museo de El Greco ❶**.

Le **Museo de Santa Cruz ❿**, à proximité de la Plaza Zocodover, conserve vingt toiles du Greco ainsi qu'une riche collection d'objets liturgiques, des manuscrits, des tapisseries et les drapeaux que Juan d'Autriche brandit lors de la bataille de Lépante, en 1571. Le bâtiment lui-même est remarquable, en

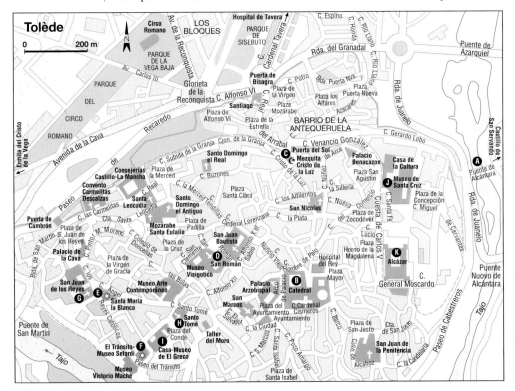

Tolède

particulier par son portail et son escalier de la première période de l'art platéresque, ainsi que par ses plafonds en bois de style mudéjar. Il s'agit de l'un des plus beaux musées provinciaux d'Espagne, où prédominent les œuvres du XVIᵉ siècle, c'est-à-dire du fameux Siècle d'or.

A l'extérieur de la ville, l'hôpital **San Juan Bautista** – ou de Tavera –, construit au XVIᵉ siècle, abrite plusieurs tableaux du Greco, dont la *Sainte famille* et le *Baptême du Christ*, sa dernière œuvre. Il contient également des travaux de Titien, du Tintoret, du Caravage, de Ribera et de Zurbarán. Le musée appartient à la famille du duc de Lerma : on y a reconstitué une résidence du XVIIIᵉ siècle.

L'ALCÁZAR, FORTERESSE SYMBOLIQUE

En arabe, *Al-gasr* signifie « château ». L'**Alcázar** ⓚ, bâti sur le point le plus élevé de la ville, fut fondé par Alphonse VI, peu après la Reconquête,

à l'emplacement d'un camp romain du IIIᵉ siècle. Le Cid en fut le premier gouverneur. Ses architectes et occupants ont été divers, et ses fonctions multiples. Depuis le patio, on peut apercevoir le château de San Servando et en apprécier la position stratégique.

A l'origine, l'Alcázar fut le fruit de la collaboration des meilleurs architectes du XVIᵉ siècle. Incendié et pillé par les Anglais et les Français en 1810, il fut dévasté lors d'un épisode déterminant de la guerre civile. Le musée, dédié à Franco triomphant des « hordes communistes » de la République, comme le stipule la plaque commémorative, est destiné à accueillir le **Museo del Ejército**.

LES CÉRAMIQUES DE TALAVERA

L'artisanat de Tolède est réputé pour ses damasquinages (émaux noirs rehaussés de fils d'or, d'argent et de cuivre), ses couteaux et ses épées ouvragés en acier. Sans oublier les ravissantes céramiques de la **Talavera**

Cartes pp. 166 et 168

Vue de Tolède et du Tage.

de la Reina ❷ où le **Museo Luiz de Luna**, près de la Plaza de San Pedro, expose des céramiques de toutes sortes. L'**Ermita de La Virgen del Prado** présente des pièces murales traditionnelles traitant de thèmes religieux. Talavera comprend un vieux quartier intéressant, avec un pont du XVe siècle et des remparts romains. Non loin de ces vestiges, la **Colegiata**, la plus remarquable des quatre églises de la ville, est réputée pour sa rosace.

La charmante ville d'**Oropesa** ❸, à 32 km à l'ouest de Talavera sur la N 5, se distingue par son **château** du XIVe siècle, occupé en partie par un *parador*, qui constitue l'un des fleurons des styles médiéval et Renaissance.

Au sud de Tolède, les **monts de Tolède** ❹ s'étendent vers l'ouest de l'Estrémadure et couvrent environ 1 000 km². En longeant la limite nord de cette chaîne, sur la C 401, et en tournant vers le sud par la C 403, on parvient au **Parque Nacional de Cabañeros**, composé de prairies verdoyantes et de pâturages. Des visites guidées en véhicules tout-terrain permettent d'apercevoir des sangliers sauvages, des cerfs ainsi que des aigles impériaux.

LES TRACES DU MOYEN ÂGE

Depuis Tolède, la C 401 se dirige vers le sud et mène, au bout de 100 km, à **Ciudad Real** ❺, la petite capitale provinciale.

À l'intérieur de la route qui entoure la ville, les rues, qui suivent le tracé des remparts, sont animées par des bars, des cafés et des restaurants bruyants. Au nord, la cité est accessible par la Puerta de Toledo du XIVe siècle. Les seuls attraits de Ciudad Real sont l'**Iglesia de Santiago** du XIIIe siècle et la **cathédrale**. La campagne environnante ne manque pas d'intérêt. Au nord-est, le **Parque Nacional de Tablas de Daimiel**, baigné par le Guadiana, est l'une des régions les plus humides d'Espagne et le point de ralliement d'oiseaux aquatiques venus de toute l'Europe. À **Almagro** ❻, au sud-est de Ciudad Real, la Plaza Mayor surprend avec ses por-

Don Quichotte et Sancho Pança.

LA ROUTE DE DON QUICHOTTE

La visite du centre de la Manche est à conseiller aux inconditionnels de *Don Quichotte*. Elle peut suivre à la trace les étapes du périple que suit le héros de ce livre, le plus vendu au monde après la Bible. El Tobose, sur la N301 entre Albacete et Ocaña, est le village de Dulcinée, que Don Quichotte aime d'un amour véritable et pour laquelle il risque tout. La Casa de Dulcinea, attribuée à Dulcinée, a été restaurée dans son style du XVIe siècle. Mais c'est dans l'auberge de Puerto Lápice, à 20 km au sud-est de Consuegra, que Don Quichotte devint officiellement chevalier errant et prêta serment. Non loin de Campo de Criptana, sur une colline, les moulins à vent sont alignés et paraissent aussi menaçants que ceux que charge Don Quichotte. C'est dans la grotte de Montesinos, près du lac de San Pedro, dans la vallée de Lagunes de Ruidera, qu'il aperçoit « *en vision* » des chevaliers errants et Dulcinée.

Certains considèrent Argamasilla de Alba comme une étape essentielle, car il s'agirait du bourg dont Cervantes refuse de donner le nom et qui est à l'origine de tout : « *Dans un village de la Manche...* » L'auteur, qui fut enfermé dans la prison de Argamasilla, y aurait créé son « chevalier à la Triste Figure ».

tiques en bois et ses balcons peints en vert. Au n° 17, le Corral de Comedias, théâtre de plein air, accueille en été un festival annuel.

Calatrava la Nueva ❼, à environ 35 km au sud d'Almagro sur la CR 504, vaut le détour pour son château-monastère, fondé en 1217 par l'ordre militaire de Calatrava et visible à des kilomètres à la ronde. Il a été détruit par un séisme en 1802, mais la nef de l'église a été restaurée depuis.

Non loin, à **Viso del Marqués**, le **Palacio del Viso** remonte au XVIᵉ siècle. Il fut construit par don Álvaro de Bazán, marquis de Santa Cruz et amiral le plus célèbre de la marine espagnole, qui vainquit les Turcs à la fameuse bataille de Lépante en 1571. L'intérieur somptueux est décoré de fresques italiennes.

Valdepeñas, sur la N 4, se trouve au centre de l'une des grandes régions viticoles d'Espagne. Les amateurs de vin peuvent s'adonner à la dégustation dans le **Bodega Museo**, au 102 Calle Cristo.

MOULINS A VENT ET CHÂTEAUX

Consuegra ❶ est réputée pour ses moulins à vent, son château du XIIIᵉ siècle et la récolte du safran qui se déroule fin octobre pendant que des moulins agitent leurs ailes. **Temblenque**, un peu plus au nord, est ainsi nommée en raison des victimes « tremblantes » des bandits du Moyen Age. La ville est construite autour d'une place centrale, l'une des plus belles d'Espagne, avec des portiques à trois étages ; des courses de taureaux y sont organisées à l'occasion.

Plus proche de la capitale, près de la N 401, entre Madrid et Tolède, **Illescas** était l'une des résidences d'été de Philippe II. Son **Hospital de la Caridad**, qui date du XVIᵉ siècle, contient cinq peintures du Greco.

A 8 km à l'est, **Belmonte ❾** possède un splendide **château** du XVᵉ siècle, qui a été préservé. Le marquis de Villena, Juan Pacheco, le fit édifier afin de défendre le domaine qu'il avait acquis grâce à de subtiles intrigues de cour.

Carte
p. 166

Les moulins à vent de Consuegra.

A l'extrême sud-est de la Castille-La Manche, **Albacete** ⓾ est célèbre pour sa coutellerie de l'époque maure. Situé dans le parc Abelardo Sanchez, le **Museo Provincial** expose d'intéressantes pièces archéologiques ibères et romaines. La ville possède aussi un excellent *parador*.

La ville voisine d'Albacete, **Chinchilla de Monte Aragón**, est bâtie autour de la Plaza Mayor aux bars et restaurants accueillants. Du **château** (xvᵉ siècle) qui domine la cité, on voit s'élever au sud, au-delà des plaines, la Sierra de Alcaraz, dont les sommets et les vallées fertiles alternent avec des gorges spectaculaires et des villages isolés.

La ville d'**Alcaraz** ⓫, avec ses tours jumelles de style Renaissance dressées sur la Plaza Mayor, est une agréable étape nocturne pour ceux qui souhaitent visiter le secteur.

A 50 km au nord-est d'Albacete, les maisons creusées dans la roche d'**Alcalá del Júcar** surplombent les gorges du Júcar de manière impressionnante.

Du côté droit, de longs couloirs mènent aux balcons qui semblent se jeter dans le vide.

VERS LES CASAS COLGADAS

A l'ouest de la route N 320 qui va à Cuenca, la ville fortifiée d'**Alarcón** ⓬ est un parfait exemple de l'architecture militaire du Moyen Age. Presque entièrement entourée par le Júcar, le château triangulaire, converti en Parador Nacional, est défendu par trois remparts et un bastion maure ; malgré ces dispositifs, il subit neuf mois de siège en 1184 avant de se rendre aux conquérants chrétiens.

Cuenca ⓭ est à environ 55 km au nord. La partie la plus ancienne de la cité, qui comprend surtout des édifices gothiques et Renaissance, est nichée au nord de la ville moderne, au sommet d'une colline escarpée. Les **Casas Colgadas** (les « maisons suspendues »), juchées au bord du précipice, au-dessus de l'Huécar, sont les emblèmes de cette ville ancienne. L'une d'elles abrite le

Les étranges formations rocheuses de Ciudad Encantada, au nord-est de Cuenca.

Museo de Arte Abstracto qui présente l'une des plus belles collections d'art abstrait espagnol, avec, entre autres, des œuvres de Chillida, Tàpies, Saura, Zobel, Cuixart, Sempere ou Rivera. Les deux autres principaux attraits de Cuenca sont la **Plaza Mayor**, qui date du XVIIIᵉ siècle, et, surtout, la **cathédrale** gothique, bâtie à l'emplacement d'une mosquée entre les XIIᵉ et XVIᵉ siècles.

Au nord-est de la ville, la **Serríana de Cuenca**, paysage de collines couvertes de rocaille et de prairies tapissées d'herbe grasse, contraste avec les terres brûlées de l'intérieur. **Ciudad Encantada** («cité enchantée»), à l'est de Villalba de la Sierra, est connue pour ses étranges formations rocheuses. Réparties sur environ 200 ha, ces roches ont été formées par le ruissellement et l'érosion, adoptant parfois l'aspect de monstres.

A l'ouest de Cuenca, à la sortie de la N 3 qui conduit à Madrid, on peut découvrir les vestiges romains de **Segóbriga ⓬**. Les ruines comprennent un théâtre antique du IIIᵉ siècle qui, avec sa capacité d'accueil de deux mille spectateurs, est parfois encore utilisé pour des représentations.

A l'extrême nord-est de la province, **Guadalajara ⓯** se signale essentiellement par son **Palacio de los Duques del Infantado**. De style gothique flamboyant et mudéjar, il présente une belle façade sculptée.

Dans la **cathédrale** de **Sigüenza ⓰**, la ville voisine, un tombeau appelé El Doncel contient la dépouille de Martín Vázquez de Arce, qui, au service d'Isabelle de Castille, trouva la mort lors de la prise de Grenade en 1486.

La région de **La Alcarria** s'étend, à l'est de la province de Guadalajara, autour de la «mer de Castille», un vaste plan d'eau formé par l'union de deux lacs de retenue. De vieux villages, tel **Pastrana** s'élèvent ici et là.

Enfin, à 30 km au nord-est de Guadalajara, **Brihuega** est une cité médiévale réputée pour ses vieilles venelles, ses maisons aristocratiques et sa Plaza Mayor.

Carte p. 166

Les Casas Colgadas de Cuenca.

L'ESTRÉMADURE

L'Estrémadure (Extremadura en espagnol) mérite son nom qui signifie tout simplement «frontière extrême». En effet, cette province fut longtemps isolée du reste de l'Espagne.

Bordée à l'ouest par le Portugal, elle est entourée de montagnes : la Sierra Morena au sud, la Sierra de Gredos au nord, la Sierra de Guadalupe à l'est. Elle présente en outre des contrastes frappants. Dans la vallée du Tage, rocheuse et aride, qui forme le Nord-Ouest, les plateaux sont destinés à la pâture des moutons. Plus à l'est, dans celle du Tiétar, la Vera est prospère ; sur 2 000 m de dénivelé s'étage une végétation très variée : chênes et châtaigniers, oliviers, figuiers, orangers et vigne. Voisine de la Vera, la vallée de Plasencia, très fertile et réputée pour ses vergers, forme un couloir long et étroit parcouru par le Jerte. La vallée du Guadina constitue la partie sud de l'Estrémadure. A l'extrême sud, à la limite de l'Andalousie, les collines sont couvertes d'eucalyptus, de chênes-lièges et de chênes verts. Enfin, des barrages, dont celui de Cijara, sur le Tage, permettent d'irriguer les terres et de fournir de l'eau à de nombreuses régions d'Espagne.

«Pays des conquistadors, pays des dieux»

L'Estrémadure fut habitée dès la préhistoire. Au Ier siècle av. J.-C., les hivers doux et le sol fertile favorisèrent l'installation de colonies romaines, notamment à Mérida. Par la suite, les invasions successives des Wisigoths et des Maures troublèrent la *Pax romana*. Lors de la Reconquête, l'Estrémadure devint une zone tampon entre les armées chrétiennes et musulmanes. Au XIIIe siècle, les vainqueurs chrétiens reçurent de vastes domaines. Mais la vie rurale convenait peu à ces anciens soldats habitués à l'action. Par ailleurs, les terres incultes ne suffirent bientôt plus à nourrir tout le monde. Quand parvinrent du Portugal, tout proche, les échos de pays légendaires aux fabuleuses richesses, une jeunesse noble et pauvre, attirée par l'aventure et la fortune, embarqua pour les « Indes ».

Environ un tiers des Espagnols qui partirent à la conquête des Amériques étaient originaires de l'Estrémadure. Ceux qui eurent la chance de rentrer chez eux avec la fortune escomptée bâtirent des palais dans leurs villes d'origine. Certains de ces palais sont encore habités par les descendants de ces conquérants ; d'autres sont devenus des hôtels ou des bâtiments publics ; certains, abandonnés, sont envahis par les cigognes durant l'hiver. Cette province bénéficia en effet d'une gloire et d'une prospérité assez éphémères puisque son déclin économique s'amorça dès le XVIe siècle.

UN CENTRE SPIRITUEL ET SAINT

Perchée sur les hauteurs de la Sierra de Palomera, à 214 km au sud-ouest de Madrid, **Guadalupe ❶** attire les pèlerins depuis longtemps. Au XIIIe siècle, un berger y découvrit en effet une sta-

Carte p. 176

Madrid

A gauche, sur la place principale de Trujillo, la statue équestre de Pizarro semble défendre l'église de San Martín ; ci-dessous, un paysan d'Estrémadure.

Accueillants, expansifs, amoureux des chevaux, francs, indépendants, les « Extremeños » tiennent leur caractère de plusieurs siècles d'un isolement que traduit le nom même de la province. Dignes successeurs de leurs ancêtres intrépides, ils s'étonnent presque de voir les étrangers admirer les vestiges historiques qui font partie de leur vie quotidienne.

tue sculptée de la Vierge Marie, dont la réalisation fut attribuée à saint Luc. En 1340, après avoir vaincu les Maures à la bataille de Salado, Alphonse XI fit bâtir un **monastère**. Il le dédia à la Vierge et le confia aux hiéronymites.

Au cours de son second voyage, Christophe Colomb honora la « *patronne de toutes les Espagnes* » en appelant Guadeloupe l'une de ses découvertes. A son retour, en 1496, il fit baptiser à Guadalupe les premiers Indiens qu'il avait ramenés de ses expéditions.

Au fil des siècles, rois, nobles et pèlerins fortunés offrirent aux hiéronymites des dons substantiels afin d'agrandir le bâtiment qui devint dès lors église, forteresse et résidence royale. En 1531, la Vierge apparut à un paysan mexicain, Juan Diego, et le nom de Guadalupe fut attribué à plus de cent villes du Nouveau Monde. Aujourd'hui, la cité d'Estrémadure s'affirme comme le symbole de l'*hispanidad*, attirant des milliers de visiteurs venus de tout le monde hispanophone.

SANCTUAIRE ET THERMES

Au XVᵉ siècle, Guadalupe était considérée comme le Vatican espagnol. Elle possédait des hôpitaux, une école de beaux-arts, trente mille têtes de bétail et sans doute l'une des plus belles bibliothèques du monde. Son école de médecine, influencée par la tradition médicale arabe, était l'une des plus avancées d'Europe. Guadalupe était aussi connue pour son centre de traitement de la syphilis et un hôpital spécialisé dans les « cures de sudation ». Certains moines étaient des chirurgiens accomplis, car le pape Nicolas V leur avait accordé l'autorisation spéciale de disséquer des cadavres. Le vieil hôpital de San Juan Bautista, au gracieux patio, abrite désormais le Parador Zurbarán, en face du monastère.

LES TRÉSORS DE LA VIERGE

La richesse et la célébrité du **monastère** servirent de thème à une chanson populaire : « *Plutôt que comte ou duc,*

La Vierge de Guadalupe.

mieux vaut être moine à Guadalupe. »
L'endroit fut mis à sac en 1809, et les
hiéronymites en partirent définitivement en 1835, lorsque le gouvernement
ordonna la vente des biens du clergé. A
présent, il est dirigé par les franciscains,
qui accueillent les voyageurs.

La visite débute par le **cloître** du
XIVᵉ siècle qui, de style mudéjar, comporte des voûtes en fer à cheval et une
fontaine surmontée d'un temple miniature. Le vieux réfectoire contient une
collection d'anciens vêtements de
prêtres brodés de fils d'or et incrustés
de perles. Après avoir admiré les **enluminures** et le chœur, on accède à une
salle où sont présentés la garde-robe,
les colliers et les couronnes que rois,
présidents et papes ont offerts à la
Vierge.

La **sacristie** renferme huit peintures
de Zurbarán, exécutées entre 1638 et
1647. Ces œuvres retracent des scènes
de la vie de saint Jérôme et des épisodes concernant les principaux prieurs
du monastère. Un escalier de marbre
rouge conduit ensuite au **camarín**, anti-
chambre de la Vierge. Sur son trône
émaillé, la petite statue de cèdre
semble perdue au milieu de sa robe.
Son visage et ses mains sont noircis,
car elle resta sept cents ans sous terre et
les Maures auraient tenté de la brûler.
Autour d'elle se tiennent les statues
figurant huit femmes célèbres de la
Bible.

La ville s'est développée autour du
monastère et vit encore des ressources
que lui procurent le commerce d'objets
de piété et le tourisme. Les rues pavées
serpentent parmi les maisons typiques
de la région, avec leur toit d'ardoises et
leurs balcons de bois. Outre quantité de
bondieuseries, les boutiques vendent
de la *gloria*, une boisson à base d'*aguar-
diente*, jus de raisin et d'herbes aromatiques.

AUTOUR DE GUADALUPE

Au sud de la Sierra de Guadalupe,
le village de **Logrosán** est connu pour
ses ruines préromaines. A partir de
Miajadas, sur la N 5, un détour de 13 km

Carte
p. 176

*Un festival estival
anime le théâtre
romain de Mérida.*

Mosaïque romaine représentant une fête des vendanges.

mène à **Medellín**, où naquit Hernán Cortés. Du haut du **château** en ruine, la vue donne sur le Guadiana, dont les eaux scintillent au fond de la vallée. Medellín est un paisible village que rien ne distingue des autres, si ce n'est l'effigie en bronze de Cortés qui se dresse sur la place – l'une des rares représentations du conquistador.

MÉRIDA

Mérida ❷, l'ancienne Augusta Ernerita, est située à 127 km au sud de Guadalupe, sur le Guadiana. Fondée en 25 av. J.-C., cette capitale florissante de la colonie romaine de Lusitanie est un site apprécié des archéologues.

Les constructions du XVIIᵉ siècle et les haies de lauriers-roses et d'hibiscus créent une atmosphère agréable et raffinée. Depuis qu'elle est devenue la capitale de la province autonome, en 1981, Mérida est en plein essor.

Chaque année, en juillet, un festival de théâtre attire des compagnies espagnoles et internationales qui investis-

L'aqueduc de los Milagros.

Il n'y a pas si longtemps, l'aqueduc romain de los Milagros amenait l'eau à Mérida depuis le barrage de la Prosepina, site aujourd'hui apprécié des véliplanchistes. Il reste 37 colosses, des piliers de brique et de granit, dont certains atteignent 25 m de hauteur. Ces piliers sont reliés par des arcades doubles et une arche dont s'inspirèrent les concepteurs de la Mezquita de Cordoue.

sent le **Teatro Romano** et l'**Anfiteatro**, d'une capacité respective de six mille et quatorze mille places. Dans l'hippodrome proche se déroulaient jadis des courses de chars. Non loin se trouvent la **Casa del Anfiteatro**, ornée de mosaïques et de peintures murales, et, au sud, la **Casa Romana del Mithraeo**, villa patricienne dont il ne reste guère plus que les vestiges de thermes ainsi que des mosaïques presque intactes illustrant les quatre saisons de l'année.

En face des théâtres romains s'élève le **Museo Nacional de Arte Romano**, réalisé en 1986 par Rafael Moneo. Il renferme l'une des plus grandes collections d'objets et d'œuvres d'art de l'époque romaine hors d'Italie. La haute voûte de brique et les jeux de lumière dans le hall principal évoquent une cathédrale et forment un cadre idéal pour les statues qui y sont présentées. Les deux galeries qui courent autour de la salle exposent des frises peintes, des pièces de joaillerie et de verrerie dont les reproductions sont en vente à proximité du musée.

Près de la Plaza de España, l'**Arco de Trajan** domine les alentours du haut de ses 50 m. La Calle Romero Leal conduit au **Templo de Dianae**, qui remonte au Iᵉʳ siècle apr. J.-C. et comporte des ajouts Renaissance, puis à l'**Alcazaba**. Cette forteresse arabe du IXᵉ siècle défendait le **Puente de Guadiana**, le plus grand pont romain d'Espagne, avec ses soixante arches de granit, ses 792 m de long et ses 4,50 m de large.

Deux autres sites remontent à l'époque romaine : l'**aqueduc de los Milagros**, accessible par la route de Cáceres ; près de Zalamea de la Serena, les ruines d'un temple et palais du VIᵉ siècle av. J.-C., le **Cancho Ruano**, vestiges de l'unique monument tartessien connu au monde.

BADAJOZ

Capitale de la province méridionale de l'Estrémadure, **Badajoz ❸** est à 6 km seulement de la frontière portugaise. La ville fut fondée par les Maures en 1009, à l'emplacement d'une cité romaine appelée Pax Augusta. Après le démembrement du califat de Cordoue, elle devint la capitale du petit royaume de Batalyos, souvent attaqué par les Portugais, les Castillans, les rois de León et de Galice. Les armées chrétiennes d'Alphonse IX s'en emparèrent en 1229, mais sa position stratégique en fit l'enjeu de combats acharnés durant plusieurs siècles.

Le 15 août 1936, les forces nationalistes l'occupèrent après une vive résistance des républicains. Ce fut l'un des épisodes les plus tragiques de la guerre civile. Au début des années 1960, la pauvreté endémique, qui avait fait de Badajoz un fief républicain, disparut partiellement grâce au plan Badajoz, un programme gouvernemental d'expropriation et d'irrigation.

Badajoz est à présent la plus grande ville d'Estrémadure, et son aspect un peu massif met en relief la délicatesse des édifices hérités de l'occupation musulmane. Le secteur où l'influence arabe est la plus forte se situe sur la colline d'Orinace qui s'élève à 60 m au-dessus des berges du Guadiana. C'est

là, en effet, que les rois maures firent édifier leur forteresse, l'**Alcazaba**. La majeure partie des remparts et des tours d'origine ont résisté aux outrages du temps. L'**Espantaperros**, tour octogonale, fut ainsi nommée parce que la cloche qu'elle abritait provoquait des vibrations qui affolaient les chiens (*perros* en espagnol). Les jardins qui entourent l'Alcazaba sont plantés de palmiers datant de l'époque mauresque.

Outre le **Museo Arqueológico** qui est installé dans l'Alcazaba, les deux autres monuments notables de Badajoz sont la **Puerta Palmas** – la porte de la vieille ville dessinée par Herrera –, et la **cathédrale gothique**, avec ses stalles Renaissance et ses peintures de Luis de Morales et de Zurbarán.

Au sud de Badajoz, par la N 432 et la N 435, la ville blanche de **Jerez de los Caballeros** a vu naître Nuñez de Balboa, qui découvrit l'océan Pacifique. Fontaines, églises et armoiries abondent dans les ruelles étroites et pentues. La cité est célèbre aussi pour sa procession de Pâques et pour son jambon.

Carte p. 176

Le Museo Nacional de Arte Romano, à Mérida.

UNE NOBLESSE IMPÉTUEUSE

Capitale du nord de l'Estrémadure, **Cáceres ❹** paraît sortie d'un livre d'enluminures. Au cours des siècles, elle fut miraculeusement épargnée par les sièges et bombardements que subirent la plupart des villes de la région. Son quartier médiéval, le **Barrio Monumental**, fut l'un des premiers à être classé monument historique en 1949. Il est isolé des quartiers récents par des remparts à tourelles maures remarquablement bien préservés.

Le moment idéal pour apprécier Cáceres est le crépuscule, quand le soleil réchauffe et illumine les rues pavées et l'ocre de la pierre. Il est conseillé de partir de la **Plaza Mayor**. Un escalier monte à l'**Arco de la Estrella** (« arc de l'Étoile ») qui, sans transition, nous fait passer du présent au passé. Loin des rumeurs de la cité moderne, la vieille ville endormie est le refuge des cigognes et des hirondelles.

Au Moyen Age, Cáceres vécut des périodes agitées. Lorsque Alphonse IX la reprit en 1229, elle devint le berceau d'une lignée de chevaliers, Los Fratres de Cáceres qui fondèrent par la suite l'ordre militaire de Santiago chargé de protéger et d'héberger les pèlerins de Saint-Jacques-de-Compostelle. A une époque, la ville compta jusqu'à trois cents chevaliers, dont les palais se touchaient. Ces *solares*, ou maisons seigneuriales, étaient de véritables bastions de clans rivaux qui s'affrontèrent sans cesse jusqu'à la fin du XVe siècle.

Dans l'intérêt de la paix générale, les tours fortifiées qui protégeaient ces demeures et en affirmaient la puissance furent démantelées en 1477, sur ordre de Ferdinand et Isabelle. Parmi les rares qui aient subsisté, la plus étonnante est sans doute la **Torre de las Cigüeñas** (« tour des Cigognes »), sur la **Plaza San Mateo**.

PALAIS ET PATIOS

En face de la tour des Cigognes, non loin du quartier juif restauré, la **Casa de las Veletas** (« maison des Girouettes »)

Boutons d'or sur fond d'oliveraie.

de style baroque, fut en partie édifiée à l'emplacement du château mauresque. Le sous-sol contient encore un *aljibe*, grande citerne ressemblant à une mosquée inondée. Dans les étages, le **Musée provincial** abrite des pièces préhistoriques, des monnaies romaines ou des costumes, témoins du riche passé de Cáceres. Il contient aussi les reproductions des peintures rupestres des **grottes de Maltravieso**, et des toiles espagnoles contemporaines.

A gauche du musée se dressent l'église de **San Mateo**, dont le clocher est magnifique, et le **Convento de San Pablo** où les religieuses cloîtrées vendent des *yemas* (sucreries) à travers une desserte voilée afin de dissimuler leur visage.

Cáceres est également la ville natale de conquistadors dont les palais jouxtent ceux des anciens aristocrates. Il en résulte un mélange de styles allant du gothique à l'art platéresque, mais l'utilisation presque exclusive du granit donne à l'architecture de la ville une homogénéité exemplaire.

Parmi les palais les plus intéressants, la **Casa del Sol** doit son nom au blason de la famille Solís, sculpté au-dessus du portail, et la **Casa del Mono**, « maison du Singe », est devenue un musée des Beaux-Arts.

L'église de **Santa María la Mayor**, du XVIe siècle, est proche du **palais épiscopal**, **Palacio d'Ovando**, et de la **Casa Toledo-Moctezuma**, édifiée par Juan Cano de Saavedra grâce à la dot de sa femme qui n'était autre que la fille de l'empereur aztèque Moctezuma.

Derrière Santa María se trouve la **Casa de los Golfines de Abajo**, résidence d'une famille de chevaliers français qui furent invités à Cáceres au XIIe siècle afin de combattre les Maures. En réalité, ces chevaliers terrorisèrent autant les chrétiens que les musulmans, et un chroniqueur souligna que « *le roi lui-même ne parvint pas à les soumettre à son autorité* ». Une devise gravée sur une pierre du palais dit ainsi : « *Ici, les Golfines attendent le jugement de Dieu.* » Le mot espagnol *golfo*, qui signifie « gredin », dériverait du nom de

Carte p. 176

La statue de Pizarro sur la Plaza Mayor de Trujillo.

LES CONQUÉRANTS DU NOUVEAU MONDE

Les conquistadors n'étaient pas toujours, comme on l'a parfois écrit, des villageois rustres, mais souvent des cadets ou des fils illégitimes de nobles qui, malgré leur éducation et leur formation militaire, ne pouvaient espérer briller au sein de la société espagnole. Francisco Pizarro, par exemple, bâtard d'un nobliau de Trujillo, s'embarqua avec ses deux demi-frères afin de conquérir les richesses légendaires du Pérou. Même en ces temps d'aventure, l'expédition fut considérée comme celle *de los locos* (« des fous »).

Alors que la progression dans la jungle amazonienne devenait dramatique, il traça une ligne sur le sol avec la pointe de son épée et proposa à ceux qui voulaient rentrer chez eux de la franchir. Tous le firent, sauf treize hommes avec lesquels il poursuivit sa route. Son audace convainquit Charles Quint de lui fournir les vaisseaux et les troupes nécessaires pour triompher des Incas. Il y parvint en 1533 après avoir tué l'empereur Atahualpa. En 1541 il fut assassiné ; son corps repose dans la cathédrale de Lima.

Parmi les autres célèbres conquistadors, Hernán Cortés s'empara en 1521 de Mexico, capitale aztèque, Hernando de Soto découvrit le Mississippi en 1540, tandis que Francisco de Orellana dressa la carte de l'Amazone.

cette redoutable famille. C'est dans cette maison que Franco fut proclamé chef de l'État, le 29 octobre 1936...

Au nord-ouest de Cáceres, **Alcántara**, accessible par la C 523, utilise toujours son impressionnant pont romain de 194 m de longueur et bâti par Trajan en 106 apr. J.-C.

TRUJILLO

A 47 km de Cáceres, **Trujillo** ❺ couronne une colline cernée de pâturages. Bien qu'elle soit à peine plus grande qu'un village, elle mérite qu'on s'y attarde au moins deux jours.

La longue histoire de Trujillo commence avec Jules César, mais sa gloire demeure liée à la conquête du Pérou par Francisco Pizarro, dont elle est la ville natale. La statue équestre du célèbre conquistador, qui trône au centre de la **Plaza Mayor**, et les nombreux palais, édifiés grâce à l'or des Incas, qui sont disséminés dans toute la ville sont les témoignages de sa prospérité passée.

Sculpture de la cathédrale de Plasencia.

Les stalles du chœur de la cathédrale de Plasencia sont ornées, devant, de motifs sacrés mais, derrière, de scènes profanes. Le sculpteur Rodrigo Alemán déclara que Dieu lui-même n'aurait pu créer un tel chef-d'œuvre. Ce blasphème lui valut sans doute d'être emprisonné dans une tour du château. Selon la légende, il mourut en tentant de s'envoler du haut de la tour avec des ailes de sa fabrication.

Le **Palacio del Marqués de la Conquista**, édifié par Hernando Pizarro, frère de Francisco, présente une façade d'un style plateresque exubérant sur laquelle figurent les armoiries attribuées par Charles Quint, ainsi que les bustes de Francisco Pizarro et de sa femme Inés Yupanqui, fille de l'empereur inca Atahualpa. Derrière la statue de Pizarro se dresse l'église de **San Martín**, des XVe et XVIe siècles, et dont la double façade s'ouvre sur la Plaza Mayor par un portail Renaissance. A l'intérieur, l'œuvre baroque la plus intéressante est le *Cristo de la Agonía*.

Un peu plus loin, le **Palacio de los Duques de San Carlos** comporte une façade plateresque qui fut réalisée au XVIIIe siècle. Il est désormais habité par des religieuses qui se font un plaisir de faire visiter le patio et les magnifiques caves voûtées.

A quelques pas de la Plaza Mayor, le **Palacio Orellana-Pizarro**, tenu également par des religieuses, permet de découvrir un merveilleux patio de style plateresque. Francisco de Orellana, cousin de Francisco Pizarro, fut le premier Européen à emprunter le fleuve Amazone. Il en revendiqua la possession au nom de l'Espagne et finit par y mourir.

LA VILLE DES PRODIGES

A Trujillo, le moindre pas nous replonge dans le passé. Après la **Cuesta de Santiago**, en direction du **castillo** mauresque, apparaît la **Torre del Alfiler**, ou « tour de l'Aiguille ». Plus loin, l'église romane **Santa María la Mayor** remonte au XIIe siècle ; elle fut remaniée en style gothique aux XVe et XVIe siècles mais conserve son clocher d'origine. Outre un retable à vingt-quatre panneaux peint par Gallego, elle renferme le tombeau de Diego Paredes, le « Samson espagnol ». Enfant, il aurait sculpté les fonts baptismaux de l'église et, d'après Cervantès, il aurait beaucoup plus tard vaincu l'armée française.

Un peu plus en hauteur mais toujours à l'intérieur des remparts de la vieille ville, la **Casa-Museo Pizarro** expose des documents relatifs à la famille Pizarro, qui, durant la Reconquête, joua un rôle important dans la renaissance de Trujillo. En récompense, elle fut autorisée à bâtir cette maison.

Au sommet de la colline, le château, très bien conservé, domine Trujillo et ses alentours. Flanqué de tours carrées d'origine maure, il fut agrandi aux XVᵉ et XVIᵉ siècles; les tours cylindriques, notamment, ont été ajoutées après la Reconquête. Au niveau supérieur, la chapelle est dédiée à la Vierge qui « permit » à l'armée chrétienne de triompher des Maures en illuminant le brouillard qui les avait enveloppés.

PLASENCIA

Bâtie sur une éminence que contournent les eaux de la Jerte, à 43 km au nord de Trujillo, **Plasencia** ❶ fut fondée par les Berbères puis conquise par Alphonse VIII, qui changea son nom d'origine, Ambroz, en *Place at Deo et hominibus*, «Plaise à Dieu et aux hommes». Les musulmans et les juifs qui l'habitèrent en grande partie jusqu'en 1492 ont laissé des ruelles tortueuses aux noms évocateurs, telle la **Calle de las Morenas** («rue des Brunes»). Plasencia se visite de préférence le jeudi, jour du marché de la **Plaza Mayor** qui se tient depuis l'an 1200.

Plasencia possède une impressionnante **cathédrale**, qui résulte en réalité de la fusion de deux églises. La première date de l'époque romanogothique (XIIᵉ-XIVᵉ siècle) tandis que la seconde, bâtie à la fin du XVᵉ siècle, se caractérise par un style gothique agrémenté d'éléments platéresques du XVIᵉ siècle. Elles forment toutes deux, de l'extérieur, un bloc massif. L'édifice attira les plus grands architectes de l'époque, comme Juan de Ávila, Francisco de Covarrubias ou Siloé. Outre le cloître et le musée, la cathédrale se distingue par les **stalles** en noyer du chœur. Réalisées au XVᵉ siècle par le sculpteur Rodrigo Alemán, elles figurent parmi les plus belles d'Espagne.

Carte
p. 176

Trujillo, ville natale du conquistador Francisco Pizarro.

LES PALAIS

Il existe plusieurs palais à Plasencia, le plus grand étant le **Palacio del Marqués de Mirabel**, sur la Plaza de San Vicente. La demeure est occupée par les descendants de la famille Mirabel, mais il est possible de faire le tour du patio Renaissance et de visiter les pièces du rez-de-chaussée, notamment le salon, qui contient une belle collection de pièces archéologiques.

Non loin, le **Convento de los Dominices** a été converti en *parador* ; l'ancien hôpital provincial du XIVᵉ siècle, sur la place Marqués de la Puebla, accueille le **Museo Etnográfico y Textil** qui présente de manière vivante des costumes et des objets d'artisanat traditionnel.

Au sud de Plasencia, le **Parque de Monfragüe ❼** et ses 500 km² sont baignés par le Tage. Le nom de ce parc provient du Mons Fragorum des Romains. Ses bois et ses broussailles composés d'essences méditerranéennes abritent une faune sauvage. Plus des trois quarts des espèces d'oiseaux protégées en Espagne, dont l'aigle royal, y sont représentés. Le centre d'information, à **Villareal de San Carlos**, sur la C 524, entre Plasencia et Trujillo, est un bon point de départ ; on peut s'y renseigner sur les excursions et les meilleurs points d'observation.

Coria, à 33 km à l'ouest de Plasencia, possède l'un des plus anciens évêchés d'Espagne ; il remonte à 589. Le quartier de la **cathédrale**, dont les murailles forment l'une des enceintes médiévales les mieux conservées d'Europe, domine la ville. La fête qui se déroule au mois de juin est la période idéale pour découvrir Coria ; les portes des murailles restent alors fermées pour permettre aux taureaux de courir dans les rues.

Dans le nord de l'Estrémadure, l'alternance de sierras et de vallées dessine un paysage très contrasté. Au nord de Coria, les hameaux et les vertes prairies de la **Sierra de Gata** entourent **Las Hurdes ❽**. Les toits d'ardoise sombre et les ruches ont fait la réputation de cette ville. En 1932, Luis Buñuel en fit le sujet d'un documentaire, *Tierra Sin Pan* (« Terre sans pain »). Les pierres austères des maisons bâties à flanc de coteau donnent un aperçu de la grande pauvreté qui frappa les villages avant la construction d'accès routiers, dans les années 1950. La C 512 qui se dirige vers l'ouest permet de rejoindre le Hurdano à Vegas de Coria d'où la route mène aux « hameaux noirs » typiques de cette région.

Le versant est de la Sierra de Gredos tranche avec les vallées luxuriantes et vertes d'Ambroz, de la Vera et du Jerte. Tabac, asperges, paprika ou cerisiers, toutes les cultures prospèrent grâce à un climat propice.

UNE VILLE FANTÔME

Sur la route de Madrid, **Hervás ❾**, village de montagne entouré de forêts de pins et de châtaigniers, possède l'un des quartiers juifs les mieux conservés d'Espagne.

Au début du Moyen Age, Hervás attira une grande partie des juifs qui tentaient d'échapper aux persécutions

Le quartier juif d'Hervás.

La ville d'Hervás a gardé des coutumes juives, par exemple la fabrication du « hornazo » (pain sans levain), et certains noms à consonance hébraïque. Hervás honore aussi le souvenir de ses premiers habitants. A l'entrée du quartier juif, une plaque commémore l'amitié judéo-espagnole. Une autre plaque célèbre une maison qui serait la plus ancienne synagogue du pays.

dont ils étaient l'objet dans les grandes villes, de la part des chrétiens comme des Arabes.

Hervás fut épargné par les pogroms et les incendies qui ravagèrent les *juderías* en 1391. Lorsque les juifs furent chassés d'Espagne en 1492, leur quartier demeura en l'état et leurs biens furent attribués au duc de Béjar. Hervás sombra alors dans l'oubli, avant de connaître un regain d'intérêt de la part des citadins, qui y font construire des chalets. Le dédale que forment les ruelles pavées et l'architecture fantaisiste des maisons de brique et de bois de châtaignier lui confèrent une ambiance intime et chaleureuse.

AU-DELÀ DU COL

De Hervás, une petite route escarpée, qu'il est préférable d'éviter par mauvais temps, traverse une partie de la Sierra de Gredos, qui culmine à 2100 m. Du sommet dépourvu d'arbres, la vue sur la vallée de la Vera est magnifique. Ce paysage impressionna de nombreux voyageurs, écrivains et même Charles Quint. En 1556, lorsqu'il choisit de se retirer dans la Vera, il descendit du col de la montagne et fut subjugué par le panorama qui, d'ailleurs, n'a pas changé. Au loin, les vastes plaines s'étendent derrière les impressionnants sommets de la Sierra. Au pied de la montagne, les eaux du Tage dévalent entre les pentes escarpées. Vu d'en haut, il ressemble à un mince ruisseau profond. Le spectacle est encore plus grandiose au coucher du soleil. Aujourd'hui, un sentier pédestre de 28 km longe la route, depuis Tornavacas, en dehors de la N110, au village de **Jarandilla de la Vera** où le château des contes d'Oropesa est devenu un *parador*.

Le **monastère de Yuste ⓲**, à 10 km au sud-ouest de Jarandilla, achève le circuit de l'Estrémadure. Cet édifice, qui domine le village pittoresque de **Cuascos de Yuste** et son petit lac, fut la dernière résidence de Charles Quint, à partir de 1556, après qu'il eut abdiqué en faveur de son fils Philippe II. Il y mourut le 21 septembre 1558.

Carte p. 176

La récolte du miel à Las Hurdes.

CHÂTEAUX EN ESPAGNE

La Castille doit son nom au mot *castillo* (château); la plupart des 10 000 châteaux espagnols y sont en effet situés. Au temps de la Reconquête, la région était un bastion chrétien d'où partaient les expéditions contre les Maures. Mais ses frontières, les larges vallées du

Douro, de l'Arlanzón et de l'Èbre, étaient dépourvues de toute barrière naturelle, d'où la nécessité de multiplier les places fortes sur les hauteurs stratégiques. Les premiers châteaux furent bâtis environ un siècle après la conquête de l'Espagne par les Maures, en particulier sous le règne de Fernán González (910-970), premier comte de Castille. La construction de châteaux forts se poursuivit pendant les quatre siècles suivants, marqués par des combats incessants.

CHÂTEAUX ESPAGNOLS ET MAURESQUES

Les Maures furent eux aussi de grands bâtisseurs d'enceintes fortifiées, les *alcazabas*. A Berlanga de Duero (ci-dessus), ils établirent une forteresse aux remparts massifs renforcés de tours circulaires du haut desquelles ils surveillaient toute la vallée du Douro. Avec le retour progressif à la paix, la fonction des châteaux évolua, et ils devinrent de simples résidences. Ainsi, à Ségovie, le château de Coca, construit pour l'archevêque de Séville, Fonseca, est un remarquable exemple d'architecture militaire mudéjar; pourtant, il ne fut en fait jamais destiné à servir d'ouvrage défensif.

Une fois la Reconquête achevée, en 1492, la construction de châteaux fut interdite par les Rois Catholiques, qui obligèrent la noblesse à venir s'installer à la cour de Madrid. La plupart des places fortes furent abandonnées, mais leurs ruines marquent toujours les paysages espagnols. Par la suite, les seuls châteaux qui furent édifiés furent des résidences royales, comme les alcazars de Madrid et de Tolède ou le palais de La Granja, et des châteaux-monastères, comme l'Escurial de Philippe II.

▲ *Véritable nid-d'aigle dominant la mer, le fort de Guadalest, à Alicante, protégeait la côte contre les incursions des pirates barbaresques.*

◄ *A Ponferrada, le château des Templiers (XIIᵉ siècle) gardait un pont sur le chemin de Saint-Jacques-de-Compostelle.*

◀ L'Alcazar de Ségovie, où Ferdinand et Isabelle furent proclamés souverains, se dresse sur un éperon rocheux de 80 m de haut.

▲ Sa « torre del Homenaje » (donjon), construite au XIVᵉ siècle, abritait les appartements royaux, la salle du trône, une chapelle et une armurerie.

LES PARADORES OU LA VIE DE CHÂTEAU

Le parador de Zamora (ci-dessus) est logé dans un château du XVᵉ siècle, ancienne résidence des comtes d'Alba y Aliste, bâti sur les rives du Douro. Le terme parador (de l'arabe waradah, « lieu d'étape ») était déjà en usage depuis des siècles lorsque le gouvernement décida, en 1928, de fonder une chaîne nationale d'hôtels installés dans des demeures historiques, dont nombre de châteaux forts, de manoirs et d'anciens palais. Il est ainsi possible de mener la vie de château dans des lieux chargés d'histoire, comme Santa Catalina, Alarcón, dans un méandre du Júcar, Alcañiz, ancien siège de la commanderie aragonaise de l'ordre de Calatrava, ou la forteresse maure de Gibralfaro, à Málaga. Les paradores servent une excellente cuisine locale, ce qui est une bonne raison d'y aller, à défaut d'y séjourner.

▲ Peñafiel est l'un des nombreux châteaux de la ligne de défense du Douro. L'édifice date du XIVᵉ siècle, mais les fondations remontent au XIᵉ siècle.

Le château de Santa Catalina (aujourd'hui un « parador »), à Jaén, fut bâti au XIIIᵉ siècle par Ibn al-Ahmar, qui l'échangea en 1245 avec Ferdinand III contre la ville de Grenade. ▶

◀ Valencia de Don Juan, le plus sévère des châteaux du León, se distingue par ses hautes murailles et ses tours orgueilleuses. Il surveille la vallée de l'Esla, près de Coyança.

SÉVILLE

A la pointe méridionale de l'Europe, l'Andalousie est le creuset des cultures catholique, musulmane et juive. De fait, les pointes du «triangle historique andalou», Séville, Cordoue et Grenade, et les joyaux de l'architecture hispano-mauresque que sont la Giralda, la Mezquita et l'Alhambra, et dont les seuls noms de Séville, Cordoue et Grenade suffisent à évoquer l'éclat, la splendeur et la fierté de l'Espagne méridionale, fascineront immanquablement les amateurs d'art.

Quatrième ville d'Espagne par ses dimensions, Séville est la plus coquette de ces trois grandes cités. Le refrain d'une vieille chanson affirme même : « Quien no ha visto Sevilla, no ha visto maravilla » (« Qui n'a pas vu Séville n'a pas vu de merveille »). Bien qu'il faille éviter les mois caniculaires de juillet et août, Séville est une ville superbe en toute saison. Ce n'est pas un hasard si Tirso de Molina la choisit pour toile de fond du Trompeur de Séville (où apparaît pour la première fois Don Juan, personnage qui inspira ensuite Molière et Mozart), Beaumarchais pour son Barbier et Mérimée pour Carmen.

Séville est aussi la ville natale d'écrivains et d'artistes, dont Gustavo Adolfo Bécquer (1836-1870), Antonio Machado (1875-1939), Diego Vélasquez (1599-1660) et Bartolomé Estebán Murillo (1618-1682).

LE TRIANGLE
HISTORIQUE ANDALOU

Dès l'an 1000 av. J.-C., la clémence de son climat, ses richesses minières et sa position géographique firent de l'Andalousie une terre très convoitée. Les Phéniciens y établirent des comptoirs, et le royaume de Tartessos, à l'embouchure du Bétis (l'actuel Guadalquivir), rayonna du XIe au VIe siècle av. J.-C.

Après avoir été le théâtre de combats entre Carthaginois et Romains lors des guerres puniques, la région fut finalement conquise par ces derniers. En 205 av. J.-C. fut fondée, non loin de Séville, la première colonie de la Béti-

que : Itálica. L'Andalousie était alors le fleuron des possessions romaines. Puis, de 409 à 429, les Vandales furent les maîtres de cette province à qui ils donnèrent son nom, Vandalousie, avant de la laisser aux mains des Wisigoths.

Mais ce sont les Maures qui allaient laisser l'empreinte la plus remarquable. Pendant cinq siècles, l'Andalousie, al-Andalus, allait abriter l'une des civilisations les plus évoluées du Moyen Age. Jusqu'à la reconquête de Grenade par les Rois Catholiques en 1492, la région fut rarement gouvernée par un seul et même souverain. Les conflits incessants qui opposaient les émirats et les taifas (petits royaumes indépendants) de Cordoue, Jaén, Grenade et Séville, contribuèrent à affaiblir la domination maure bien avant la victoire des royaumes chrétiens de l'Espagne septentrionale.

Sitôt la Reconquête achevée, les grandes expéditions maritimes inaugurèrent une nouvelle période de fastes : pendant près de deux siècles, l'or du Nouveau Monde fit des villes andalouses (Séville et Cadix notamment) les

Plan
p. 192

Pages précédentes : couleurs de la Feria de Séville ; à gauche, le Parque de María Luisa ; ci-dessous, la Torre del Oro.

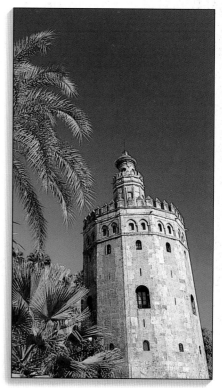

Le nom et la fonction première de la Torre del Oro, ou « tour de l'Or », restent inexpliqués. Est-elle appelée ainsi en raison des « azulejos » dorés qui l'ornaient ; parce qu'elle servit de coffre-fort aux chargements d'or rapportés du Nouveau Monde, ou parce qu'elle était le point d'ancrage d'une longue chaîne jetée en travers du fleuve ?

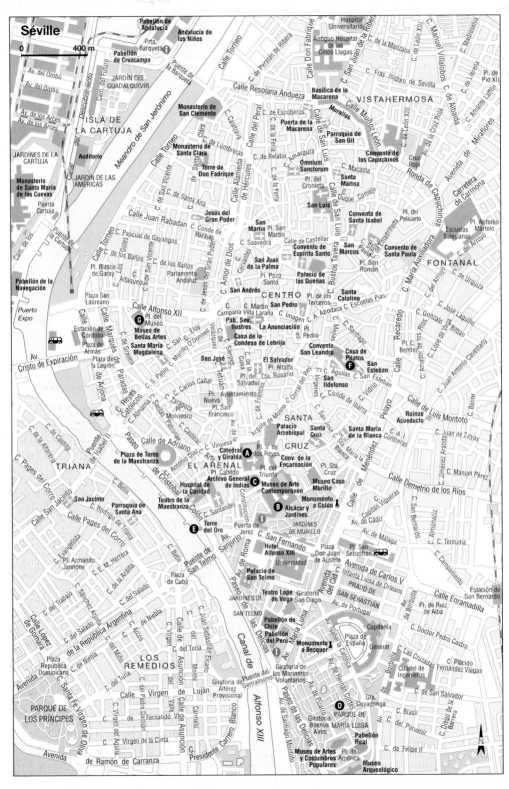

Séville

0   400 m

cités parmi les plus opulentes d'Europe. Mais la perte du monopole du commerce avec les « Indes », en 1717, marqua le début d'une longue période de déclin. L'Andalousie devint peu à peu l'une des régions les plus pauvres du continent.

L'HISTOIRE DE SÉVILLE

L'histoire de Séville (Sevilla) se résume en quelques mots gravés sur la porte de Jerez, aujourd'hui détruite : « *Hercule m'a construite, César m'a entourée de remparts et de tours, le Roi Saint* [Ferdinand III] *m'a conquise.* »

Fondée au VIIIᵉ siècle à l'époque du royaume de Tartessos par Melquart, divinité sémitique ressemblant à l'Hercule romain et à l'Héraclès grec, elle fut occupée par les Ibères puis conquise par les Romains. En 45 av. J.-C., Jules César l'éleva au rang de colonie romaine. Elle reçut alors le nom de Colonia Julia Romula et devint rapidement l'une des principales villes de la Bétique. Avec l'arrivée des Vandales, Séville connut un certain déclin qui s'accentua lorsque les Wisigoths transférèrent leur capitale à Tolède.

En 712, les Maures nommèrent Séville Ishbiliya et l'annexèrent au califat de Cordoue dont elle devint la rivale, notamment sur les plans culturel et artistique. Lors du démembrement du califat, au XIᵉ siècle, elle retrouva son indépendance avant de subir la domination des Abbadides en 1023, puis des Almoravides en 1091 et des Almohades en 1147. Sous ces derniers, elle connut un regain de prospérité dont témoigne encore la Giralda.

Conquise par les armées chrétiennes de Ferdinand III, en 1248, elle devint une cité puissante dont l'importance commerciale s'accrut jusqu'à l'arrivée sur le trône d'Alphonse le Sage, à la fin du XIIIᵉ siècle. La ville connut son apogée avec la découverte des Amériques, en 1492. C'est en effet sur ses quais que les navires du Nouveau Monde déchargeaient leur butin d'or et d'argent sous le regard attentif des fonctionnaires de l'office des Indes. Au XVIᵉ siècle, la ville, qui était devenue l'une des cités les plus riches d'Europe, comptait quelque 85 000 habitants dont 7 000 esclaves. Elle vivait au rythme des arrivées et des départs d'escadres marchandes et attirait les aventuriers. Crime et corruption y régnaient ; ses rues étaient encombrées de prêteurs sur gages, de contrebandiers, de voleurs et de mendiants.

Mais un siècle plus tard, l'effondrement de l'Empire espagnol entraîna sa décadence, que l'envasement du Guadalquivir, la concurrence du port de Cadix et le ralentissement du commerce transatlantique ne firent qu'accélérer. En 1649 déjà, une épidémie de peste avait tué un tiers de la population. Enfin, l'occupation française, de 1808 à 1812, et les troubles qui secouèrent l'Espagne au XIXᵉ siècle, achevèrent de mettre fin à sa gloire.

Bastion des nationalistes andalous pendant la guerre civile, la ville sortit exsangue de la Seconde Guerre mondiale, mais sa légendaire *alegria*, « joie de vivre », finit par reprendre le dessus.

Ce n'est que vers la fin du XXᵉ siècle que la croissance économique, conju-

Plan p. 192

Séville au XIXᵉ siècle.

Jeune sévillane.

Dans la ville de Carmen, les femmes accordent de l'importance à leur élégance, comme en témoigne la somptueuse robe traditionnelle à volants. La Feria de Abril est l'occasion, pour les belles Sévillanes et leurs « novios » (fiancés), de parader dans les rues vêtus de leurs plus beaux atours.

Jeune femme en costume flamenco, symbole d'une culture exubérante.

Panneau d'« azulejos » dans l'enceinte de l'Alcázar.

guée au retour de la démocratie, lui permit de connaître une réelle embellie. Dans les années 1980, l'Andalousie bénéficia d'une prospérité sans précédent. Grâce au statut d'autonomie régionale (l'Andalousie est devenue Communauté autonome en 1982), la ville a gagné en importance et mérite bien son titre de capitale de l'Andalousie.

Mais c'est l'Exposition universelle de 1992 qui a vraiment hissé la ville au rang de métropole européenne. Symboles de cette ère nouvelle, plusieurs autoroutes relient l'Andalousie à Madrid et au reste l'Europe, tandis que l'AVE, le train à grande vitesse, a réduit de moitié la durée du trajet entre Madrid et Séville. Une partie de l'île de la Cartuja, site majeur de l'exposition, est aujourd'hui consacrée à la recherche technologique. L'île a conservé ses pavillons les plus intéressants, comme ceux de la Nature, de la Navigation et de la Découverte, ou de l'Univers. Enfin, Expo 92 a été l'occasion, pour l'ensemble de la ville, de

Les « azulejos » évoquent l'influence mauresque. Par leur jeu délicat de couleurs et de motifs, tantôt géométriques, tantôt figuratifs, ces plaques en céramique suffisent à « habiller » des salles relativement nues. Ils agrémentent les murs des palais et des demeures citadines, les patios, les galeries des arcades ou les toitures des maisons villageoises.

faire peau neuve. Bâtiments et commerces ont été restaurés, une dizaine de nouveaux ponts ont été construits sur le Guadalquivir, des promenades ont été aménagées le long des berges et le port s'est agrandi, un opéra a vu le jour, une nouvelle gare accueille le train à grande vitesse et une rocade ceinture la ville.

Un plan de ville ou, à défaut, un bon sens de l'orientation s'impose pour découvrir le lacis de venelles et de passages. Les monuments les plus remarquables sont concentrés dans un seul et même quartier, le cœur historique, entre la cathédrale et, au sud, le Parque de María Luisa.

LA CATHÉDRALE

En 1401, le chapitre de Séville voulut bâtir une cathédrale *« qui ne puisse jamais avoir d'égale, afin que la postérité, en la voyant achevée, se dise que seuls les fous ont pu oser accomplir un tel ouvrage »*. Avec 116 m de long et 76 m de large, la **cathédrale** Ⓐ est le plus grand sanctuaire de la chrétienté. Elle fut édifiée entre 1402 et 1506 à l'emplacement de la Grande Mosquée (seconde moitié du XIIᵉ siècle) dont il reste plusieurs corps de bâtiments, comme la fameuse Giralda et le **Patio de los Naranjos** (« cour des Orangers ») dont la fontaine servait autrefois aux ablutions des fidèles musulmans.

Massive de l'extérieur, c'est l'une des dernières cathédrales gothiques où se mêlent des influences Renaissance. De part et d'autre de la nef, découpée en cinq travées, s'ouvrent une trentaine de chapelles. Le *coro* (chœur), l'autel et la Sacristia de los Calices (1496-1537) s'apparentent au gothique tardif; la Capilla Real (1530-1569), à l'est, est d'époque Renaissance, tandis que certains éléments de l'aile sud sont de style baroque.

En raison de leur exceptionnelle hauteur, les gerbes de colonnes qui portent les grandes arcades paraissent fines et élancées malgré leur robustesse; à la croisée du transept, les voûtes s'élèvent à 56 m. La cathédrale contient de véritables merveilles de style gothique ou plateresque: tombeaux, grilles ou encore retables, dont celui de la **Capilla Mayor** (Grande Chapelle). Ce chef-d'œuvre de l'art gothique flamboyant, sculpté entre 1482 et 1564 (et commencé par le Flamand Pieter Dancart), représente trente-six scènes de la vie du Christ et de la Vierge Marie. Les chapelles recèlent de nombreuses reliques et œuvres d'art, dont plusieurs tableaux de Murillo, de Zurbarán et de Goya, ainsi qu'une croix réalisée avec le premier chargement d'or que Christophe Colomb rapporta d'Amérique. A droite du transept se dresse le **monument funéraire de Christophe Colomb** qui est censé contenir la dépouille de l'explorateur (lequel a autant voyagé après sa mort que de son vivant, puisque son corps résida à Valladolid, Séville, Saint-Domingue et Cuba avant d'être rapatrié à Séville, en 1899).

LA GIRALDA   Girouette

La **Giralda**, l'ancien minaret de la mosquée, fut érigé entre 1184 et 1196. Aujourd'hui, cette tour de 98 m de haut est considérée comme le joyau de l'art almohade. L'hétérogénéité de ce monument est frappante. Seule la partie basse est mauresque. Détruite par un tremblement de terre en 1356, la tour fut rebâtie en 1568 par Hernán Ruiz. Il la dota d'un clocher coiffé d'une statue de bronze qui, pivotant au gré du vent, sert de girouette, d'où le nom de la tour. De la plate-forme, à 70 m d'altitude, la vue sur la ville est superbe.

Les Sévillans ont coutume de se donner rendez-vous non loin de la cathédrale, dans la **Calle de las Sierpes**, une rue piétonne qui relie la **Campana** à la **Plaza de San Francisco**. Au n° 52 se dressait jadis une prison où Cervantes, l'auteur de *Don Quichotte*, fut enfermé.

Entre la cathédrale et l'Alcázar, la façade austère de la Casa Longa, ancienne Bourse du commerce, abrite les Archives générales des Indes, **Archivo General de Indias** ●, où sont conservés, depuis 1785, près de 40 000 documents et manuscrits concernant les relations entre l'Espagne et ses colonies du Nouveau Monde depuis les origines.

Plan
p. 192

Le train rapide AVE en gare de Santa Justa.

En 1992, le monde entier s'est déplacé à l'Exposition universelle de Séville.

LA CARTUJA

Sur la rive gauche du Guadalquivir, les terres inondables de la Cartuja sont longtemps restées désertes. En 1400, l'isolement de cette langue de terre qui ne fournissait guère plus que de l'argile aux potiers incita l'archevêque à y bâtir le **Monasterio de Santa Maria de las Cuevas**, la chartreuse (*cartuja*) qui lui donna son nom. Au XIXᵉ siècle, l'Anglais Pickman convertit le monastère en manufacture de céramique mais, à la fermeture de celle-ci, la Cartuja retomba dans l'oubli. Cependant, comme Christophe Colomb y avait eut sa résidence, l'*isla* s'imposa comme site principal de l'Expo 92 qui célébrait le 500ᵉ anniversaire de la découverte de l'Amérique. Le site subit de profonds remaniements et la partie ouest est désormais occupée par un centre de recherches de hautes technologies.

La plupart des pavillons permanents sont privés et ne se visitent pas. Mais, depuis 1997, le parc à thèmes de l'**Isla Mágica** organise des activités de plein air et dispose de cafés, de bars et de restaurants. Et, dans la zone la plus proche du centre-ville, la **Puerta de Triana** abrite le pavillon de la Navigation et un musée maritime qui évoque le rôle qu'a tenu Séville dans l'exploration des mers et où l'on peut voir des maquettes de navires anciens, dont la *Victoria* de Magellan. La Puerta propose aussi, en Imax sur un écran géant, des projections de films retraçant l'histoire des conquêtes terrestres et spatiales.

*La cathédrale
de Séville et sa
Giralda.*

*Le monument
funéraire
de Christophe
Colomb, dans la
cathédrale.
Les quatre porteurs
symbolisent
les royaumes
d'Aragón,
de Castille, de León
et de Navarre.*

Ce bâtiment Renaissance fut construit de 1583 à 1598 d'après les plans de Juan de Herrera, l'architecte de l'Escurial.

L'ALCÁZAR

En face de la cathédrale, de l'autre côté de la **Plaza del Triunfo**, s'élèvent les épaisses murailles crénelées de l'**Alcázar** (Reales Alcázares) ❺. Deuxième chef-d'œuvre mudéjar de la ville, ce palais fortifié est d'une remarquable homogénéité malgré ses remaniements gothiques, Renaissance et baroques.

Le terme d'*alcázar* vient de l'arabe *al-Kasr* ou *al-Ksar* qui signifie « château », « place forte ». Commencé dès 913 par l'émir Abd al-Rahman III, l'édifice servit pendant sept siècles de résidence aux rois d'Espagne, dont Pierre Ier le Cruel (1334-1369) qui mourut assassiné par son demi-frère et successeur Henri II le Magnifique. En fait, cette citadelle est le fleuron du « mudéjar de cour », style adopté par des artistes grenadins pour édifier, à la demande des souverains chrétiens, des

monuments comparables à ceux de la capitale nasride. Pierre le Cruel fit en effet appel, entre autres, au talent d'artistes et d'architectes travaillant pour le compte de l'émir nasride Muhammad V.

Moins grandiose que l'Alhambra de Grenade, l'Alcázar possède néanmoins un charme exceptionnel, grâce, notamment, à la décoration très colorée des appartements royaux. Les frises, les *azulejos* et les stucs sont de véritables œuvres d'art, surtout dans les **Salóns de Charles Quint** (dans le Palacio Gótico) – où l'on peut aussi admirer des tapisseries réalisées en 1554 par l'artiste hollandais Cornelis Vermeyen – et dans le **Salón de Embajadores** (« salon des Ambassadeurs »). Ce dernier est coiffé d'un dôme et ses murs et encadrements de portes sont tapissés d'une fine dentelure de stucs à motifs géométriques et floraux. Le **Patio de las Doncellas** (« cour des Demoiselles ») est un chef-d'œuvre du style mudéjar du XIVe siècle ; on peut y admirer un décor de stucs et d'*azulejos* polychromes d'une extrême délicatesse.

L'Alcázar renferme également de gracieux jardins plantés d'orangers, de palmiers et de massifs de roses où les allées ornées de jets d'eau et de fontaines contrastent agréablement avec l'austérité de certains bassins.

LA « JUDERÍA »

Au nord-ouest de l'Alcázar, la *judería*, l'ancien quartier juif de Séville, est aussi appelé **Barrio de Santa Cruz**, du nom de l'église baroque qui y fut bâtie au XVIIe siècle. Occupé dès cette époque par la noblesse sévillane, le quartier suit le tracé de l'ancienne enceinte de la partie séfarade qu'emprunte aujourd'hui la Calle Mateos Gago.

Haut lieu touristique depuis sa restauration au début du XXe siècle, le quartier juif séduit par l'élégance tout andalouse de ses ruelles, la blancheur de ses maisons aux grilles et aux portes ouvragées, ses patios fleuris et la fraîcheur de ses placettes ponctuées de fontaines, de palmiers et d'orangers. Le soir, les *gitanos* déploient leurs talents de guitaristes dans les *tablaos* que côtoient des magasins chic et des tavernes traditionnelles (*bares tienda*).

Sur la Calle Teresas, la **maison-musée de Murillo** n'est qu'une reconstitution de ce qu'aurait pu être la demeure du peintre.

Selon la légende, la **Casa de Pilatos ❻** (« maison de Pilate »), palais de la fin du XVe siècle, juste au nord du quartier juif, serait la fidèle réplique de la demeure de Ponce Pilate à Jérusalem ; elle est remarquable par ses *azulejos* et ses stucs finement ciselés.

LE GRAND PARC DE SÉVILLE

Les premiers jardins du grand parc de Séville, le **Parque de María Luisa ❼**, furent inaugurés en 1830. En 1911, alors que prenait forme le projet de l'Exposition ibéro-américaine inaugurée en 1929, on confia le remaniement du site au paysagiste français Jean-Claude Nicolas Forestier (conservateur du bois de Boulogne) ; la construction

Plan p. 192

La Hostería del Laurel (« auberge du Laurier »), dans le Barrio de Santa Cruz, a servi de décor aux aventures de Don Juan.

des édifices fut confiée à l'architecte Aníbal González, celui qui a donné son nom au style mudéjar. Aujourd'hui, mêlant fouillis végétal et parterres tirés au cordeau, plantes européennes et fleurs exotiques, le parc est très apprécié des Sévillans.

A l'entrée, la statue équestre du Cid fait face au **Teatro Lope de Vega**, la référence sévillane en matière d'art dramatique et de musique. A l'est du parc, la **Plaza de España** est un chef-d'œuvre d'Aníbal González. Ce pavillon qui nécessita quinze ans de travaux abrite aujourd'hui le siège du gouvernement régional. L'édifice, long hémicycle de 200 m, surplombe une galerie circulaire à arcades ornée de panneaux d'*azulejos* dédiés aux provinces d'Espagne. Il donne sur une place elle-même en demi-lune dont un canal, traversé de plusieurs petits ponts, épouse la forme.

Non loin, le **Monumento a Bécquer**, consacré au poète romantique Gustavo Adolfo Bécquer, se distingue par la grâce des trois statues féminines illustrant l'amour comblé, l'amour trompé et l'amour perdu.

A l'extrémité sud du parc, la **Plaza de América**, qui fut la place d'honneur de l'Exposition ibéro-américaine, est bordée de deux musées. Le **Museo Arqueológico** (dans le Pabellón Plateresco), l'un des plus grands musées archéologiques d'Espagne, conserve des poteries et des pièces d'orfèvrerie illustrant les relations entre Tartessiens et Phéniciens ainsi qu'une belle collection romaine attestant de l'importance de villes comme Itálica. On y remarquera en particulier les trésors d'El Carambolo, composés de pièces d'or du VIIIe siècle av. J.-C. De l'autre côté de la place, le **Museo de Artes y Costumbres Populares** (musée des Arts et Traditions populaires) illustre toutes les facettes de la vie andalouse : tauromachie, fêtes, vie des gitans, traditions rurales, culte... Le musée a été aménagé dans le **Pabellón Mudéjar**, palais des Arts décoratifs de l'exposition de 1929, qui est l'une des œuvres les plus célèbres d'Aníbal González.

La Plaza de España.

LE « GRAND FLEUVE »

Grâce à sa situation sur les berges du Guadalquivir, Séville a toujours été considérée comme un port, bien que la mer soit à 113 km. Appelé Bétis par les Romains, Wadi el Kebir (le « Grand Fleuve ») par les Maures, ce cours d'eau de 644 km de long traverse également Cordoue mais, à en croire les Sévillans, il n'appartient qu'à eux.

Le port historique s'étendait le long des actuels *paseos* de Colón et Marqués de Contadero et occupait les quartiers de la Carretería, du Postigo, de l'Arenal, du Bratillo et de la Cestería. Parmi les premiers bâtiments des faubourgs industriels et portuaires, l'ancienne manufacture de tabacs (actuel siège du rectorat de l'**université de Séville**, sur la Calle San Fernando), pionnière dans l'importation de tabac des Indes, fut construite au XVIIIe siècle. Elle employait un personnel ouvrier féminin qui inspira à Mérimée le personnage de Carmen.

Les crues du Guadalquivir ont été à l'origine de bien des inondations au fil des siècles. Ainsi, la **Torre del Oro** (« tour de l'Or »), que l'on atteint en longeant le fleuve vers le nord à partir du Parque de María Luisa, s'est retrouvée les pieds dans l'eau lors des inondations de 1892. Cet énorme ouvrage fortifié à douze pans, érigé en 1220 par les Maures, faisait partie du système défensif de l'Alcázar. Mais son rôle exact reste une énigme (voir p. 191). La tour sommitale est un ajout de 1760. A l'intérieur, dans le petit **musée de la Marine**, des mâchoires de requin côtoient des portraits de navigateurs et des peintures de paysages sévillans du XVIIIe siècle.

Toujours le long du fleuve, un peu plus au nord, le **Teatro de la Maestranza**, opéra de facture récente (1991), fait pendant à la **Plaza de Toros de Maestranza**. Ces arènes, les plus anciennes d'Espagne après celles de la Ronda, ont été élevées par étapes successives entre 1760 et 1880. Dans les rues alentour, qui forment le quartier de l'Arenal, se serrent des *bodegas* décorées de vieilles affiches de corrida ; c'est le lieu idéal pour déguster un verre de xérès.

Plan p. 192

Les ruines de l'amphithéâtre romain d'Itálica, le troisième du monde romain par la taille, à 12 km au nord de Séville.

Une cour de la Casa de Pilatos.

Plan
p. 192

TRIANA

La rive droite du fleuve, que l'on rejoint par le Puente de Isabel II, était autrefois un repaire de brigands, mal famé et sans charme. C'est là, dans le **Barrio de Triana**, que les *gitanos* furent parqués à la suite de décrets royaux. Aujourd'hui, les rues populaires et pittoresques de l'ancienne ville gitane sont connues pour leurs ateliers de céramique, leurs bars et leurs restaurants. La tradition maritime du quartier transparaît encore par endroits, comme sur la Plaza de Cuba, au débouché du pont, où le **Convento de los Remedios** est dédié à la Vierge des Remèdes que vénéraient les navigateurs. La **Calle Bétis**, qui démarre de la place et rejoint le Puente de Isabel II, servait de poste d'observation fluvial.

De retour sur la rive gauche, on atteint, vers le nord-ouest, le **Museo de Bellas Artes** ⊙, installé dans l'ancien couvent de la Merced. Considéré comme la deuxième pinacothèque d'Espagne après le Prado, il possède une belle collection de tableaux de Murillo,

plusieurs toiles de Zurbarán et de Diego Vélasquez, et une œuvre du Greco.

LA FERIA DE ABRIL

Lancée pour la première fois en 1846 pour donner un nouvel élan à la ville, la Feria de Séville était à l'origine une grande foire agricole. Le marché aux bestiaux a disparu mais taureaux, flamenco (notamment sa variante locale, la *sevillana*) et manifestations diverses animent les rues chaque année, durant six jours en avril. La fête commence par un défilé de fiers cavaliers accompagnés de femmes vêtues de robes à volants. Dans le quartier du Prado de San Sebastián – où se tenaient jadis les autodafés de l'Inquisition – les *casetas* (loges de bois et de toile), louées par des familles ou des entreprises, invitent à boire, manger, chanter et danser (certaines sont ouvertes au public). Les corridas, en fin d'après midi, suscitent la frénésie. Puis viennent les feux d'artifice et les illuminations qui accompagnent les distractions nocturnes jusqu'au petit matin.

Défilé de jeunes couples en costume de fête lors de la Feria de Abril.

LA SEMAINE SAINTE

De la plus modeste paroisse aux plus grandes cathédrales, les processions cheminent à travers tout le pays, de jour comme de nuit, parfois pendant près de douze heures. L'importance des processions varie. Dans les grandes villes, il peut y avoir trente en vingt-quatre heures. Les confréries rattachées à une église ou à une paroisse détiennent chacune des statues à l'image de la Vierge, du Christ et des apôtres. Ce sont de véritables œuvres d'art, souvent très anciennes, qui font l'objet de soins attentifs de la part des fidèles. Au cours de la Semaine sainte, ces effigies sont exposées sur des *pasos*, plates-formes richement ornées de sculptures, de draperies et de fleurs. Les porteurs avancent avec leur précieux fardeau au rythme d'une musique traditionnelle composée spécialement pour cette occasion au XVIᵉ siècle.

La Semaine sainte commence le dimanche des Rameaux par la bénédiction de grandes palmes tressées. Vient ensuite la période de deuil durant laquelle les somptueux ornements des églises disparaissent sous des voiles noirs. A Séville, un tonnerre de ferveur emplit la cathédrale le mercredi suivant, lorsque l'on retire les voiles; la même explosion de joie retentit le samedi, juste avant que les fidèles se rassemblent pour entonner le *Gloria* et que toutes les cloches de la ville se mettent à carillonner. A Cordoue, l'après-midi du Vendredi saint, la messe célébrée dans la Mezquita revêt un caractère grandiose grâce aux chœurs et à l'orchestre symphonique qui l'accompagnent. A Grenade, les femmes s'habillent de noir et, la tête couverte d'une mantille, suivent les processions en égrenant leur chapelet.

Les *pasos* représentent les étapes de la Passion du Christ; les statues polychromes évoquent ainsi diverses scènes, de la Cène à la descente de la croix et la douleur de la Vierge, représentée par les larmes de cristal qui perlent de ses yeux. Chaque confrérie – il y en a cinquante-cinq à Séville – escorte deux *pasos*; l'un est consacré au Christ, l'autre à la Vierge. Au passage de la Vierge à laquelle ils vouent adoration, les fidèles pleurent, applaudissent ou chantent. Les plus émus entonnent spontanément la traditionnelle *saeta* empreinte de mélancolie.

Les processions suivent un itinéraire et un horaire rigoureux. Elles circulent lentement et observent de nombeux arrêts. Les membres des confréries portent de longues robes et de hauts capuchons pointus qui dissimulent entièrement leur visage, à l'exception des yeux. Parmi les *hermanos* (laïcs) du cortège, certains portent des cierges, d'autres, accomplissant une pénitence, portent une ou plusieurs croix et cheminent pieds nus. Mais le sens de la fête andalou n'est jamais étouffé par la solennité de l'événement. Même les processions de Séville, de loin les plus somptueuses, sont interrompues par des spectateurs qui n'hésitent pas à fendre le cortège pour se rendre de l'autre côté.

A l'écart du parcours des processions, on dresse des tables et des chaises dans les rues avoisinantes. Les *torrijas* (sorte de pain perdu) et les *flamenquines* (petites paupiettes à base de veau, de jambon et de fromage) sont des spécialités que l'on peut déguster pour la circonstance. Presque partout en Espagne, la fin de la Semaine sainte annonce l'ouverture de la saison des corridas. Le dimanche de Pâques, une course de taureaux se déroule à Arcos de la Frontera, et, à Málaga, on se rend directement de la messe aux arènes.

A droite, lors d'une procession nocturne de la Semaine sainte, à Séville, un crucifix polychrome porté sur un « paso » fleuri.

Plan
p. 202

CORDOUE

Établie sur la rive droite du Guadalquivir, à 143 km de Séville, Cordoue (Córdoba) est bordée, au sud, par les grandes plaines fertiles de la Campiña (la « Campagne ») et au nord par les contreforts de la Sierra Morena. Elle doit sa renommée à l'éclat des civilisations dont elle fut le berceau et qui la promurent, à deux reprises, au rang de capitale.

Cordoue est l'une des plus anciennes villes d'Espagne. De même que Séville, elle fut une grande cité ibérique. Fondée par les Carthaginois, elle passa aux mains des Romains en 152 av. J.-C., lorsque le consul Marcus Marcellus en fit une colonie très en vogue, la Colonia Patricia. Elle devint ensuite la capitale de l'Espagne romaine. Mais elle fut détruite en 45 av. J.-C. lors du conflit opposant César et Pompée. Sous Auguste, elle retrouva tout son éclat et son statut de capitale de la Bétique, s'affirmant alors comme la plus importante cité d'Espagne. Elle vit naître Sénèque le Rhéteur (v. 55 av. J.-C. - v. 39 apr. J.-C.) puis son fils, le philosophe stoïcien Sénèque (v. 4 av. J.-C.- 65 apr. J.-C.), qui fut le précepteur de Néron.

Entre le VIe et le VIIIe siècle, Cordoue fut gouvernée par les Wisigoths et placée sous la tutelle de Tolède. Le déclin qu'elle connut durant les deux cents ans qui suivirent facilita l'implantation des Maures.

LE CALIFAT

Des émirs de Damas s'étaient installés à Cordoue dès le début du VIIIe siècle, mais c'est à l'arrivée d'Abd al-Rahman Ier, en 756, que s'ouvrit pour la ville une ère incomparable de richesse et de grandeur. Dans le même temps, la dynastie omeyyade asseyait son pouvoir sur l'Espagne musulmane, que les Maures appelaient *al-Andalus*.

Cordoue atteignit l'apogée de sa gloire sous les règnes d'Abd al-Rahman III (912-961), qui se proclama

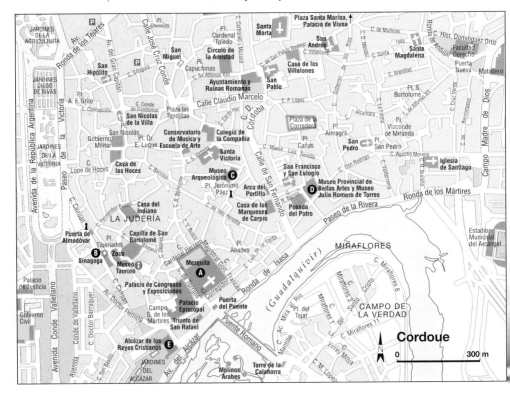

calife en 929, et de son successeur, Al-Hakam II (961-976). Elle comptait alors trois cents mosquées, de multiples bains publics et d'innombrables palais dont la somptuosité rivalisait avec le luxe qu'affichaient Constantinople et Bagdad. Cordoue connut à cette époque un rayonnement intellectuel et culturel sans équivalent en Occident. Elle possédait au Xᵉ siècle une université de grande renommée. La littérature et les sciences bénéficièrent d'un essor remarquable, de même que les écoles de philosophie et de médecine et les bibliothèques.

La décadence de Cordoue s'amorça en 1031, lors du démembrement du califat en petits royaumes appelés *taifas*. Aux conflits incessants que se livraient ces émirats rivaux vinrent s'ajouter les invasions sporadiques de ces territoires par les Berbères, les Almoravides, puis par les Almohades. Le coup fatal lui fut porté en 1212. A Las Navas de Tolosa, l'armée almohade affronta les troupes d'une ligue montée par les rois de Castille, d'Aragon et de Navarre. Les musulmans furent écrasés et désertèrent aussitôt Cordoue pour se réfugier en Afrique du Nord ; le roi Ferdinand III de Castille se rendit maître de la ville en 1236.

Cordoue vécut dès lors dans l'insécurité pendant près de trois siècles. Les vainqueurs chrétiens négligèrent l'industrie et l'agriculture, laissant à l'abandon les grands travaux d'irrigation entrepris par les Maures.

LA CORDOUE MODERNE

Depuis cinquante ans un regain d'activité qui tend à rendre à Cordoue sa prospérité d'antan. Durant cette période, sa population a augmenté de 50 % pour atteindre aujourd'hui plus de 250 000 habitants. L'économie de la province favorise le développement de l'agriculture et l'installation d'industries à caractère artisanal (céramique, bijouterie, travail du cuir et du métal).

Cordoue se différencie de Séville par l'absence d'empreinte gitane. Le centre rassemble des églises et des demeures nobiliaires, précieux témoins de son passé. Une enceinte maure sépare les ruelles tortueuses des vieux quartiers de la partie moderne où courent de grandes voies rectilignes. En mai, lors du festival des Patios et de la Feria, la ville est particulièrement haute en couleur.

LA MOSQUÉE DE CORDOUE

En faisant s'imbriquer deux styles et deux lieux de culte diamétralement opposés, l'histoire a conçu avec la **Mezquita ❶** de Cordoue un édifice hétérogène, symbolique de la juxtaposition du christianisme et de l'islam, mais aussi de l'identité espagnole.

La construction de la mosquée, commencée en 785, fut achevée deux siècles plus tard. Longue de 174 m pour 137 m de large, il s'agit de la plus grande mosquée du monde après celle de La Mecque.

« *Cordoue aux maisons vieilles*, écrivait Victor Hugo. *A sa mosquée où l'œil se perd dans les merveilles.* » Dans la salle de prière, une forêt de 856 colonnes de 4 à 13 m de haut porte un ouvrage qui

La Mezquita, « mosquée » en espagnol.

Les Maures appelaient la Mezquita Masjid al-Djâmia, « Mosquée principale ». Au départ, ils se contentèrent de diviser en deux la basilique wisigothique Saint-Vincent afin de permettre la pratique des cultes islamique et chrétien. En 785, Abd al-Rahman Iᵉʳ racheta la partie chrétienne et fit raser le sanctuaire afin d'édifier une mosquée reposant sur neuf nefs.

La décoration du dôme du « mihrab », dans la Mezquita.

La forêt de colonnes de la Mezquita.

fut alors une véritable innovation : la superposition de deux étages d'arcs permettant une plus grande élévation et donnant une remarquable légèreté à l'ensemble. « *De quelque côté que vous vous tourniez, votre œil s'égare à travers des allées de colonnes qui se croisent et s'allongent à perte de vue, comme une végétation de marbre spontanément jaillie du sol* », expliquait ainsi Théophile Gautier en 1840.

Parmi les chefs-d'œuvre de l'art mauresque figure le *mihrab*, une niche insérée dans un mur et orientée vers La Mecque car l'imam y officie. Les mosaïques en sont remarquables, de même que les colonnes de marbre soutenant les arcatures du vestibule. La richesse de la décoration atteint toute sa splendeur dans la *maxura* ; cette salle de prière réservée aux émirs et aux califes, est surmontée d'une coupole en coquille taillée dans un seul bloc de marbre.

Après la Reconquête, le chapitre de Cordoue décida d'élever au cœur de la Mezquita une cathédrale dédiée à la Vierge de l'Assomption. Des chapelles furent alors ajoutées le long des parois intérieures, faisant reculer la forêt de colonnes, et la façade nord fut fermée, à l'exception de la **Puerta de las Palmas**, qui devint désormais l'unique entrée. La construction de l'église cruciforme, au centre de la mosquée, ne débuta qu'en 1523.

Bien que la cathédrale soit massive, on ne s'aperçoit pas immédiatement de sa présence en entrant dans la mosquée. Ce n'est qu'après avoir cheminé au milieu du dédale des arcatures que l'on découvre cette structure Renaissance de 55 m de long. Le **chœur**, réalisé par Hernán Ruiz entre 1523 et 1539, renferme des stalles sculptées par Cornejo en 1758. La voûte de l'abside est ornée de médaillons Renaissance, celle de la nef de stucs peuplés d'angelots ; la coupole du **transept**, large de 15 m, présente des caissons de style italianisant remontant au début du XVIIᵉ siècle. « *La mosquée-cathédrale*, écrit Théophile Gautier, *s'élève au-dessus de l'enceinte et des toits de la ville*

plutôt comme une citadelle que comme un temple, avec ses hautes murailles denticulées de créneaux arabes, et le lourd dôme catholique accroupi sur sa plate-forme orientale. »

Les cent ans que nécessita la construction de l'église ont abouti à un mélange de styles (gothique, Renaissance et baroque) qui fit dire à Charles Quint, en constatant les transformations accomplies et parfois radicales : « *Vous avez mis ce qui se voit partout à la place de ce qui ne se voit nulle part.* »

A l'extérieur de la Mezquita s'étend le ravissant **Patio de los Naranjos** (« cour des Orangers »), indissociable des grandes mosquées orientales. On y accède par la **Puerta del Perdón** au pied du clocher de 93 m qui fut érigé à la fin du XVIᵉ siècle à la place du minaret. De la Calleja de las Flores (« allée des Fleurs »), on peut admirer cette tour avec un recul appréciable ; sa haute silhouette semble alors prise dans l'écrin de fleurs en pots.

LA « JUDERÍA »

De la mosquée, on rejoint rapidement l'ancien quartier juif, **Barrio de la Judería**, que garde, au nord-ouest, la Puerta de Almodóvar, l'une des portes médiévales de Cordoue.

Mécontents de leur sort durant le règne des Wisigoths, les juifs de Cordoue n'hésitèrent pas à favoriser l'incursion des Maures au VIIIᵉ siècle. Il s'ensuivit pour eux une ère de prospérité. Un grand nombre de penseurs juifs affluèrent, ainsi que de nombreux corps de métiers. Cordoue fut la ville natale du célèbre physicien, astrologue, mathématicien, médecin et philosophe arabe Averroès, qui y vécut de 1126 à 1198, ainsi que celle du médecin et philosophe juif Moïse Maïmonide (1135-1204). Dans la rue qui porte son nom se dresse le monument qui fut érigé en son honneur, au sein d'une petite **synagogue** ⑤ de style mudéjar du XIVᵉ siècle (s'adresser au gardien pour la visite). Non loin, on peut admirer la statue du philosophe Sénèque à la **Puerta de Alamodóvar**, entrée principale de la vieille ville. Presque en face de la synagogue, la seule qui

existe en Espagne hormis celle de Tolède, le **Zoco** (souk) réunit de nombreux ateliers d'artisan autour d'un patio où, les soirs d'été, se donnent des spectacles de flamenco. A côté, Plaza de las Bulas, le **Museo Taurino**, « musée taurin », occupe une maison du XVIᵉ siècle.

Au sud-ouest de la Mezquita, près du Puento Romano qui enjambe le Guadalquivir, se trouve l'**Alcázar de los Reyes Cristianos** ⑤. Édifié en 1328 par Alphonse XI, il servit de résidence à Ferdinand et Isabelle durant leur campagne contre les Maures. De ce palais subsistent des patios mauresques agrémentés de bassins, et des salles ornées de belles mosaïques romaines. Les jardins sont animés d'une multitude de fontaines et de pièces d'eau où se reflètent des cyprès.

Le **Puente Romano**, pont romain de facture originale, fut rebâti par les Maures et restauré plusieurs fois. La **Torre de la Calahorra**, ouvrage défensif du XIVᵉ siècle, s'élève à l'extrémité sud du pont et abrite le **Museo de las Tres**

Plan p. 202

Le quartier juif de Cordoue.

Présents en Andalousie dès l'époque romaine, les juifs jouèrent un rôle important dans l'épanouissement artistique, culturel et scientifique du califat de Cordoue. Bénéficiant de la protection des souverains omeyyades et des nobles, ils comptèrent parmi eux de nombreux commerçants, artisans, médecins, diplomates et autres hauts fonctionnaires.

Le crucifix d'El Cristo de los Faroles, au nord de Cordoue.

Culturas. Un spectacle de son et lumière y évoque les dix siècles de cohabitation islamo-judéo-chrétienne. Le musée conserve aussi une maquette de l'Alhambra de Grenade.

LES MUSÉES DE CORDOUE

En longeant le fleuve vers le nord, on rejoint la **Plaza del Potro**, ou « place des Poulains », qui tient son nom du poulain en bronze qui en orne la fontaine (XVIᵉ siècle). Elle est célèbre depuis que Cervantès aurait, dit-on, logé à la *posada* qui donne sur la place et où il aurait écrit une partie de *Don Quichotte* : la statue figurant un poulain est mentionnée dans son œuvre.

Sur cette même place, le **Museo Provincial de Bellas Artes** ❶ occupe un ancien hospice du XVIᵉ siècle. Les collections sont succinctes mais éclectiques. Plusieurs salles sont consacrées aux primitifs espagnols, flamands et italiens. Au premier étage sont présentées des œuvres de Juan de Valdés Leal, Pedro Anastasio Bocanegra,

Les toits de Cordoue.

Murillo, Goya, Francisco Zurbarán... Une autre section rassemble les œuvres du sculpteur cordouan Mateo Inurria.

Le bâtiment contigu abrite le **Museo Julio Romero de Torres**, consacré à ce peintre (1885-1920) qui avait une passion pour les beautés féminines du début du XXᵉ siècle.

Le patrimoine historique de Cordoue et de ses environs est admirablement mis en valeur au **Museo Arqueológico** ❷, sur la Plaza de Jerónimo Páez, au nord-ouest du Museo Provincial. Aménagé dans un palais Renaissance, ce musée possède une superbe collection de vestiges préhistoriques, romains, wisigoths, mauresques et gothiques. Les antiquités les plus remarquables sont un cerf en bronze provenant de la médina Azahara (Xᵉ siècle) et des lions de pierre ibériques, ainsi que de superbes mosaïques romaines. Le bâtiment abrite en outre la plus grande collection au monde de sarcophages en plomb, de nombreuses stèles à inscriptions et de magnifiques

pièces d'orfèvrerie, de verrerie et de céramique.

Au nord-est, la **Plaza de la Corredera** (XVIIᵉ siècle), qui contraste avec la Plaza del Potro, a la forme d'une arène, d'où son nom. Elle est fermée par des arcades surmontées de façades en brique et de balcons en fer forgé. Les tournois et cérémonies officielles qui s'y déroulaient au XVIIᵉ siècle ont cédé la place à un marché très animé (tous les matins).

A quelques pas de là se dressent l'hôtel de ville et l'**Iglesia San Pablo**, sans doute la plus belle église médiévale de Cordoue. Construite au début du XIIIᵉ siècle, elle possède une double coupole mauresque et un plafond mudéjar du début du XVIᵉ siècle. De là, l'Avenida Alfonso XIII mène à la grand-place de Cordoue, **Las Tendillas**. Les Calles Jesús y María et Jose Cruz Conde sont bordées d'une foule d'échoppes.

Sur la charmante Plaza de los Dolores, au sud de la Plaza de Colón, **El Cristo de los Faroles**, calvaire réputé, est entouré de lanternes en fer forgé.

Vers l'est, le Barrio de la Marina doit son nom à l'église gothique Santa Marina. C'est le quartier des toreros comme en témoigne, sur la **Plaza Santa Marina**, le monument dédié à Manolete. Né Manuel Rodrigue (1917-1947), ce célèbre torero cordouan mourut dans l'arène. Face à l'église s'élève le couvent de **Santa Isabel** dont les clarisses confectionnent des pâtisseries qu'elles vendent au public (l'assortiment, *surdido*, est l'occasion de goûter les meilleures douceurs de Cordoue).

De là, la Calle Santa Isabel permet de gagner, au nord-est, sur la Plaza de Don Gome, le **Palacio de Viana**, somptueuse résidence nobiliaire du XIVᵉ siècle dont la façade un peu austère cache un intérieur féerique. Transformé en musée, le palais contient des œuvres d'art et des antiquités dans un décor d'*azulejos*, de tapisseries en cuir polychromes, de tapis somptueux... Quatorze patios et de ravissants jardins ornés de multiples variétés de plantes, notamment des citronniers et des rosiers, jalonnent le parcours.

Plan
p. 202

La Torre de la Calahorra, ouvrage défensif sur le Puente Romano.

Le Puente Romano.

GRENADE

Au pied de trois éperons rocheux qui s'élancent gracieusement vers l'azur et se découpent, au sud-est, sur les majestueux sommets enneigés de la Sierra Nevada, Grenade (Granada) bénéficie d'un cadre idyllique. Elle est bordée à l'ouest par une *vega*, vaste plaine fertile et verdoyante et, au nord, par le Darro, un torrent de montagne qui serpente entre deux des trois collines sur lesquelles elle s'étend : l'Alhambra, l'Albaicín et le Sacromonte.

Grenade séduit par son climat agréable et tonifiant, mais aussi par son authenticité et sa beauté, propices à la méditation et à la contemplation. Échappant, jusqu'en 1300, aux grands mouvements d'immigration provenant du Nord, elle a vu s'épanouir un style architectural unique tandis que son patrimoine et ses traditions sont restés intacts.

LES PREMIERS TEMPS

Dernier bastion du royaume musulman d'Espagne, Grenade était connue au Vᵉ siècle av. J.-C. sous le nom ibérique d'Elybirge avant de se voir rebaptisée Illiberis à l'époque romaine. Ce n'est cependant qu'après l'implantation des Maures qu'elle acquit une réelle importance. Son nom, qui est aussi celui du fruit qui figure dans les armes de la cité, provient probablement du mot arabe Gharnata qui désignait un village établi sur l'une des collines.

Contrairement à Séville et Cordoue qui bénéficièrent d'une grande opulence dès l'époque romaine, Grenade dut attendre l'avènement des califes de Cordoue pour être enfin promue au rang de capitale provinciale. Lorsque la chute de la dynastie omeyyade entraîna le déclin de Cordoue, en 1031, son importance politique commença de croître. Elle fut pendant soixante ans la capitale d'un petit royaume indépendant ; mais les invasions successives des Almoravides finirent par entraîner son annexion au royaume de Séville.

Après la prise de Cordoue par les chrétiens en 1236, les derniers occupants de l'ancienne cité des califes se réfugièrent à Grenade qui devint, jusqu'en 1492, la capitale d'un émirat gouverné par la dynastie nasride fondée par Muhammad ibn al-Ahmar. Mais quand Jaén fut reconquise par Ferdinand III en 1246, Muhammad fut contraint de le reconnaître pour suzerain.

L'ÂGE D'OR

Pendant environ deux siècles et demi, l'existence de cet émirat arabe indépendant et florissant, en contact permanent avec la puissance castillane, tint presque du prodige. Étant donné la fragilité et la petitesse de son territoire (à peine 30 000 km²), Muhammad jugea sage et prudent de rester en bons termes avec les chrétiens de Castille. Il consentit même à aider Ferdinand III à s'emparer de Séville, ce qui explique peut-être le ressentiment qu'éprouvèrent – et qu'éprouvent parfois encore – les *Sevillanos* à l'égard des *Granadinos*.

Par la suite, les victoires remportées par les armées chrétiennes à travers

Plan
p. 210

A gauche, merveille de l'Alhambra ; ci-dessous, le Patio de los Leones.

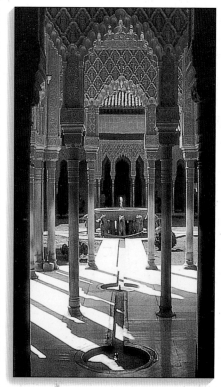

Le Patio de los Leones, ou « patio des Lions », fait partie des appartements royaux de l'Alhambra. Admirée pour son extrême raffinement, cette cour fut commencée en 1377. Tous les éléments en sont recherchés et relèvent d'une grande maîtrise artistique. Les galeries qui l'entourent, les pavillons, les toits recouverts de tuiles, les colonnes, les frises et les stucs en font l'un des fleurons de l'art mauresque en Espagne.

toute l'Andalousie eurent pour effet d'attirer à Grenade de nombreux réfugiés musulmans qui contribuèrent à développer le commerce tout en apportant leurs précieuses connaissances dans les domaines scientifique et technique. Ainsi, tandis que les royaumes musulmans s'effondraient l'un après l'autre, Grenade connut un regain de prospérité. De grands travaux d'irrigation permirent d'exploiter les terres fertiles de la *vega*. Les sciences, les arts et les humanités s'épanouirent. La ville comptait 200 000 habitants, soit quatre fois plus que Londres à la même époque. C'est de cette remarquable synergie intellectuelle, spirituelle, économique et industrielle que naquirent les plus prestigieuses réalisations de l'art mauresque, dont le seul témoignage qui a subsisté est l'Alhambra.

SPLENDEUR ET DÉCADENCE

Au fur et à mesure que les Espagnols réduisaient l'étendue des territoires soumis à l'islam, leur tâche fut facilitée par une intrigue amoureuse qui agita le sérail de Grenade. En effet, le roi maure Mulay Hasan (1462-1485) s'éprit de Zoraya, une belle chrétienne, et envisagea de répudier la reine Aïcha, qui lui avait donné un héritier, Boabdil. La cité fut dès lors déchirée entre deux clans rivaux : les Abencérages, une puissante famille qui apporta son appui à Aïcha, et les Zégris, partisans de Zoraya.

Après avoir quitté Grenade en emmenant son fils, Aïcha revint peu après avec des renforts afin de renverser le roi Hasan pour asseoir Boabdil sur le trône (sous le nom de Muhammad XI). Profitant de la précarité de cette situation, Ferdinand d'Aragon captura « *el Rey Chico* », « le Petit Roi », qui dut alors le reconnaître pour suzerain en échange de sa liberté. Lorsque, à la fin de l'année 1491, Ferdinand et Isabelle se présentèrent aux portes de Grenade, Boabdil n'opposa qu'un semblant de résistance et, le 2 janvier 1492, le dernier bastion de l'islam capitula.

Tandis que la croix et la bannière de Castille flottaient enfin sur l'Alcazaba,

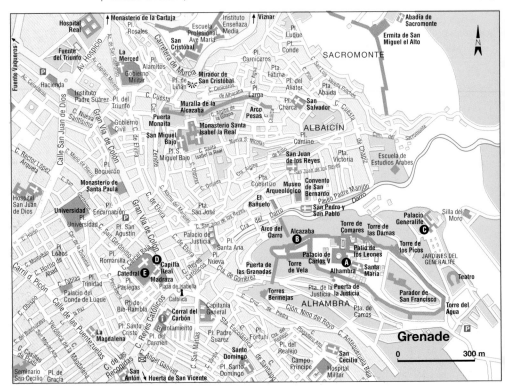

Grenade

0   300 m

Boabdil partit en exil dans les monts Alpujarras. En jetant un dernier regard sur sa capitale, il s'entendit dire par sa mère : « *Pleure comme une femme sur ce que tu n'as pu défendre comme un homme.* » Depuis ce jour, l'endroit où furent prononcés ces mots est baptisé le Suspiro del Moro, le « Soupir du Maure ».

Sous le règne des Rois Catholiques, Grenade continua d'être un important centre d'art et de culture, mais l'intolérance religieuse et les nombreuses expulsions qui s'ensuivirent portèrent gravement atteinte à son commerce et à son agriculture. En effet, en 1609, un décret ordonnant le départ définitif des Morisques la priva de la majeure partie de ses forces vives. En 1800, la population de la ville était réduite à 40 000 habitants.

Comme toute l'Andalousie, Grenade connaît depuis quelques dizaines d'années un regain de prospérité grâce à l'essor de l'agriculture. Le tourisme joue également un rôle important dans l'essor économique de la ville.

L'ALHAMBRA

Trônant majestueusement au sommet de sa colline boisée, l'**Alhambra ❹**, « la Rouge » en arabe, passe pour être le palais médiéval arabe le mieux conservé du monde. Pourtant, c'est dans un état de délabrement certain que les âmes romantiques le redécouvrirent, au XIXe siècle, en faisant un paradis perdu. En effet, l'édifice inspira Victor Hugo qui s'écria : « *L'Alhambra ! l'Alhambra ! Palais que les génies ont doré comme un rêve et rempli d'harmonies.* » De son côté, l'écrivain américain Washington Irving (1783-1859), à qui l'Alhambra doit sa renaissance, y trouva l'inspiration de ses *Contes de l'Alhambra*.

Remarquable par ses proportions tout autant que par l'élégance de ses structures, l'Alhambra est le fleuron de l'art hispano-mauresque, l'expression parfaite du raffinement d'une culture parvenue à son apogée. Considéré par certains comme la huitième merveille du monde, par d'autres comme le premier pont jeté entre la conception occi-

Plan p. 210

Chapiteau orné de motifs maures.

L'Alhambra et, en toile de fond, les monts de la Sierra Nevada.

La symétrie parfaite du Patio de los Arrayanes.

La quiétude des jardins de l'Alhambra.

dentale et orientale de la sensibilité artistique, ce palais évoque irrésistiblement le monde des *Mille et Une Nuits*.

Sa splendeur ne réside pas seulement dans la perfection de son architecture mais également dans la recherche et la grande subtilité de sa décoration. La finesse des plafonds de bois sculpté, le minutieux relief des stucs, les entrelacs d'arabesques, les voûtes à stalactites, l'élégance des cours jalonnées d'arcades, la délicatesse des colonnes de marbre blanc finement ciselé en font un joyau d'une inestimable valeur. Laissons encore parler Victor Hugo qui, vantant la splendeur de toutes les villes d'Espagne et de leurs monuments, ne peut que conclure par cet éloge : « *Mais Grenade a l'Alhambra.* »

L'ALCÁZAR

Le palais est en fait divisé en trois parties : l'Alcázar (palais royal, du mot arabe *Al-gasr* qui signifie « château »)), l'Alcázaba (forteresse) et la Medina (ou Alhambra Alta), mais il ne reste de cette dernière que des fondations ensevelies sous la végétation des jardins. Les Rois Catholiques, conscients de la beauté exceptionnelle de l'Alhambra, le firent restaurer après les dégâts qu'il avait subis durant la Reconquête. Ils l'utilisèrent par la suite comme résidence temporaire lors de leurs déplacements, mais Charles Quint en fit abattre une partie afin de faire élever son propre palais dans un style Renaissance italienne qui présente un contraste quelque peu choquant avec les bâtiments arabes.

L'Alcázar, le palais mauresque proprement dit, se compose de deux ensembles de constructions ordonnées autour de deux cours : le **Patio de los Arrayanes** (« cour des Myrtes »), cour rectangulaire divisée par un long bassin bordé de buissons de myrtes dans lequel se reflètent deux gracieux portiques ; et le **Patio de los Leones** (« cour des Lions »), qui mêle avec harmonie le marbre blanc, le bois de cèdre et les faïences, tandis qu'au centre trône une fontaine dont la vasque est supportée par douze lions.

La **Sala de los Abencerages**, au sud, est dominée par une belle voûte à stalactites (*mocárabes*).

Le **Salón de los Embajadores**, ou « salle des Ambassadeurs », la plus grande salle du palais, s'ouvre à l'une des extrémités. Elle servait aux sultans de chambre d'audience. Coiffée d'une superbe coupole en bois de cèdre représentant le firmament, elle est éclairée par des baies qui offrent une remarquable vue sur Grenade. La décoration est composée d'*azulejos* polychromes et de stucs qui portent des inscriptions tirées du Coran ou exaltant les vertus des princes arabes.

Au nord s'ouvre la **Sala de las Dos Hermanas** (« salle des Deux-Sœurs »), coiffée d'une splendide coupole à alvéoles, la plus élaborée de l'Alhambra.

A l'est des appartements royaux, les **jardins du Partal** descendent en terrasses jusqu'à l'élégante **Torre de las Damas**. Ce bâtiment du XIVe siècle est aussi richement décoré que ceux de l'Alcázar. De ses baies surplombant le Darro, on peut admirer le Sacromonte.

A l'extrémité ouest de l'ensemble, l'**Alcázaba ❺**, la partie la plus ancienne de l'Alhambra, est une forteresse maure du XIIIe siècle. Depuis ce bastion militaire, on a vue sur le Generalife, la Sierra Nevada ainsi que sur l'Albaicín et le Sacromonte.

LE GENERALIFE

Sur les hauteurs, le **Generalife ❻**, fut jadis la résidence d'été des sultans de Grenade qui l'appelaient Djennan al-Arif, « jardin des Élevés », pour en souligner la vocation élitaire. La beauté des jardins qui l'entourent surpasse de beaucoup celle de la construction. Celle-ci remonte à 1250 et fut restaurée à maintes reprises. Avec leurs allées de cyprès, de lauriers-roses et d'orangers, leurs haies taillées à la perfection et leurs éblouissants massifs de roses, les jardins forment un véritable décor de rêve.

L'édifice s'organise autour d'un long patio, le **Patio de la Acequia**, qui est fermé à chaque extrémité par de ravis-

Plan
p. 210

L'Albaicín est parcouru de venelles tortueuses et pentues bordées de murs chaulés et envahies par le parfum de toutes sortes de fleurs.

Tombeaux des Rois Catholiques dans la Capilla Real.

sants pavillons reliés d'un côté par une galerie et de l'autre par de somptueux appartements.

La **Sala Regia** jouxte le **Patio de los Ciprés**, où la sultane Zoraya retrouvait son amant abencérage, et les **Jardines Altos**, où l'on peut voir un étonnant système d'adduction d'eau nasride. Le **Camino de las Cascadas** est un enchantement : tel un fragile tunnel en perpétuel mouvement, une longue succession de jets d'eau en arceaux retombent en cascade dans un chemin de pierre à la symétrie parfaite.

Au nord du Generalife, un mirador surplombe la ville et la vallée du Darro. Chaque été, entre le 15 juin et le 15 juillet, les jardins du Generalife servent de cadre à un festival de danse et de musique.

LA CATHÉDRALE

Le flamenco est l'une des traditions des gitans grenadins.

A l'issue de la victoire décisive qu'ils avaient remportée sur les Maures, les Rois Catholiques émirent le vœu d'être enterrés à Grenade, sur les lieux mêmes

Des « zambras », fêtes flamenco, ont toujours lieu dans le Sacromonte. Ce quartier était jadis l'enclave des gitans qui vivaient dans des habitations troglodytes creusées dans ses flancs, et que les inondations de 1962 rendirent pour la plupart inhabitables. Les autorités en profitèrent pour reloger les « gitanos » à l'ouest de la ville, signant l'arrêt de mort du quartier et menaçant la cohésion et les traditions gitanes.

où l'Espagne musulmane avait été anéantie. La **Capilla Real ②**, ou « chapelle royale », qui fut élevée entre 1506 et 1521 afin d'accueillir les dépouilles de Ferdinand et d'Isabelle, abrite également les tombeaux de Philippe le Beau et de sa femme Jeanne la Folle, parents de Charles Quint. De nombreux objets de la famille royale sont exposés. La sacristie, véritable musée, renferme une partie de la collection de tableaux de la reine Isabelle, composée d'œuvres flamandes, espagnoles et italiennes du XVe siècle, ainsi qu'une grille plateresque de Maître Bartolomé de Jaén.

La **cathédrale ③** gothique, qui jouxte la chapelle, fut commencée en 1523. Les travaux se poursuivirent dans le style Renaissance jusqu'en 1528, mais ils ne furent véritablement achevés qu'en 1704. Si la **Capilla Mayor** est l'une des plus belles d'Espagne, la structure massive de l'ensemble ne présente guère d'intérêt.

Derrière la cathédrale, la **Plaza Birrambla**, où se déroulaient autrefois des joutes médiévales et des corridas, est particulièrement animée le soir.

L'ALBAICÍN

L'**Albaicín**, quartier le plus ancien de Grenade, s'étend sur la rive droite du Darro. C'est là que les Maures dressèrent leur première forteresse et qu'ils se réfugièrent après la conquête de la cité par les chrétiens. On y retrouve tout le charme des vieilles ruelles musulmanes, sinueuses et bordées de maisons blanchies à la chaux, dont certaines dissimulent des patios fleuris. Les mosquées (converties en églises), les ateliers de tisserands, les forgeries et les potiers de ce quartier évoquent irrésistiblement la Grenade mauresque. Dans la pittoresque Carrera del Darro, on peut encore admirer des bains maures du XIe siècle, **El Bañuelo**. On y entre par un ravissant patio calme et verdoyant. Dans le Callejon del Gallo s'élève le couvent de **Santa Isabela la Real**, aménagé dans un palais mauresque du XVe. C'est au **Palacio dar al-Horra** voisin, la « maison de la reine », belle demeure nasride de la fin du XVe siècle, que vivait la mère de Boabdil. Du **Mirador de San Nicolás**, la vue sur l'Alhambra est magnifique. Un peu plus haut, derrière les ruines des remparts mauresques, se dresse le **Mirador de San Cristóbal**.

La visite de la ville allie au plaisir des yeux celui de pouvoir s'arrêter dans un café pour y déguster quelques *tapas*. Dans les bars à vin qui proposent les crus de la région, il est recommandé de goûter au *falleza*, boisson à base de vin doux coupé d'eau gazeuse. Au cœur de la ville, il existe de nombreux cafés, remarquables par leurs colonnes de marbre et leurs comptoirs. Les placettes de l'Albaicín sont particulièrement agréables en fin de journée.

LE SACROMONTE

Le **Sacromonte**, ou « colline sainte », qui domine l'Albaicín, fut l'enclave des *gitanos*. Des sentiers bordés de figuiers de Barbarie conduisent à leurs anciennes habitations troglodytes. Le Sacromonte a bien changé depuis le départ des gitans ; chaque soir, des *zambras*, spectacles de flamenco, sont organisés dans les grottes, mais les danseurs se sont adaptés à la mode *turista* et le flamenco dans sa forme la plus pure se fait rare.

Au-dessus des grottes se dresse l'**Abadía de Sacromonte**, rouverte au public depuis la restauration de ses catacombes. Cette abbaye bénédictine fut érigée au début du XVIIᵉ siècle sur le site où furent découverts les ossements de martyrs chrétiens, dont ceux du saint patron de Grenade, San Cecilio. De l'aire de stationnement, on distingue des bandes horizontales striant l'autre versant de la vallée, vestiges du système d'irrigation conçu par les souverains nasrides afin d'arroser les jardins de l'Alhambra et du Generalife.

Dans la banlieue proche de Grenade, **La Huerta de San Vicente**, la maison de famille où Federico García Lorca passait ses étés et où il écrivit plusieurs de ses textes, a été aménagée en **musée**. A 16 km à l'ouest de Grenade, dans le village natal de Lorca, **Fuente Vaqueros**, le **musée Lorca** abrite des souvenirs du poète, dont son bureau, des manuscrits et des esquisses.

Plan
p. 210

*Le poète
et dramaturge
Federico García
Lorca.*

FEDERICO GARCÍA LORCA

Né en 1899 à Fuente Vaqueros, Federico García Lorca est le plus grand poète contemporain espagnol. Son œuvre, qui célébra le gitan comme dépositaire de l'âme andalouse, est indissociable de Grenade et de sa région. García Lorca a popularisé le flamenco dans un recueil de poèmes, *Romancero gitan* (1928), son premier succès national, et dans *Poème du Cante Jondo* (1931). Mais si ses œuvres sont inspirées de traditions andalouses, elles sont aussi parfois teintées de surréalisme, comme en témoignent ses pièces de théâtre *Noces de Sang* et *Yerma*.

Ses opinions politiques et son homosexualité ont valu à García Lorca de nombreux ennemis dans sa propre ville et le poète fut amené plusieurs fois à quitter Grenade. De ces séparations, il disait : « *Cela en sera toujours ainsi. Avant et maintenant. Nous devons partir, mais Grenade reste. Éternelle dans le temps, mais fuyante entre nos pauvres mains...* » Mais en 1936, le poète se trouvait à Grenade lorsque la guerre civile éclata. Arrêté avec des milliers d'opposants, il fut exécuté par la garde franquiste le 19 août. Un mémorial en granit marque l'endroit présumé de sa mort, à 8 km au nord de Grenade, aux abords du village de Vizna. Son corps n'a jamais été retrouvé et ce n'est qu'avec le retour de la démocratie que son génie fut enfin reconnu et que son assassinat put être évoqué en tant que tel.

L'ANDALOUSIE,
PARADIS DES JARDINS

De l'eau, de la bonne terre et du soleil en abondance :
l'Andalousie, qui a tout pour être le paradis des
jardiniers, possède de fait plusieurs jardins
extraordinaires, comme les jardins du Generalife,
à Grenade, et le parc
María Luisa, à Séville.

L'art des jardins remonte
à l'occupation des
Maures. Pour ce peuple
venu du désert, les jardins,
avec leurs ombrages et
leurs fontaines, étaient
considérés comme
l'équivalent terrestre
du paradis coranique.
Dans ces lieux réservés à
l'intimité, tous les sens
étaient sollicités, d'où l'importance accordée aux
plantes aromatiques ou au murmure apaisant de l'eau
courante, qui avait une signification symbolique. Ainsi,
les jardins étaient divisés en quatre secteurs séparés par
des allées d'eau évoquant les quatre « rivières de la
vie ».

A partir du XVIᵉ siècle, les jardiniers chrétiens
espagnols s'inspirèrent des jardins de la Renaissance
italienne, conçus comme un décor aux proportions très
étudiées, tirés au cordeau et ponctués de statues et de
fontaines. Certains jardins laissés en friche après le
départ des Maures furent alors remis en état selon cette
nouvelle mode.

DES PLANTES VENUES D'AILLEURS

Chaque peuple acclimata en Espagne ses
plantes préférées. Phéniciens, Grecs et
Romains introduisirent l'olivier,
le palmier dattier et la vigne. Les
Maures apportèrent les orangers,
les citronniers et de nombreuses
fleurs et plantes aromatiques
originaires d'Orient, comme
la menthe, le basilic ou
le cyclamen. Cette richesse
botanique s'accrut avec
la découverte du Nouveau
Monde. Ainsi,
le géranium vient
d'Afrique du Sud,
le mimosa, d'Australie,
la glycine, d'Asie
et le bougainvillée,
d'Amérique
du Sud.

◀ Cette statue du Jardín
de los Leones, dans le
parc María Luisa, à
Séville, est la copie de
l'un des douze lions qui
ornent la fontaine du
célèbre Patio de los
Leones de l'Alhambra
de Grenade.

▲ Fontaine décorée
d' « azulejos » sur la Plaza
de America du Parque
María Luisa. Dessiné par
l'architecte français
Forestier, ce parc fut offert
à Séville en 1893 par la
duchesse Marie-Louise
d'Orléans.

◀ *Les jardins de l'Alhambra comme ceux du Partal (à gauche) et du Generalife (ci-dessous) sont de parfaits exemples de l'architecture mauresque. L'eau y joue un rôle majeur, comme en témoignent les bassins, les canaux et les fontaines. Créés dès la fin du XIIIe siècle, les jardins du Generalife entourent l'ancienne résidence d'été des émirs.* ▼

LA FRAÎCHEUR DES FONTAINES

Les maisons mauresques s'organisaient autour de cours intérieures fleuries, refuges ombragés contre la chaleur. Cette tradition s'est perpétuée jusqu'à nos jours dans les patios tapissés de pots de fleurs de Cordoue. ▼

▲ *Souvent considéré comme originaire d'Andalousie, le géranium (ou pélargonium) n'a pourtant été introduit qu'à partir du XVIe siècle, rapporté par les navigateurs comme plante d'ornement.*

Urbanistes de talent, les Romains s'empressèrent d'exploiter les ressources hydrauliques d'Andalousie. Grâce à leur système d'irrigation (réseau de canaux et d'aqueducs), la région devint le grenier à blé de l'empire. Les Maures perfectionnèrent le système d'adduction d'eau des Romains en y ajoutant des *acequias* (rigoles d'irrigation) et des *norias* (roues à palettes munies de godets), et firent de l'eau un élément du décor. Ils multiplièrent les fontaines, les bassins et les jets d'eaux, et autres systèmes comme l'Escalera del Agua, dans les jardins du Generalife, qui permet à l'eau de venir de terrasses supérieures. Puis on tira parti des jeux d'eau pour agrémenter les jardins. Au Palacio de Viana (XVIIe siècle), à Cordoue, 14 patios ornés de bassins, dont le Patio de la Madama (photo ci-dessus), apportent ombre et fraîcheur.

▲ *Kiosque du jardin botanique de la Concepción, à Málaga, qui abrite une remarquable collection de palmiers et de plantes exotiques.*

LE PAYS ANDALOU ET GIBRALTAR

L'Andalousie cultive les paradoxes : elle est à la fois exubérante et tragique, riche et déshéritée. Berceau du flamenco et de la tauromachie moderne, elle incarne « l'Espagne par excellence » aux yeux de nombreux voyageurs.

Région autonome rassemblant huit provinces, l'Andalousie est aussi la plus peuplée d'Espagne et la plus vaste ; sa superficie (88 000 km²) est comparable à celle du Portugal. Baignée par la Méditerranée au sud et à l'est, elle subit aussi l'influence atlantique. C'est dire l'étonnante diversité de ses paysages, des cimes couronnées de neiges éternelles aux riches *vegas* (plaines fertiles), des déserts aux paysages « africains ». La vallée du Guadalquivir, qui s'ouvre sur la mer, est bordée au nord par la Sierra Morena, véritable barrière naturelle qui sépare l'Andalousie du reste du pays. A l'est s'étendent les steppes désertiques et les canyons lunaires d'Almería et les montagnes de Grenade ; à l'ouest, ce sont les marais de la réserve naturelle de Doñana. Entre les petits *pueblos* tranquilles, les oliveraies s'étendent à flanc de coteau ou occupent de vastes plaines. Parfois, c'est la vigne qui domine le paysage. Le littoral, enfin, malgré une urbanisation intensive, a su préserver quelques enclaves sauvages, véritables paradis pour les ornithologues. Si les trois villes phares du pays, Séville, Cordoue et Grenade (voir pp. 191-215), méritent une attention particulière, il ne faut pas oublier les autres vieilles cités andalouses : Cadix, port de l'Invincible Armada, Ronda, berceau de la tauromachie moderne, et Huelva, d'où partirent les caravelles de Christophe Colomb.

SUR LES TRACES DE COLOMB

Si **Huelva ❶**, sur l'A-49, à 80 km de Séville, pâtit de son essor industriel, une petite partie de la ville a conservé une atmosphère de village, en particulier le long de la **Gran Via**. Le **Museo Provincial** y est consacré à la première expédition de Christophe Colomb : c'est de la chaire de l'église San Jorge de Palos de la Frontera (à 5 km au nord-est, de l'autre côté de l'estuaire de l'Odiel) que fut promulgué, en mai 1492, l'édit royal autorisant l'« Entreprise des Indes » et sommant les marins de cet actif port de pêche d'armer deux des navires de Colomb. Le 3 août, les trois caravelles quittaient le port de Palos aujourd'hui ensablé.

A 10 km au sud-est, le **Monasterio de la Rábida** contraste avec le paysage industriel de Huelva. C'est dans ce havre de paix que Colomb rencontra les moines Antonio de Marchena et Juan Pérez, qui plaidèrent sa cause auprès de la reine Isabelle et la persuadèrent de financer son projet. A l'intérieur, le peintre Vázquez Díaz a réalisé des fresques illustrant l'histoire de la découverte de l'Amérique. Le monastère, bâti autour d'un patio mudéjar du XIIIᵉ siècle, est orné de beaux jardins.

Au sud de Huelva, à Punta del Sebo, la **statue de Colomb**, de 34 m de haut, sculptée par Gertrude Vanderbit Whitney, fut offerte par les États-Unis en hommage à cette découverte.

Carte p. 220

Madrid

A gauche, le pont de Ronda ; ci-dessous, cigogne dans le Parque Nacional de Doñana.

Le célèbre Parque Nacional de Doñana, étape sur les grandes migrations entre l'Europe et l'Afrique, accueille 80 % des oiseaux migrateurs, dont la cigogne. A l'inverse de la cigogne blanche, fréquente en Espagne sur les clochers d'églises, l'espèce noire, solitaire, se réfugie dans les bois d'orme ou de chêne et sur les corniches rocheuses.

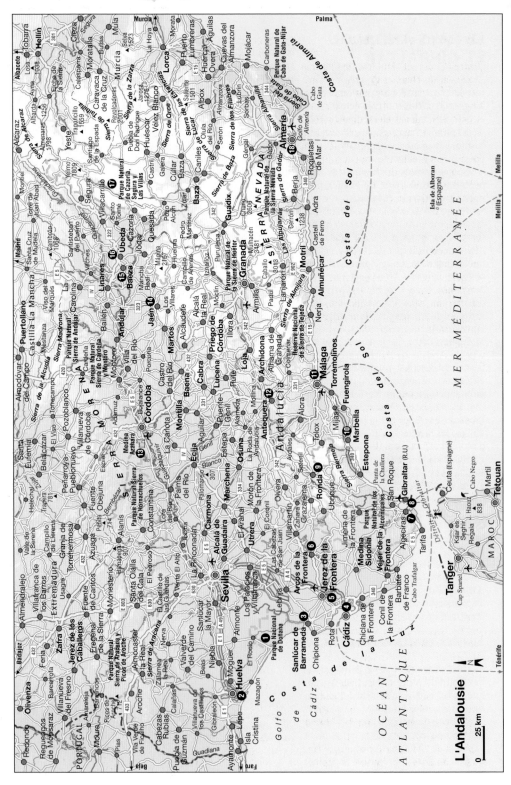

L'Andalousie

0 25 km

DES DUNES ET DE L'EAU

Entre Cadix et Huelva, le **Parque Nacional de Doñana ❷**, créé en 1969, est le plus vaste parc national d'Espagne (77 720 ha). Trois écosystèmes s'y côtoient : dunes vives, dunes stabilisées (*cotos*) et marais. Le parc peut être exploré à pied, en compagnie d'un guide, ou en véhicule tout-terrain (se renseigner auprès des bureaux du parc, à **El Acebuche**). La route longe la côte où se succèdent parcs à huîtres, dunes et plages de sable. De nombreux oiseaux marins s'y retrouvent en bandes bruyantes. Partant de l'estuaire du Guadalquivir, le circuit suit les méandres du paysage, jusqu'au centre du parc, après avoir traversé pinèdes et garrigues. On y surprendra peut-être un cerf, un daim, un sanglier ou, avec un peu de chance, un lynx, l'animal emblématique du parc. Les marais et les lagunes et, en été, les lits asséchés des lacs, sont le domaine de prédilection des flamants roses et des spatules. En hiver, les oies cendrées y font aussi leur halte saisonnière.

L'assèchement de nombreuses zones humides en Europe a fait de Doñana un site particulièrement précieux pour la sauvegarde de nombreuses espèces. Mais l'équilibre de cette zone écologique est aussi extrêmement fragile ; au printemps 1998, une vague de pollution a endommagé une grande partie du parc – bien qu'elle ait été rapidement maîtrisée, il est à craindre que plusieurs espèces aient été touchées.

LA CÔTE DE LA LUMIÈRE

La **Costa de la Luz**, paradis des véliplanchistes, s'étire entre Huelva et Tarifa. A une heure de route de Séville par l'A 4 et la C 441, **Sanlúcar de Barrameda ❸** est la capitale du manzanilla, un vin léger et sec de Jerez. Cette station balnéaire florissante était déjà un port actif au Moyen Age. Installée aux portes du parc de Doñana, à l'embouchure du Guadalquivir, elle abrite l'**Iglesia de Nuestra Señora de la O** qui se distingue par son portail mudéjar.

Au sud, **Chipiona** est une agréable station assez bien préservée et réputée pour son moscatel. La côte est ensuite bordée de plages de sable blond jusqu'à la baie de Cadix où **Rota**, dont le vieux quartier n'est pas dénué de charme, mérite une halte.

De l'autre côté de la baie, **Cadix ❹** occupe une île rocheuse et est reliée à la terre ferme par un isthme sablonneux. Son port naturellement protégé attira d'abord les Phéniciens (en 1100 av. J.-C.) qui lui donnèrent le nom de Gadir (« forteresse »). Appelée Gadeira par les Grecs, cette place commerciale devint un important entrepôt d'ambre et de fer au VIIe siècle av. J.-C. En 501 vinrent les Carthaginois, bientôt suivis par les Romains qui firent de la cité rebaptisée Gades une ville riche et prospère. Mais la chute de l'Empire romain marqua aussi celle du port, qui ne fut rien d'autre, pour les Wisigoths puis pour les Maures, qu'une banale rade sans intérêt.

Avec la découverte de l'Amérique, Cadix connut un nouvel essor, au point de devenir le port le plus florissant de l'Europe occidentale et une cible pour

Carte
p. 220

L'Iglesia de Nuestra Señora de la O, à Sanlúcar de Barrameda.

Commencée en 1306, l'Iglesia Nuestra Señora de la O, à Sanlúcar de Barrameda, possède un portail richement décoré de style mudéjar, mais aussi de magnifiques plafonds à caissons mudéjars du XVIe siècle et un beau retable du XVIIIe siècle. On peut y admirer des peintures du XVIe siècle, dont un « San Sebastián » de l'artiste portugais Vasco De Pereira.

Pour trouver à se loger dans les « villages blancs », il suffit de s'adresser au premier bar venu.

les corsaires barbaresques et les navires anglais. En 1587, sir Francis Drake brûla des vaisseaux qui y avaient jeté l'ancre, repoussant la date prévue pour le départ de l'Invincible Armada.

Aujourd'hui, en raison du déclin de la construction navale, Cadix a dû attirer d'autres industries, notamment l'automobile. La pêche est une activité importante, de même que la pisciculture. Repérable à son dôme recouvert de tuiles dorées, la **cathédrale** fut décrite par Richard Ford comme « *une épave échouée sur des sables mouvants* ». C'est sous ses pierres qu'est enterré le compositeur Manuel de Falla, natif de Cadix et dont la musique a beaucoup emprunté à la magie des mélodies andalouses.

Trois œuvres de Goya sont exposées à l'intérieur de l'**Oratorio Santa Cueva** : la *Multiplication des pains et des poissons*, les *Noces de Cana* et la *Sainte Cène*. La **Iglesia de San Felipe Neri**, Calle Santa Inés, est un haut lieu de la démocratie espagnole : la première Constitution y fut promulguée en 1812.

Cadix n'est plus la cité florissante qu'elle fut au XVIIIᵉ siècle et ses ruelles sont marquées par le délabrement de certaines constructions. Mais c'est une ville dynamique et les *Gaditanos* continuent d'en parler avec amour et fierté. Ils ont la réputation d'être les plus vivants des Andalous, à l'image de la folie qui règne dans les rues lors du carnaval qui dure une semaine et qui atteint son paroxysme le 1ᵉʳ ou le 2 février. Il se déroule dans le Barrio del Pópulo, l'ancienne ville médiévale qui a conservé une atmosphère typiquement gaditane.

LA ROUTE DES VILLAGES BLANCS

Au cœur de l'Andalousie s'égrènent de nombreux petits villages aux murs blanchis à la chaux et aux toits de tuile rose. Conscient de leur beauté et de leur pittoresque, le ministère du Tourisme a dressé une carte de tous ces « villages blancs », même les plus isolés (Ruta de los Pueblos Blancos).

Ces routes secondaires, qui serpentent entre les champs et les prés où foisonnent les fleurs sauvages, sont généralement plus fréquentées par les ânes et les mulets que par les hommes. Les gens du pays possèdent des qualités de cœur et une chaleur étonnantes – loin d'être rejeté, l'étranger est accueilli avec bienveillance et hospitalité.

Accrochés aux versants accidentés des montagnes, ces hameaux sont baignés de calme et de sérénité ; mais il n'en a pas toujours été ainsi. Le vocable *de la Frontera* (« de la frontière ») qui suit le nom de beaucoup d'entre eux fait référence à l'époque où ils étaient situés à la frontière des royaumes musulman et chrétien, et subissaient directement le contrecoup des luttes qui les opposaient. Les routes n'étaient pas sans danger et les sierras étaient infestées de contrebandiers, de bandits de grand chemin et autres *bandoleros* (« brigands »). Seuls les villages blancs pouvaient fournir un abri, au demeurant précaire, aux voyageurs. Pendant et après la guerre civile, ces bourgs devinrent le refuge des maquisards républicains.

Don José Ignacio Domecq, « le Nez ».

Malgré leurs origines étrangères, les grandes dynasties du xérès ont prospéré au fil des siècles pour former une véritable aristocratie espagnole. Certaines d'entre elles ont donné à l'Espagne des figures illustres : intellectuels, prêtres, poètes, peintres, politiciens, et même toreros.

LE PAYS DU XÉRÈS

Les terres légèrement accidentées qui s'étendent entre **Jerez de la Frontera ❺** et l'Atlantique forment un terrain propice à la culture du raisin que les vignerons transforment en un délicieux vin, le xérès (*jerez* en espagnol et *sherry* en anglais). Ce vin, l'un des plus célèbres d'Espagne, était connu dès l'Antiquité, mais c'est à partir du XIXᵉ siècle qu'il connut son apogée.

Il y a plus de 250 ans, les Gordons, famille catholique venue d'Écosse, arriva à Cadix et se lança dans la viticulture. Peu après, des Français fondèrent des chais (*bodegas*) auxquels leurs noms sont toujours associés : Domecq, Pemartí, Lustau, Lacave et Delage. En 1765, Juan Vicente Vergare y Dickinson, de père basque et de mère anglaise, débarqua à Puerto de Santa María et se consacra au marché viticole. Son arrière-arrière-petit-fils, Javier Vergara, poursuit l'activité sous la marque Juan Vicente Vergara. A la tête de multinationales, les actuels « aristocrates » du xérès sont des hommes d'affaires avertis mais aussi des viticulteurs soucieux de respecter la tradition.

Chaque année, en septembre, Jerez est le cadre d'une grande fête des vendanges au cours de laquelle on goûte les crus de l'année. Plus importante encore, lors de la Feria del Caballo (« fête du Cheval »), en avril (juste après la Feria de Séville), les éleveurs locaux organisent des compétitions de courses, de dressage et d'attelages entre leurs pur-sang dont s'enorgueillit toute la ville. On peut aussi admirer ces chevaux à la **Real Escuela Andaluza de Arte Ecuestre** (École royale andalouse des arts équestres).

Jerez présente d'autres attraits, comme le **Museo de Relojes**, près de la Calle Cervantes, qui contient une impressionnante collection d'horloges, et les ruines d'un alcázar et d'un hammam maure (XIᵉ siècle). La **Catedral San Salvador**, édifiée entre 1695 et 1778, mélange avec grâce les styles baroque et néo-classique ; à l'intérieur, on remarquera la superbe sculpture du *Christ de la Viga* (XIVᵉ siècle) et la *Virgen Niña* de Zurbarán. A 6 km à l'est du centre-ville,

le **Monasterio de la Cartuja**, joyau de l'architecture espagnole, dresse sa silhouette le long du Guadalete. Fondée en 1463, cette chartreuse est surtout marquée par un style gothique flamboyant. L'oratoire, l'église, les cloîtres, le réfectoire, le patio, le portail Renaissance dû à Andrés de Ribera, tout rappelle la magnificence de ce monastère qui contenait des œuvres de Zurbarán ou d'Albrecht Dürer, merveilles aujourd'hui dispersées. Son rayonnement lui valut d'accueillir le haras royal dans lequel des races allemande et napolitaine furent croisées pour créer celle des chartreux (*cartujanos*), connus pour être des chevaux altiers et fougueux.

De Jerez, la N 342 mène au bourg d'**Arcos de la Frontera ❻** qui domine l'une des boucles du Guadalete. Surplombant la ville, le parador offre une belle vue panoramique sur la campagne andalouse.

Au sud de Cadix, **Vejer de la Frontera** et **Tarifa** sont plus nord-africaines qu'espagnoles en raison de leur proximité avec le Maroc, juste de l'autre côté

Carte p. 220

La cérémonie des Clefs à Gibraltar.

L'existence d'une minuscule enclave britannique à l'extrême sud de la péninsule Ibérique a quelque chose de surréaliste. Mais, à Gibraltar, on considère souvent la mère patrie comme une contrée froide et morne, tout juste bonne pour y passer de brèves vacances. On lui reproche avant tout d'avoir renoncé aux valeurs qui avaient fait la gloire de l'empire britannique.

D'après une légende, les Anglais demeureront les maîtres du rocher tant que les singes y vivront!

La Plaza de Toros de Ronda.

du détroit de Gibraltar. A la pointe méridionale de la côte, **Algésiras** (Algeciras) ❼ est peu séduisante mais inévitable si l'on veut se rendre à Gibraltar et sur la Costa del Sol.

GIBRALTAR

Depuis la réouverture de la frontière entre l'Espagne et **Gibraltar** ❽ en 1969, un simple passeport et une assurance automobile suffisent pour pénétrer dans ce territoire (mais les voitures de location sont assurées automatiquement et toute personne pénétrant en Espagne avec un véhicule étranger doit être muni d'un papier prouvant que ce dernier est en règle). Perché sur un rocher surplombant l'aéroport qui coupe l'isthme en deux, il couvre 7 km² (soit 4,5 km de long pour 1,2 km de largeur maximum) et culmine à 425 m.

Depuis 1704, Gibraltar, l'une des « colonnes d'Hercule » (l'autre étant le rocher de Ceuta), est l'objet d'un contentieux entre l'Espagne et l'Angleterre. Avant cette date, sa possession

avait déjà opposé les Espagnols aux Maures, lesquels s'en étaient emparés pour la première fois en 711 et l'avaient appelé Djebel Tariq (« la montagne de Tariq »), en hommage à leur chef Tariq ibn Zeyad. On peut encore voir les ruines du château, **Moor's Castle**, dans lequel résidait ce dernier. En 1462, les Espagnols reprirent Gibraltar, avant de le céder aux Anglais en 1704.

Malgré les tentatives espagnoles, les Britanniques ont toujours refusé de partir ; et, lors du référendum de 1967, la population (environ 30 000 habitants aujourd'hui) s'exprima massivement en faveur du maintien de la souveraineté britannique ; il occupe en effet une position stratégique entre l'Atlantique et la Méditerranée.

Malgré son aspect désertique, ce rocher au charme insolite est habité par de nombreux animaux, notamment des macaques dont on ignore l'origine. En 1944, ces singes, alors menacés d'extinction, furent protégés par Churchill lui-même... Mais les représentants les plus nombreux de la vie sauvage sont

les oiseaux. La plupart sont migrateurs et y font escale avant de quitter ou de regagner l'Europe. Autre curiosité de Gibraltar, les **Upper Galeries** où furent postés les canons lors du Grand Siège qui opposa la France et l'Espagne de 1779 à 1783. A la fin du conflit, elles avaient atteint 113 m de long.

L'itinéraire qui conduit ensuite à l'intérieur des terres, vers le nord-est, permet d'apercevoir au passage un château en ruine, **Castellar de la Frontera**, qui se dresse comme un fantôme au-dessus de **Jimena de la Frontera**. Une route sinueuse, sur laquelle circulent surtout des mules, mène à ce village accroché à flanc de colline. Les 56 km qui séparent Jimena de Ronda sont une merveille de calme et de sérénité. L'air est délicieusement parfumé et seuls le chant d'un oiseau ou le bêlement d'un mouton viennent de temps en temps troubler le silence.

UNE VILLE EN SURPLOMB

Ronda ❾ est l'une des plus anciennes cités d'Espagne mais aussi l'une des plus spectaculaires : perchée au sommet d'une falaise qui tombe en à-pic de 120 m sur trois côtés, elle est coupée en deux par un ravin de 90 m qui sépare la partie ancienne (La Ciudad) de la ville plus récente (El Mercadillo). A l'intérieur, les rues pavées, rythmées d'arcades, de l'ancienne cité maure ont servi de décor au film *Carmen* de Francesco Rosi (1984).

Le **Puente Nuevo**, qui surplombe le ravin, fut bâti au XVIIIe siècle. Un sentier permet d'admirer d'un peu plus loin cette splendide construction aux lignes très aérées, qui surplombe la gorge vertigineuse. En raison de sa position imprenable, Ronda resta aux mains des Maures qui en firent leur capitale jusqu'en 1485. Cette empreinte musulmane est visible dans le hammam (fin XIIIe ou début XIVe siècle) très bien préservé.

La **Plaza de Toros** (XVIIIe siècle), dans El Mercadillo, est la plus ancienne arène d'Espagne après celle de Séville. Installé sous les galeries, le musée de la Corrida conserve des « habits de lumière », des photographies, des documents ainsi que des peintures de Goya.

La tauromachie fit en effet le prestige de Ronda. C'est ici que Pedro Romero (1754-1839) pratiqua les premières corridas à pied, qui devaient par la suite remplacer les traditionnels combats à cheval menés par les hidalgos.

Au sud de la Plaza de Toros, l'étonnante église **Santa María** a été édifiée à l'emplacement d'une mosquée : le clocher (1523) n'est autre qu'une tour maure en brique sur laquelle repose un clocheton de style gothique ; courant sur la façade, le balcon fut adjoint en 1570 afin de permettre aux *Rondeños* d'assister aux spectacles de rue.

Le passé prestigieux de Ronda inspira de célèbres écrivains tels qu'Ernest Hemingway et le poète Rainer Maria Rilke. Ce dernier possède une statue dans le jardin de l'hôtel de la Reina Victoria dans lequel il écrivit notamment la *Trilogie espagnole* en 1912. La chambre 208 qu'il occupa est devenue un musée en son honneur.

Sur le cirque montagneux qui entoure Ronda, la Serranía de Ronda, se détache le blanc étincelant de petits

Carte
p. 220

Le paysage autour d'Ubrique et de Grazalema.

La Sierra del Endrinal est l'un des massifs accidentés qui forment le paysage du territoire de Ronda. Cette région isolée, d'une beauté sauvage, était déjà habitée au paléolithique supérieur, comme en témoignent les peintures de la Cueva de la Pileta. Elle marqua par ailleurs la frontière entre les royaumes de Castille et de Grenade.

pueblos. A 10 km à l'ouest de Ronda, **Grazalema** avait au XIXᵉ siècle la réputation d'être un coupe-gorge. Aujourd'hui plus accueillante, elle est la porte d'entrée d'une **réserve naturelle** classée «réserve de la biosphère» par l'Unesco. Ouvert en 1984, ce parc s'est étendu à El Bosque qui abrite un petit centre d'information, à **Benaoján** à l'est et à Cortes de la Frontera au sud. Idéal pour des randonnées, le parc, boisé de chênes et de lauriers, abrite une faune variée : cerfs, chevreuils, chèvres, busards, vautours fauves, aigles royaux.

La **Cueva de la Pileta**, à 4 km au sud de Benaoján par la MA 501, renferme de superbes peintures préhistoriques datant de 25 000 ans, découvertes en 1905 par un fermier alors qu'il ramassait du guano. Rare pour cette époque, celle qui figure un gros poisson semblant avaler une hirondelle est sans doute la plus impressionnante.

Un peu plus loin, lové dans un creux de la montagne, **Ubrique** est un *pueblo* réputé pour son artisanat du cuir. De nombreux villages de la région occupent des sites impressionnants, mais **Zahara** (ne pas confondre avec Zahara de los Atunes, sur la Costa de la Luz) est un nid-d'aigle vraiment spectaculaire. Accroché au flanc d'un piton rocheux au nord-ouest de Ronda, il étage ses maisons lumineuses au pied d'un château du XIIIᵉ siècle. A l'inverse, **Seteníl** cache de surprenantes habitations troglodytiques creusées dans la roche par le Trejo.

LA COSTA DEL SOL

La «côte du Soleil» s'étire entre Algésiras et Almería. Malgré son essor touristique, il existe encore des recoins tranquilles, notamment entre Gibraltar et San Pedro.

Estepona, ancien village de pêcheurs qui tire désormais ses revenus du tourisme, a conservé le charme de son vieux quartier. Au sortir de la bourgade, des villas opulentes alternent avec de luxeux terrains de golf. Puis, entre l'élégant port de plaisance de Puerta Banus et Marbella, s'étend l'une des côtes les plus touristiques du monde, terre d'élection des vacanciers fortunés.

Marbella ❿ est la station balnéaire la plus courue de la Costa del Sol. Dominée par des résidences hôtelières de luxe, elle possède néanmoins un agréable quartier historique fait de vieilles ruelles, de jardins, de places et d'édifices anciens comme la mairie (XVIᵉ siècle). La Costa del Sol est plus fréquentée à mesure que l'on s'approche de Fuengirola. Entre cette dernière et Málaga, la côte est barrée par une succession d'immeubles, d'hôtels, de restaurants, de boîtes de nuit, de clubs chics, de boutiques. Cette concentration atteint son paroxysme à **Torremolinos** qui, avant d'être «découverte», dans les années 1960, n'était qu'un modeste village de pêcheurs.

MÁLAGA

Perché dans la montagne, à 8 km au-dessus de Fuengirola, le village blanc de **Mijas**, autrefois très pittoresque, compte plus de boutiques de souvenirs que de maisons, et ses ânes ne sont plus

La plage de Marbella.

Marbella est la station la plus huppée de la Costa del Sol. Célébrités, émirs, milliardaires en tout genre, têtes couronnées et toreros célèbres viennent s'y montrer. La ville était déjà appréciée des Romains qui venaient s'y reposer. En effet, protégée par la Sierra Blanca, elle bénéficie d'un microclimat particulièrement clément.

utilisés que pour poser devant les photographes. Mais l'air y est vif et la vue sur la côte magnifique.

Málaga ⓫ (550 000 habitants) est la deuxième ville d'Andalousie et la capitale de la Costa del Sol. Ce port très actif fut fondé par les Phéniciens ; à l'ouest, à **Cerro del Villar**, les archéologues ont ainsi découvert les fondations d'une colonie phénicienne remontant au VIIIᵉ siècle av. J.-C.

Occupée d'abord par les Carthaginois, puis par les Romains qui lui accordèrent le statut autonome de *municipium*, la ville fut conquise par les Maures en 711 et devint alors la capitale d'un petit émirat dépendant de Cordoue. De cette domination date une partie de son architecture. Mais, en 1487, les Rois Catholiques chassèrent les musulmans à l'issue d'un siège qui dura quatre mois.

Témoin de la période maure, l'**Alcazaba**, édifiée au IXᵉ siècle sur les fondations d'une forteresse romaine, possède de merveilleux jardins et des patios magnifiques. Il est relié au **Castillo de Gibralfaro**, forteresse du XIVᵉ siècle entourée d'une double enceinte. Elle trône sur une colline d'où la vue sur le port et l'arène est superbe.

La **cathédrale**, édifice majeur de Málaga réalisé au XVIᵉ siècle par Pedro de Mena, se dresse sur la Plaza Obispo. La tour est, surnommée la Manquita, (la « petite manchote »), est inachevée. Entre l'Alcazaba et la cathédrale, au 8 Calle San Augustín, le **Palacio de Buenavista** de style Renaissance accueille le **Museo de Bellas Artes** qui contient des œuvres de Zurbarán et de peintres flamands. Non loin de ce musée, au 15 Plaza de la Merced, s'élève la **Casa Natal de Picasso**, où l'artiste vécut les dix premières années de sa vie. La Fondation Picasso, qui a pour mission de promouvoir l'art contemporain, y évoque divers aspects de son œuvre.

DOLMENS ET SÉPULTURES

A 50 km au nord de Málaga, **Antequera ⓬** est une ville séduisante. Les ruines du **château maure** et l'église

Le port de Málaga vu du Castillo de Gibralfaro.

L'influence maure se retrouve dans l'architecture contemporaine de Torremolinos.

adjacente de **Santa María la Mayor** (XVIᵉ siècle) rappellent que la ville est au cœur de l'Andalousie, carrefour des influences chrétienne et maure. A l'est, la **Peña de los Enamorados**, formation rocheuse aussi étonnante de face que de profil, doit son nom à une légende selon laquelle deux amoureux se seraient précipités ensemble du sommet.

Dans la campagne environnante, les **Cuevas de Menga**, de **Viera** et du **Romera**, anciens dolmens ou chambres mortuaires, servirent peut-être au déroulement de cérémonies religieuses. Ces vestiges dateraient du IIᵉ millénaire av. J.-C.

ART RUPESTRE

Nerja, sur la côte qui se déploie à l'est de Málaga, est l'une des plus grandes stations balnéaires de cette partie du littoral. Aux alentours ont été découvertes plusieurs grottes préhistoriques, dans lesquelles sont exposés des objets du paléolithique ainsi que des photographies des fouilles. On y a également

Les ruines de l'un des glorieux palais maures de la Medina Azahara.

retrouvé plus de 500 peintures rupestres semblables à celles d'Altamira, auxquelles les visiteurs n'ont malheureusement pas accès. Un tunnel d'environ 2 km traverse ces grottes admirablement éclairées.

LA MEDINA AZAHARA

A 8 km au nord-ouest de Cordoue, des fouilles menées en 1911 ont mis au jour les vestiges de la **Medina Azahara ⓰**, commandée en 936 par le calife de Cordoue, Abd al-Rahman III, qui voulait y installer sa cour et qui la dédia à son épouse favorite Zahara (« fleur »). Ce site était occupé par une véritable ville dont l'architecture s'intégrait harmonieusement au relief de la Sierra de Córdoba.

Couvrant près de 110 ha, elle s'étageait sur trois terrasses fortifiées ; sur la plus haute se dressait l'**Alcázar** ; sur celle du milieu s'étendaient les jardins et les vergers ; la plus basse était réservée à la mosquée et la ville même. Selon l'historien arabe El-Makkari,

l'ensemble mobilisa 10 000 hommes, 2 600 mules et 400 chameaux qui travaillèrent pendant vingt-cinq ans sous la direction de l'architecte Maslama ibn Abad. De ce chantier colossal sortirent un palais, des jardins, une mosquée, des bains, des écoles, des étangs poissonneux et une multitude de colonnes dont certaines sont en jaspe, d'autres en marbre. La garnison royale comptait 12 000 hommes, le palais 4 000 serviteurs et les étables 2 000 chevaux.

Cependant, la Medina connut une existence éphémère. Elle fut anéantie par les Berbères en 1010, soit trois quarts de siècle seulement après sa fondation. La plupart des richesses furent dilapidées et une grande partie des éléments architecturaux servirent à d'autres édifices islamiques, dans la péninsule et en Afrique du Nord. D'après de nombreux chroniqueurs arabes qui en firent l'éloge, cette cité, dont nous n'avons qu'un pâle reflet, était à l'époque la plus belle réalisation de toute l'Andalousie. La Medina rivalisait de somptuosité avec les merveilleux palais de Bagdad et de Constantinople et, en tant que telle, représentait l'emplacement idéal de la capitale de l'Empire musulman d'Occident.

Entre Cordoue et Séville, la route conduit à deux villes historiques dignes d'intérêt. **Carmona**, sur la N IV, fut une importante cité romaine que célébra Jules César. Dans les environs, on peut admirer des ruines romaines, dont la **Necropolis Romana** qui, dégagée en 1868, se distingue notamment par un crématorium décoloré par la chaleur des flammes. **Écija**, à 56 km à l'est, est sise dans une vallée profonde et fraîche ; parmi les églises baroques, dont les tours rappellent la Giralda de Séville, la plus remarquable est celle de **Santa María** qui contient des peintures sur bois du XVIᵉ siècle. Écija abrite aussi un marché couvert très coloré. La Calle Caballeros, au nord de la place principale, est bordée de belles maisons de marchands. Le **Palacio de Peñaflor**, orné d'une façade richement décorée le long de laquelle court un long balcon en fer forgé, mérite aussi une visite.

Carte p. 220

Les oliviers dominent la campagne dans la province de Jaén.

Les sommets du Parque Nacional de Cazorla.

Le parador d'Ubeda occupe un très beau palais Renaissance du XVIᵉ siècle.

Cazorla s'étend sur les collines.

LA PROVINCE DE JAÉN

Vaste étendue plantée d'oliviers, la province de Jaén occupe une position stratégique à la lisière de l'Andalousie, ce qui lui valut d'être investie par les Romains, les Maures, puis les chrétiens à partir de 1246.

La capitale, **Jaén** ⓮, est accessible par la N 323. Blottie à flanc de colline, dominée par la forteresse qui se dresse sur la butte Santa Catalina, la vieille ville, très animée, illustre le prestige qui entoura cette cité au XVIᵉ siècle. La **cathédrale**, enceinte fortifiée d'aspect massif âgée de quatre siècles, mêle ainsi les styles Renaissance et baroque. Témoins de la présence maure, les **Baños Arabes** («bains arabes») du XIᵉ siècle, admirablement restaurés, sont les plus grands et les mieux préservés d'Espagne.

Baeza ⓯, à 48 km au nord-est de Jaén, est un bijou architectural où se côtoient des palais aux couleurs de miel, des églises et des bâtiments publics pour la plupart édifiés entre les XVᵉ et XVIIᵉ siècles. Parmi les plus remarquables, citons le **Palacio de Jabalquinto** dont la jolie façade est du XVᵉ siècle et, non loin, sur la Plaza Santa María, la **Santa Iglesia** qui fut largement rebâtie au XVIᵉ siècle. La **Plaza de los Leones** (ou Plaza del Pópulo), à l'ouest du centre, est une place fortifiée entourée de splendides édifices Renaissance. En dehors de la fontaine qui en occupe le centre, et sur laquelle figurent quatre lions, on peut admirer la **Puerta de Jaén** et, à côté, l'**Arco de Villalar**. Au nord de la place, l'**Antigua Carnicería** date du XVIᵉ siècle. Un peu plus loin, sur le Paseo Cardenel Benavides, l'édifice de l'**Ayuntamiento**, magnifique exemple d'art plateresque, servit de tribunal et de prison avant de devenir l'hôtel de ville.

A 8 km au nord de Baeza, sur la N 316, la grande ville d'**Ubeda** ⓰ est un autre joyau de la Renaissance espagnole. La **Plaza de Vázquez de Molina**, de forme rectangulaire, est dominée par la **Capilla del Salvador** qui fut édifiée au XVIᵉ siècle comme un panthéon.

LE PARQUE DE CAZORLA, SEGURA Y LAS VILLAS

Le Parque de Cazorla, Segura y las Villas, qui couvre un vaste territoire de 200 000 ha au nord de la province de Jaén, est le plus grand parc naturel d'Espagne. Chaque année, il attire sur ses multiples chemins et sentiers plus de 500 000 visiteurs.

Aménagé en parc naturel en 1986, il est couvert de forêts denses (chênes, pins, érables, frênes, rouvres...) et de plantes méditerranéennes comme la lavande. Les sommets, impressionnants, atteignent par endroits près de 2 000 m d'altitude. Le printemps et le début de l'automne, lorsque la chaleur andalouse n'est pas torride, sont les meilleures périodes pour en découvrir la richesse. Au printemps, les randonneurs peuvent admirer une flore très variée, notamment les primevères et les violettes naines endémiques. A tout moment de l'année, on peut observer des faucons, des vautours, des cerfs, des aigles, des sangliers, des loutres et des bouquetins, autant d'espèces sauvages que l'on surprend difficilement ailleurs.

Au sud de la réserve, les gorges où le Guadalquivir prend sa source, émergeant des profondeurs de la Sierra Segura, sont l'une des grandes attractions du parc. La route principale longe ensuite le lit du «grand fleuve» sur la plupart de son parcours avant de rejoindre l'Ambalse («barrage») del Tranco de Beas.

Dans sa partie la plus large, la place présente une série de palais dont l'austérité est merveilleusement compensée par des édifices qui, bâtis ultérieurement, sont de parfaites illustrations de l'architecture Renaissance.

On peut aussi admirer **Santa María de Los Alcázares**, église construite à l'emplacement d'une mosquée, l'**Iglesia de San Pablo** et son impressionnante tour platéresque, et enfin l'**Hospital de Santiago**, qui abrite un centre culturel et qui a souvent été comparé à l'Escurial.

A l'est d'Ubeda, la ville de **Cazorla** est un point de départ idéal pour se lancer à la découverte du **Parque Natural de Cazorla ⓱**, dont on peut admirer les paysages extraordinaires ainsi que la richesse végétale et animale en voiture ou à pied.

La **Sierra Nevada**, qui se déploie au sud-est de Grenade, peut également faire l'objet d'excursions, bien que la majorité des visiteurs s'y rendent en hiver, pour profiter des pistes de ski de **Solynieve** (2 100 m).

ALMERÍA

Carte
p. 220

Entourée de *sierras*, bordée par la mer, la région d'Almería, partie orientale de l'Andalousie, fut longtemps considérée comme une terre désolée du bout du monde. De fait, ses paysages lunaires, ses plaines rocailleuses et ses montagnes brûlées par le soleil ont servi de décor à de nombreux films, dont plusieurs westerns. Mais depuis, la plaine côtière a été aménagée et ses exploitations agricoles couvrent 20 000 ha.

Située sur le littoral, **Almería ⓲**, capitale de la province, est dominée par l'**Alcazaba**, ouvrage construit à partir du Xᵉ siècle ; un rajout dû aux Rois Catholiques en tempère la rigueur.

A l'est de la ville, la côte se prolonge au sud vers le parc national de **Cabo de Gata**, qui occupe un terrain volcanique et dont la flore, la faune et la vie sous-marine sont protégées depuis 1980. De petites stations balnéaires se succèdent à partir du parc, la plus fréquentée étant **Mojácar**, qui, dans les années 1960, n'était qu'un village tranquille.

En hiver, Almería est le potager de l'Europe.

LE LEVANT

La région du Levant, ou Levante, est appelée ainsi parce qu'elle occupe la zone côtière orientale de l'Espagne, au sud-est de la Meseta. Elle s'étire de la Catalogne, au nord, à la province d'Almería, au sud. Bordé à l'est par la Méditerranée, son littoral est l'un des plus fréquentés et des plus attirants du pays, notamment grâce à la Costa Blanca et à ses sites naturels. Le Nord et le Centre sont occupés par la Communauté valencienne (provinces de Castellón, de Valence et d'Alicante) et le Sud par la Murcie. A l'intérieur, les Monte del Maestrazgo, prolongement des monts Ibériques, s'étendent au nord tandis qu'au sud, à la lisière occidentale de la Murcie, se dressent les sommets de la chaîne Bétique. Le Levant est aussi, et surtout, une région agricole : les plaines côtières, de dimensions variables, dont les *huertas* de Valence et de Murcie, sont des modèles d'irrigation. Cette richesse explique l'attrait qu'il exerça dès l'Antiquité et dont Valence porte encore les traces prestigieuses.

LA « HUERTA »

La ville de **Valence ❶**, ou Valancia, est établie à 2,5 km de la Méditerranée, sur le Guadalaviar, ou Turia, au centre d'une *huerta* qui constitue la région agricole la plus cultivée d'Europe. Sillonnées de canaux scintillants, ces terres fertiles peuvent produire jusqu'à quatre récoltes par an. Grâce au climat d'une remarquable constance, tout y pousse en abondance. Grenadiers, orangers et citronniers bordent les routes. Riz et maïs croissent côte à côte, et des mûriers permettent la production de la soie. Le « jardin » de Valence, selon le paso doble qui est devenu en quelque sorte l'hymne de la région, est le pays des fleurs, de la lumière et de l'amour. Le soleil inonde les plages et les températures sont douces de jour comme de nuit, favorisant les activités de plein air tout au long de l'année.

Le nom de Valence désigne la Communauté valencienne (23 300 km²), sa capitale Valence et la province qui entoure celle-ci. Les limites de la Communauté correspondent à peu près à celles de l'ancien royaume de Valence que les Maures cédèrent au XIIIᵉ siècle. Cette conquête fut soutenue par une armée de Catalans dont la langue évolua pour aboutir à celle qu'utilisent toujours les Valenciens : le *valenciano*.

D'abord colonie grecque, Valence fut conquise, en 138 av. J.-C., par les Romains, qui en firent une retraite destinée à leurs vétérans. En 75 av. J.-C., elle devint la capitale de la colonie Valentia Edetanorum ; les Romains profitèrent de la douceur de son climat et de l'eau des montagnes environnantes pour faire de son sol l'un des terrains de culture les mieux irrigués de l'empire.

Wisigoths et Maures perfectionnèrent ensuite le réseau complexe des canaux et des rigoles. Pour les Maures, qui venaient du désert, la *huerta* était un paradis sur terre. Ils gouvernèrent la région pendant cinq siècles et y bâtirent une ville assez imposante pour attirer l'attention du Cid. Celui-ci, succombant

Madrid

Pages précédentes : façade ornée d'« azulejos », à Manises. A gauche, le front de mer d'Alicante ; ci-dessous, la récolte des oranges dans la fertile « huerta » de Valence.

La « huerta » de Valence est le verger, le grenier et le potager du pays. Sa prospérité rayonne sur la ville et ses environs. Les étalages de fruits et de légumes abondent et colorent les rues. Les épis de maïs rôtissent en plein air, transformant un carrefour encombré en aire de pique-nique. La Plaza Mayor ne serait qu'un lieu d'embouteillage sans l'opulence de ses fleuristes.

au charme de Valence, s'en empara en 1094. En y entrant, il déclara : « *Du jour où j'ai vu cette cité, je l'ai trouvée à mon goût, je l'ai désirée, et j'ai prié Dieu de m'en rendre maître.* » Mais, après sa mort, Valence retomba entre les mains des musulmans.

C'est en 1238 que la ville de Valence fut définitivement arrachée à la domination arabe et rattachée au royaume d'Aragon par Jacques Ier le Conquérant. Le XVᵉ siècle marqua l'âge d'or de la ville, qui détrôna Barcelone de son rang de capitale financière de l'empire méditerranéen. Parallèlement à ses activités agricoles et portuaires, elle développa les industries de la céramique et de la soie, et fabriqua, en 1474, la première presse à imprimer d'Espagne.

Valence continua de prospérer jusqu'en 1609, lorsque Philippe III lui porta un coup funeste en expulsant les Morisques du royaume. Aucune ville ne fut aussi éprouvée que Valence, qui perdit le tiers de sa population, surtout des travailleurs agricoles, et ne s'en

remit jamais complètement. Si elle resta le grenier à blé, à fruits et à légumes de l'Espagne, elle cessa d'être le premier port espagnol de la Méditerranée.

La ville devait subir le même déclin sur le plan politique. En 1814, Ferdinand VII y déclara la Constitution caduque et restaura l'ancienne monarchie. Pendant la guerre civile, elle paya cher d'avoir abrité le siège du gouvernement républicain comme en témoignent les traces des bombardements encore visibles.

Aujourd'hui, Valence est la troisième ville du pays, après Madrid et Barcelone. En 1982, elle est devenue la capitale de la Communauté valencienne, l'une des régions autonomes d'Espagne.

LE CENTRE DE VALENCE

La **Plaza del País Valenciano** est le cœur de la ville et le siège des administrations. Son nom, « place de la Nation Valencienne », reflète les sentiments nationalistes des Valenciens. En effet, si

Vue de Valence.

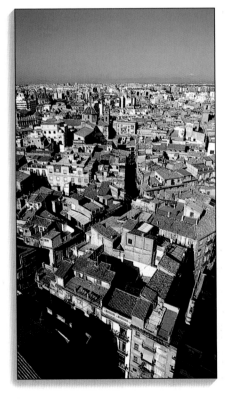

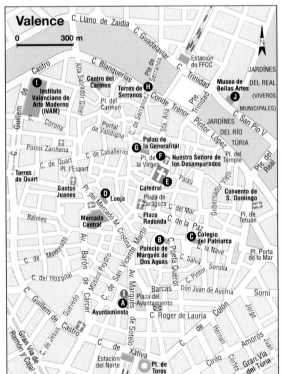

ceux-ci sont moins exacerbés que ceux des Catalans ou des Basques, les Valenciens n'oublient pas que leur cité était importante bien avant d'être rattachée à la Castille. Ils sont fiers de leurs traditions et de leur langue, le *valenciano*, qui est de plus en plus utilisée. Ainsi, la plupart des plaques de rue, rédigées en castillan, sont recouvertes d'affichettes où figure le nom local.

Le **musée municipal**, au premier étage de l'**Ayuntamiento Ⓐ**, l'hôtel de ville, retrace l'histoire du pays valencien. Il ne contient rien sur le Cid, la plupart des pièces exposées datant du règne de Jacques Iᵉʳ, que les Valenciens tiennent pour le véritable libérateur de la ville. On remarquera surtout le premier plan de la cité, établi à une époque où Valence, avec ses 80 000 habitants, était plus peuplée que Barcelone ou Madrid. Le tracé de cette carte achevée en 1704 dura cinq ans ; le cartographe mesura en effet la ville rue par rue à l'aide d'un mètre à ruban...

LA CITÉ DES CÉRAMIQUES

Le métier dont Valence fit un art, la céramique, est représenté, au nord de l'hôtel de ville, au **Palacio del Marqués de Dos Aguas Ⓑ**, sur la Calle Rinconada García Sanchís qui abrite aussi le **Museo Nacional de Cerámica**. Plus de cinq mille pièces relatent l'histoire de cet artisanat qui remonte au XIIIᵉ siècle, époque à laquelle la céramique devint un élément de décoration intérieure. Les tapisseries qui servaient alors à isoler du froid ne furent en effet jamais nécessaires à Valence, dont les murs se parèrent d'*azulejos*. Les plus anciennes pièces proviennent de deux centres de la *huerta*, Paterna et Manises, dont les réalisations étaient très recherchées par les familles royales d'Europe. Aujourd'hui, seule Manises poursuit son activité.

Le palais lui-même est du plus pur style churrigueresque : de part et d'autre du porche d'albâtre, l'eau qui s'écoule des amphores de deux colosses grecs illustre le nom du marquis à qui la demeure était destinée.

A proximité du musée, le **Real Colegio de Corpus Cristi** est plus connu sous le nom de **Colegio del Patriarca Ⓒ**, en l'honneur de son fondateur saint Jean de Ribera, archevêque de Valence et patriarche d'Antioche au XVIᵉ siècle. Groupés autour d'un patio à double galerie de style Renaissance, l'église renferme des fresques et des tableaux, tandis que le musée abrite une importante collection d'œuvres espagnoles et étrangères.

VERS LA CATHÉDRALE

Au nord-ouest de la Plaza del Pais Valenciano, la **Plaza del Mercado** accueille l'un des plus vastes marchés couverts d'Europe (8 000 m²). Son dôme, ses vitraux et ses porches ornementés font de ce bâtiment de brique et de céramique une véritable cathédrale.

En face, la **Lonja de la Seda Ⓓ**, la vieille bourse de la Soie, reconnaissable à son style gothique flamboyant, fut construite au XVᵉ siècle à l'intention de cette industrie qui était alors en pleine expansion. La prospérité de ce commerce se reflète dans l'élégante salle

Plan p. 236

Le Miguelete.

Le Miguelete, ou Micalet en « valenciano », est un peu le symbole de Valence. Ce clocher octogonal du XVᵉ siècle ne fut jamais achevé. Son nom est celui de la plus grosse cloche, qui fut consacrée en 1418 le jour de la Saint-Michel. Son sommet offre un beau panorama sur les toits de tuiles vernissées de la ville et sur la « huerta » qui s'étend jusqu'aux montagnes voisines.

des Transactions. Haute de plafond, soutenue par huit colonnes torses, elle est éclairée par les rayons du soleil qui jouent, à travers des verrières délicates, sur le carrelage noir et rouge.

En suivant, vers l'est, la Calle de San Vicente, une large artère qui franchit le lacis de ruelles de la vieille ville, on atteint la **Plaza de Zaragoza** où s'élève la cathédrale. En chemin, on traverse la charmante **Plaza Redonda** qui accueille un marché couvert où l'on peut acheter des articles de mercerie, des vêtements ou de l'artisanat.

La **cathédrale** ❺ est un édifice composite. Elle se dresse à l'emplacement d'un temple romain dédié à Diane qui laissa place à une mosquée musulmane. Commencée en 1262 dans le style gothique, elle fut achevée vers la fin du XIVᵉ siècle et reçut des éléments baroques au XVIIIᵉ siècle. Sa façade orientale, sur la Plaza de Zaragoza, est dans le goût baroque italien, tandis que le portail sud est roman. L'élément dominant de l'ensemble est le clocher, la tour du **Miguelete**, élevé entre 1381 à

1429. Le musée de la cathédrale conserve un petit calice d'agate violacée présenté comme le Saint Graal.

LA VIEILLE VILLE

Tout près du Miguelete, le **pórtico de los Apóstolos** (« portail des Apôtres ») remonte au XIVᵉ siècle et se distingue par ses sculptures et ses statues. C'est devant cet ouvrage que, depuis environ mille ans, se réunit une fois par semaine le Tribunal de las Aguas ou « Conseil des Eaux ». Les curieux qu'attire toujours ce tribunal se rassemblent sur la **Plaza de la Virgen**, l'une des places les plus paisibles et les plus séduisantes de Valence.

La **Basílica de Nuestra Señora de los Desamparados** ❻ est dédiée à la sainte patronne de la ville. Elle occupe l'extrémité est de la Plaza de la Virgen et communique avec la cathédrale par un petit pont. La statue de la Vierge fut sculptée en 1416 pour reposer dans la chapelle du premier asile d'aliénés d'Espagne.

Ci-dessous et à droite, le Palacio del Marqués de Dos Aguas.

En face de la basilique, le **Palau de la Generalitad** , de style gothique, fut édifié au XVe siècle pour accueillir les Cortés de Valence. Il abrite aujourd'hui la Diputación, le conseil municipal. Les Cortés, assemblée élue afin de tenir tête à la noblesse, furent dissous en 1707 par le roi Philippe V qui redoutait leur influence. L'une de leurs fonctions consistait à recouvrir un impôt dit « général » parce que tout le monde s'en acquittait, ce qui explique le nom de l'édifice. La cour intérieure et le verger d'orangers qui donnent sur la Plaza de la Virgen sont particulièrement remarquables.

La **Calle de Caballeros**, au sud du palais, est l'ancienne grand-rue. Son rôle commercial a décliné, mais sa splendeur passée subsiste dans les demeures gothiques qui s'élèvent entre les échoppes de cordonnier, les boutiques de fruits et légumes, les bars et les cafés. La plupart des maisons ont conservé leur magnifique patio, manifestation de l'aisance qui marqua le XVe siècle.

Le dédale de rues qui serpentent autour de la Calle de Caballeros forme la partie la plus ancienne de la ville, appelée le **Barrio del Carmen**. Jusqu'en 1762, Valence se résuma à un labyrinthe de ruelles enserré entre des remparts. L'insécurité qui régnait dans ces coupe-gorge motiva la création, en 1777, du premier corps de *serenos*, les gardes de nuit qui, par la suite, se généralisèrent dans presque toutes les cités d'Espagne.

La Calle de Serranos aboutit aux **Torres de Serranos** qui encadrent l'une des deux portes fortifiées encore debout, l'autre étant la Torres de Quart, à l'extrémité de la Calle de Caballeros. Cette construction massive, de la fin du XIVe siècle, faisait partie des remparts qui furent abattus en 1865. Percée de dix portes, l'enceinte suivait le périmètre que forment actuellement l'Avenida de Guillem de Castro et la Calle de Colón d'un côté et la courbe du Turia de l'autre.

Dernier segment du Guadalaviar, le Turia n'est plus un fleuve. Après une

Plan
p. 236

Un juge du Tribunal de las Aguas.

LE CONSEIL DES EAUX

Le Tribunal de las Aguas de Valence, ou « Conseil des Eaux », qui se tient tous les jeudis à midi depuis environ mille ans, est l'une des institutions les plus anciennes, mais aussi l'une des plus originales d'Espagne.

Il réunit huit hommes, vêtus de noir pour la circonstance et représentant chacun l'un des canaux d'irrigation (*acequias*) creusés par les Romains il y a plus de deux mille ans à travers les 930 ha de la *huerta* qui entourent la ville. Ces huit canaux servent encore aujourd'hui à acheminer l'eau auprès des agriculteurs de la région.

Toute question relative à ce réseau complexe fait de canaux, de rigoles et de drains doit être soumise au tribunal. A chaque agriculteur correspondent en effet des jours et une durée d'utilisation précis pour l'irrigation de ses terres. Si le quota qui lui revient est dépassé, volontairement ou non, il est passible d'une convocation au Conseil des Eaux.

Les juges, qui sont eux-mêmes agriculteurs, conduisent les débats dans la langue locale, le *valenciano*. Leurs décisions ne relèvent pas de la chicanerie ; ils éprouvent rarement le besoin de discuter une affaire dans ses moindres détails, et les jugements, en principe immédiats, sont assortis d'une amende à tout utilisateur coupable de délit. Si toute la procédure est verbale, les sentences sont sans appel.

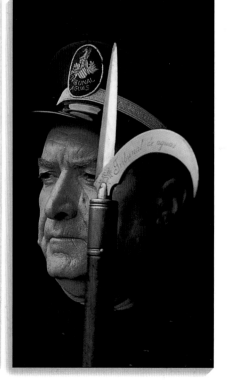

Géants de carton-pâte lors des Fallas.

Fillettes des Fallas.

grave inondation en 1957, il fut décidé de détourner son cours et ce n'est plus qu'un lit à sec au milieu duquel un fossé canalise le mince filet d'eau qui y coule parfois. Si bien que les ponts majestueux qui l'enjambent paraissent parfois un peu incongrus.

Dans la Calle de Castro, l'**Instituto Valenciano de Arte Moderno (IVAM) ❶** est considéré comme le musée d'art contemporain le plus dynamique d'Espagne. Cet institut propose des expositions temporaires mais aussi une collection permanente dans laquelle les artistes valenciens, comme le sculpteur Julio González et le peintre Ignacio Pinazo, sont très bien représentés.

Sur la rive opposée du Turia s'étendent les **Jardines del Real**. Le **Museo de Bellas Artes San Pio V ❶** mitoyen est l'une des plus riches galeries de peinture d'Espagne. Le musée, qui occupe les quatre étages d'un couvent baroque, conserve notamment des œuvres des impressionnistes valenciens. Le soleil perpétuel, les couleurs de la *huerta* et la vie simple des fermiers

se prêtaient parfaitement au pinceau léger de ces artistes dont le plus connu est Joaquín Sorollay Bastida.

DE LA RIVIÈRE A LA MER

Le cours asséché du Turia qui traverse Valence a été aménagé pour accueillir des terrains de jeux, des jardins publics et des terrains de sport que surplombent des ponts anciens ou récents.

Sur la rive située en aval, le **Palau de la Musica** est une salle de concerts. Après un coude du fleuve trône une statue géante de **Gulliver** destinée aux enfants.

Plus loin vers le port, entre le Puente Aragón et le Puente Angel Custidio, se dresse la réalisation la plus ambitieuse de la ville, la **Cité des arts et des sciences**, conçue pour une bonne partie par l'architecte valencien Santiago Calatrava. Elle se compose de quatre pôles principaux : un cinéma Omnimax, une salle consacrée aux arts, un musée des sciences et un parc océanographique.

LA PAELLA DE VALENCE

Un charmant tramway relie le pont de Fusta, près du Museo de Bellas Artes, à la plage. Lors de sa longue promenade, il traverse les vieux quartiers de pêcheurs d'El Cabañal et de La Malvarrosa.

Le long de la Playa de las Arenas, près de l'avant-dernier arrêt, les restaurant servent une excellente paella. Initialement réservée aux fêtes campagnardes, considérée comme le plus typique des plats espagnols, la paella puise ses origines dans les rizières qui s'étendent au sud de la province de Valence, autour de l'Albufera. Suivant les goûts du cuisinier, elle associe un riz parfumé au safran avec différentes variétés de légumes, de viandes, de poissons et de fruits de mer. Pour en apprécier totalement la saveur, les amateurs l'accompagnent de boissons typiquement valenciennes, comme le jus d'orange frais ou l'*horchata*, une préparation estivale rafraîchissante au léger goût d'amande.

LES FALLAS

Les Fallas remontent au Moyen Age. A cette époque, la veille du 19 mars, jour de la fête de saint Joseph, patron des charpentiers, tous les menuisiers de Valence allumaient de gigantesques feux de joie à l'aide des copeaux qu'ils avaient accumulés durant l'année. Au cours des siècles, ces copeaux furent remplacés par des effigies de carton-pâte (*ninots*) brocardant des politiciens, des coutumes locales ou des événements de l'actualité, et par des constructions de bois, de cire et de carton illustrant des thèmes (*fallas*). Pendant une semaine, sept cents de ces éphémères chefs-d'œuvre sont exposés dans toute la ville. Le 19 mars, c'est la *cremá* ; on brûle ces effigies sur un bûcher tandis que le feu d'artifice le plus important du pays lance ses éclairs durant la nuit.

LA PROVINCE DE CASTELLÓN

A l'intérieur des terres s'étend un pays de montagnes où domine le massif

Plan
p. 236

*Le « feu infernal »,
point culminant
des Fallas.*

Barques en bois sur la lagune d'Albufera.

El Maestrazgo qui marque la frontière séparant les provinces de Castellón et de Teruel (Aragon).

Les hauts sommets aplatis des sierras forment la toile de fond de plusieurs villages isolés qui ont gardé leur atmosphère médiévale. La plus impressionnante d'entre elles est celle de **Morella ❷**, la « capitale » du Maestrazgo, qui se dresse au pied d'un piton rocheux que surplombent les ruines d'un château perchées à 1 070 m d'altitude.

Dans les environs de Morella, quatre autres sites valent d'être découverts. **Cinctorres** possède une jolie église paroissiale. La **Iglesuela del Cid**, à **Villafranca del Cid**, renferme de splendides retables. Enfin, l'extraordinaire mausolée de **La Balma** est creusé dans une cavité à mi-hauteur d'une falaise. **Ares del Maestre** est également spectaculaire.

A mesure que l'on s'approche de la mer, le relief s'adoucit. La **Costa del Azahar** mérite bien son nom de « côte de la fleur d'oranger », tant les champs d'agrumes qui tapissent la plaine côtière parfument l'atmosphère au printemps. Les stations balnéaires les plus importantes sont **Vinaròs**, **Benicarló**, **Orpesa**, **Benicàssim**, **Borriana** et **Peñiscola ❸**. Cette dernière doit son charme particulier à ses remparts. On peut y visiter le **Castell de Papa Luna**, sentinelle plantée sur un éperon rocheux de la vieille ville, qui fut le refuge de Pedro de Luna. Élu pape sous le nom de Benoît XIII, à la fin du XIVᵉ siècle, durant le grand schisme d'Occident qui déchira l'Église chrétienne, il fut destitué en 1417 et mourut en 1423 à Peñiscola.

Capitale de la province de Castellón, **Castelló de la Plana ❹** se déploie autour d'une tour du XVIᵉ siècle appelée **El Fadrí**. Ses monuments les plus intéressants sont le **Planetarium**, près de la plage, et le **Museo Provincial de Bellas Artes**. Installé dans le **Convento de las Madres Capuchinas**, ce musée abrite notamment une série de peintures attribuées à Zurbarán.

LA PROVINCE DE VALENCE

L'intérieur de la province n'est pas inoubliable, mais il peut faire l'objet de plusieurs excursions si l'on dispose de temps.

La vallée du Turia, l'**Alto Turia**, est idéale pour les randonneurs et compte quelques sites attrayants. On peut ainsi admirer l'aqueduc romain de **Chelva ❺** avant de partir à la découverte d'**Alpuente**, village situé un peu à l'écart de la route et dont la mairie miniature est logée dans la tour d'une enceinte du XIVᵉ siècle. Enfin, **Buñol** organise à la fin du mois d'août une manifestation hors du commun, la Tomatina. Cette fête, qui consiste à se lancer des tomates, convient aux amateurs de sensations fortes !

Vers la côte, adossée à son promontoire, **Sagonte** (Sagunto) ❻ fut fondée par les Romains auxquels elle doit son nom (Saguntum). Pillée par les Carthaginois d'Hannibal en 219 av. J.-C., elle fut l'enjeu de la deuxième guerre punique et de la domination romaine en Espagne. Le **théâtre**, que les Romains construisirent sur le ver-

Le village de Manises.

Depuis le XIVᵉ siècle, le village de Manises est réputé pour ses céramiques, activité qui a beaucoup ralenti depuis le XVIIIᵉ siècle. Le Museo Nacional de Cerámica, à Valence, expose quelques-unes de ces réalisations qui présentent des décors multiples allant des motifs géométriques arabes aux motifs végétaux. Manises possède également son propre musée de la céramique.

sant de la colline qui domine la ville, remonte au Iᵉʳ siècle apr. J.-C. Le **château** qui le surplombe porte les empreintes des différents conquérants, des Ibères aux Maures, qui investirent successivement la région.

Hormis ses stations balnéaires, la côte de Valence ne présente pas d'intérêt particulier. Cependant, au sud, la lagune d'**Albufera ❼**, séparée de la mer par un banc de sable, est le royaume des rizières. Les passionnés d'ornithologie peuvent aussi tout apprendre sur les oiseaux que l'on y rencontre au **centre de Racó de l'Olla**. Le village d'**El Palmar**, où l'on sert par ailleurs d'excellentes paellas, organise des excursions en bateau sur l'immense étendue d'eau.

Plus au sud, **Gandía ❽** est connue pour avoir été le fief des Borgia. Au centre de la ville se dresse le **Palacio Ducal**, où naquit saint François Borgia (1510-1572). De somptueuses chambres entourent un patio de style gothique. Le palais est à présent habité par des jésuites.

A l'intérieur des terres, la cité la plus remarquable du point de vue historique est **Xàtiva** (Jativa) ❾, la Saebatis des Romains, où naquit Rodrigo Borgia (1431-1503), qui devint ensuite le pape Alexandre VI. Un magnifique **château** couronne la crête qui domine la cité. Sous le règne des Maures, au XIIᵉ siècle, Xàtiva abrita la première manufacture de papier d'Europe, mais sa prospérité tourna court. Durant la guerre de Succession, elle fut incendiée sur l'ordre de Philippe VI qui lui reprochait d'avoir pris parti en faveur des Valenciens. En souvenir de cet épisode, un portrait du souverain est accroché à l'intérieur du **Museo Municipal**.

LA PROVINCE D'ALICANTE

De Gandía, pour rejoindre le sud, le meilleur itinéraire consiste à longer la côte (contourner l'intérieur montagneux peut être long).

Au sud de Gandía, la province d'Alicante est réputée pour son littoral, la **Costa Blanca**, ainsi nommé pour la blancheur de sa lumière. Bien qu'elle soit dans l'ensemble dominée par des

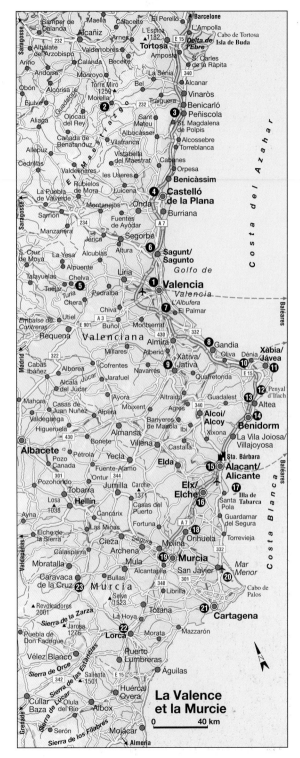

La Valence et la Murcie

0   40 km

hôtels imposants et les villas blanches des « Américains » (des Espagnols qui partirent faire fortune aux États-Unis), la côte séduit encore par ses belles plages de sable, ses criques cachées et ses falaises.

Séparées par le Montgó, les stations balnéaires de **Dénia** ❿ et **Jávea** (Xábia) ⓫ méritent toutes les deux une visite. Dénia, ancienne colonie grecque, possède un grand **château** arabe qui, contemplant le port de pêche, Las Rotas, offre un beau panorama.

Jávea, plus intéressante, est bâtie autour d'une étonnante église fortifiée. Elle comporte de nombreux bâtiments réalisés sur le modèle des demeures toscanes, style assez fréquent dans la région.

Au sud se dresse un impressionnant site naturel, le **Penyal d'Ifach** (Peñón de Ifach) ⓬, énorme rocher qui se précipite dans la mer en à-pic et surplombe la ville balnéaire de **Calpe**. On peut en faire l'ascension à partir de l'office de tourisme. Du sommet, la vue est magnifique.

BENIDORM

Une gorge sépare Calpe d'**Altea** ⓭, dont le charme provient de ses jolies maisons blanches qui se perdent dans un lacis de rues étroites et d'escaliers.

Benidorm ⓮, la station balnéaire la plus connue de la Costa Blanca, se signale par les hautes tours de ses hôtels. Jusqu'aux années 1950, Benidorm n'était qu'un obscur village de pêcheurs. Durant la majeure partie de l'année, elle est désormais investie par des touristes avides de soleil. Bordée par deux plages de sable doré, elle cache un vieux quartier de pêcheurs paisible et agréable dès que l'on a dépassé les vacanciers, les hôtels et les restaurants bon marché. Du **Balcón del Mediterráneo**, on bénéficie d'une vue superbe.

Au sud, **Villajoyosa** (Vila Joiosa), a conservé un charme plus authentique. L'un des sites les plus intéressants de la Costa Blanca est sans conteste **Castell Guadalest**. Un tunnel permet d'accéder à pied au vieux village qui, perché au

Des taureaux sur la plage de Dénia.

sommet des collines, abrite les ruines d'un château médiéval. Sur un rocher proche se dresse le beffroi d'une église. Malgré la fréquentation de nombreux touristes, le petit village est relativement bien préservé.

LE SUD DE LA COSTA BLANCA ET L'INTÉRIEUR DES TERRES

La côte se prolonge vers le sud jusqu'à **Alicante** (Alacant) **⓯**, port important et capitale de la province du même nom. La ville est dominée par un château, le **Castillo de Santa Bárbara**, accessible, entre autres, par un ascenseur. Alicante possède aussi une belle **mairie** de style baroque ainsi qu'un petit musée d'art, la **Casa de la Asegurada** qui abrite une collection d'art contemporain, notamment des œuvres de Dalí, Miró et Picasso.

A environ 50 km d'Alicante, à l'intérieur des terres, la N 340 traverse un paysage montagneux. Au confluent de deux rivières, la ville industrielle d'**Alcoy** (Alcoi), est animée en avril par une fête qui retrace la guerre entre les Maures et les chrétiens (voir photo ci-contre). Aux abords de la ville s'étend la réserve naturelle boisée de Font Roja.

Sur le trajet qui retourne vers la côte, **Elche** (Elx) **⓰** doit son caractère exotique à ses palmeraies, dont beaucoup font désormais partie du jardin du **Huerto del Cura**. Elche est également connue pour la statue qui porte son nom, la *Dame d'Elche*, étrange sculpture d'origine ibère découverte dans les ruines antiques de l'Alcudia, dont la ville possède plusieurs reproductions et dont l'original est conservé au Musée archéologique de Madrid. En août, le *Misteri d'Elx*, drame liturgique chanté et représenté dans la **Basilica de Santa María** (XVIIe siècle), donne un cachet particulier à la ville.

A mesure qu'on s'éloigne d'Alicante, vers le sud, la Costa Blanca devient moins spectaculaire. Mais l'**Illa de Tabarca ⓱** constitue une halte agréable, de même que le port de pêche de **Santa Pola** avec ses marais salants peuplés de flamants roses. Le spectacle est particulièrement magnifique au coucher du soleil. A la pointe sud-ouest de la Costa Blanca, **Torrevieja** possède des marais salants en plus grand nombre. La ville s'est subitement agrandie dans les années 1980, lorsque les Européens du Nord, avides de soleil, se sont mis à y acheter des maisons.

Au sud d'Elche, une oasis de palmeraies annonce **Orihuela ⓲**, à l'intérieur des terres sur la N 340. Prospère pendant le XVe siècle, elle fut la rivale de Murcie. De sa gloire passée subsistent de nombreux édifices, comme la **cathédrale** gothique et le **collège de Santo Domingo**, ancienne université.

LA MURCIE

Avec une superficie de 11 317 km², la Murcie est la plus petite communauté autonome d'Espagne. Comparée à ses grandes voisines, l'Andalousie, la Castille et la Communauté valencienne, elle paraît lilliputienne, mais elle ne manque pas d'attraits.

Murcie (Murcia) **⓳**, la capitale provinciale, est établie à l'intérieur des

Carte
p. 243

Pêche au homard sur l'île de Tabarca.

Les Maures et les chrétiens festoient à Alcoi.

En avril lors de la Fiesta de los Moros y Cristianos, (la fête des Maures et des chrétiens), les partisans des deux camps s'affrontent en costumes d'époque. Ce rendez-vous séculaire est ponctué de démonstrations bruyantes, de défilés, mais aussi de provocations en tous genres et de rencontres diplomatiques de la plus haute importance.

terres, dans une région de *huertas* fertiles. La **cathédrale** fut bâtie entre les XIVᵉ et XVIIIᵉ siècles sur les fondations d'une ancienne mosquée. Elle présente une façade baroque et deux ravissantes chapelles latérales, la Capilla de los junterones, de style plateresque, et la Capilla de los Vélez, de style gothique. A l'intérieur, le musée diocésain expose des peintures, notamment du XVIᵉ siècle, des sculptures romanes et gothiques ainsi que des frises romaines.

Plus récent, le **casino** est occupé par un club privé. Ce monument original de la fin du XIXᵉ siècle se remarque notamment par l'entrée du patio de style mudéjar et le plafond peint du vestiaire des dames.

Le goût de Murcie pour l'extravagance se retrouve au moment de la Semaine sainte, lorsque les *pasos* fleuris, les « chars de la Passion », paradent dans les rues. Conçus au XVIIIᵉ siècle par le sculpteur local Francisco Salzillo, auquel un musée est consacré, ces véhicules sont visibles le reste de l'année à l'**Iglesia de Jesús**.

La cathédrale de Murcie.

A la sortie de Murcie, **Alcantarilla** est célèbre pour son musée folklorique et sa gigantesque roue à eau.

LA COSTA CÁLIDA

Moins importante que la Costa Blanca, la Costa Cálida, la « Côte chaude », ne possède qu'un seul site naturel d'intérêt, la **Mar Menor** [20] , « petite mer », en celte, qui est en fait une lagune de 170 km² s'étendant sur 73 km de côtes. Elle est séparée de la mer par une langue de sable de 22 km, **La Manga**, sur laquelle se dressent des hôtels et des résidences de villégiature à l'aspect futuriste. L'eau, plus chaude que celle de la Méditerranée avec laquelle elle communique par des goulets, incite à la baignade et aux sports nautiques. Sur les rives abritées de la côte, les villages de pêcheurs et les stations balnéaires se succèdent. Malgré l'affluence des touristes en période estivale, certains ont gardé une certaine authenticité. Les localités de **Los Alcázares** (dont la population est multipliée par douze en

Carte p. 243

été) et de Santiago de la Ribera conservent leurs vieux hangars à bateaux en bois construits à même le sable.

Au sud de Cabo de Palos, la Costa Cálida traverse une région inhospitalière avant d'atteindre la station d'Aguilas, à la frontière andalouse.

CARTHAGÈNE

La côte descend ensuite vers **Carthagène** (Cartagena) ❹. Grand port militaire et commercial doublé d'un centre minier, la ville fut aussi la plus importante cité carthaginoise d'Espagne. Elle porta alors le nom de Carthago Nova, ou Nouvelle Carthage. Témoin de ce passé prestigieux, la longue **Muralla Bizantina** (« mur byzantin) fut réalisée au VIe siècle. Le **Museo Nacional de Arqueología Submarino** illustre également l'histoire du pays grâce à son exposition qui évoque le commerce maritime à l'époque phénicienne.

L'ancienne frontière séparant la Murcie de l'Andalousie est gardée par **Lorca** ❷ que dominent les ruines d'une forteresse. La **Colegiata de San Patricio** et l'**Ayuntamiento**, qui se dressent sur la charmante **Plaza de España**, furent érigés aux XVIIe et XVIIIe siècles, alors que la ville était à l'apogée de sa gloire. Lorca est par ailleurs célèbre pour sa très populaire procession du Vendredi saint. Dans la tradition des fêtes murciennes et andalouses, elle se caractérise par la finesse des broderies qui ornent les *pasos*, des chars de procession, et par les costumes qui représentent les grands personnages de la Bible.

Au nord-ouest de Lorca, **Caravaca de la Cruz** ❸ est connue pour la croix qui lui a donné son nom. La légende prétend que la Vera Cruz, la « Vraie Croix », apparut miraculeusement en 1231 dans ce qui est aujourd'hui le **Santuario de la Vera Cruz**, une église de styles Renaissance et baroque construite sur le temple d'un château. Cette apparition aurait servi à convertir des Maures.

Un détour vers le nord permet de découvrir le joli village de **Moratalla** et, vers l'est, non loin de Murcie, la source thermale d'**Archena**.

Les moulins à vent de Murcie.

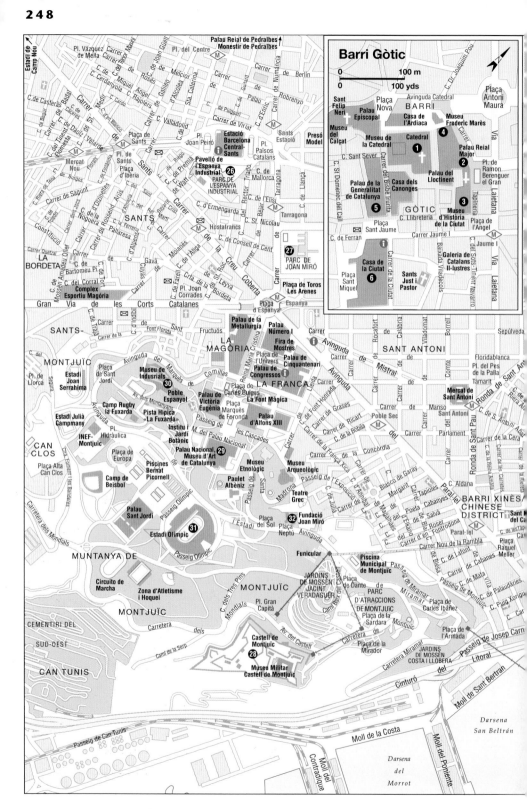

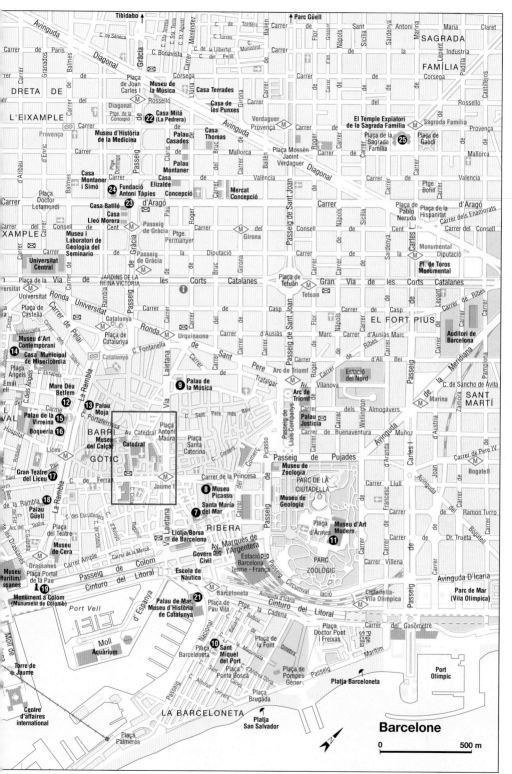

Barcelone

0   500 m

BARCELONE

Port stratégique de la Méditerranée et capitale de la Catalogne, Barcelone a un pied en France, l'autre en Espagne, ce qui en fit longtemps le chaînon reliant le pays au reste de l'Europe. Elle est résolument catalane et l'on y parle avant tout le catalan. Expression du nationalisme, cette langue romane, dérivée du latin, est proche du provençal et de la langue d'oc. Très attachée à sa culture et à ses traditions, Barcelone, riche cité commerçante, affiche aussi un visage moderne, dynamique et séduisant. Passé et avenir se côtoient sans heurt dans cette ville étonnante dont le charme tient aussi à ses longues nuits de fête.

Barcelone a vu naître ou passer des artistes de réputation mondiale, tels Pablo Picasso, Joan Miró, Salvador Dalí, Pablo Casals, Montserrat Caballé et, bien sûr, l'architecte Antoni Gaudí, qui l'a en partie remodelée. Elle s'est acquis une renommée de centre expérimental cosmopolite tant sur le plan politique que dans le domaine artistique. Le nationalisme catalan, l'activisme prolétarien, l'inspiration créatrice et la passion méditerranéenne s'y sont mêlés pour donner une formule explosive, capable de tout produire, de l'anarchie au surréalisme.

LA CATALOGNE ET L'ESPAGNE

Barcelone illustre la dualité hispano-catalane. Bien que la moitié de ses 1,7 million d'habitants soient originaires d'autres provinces, elle est historiquement catalane, la capitale de la Catalogne et le siège de la Generalitat, le gouvernement catalan autonome.

La Catalogne fut occupée par les Celtes et les Ibères, puis par les Phéniciens, les Grecs et les Romains, tous séduits par sa position stratégique sur la Méditerranée. Au Ve siècle, les Wisigoths l'envahirent et l'appelèrent Gothalonia, d'où son nom. Après la conquête maure, les rois francs, dont Charlemagne, libérèrent des territoires formant des comtés qui obtinrent peu après leur indépendance. Unifiée par le comte de Barcelone, la Catalonia se dota d'un parlement. Du XIIe au XVe siècle, elle fut l'une des premières régions d'Europe à connaître un essor économique considérable. La structure sociale se distinguait ainsi de celle de l'Espagne, encore en grande partie féodale ; le commerce était florissant, la population augmenta et les villes virent éclore la classe bourgeoise. La floraison culturelle qui s'ensuivit fit de la Catalogne le berceau de l'art roman, ce dont témoigne la multitude d'églises qui parsèment le paysage.

Après avoir été réunie, au XIIe siècle, au royaume d'Aragon, la Catalogne se trouva intégrée en 1469 à un nouvel État, l'Espagne, lorsque Ferdinand d'Aragon épousa Isabelle de Castille. Au cours des trois siècles suivants, le centralisme castillan fit disparaître des privilèges et des institutions séculaires. Au XIXe siècle, la province misa sur l'industrialisation : en 1850, elle était la quatrième puissance industrielle du monde et Barcelone donna naissance à la classe ouvrière « espagnole ».

Plan
p. 248

A gauche, performance acrobatique sur la Plaça Sant Jaume ; ci-dessous, porte sculptée de la Casa Battló.

La Casa Battló, réalisée en 1905 par Antoni Gaudí, présente une magnifique façade polychrome couverte de mosaïques. L'une d'elles figure saint Georges terrassant le dragon. L'intérieur est également révélateur du style particulier de l'architecte : tout, jusqu' aux boîtes aux lettres, porte son empreinte.

*Une fresque
de Picasso
à la Chambre
des architectes
de Barcelone.*

*Les marches du
Palau Reial Major.*

Cet essor favorisa une *renaixença* du nationalisme catalan. Mais la dernière expérience en matière d'autonomie fut écrasée par le général Franco en 1939.

Depuis 1975, la province a effectué un spectaculaire redressement culturel. Le catalan, interdit durant quarante ans, est de nouveau enseigné dans les écoles, imprimé et reconnu comme la seconde langue officielle du «pays». Le discours que Juan Carlos prononça en 1978, en catalan, devant le parlement régional, ouvrit la voie au rétablissement des institutions démocratiques et de l'identité culturelle de la région. Aujourd'hui, le catalan a sa radio, sa télévision et son cinéma. La province connaît en outre un deuxième âge d'or culturel, grâce notamment aux Jeux olympiques de 1992.

UNE VILLE DENSE

Bordée d'un côté par la mer et de l'autre par les hauteurs de Collserola, Barcelone est coupée de larges avenues et d'espaces dégagés qui compensent sa densité humaine et architecturale. Les collines de Montjuïc et de Tibidabo, à l'arrière-plan, dominent l'étendue chaotique de la ville qui débouche sur la plage de Barceloneta et l'immensité bleue de la Méditerranée.

D'abord habitée par les Celtes, puis les Carthaginois, Barcino fut conquise par les Romains qui en firent la capitale de la province de Layetana. La petite ville était établie sur le Mons Taber, dans l'actuel Barri Gòtic («quartier gothique»). Les Romains y bâtirent le temple d'Auguste et, au IVe siècle, cernèrent le Taber de remparts. Conquise par les Wisigoths qui en firent leur capitale puis par les Maures en 712, délivrée par Charlemagne en 801, la cité fut un haut lieu du nationalisme des comtes de Catalogne. Après avoir assis son autorité sur les autres comtés, Barcelone connut du XIIIe au XVe siècle une grande prospérité doublée d'un âge d'or artistique et architectural; les styles roman et gothique y sont magnifiquement représentés. Parallèlement fut mis en place un gouvernement que

régulaient des organes tels que la Generalitat et le Conseil des Cent, lequel, tout en reconnaissant l'autorité royale, siégea sans interruption du XIVe au XVIIIe siècle. Mais le commerce avec le Nouveau Monde entraîna le déclin de la ville, les navires partant désormais des ports de l'Atlantique. En 1714, elle fut prise par Philippe V lors de la guerre de Succession et perdit son parlement et son autonomie. Néanmoins, grâce à la croissance économique qui marqua la fin du XVIIIe siècle, la population tripla et vécut à l'étroit dans le Barri Gòtic et ses environs restreints où elle était confinée.

Au XIXe siècle, l'industrie textile et sidérurgique donna à Barcelone un nouvel essor. Dès 1854, elle entama sa modernisation, sortit de ses limites et sa surface doubla (200 ha). Les remparts furent abattus en 1854 et l'**Eixample** vit le jour cinquante ans plus tard. Conçu par l'urbaniste Ildefons Cerdà (1815-1875), ce quartier au plan en damier, aux larges avenues et aux immeubles alignés, s'étend entre les collines et la vieille ville. La population quadrupla, la bourgeoisie s'enrichit et s'entoura d'artistes et de poètes, conditions favorables à l'épanouissement du modernisme (Art nouveau). L'Exposition universelle de 1888 et l'Exposition internationale de 1929 stimulèrent l'économie et de nouveaux monuments furent construits. Après avoir beaucoup souffert durant la guerre civile, la capitale de la Catalogne se releva dans les années 1950 et ne cessa de se développer jusqu'aux Jeux olympiques de 1992 qui l'incitèrent à se moderniser et à réactiver son ouverture sur la mer. De nombreux édifices médiévaux furent restaurés, le port et le quartier des quais furent réhabilités et rénovés et de nouvelles structures urbaines virent le jour.

Avec l'afflux d'immigrés « ruraux », Barcelone continue de grandir et une population nombreuse se masse dans les zones pauvres du Nord-Est. Enfin, le vieux quartier industriel de **Poble Nou** a été détruit pour laisser place aux 2 000 logements du village olympique et au nouveau port appelé ironiquement Port Vell (« vieux port »).

LE BARRI GÒTIC

Le **Barri Gòtic** (Barrio Gòtico en castillan) est un prodigieux déploiement de palais, de places, de murailles romaines et autres vieilles pierres qui alternent avec des cafés, des brasseries et des restaurants gastronomiques. Si la plupart de ses constructions majeures ont été édifiées entre le XIIIe et le XVe siècle, période faste de la ville, on y découvre par endroits des vestiges de la civilisation romaine.

L'itinéraire le plus révélateur commence devant la cathédrale (voir p. 253), Plaça Nova, traverse le parvis et, par la Carrer Tapineria, gagne la Plaça de Ramon Berenguer el Gran, qui occupait la limite orientale des remparts. La Carrer Tapineria rejoint la Plaça des Angel, puis la **Carrer Murallas Romanes** où subsistent des portions de remparts. Derrière ceux-ci s'étend la Plaça Sant Just. On rejoint alors la Carrer Llibreteria, d'où la Carrer Veguer conduit à la Plaça del Rei où s'élèvent la Capella Santa Agata, de pur style

Plan
p. 248

Le patio de la cathédrale.

Paisible et particulièrement frais, le patio de la cathédrale, dans le vieux Barcelone, doit son charme à sa végétation de magnolias, de palmiers, d'orangers et de néfliers. La fontaine est consacrée à saint Georges ; dans son bassin viennent se baigner 13 oies peu farouches – ce chiffre correspond à l'âge d'Eulalie lorsqu'elle subit le martyre en 304, à Barcelone.

gothique catalan, et le **Palau Reial Major ❷**. Ce palais royal fut la résidence des comtes de Barcelone, devenus rois d'Aragon en 1137.

Le **Museu d'Història de la Ciutat ❸**, la Casa Padellas, le Saló del Tinell et le Palau del Loctinent jalonnent ce qui fut le centre de la vie de cour.

Non loin, le **Museu Frederic Marès ❹** contient des pièces s'échelonnant du Moyen Age au XIXᵉ siècle, collection réunie par le sculpteur Marès qui la céda en 1940.

LA CATHÉDRALE

Les icônes religieuses, spécialité de Barcelone.

La **Catedral ❶**, consacrée à sainte Eulalie, fut commencée en 1298 dans un style de transition encore imprégné d'influences romanes, et achevée au cours des deux siècles suivants, excepté la façade principale (fin du XIXᵉ siècle). Les deux clochers octogonaux sont peut-être les éléments les plus imposants, et son cloître intérieur, agrémenté d'un jardin central où se promènent des oies, est l'un des joyaux de la ville. A l'intérieur, les chapelles latérales, les sculptures et les peintures sont d'une qualité inégale, les plus intéressantes étant sans doute les bas-reliefs du *Martyre de sainte Eulalie* par Ordóñez et le Christ de Lépante, un crucifix qui aurait orné la proue du navire-amiral de la flotte espagnole engagé dans la bataille de Lépante.

Les **Casas Canonja, Degà** et **Ardiaca**, qui entourent la place devant la cathédrale, ainsi que la **Capella Santa Llucia**, au coin de la Carrer del Bisbé, sont des merveilles architecturales. Cette même rue remonte vers la Plaça Sant Jaume.

LA GENERALITAT

Au coin de la Carrer del Bisbé et de la Plaça Sant Jaume se dresse l'imposant **Palau de la Generalitat de Catalunya ❺**, siège du gouvernement catalan autonome depuis le XIVᵉ siècle : sa stupéfiante ornementation balaie les derniers doutes que l'on pouvait conserver sur le nationalisme catalan. Les principaux points d'intérêt de l'édifice, qui

date essentiellement des XVᵉ, XVIᵉ et XVIIᵉ siècles, sont le patio gothique et son escalier extérieur, la Capella Sant Jordi, le Patí dels Tarongers («patio des Orangers») et le Saló Daurat («salle Dorée») aux ravissantes fresques représentant les montagnes, les vallées, les plaines et les plages de Catalogne.

La **Plaça Sant Jaume**, intégrée à l'origine dans le forum romain, est à elle seule une œuvre d'art. On y rencontre souvent des musiciens jouant des airs médiévaux. La façade néo-classique, de l'autre côté de la place, face à la Generalitat, est celle de la **Casa de la Ciutat** ❻, l'hôtel de ville. Sa rigueur géométrique contraste avec la façade gothique du bâtiment de gauche, qui renferme un escalier de marbre noir, et le Saló de Cent («salle des Cent»), où se réunissait l'ancien parlement.

LE BARRI DE SANTA MARIA

Ce quartier s'organise autour de la superbe basilique **Santa Maria del Mar** ❼, peut-être le plus bel exemple d'architecture gothique méditerranéenne. Commencée en 1329, elle fut le cœur de la nouvelle communauté maritime et marchande de Barcelone et la glorieuse consécration de l'hégémonie de la Catalogne sur la Méditerranée de cette époque. Son influence était si grande que les marins et les soldats du Moyen Age combattaient au cri de « *Santa María !* ». Avec ses lignes horizontales, ses grandes surfaces nues, ses contreforts massifs et ses toits en terrasse, c'est l'un des monuments les plus sobres et les plus élégants de la ville. Les trois nefs, très hautes, sont caractéristiques des églises-halles très fréquentes dans la région. Les massives colonnes de pierre, la grande rosace, les deux clochers, les chapelles latérales et les vitraux sont particulièrement remarquables. Sur le plan acoustique, un décalage de six secondes est capable de transformer une simple mélodie en puissante polyphonie.

En tournant à gauche au coin de la façade orientale de Santa Maria del Mar, on débouche sur la Carrer Mont-

Plan p. 248

La signature de Picasso à l'entrée du musée qui lui est consacré.

A gauche, le front de mer du village olympique ; ci-dessous, dîner sur le port olympique.

« Flocon de neige », le gorille albinos, est la vedette du zoo de Barcelone.

Ci-dessus, vue du Gran Teatre del Liceu remis à neuf ; à droite, flânerie sur les Ramblas.

cada, qui fut l'une des rues les plus aristocratiques de Barcelone au XIVᵉ siècle et qui reste l'une des plus belles. Presque tous les palais du XIVᵉ siècle qui la bordent sont très bien conservés. L'un d'eux, le Palau d'Aguilar, devenu le **Museu Picasso** ❽, est aussi intéressant pour son architecture que pour ses collections portant sur les débuts de l'artiste. La prodigieuse vitalité de Picasso émane déjà des caricatures qu'il fit de ses professeurs dans les marges de ses cahiers comme de ses études d'anatomie d'étudiant des Beaux-Arts ou de ses premières grandes compositions inspirées des maîtres – Goya, Vélasquez, le Greco.

La Carrer dels Corders rejoint la Plaça de la Llana. De là, on continue par les ruelles qui courent parallèlement à la Via Laietana, pour traverser le rafraîchissant marché Santa Catalina et remonter la Carrer Mare de Deu jusqu'au **Palau de la Música Catalana** ❾. Construit entre 1905 et 1908 par l'architecte moderniste Lluis Domènech i Montaner (1850-1923), il déploie une débauche de formes et de couleurs qui nous arrache d'un seul coup à la grâce médiévale pour nous ramener à l'Art nouveau du XXᵉ siècle.

BARCELONETA

La plage pittoresque de **Barceloneta** est un endroit idéal pour savourer une *paella de mariscos* arrosée de vin blanc frappé. Ce quartier a conservé son ambiance de village de pêche méditerranéen : maisons et balcons badigeonnés de couleurs vives, linge séchant aux fenêtres, rues étroites et savoureux arômes de poisson frais. De l'église **Sant Miquel del Port** ❿, qui s'élève sur une place charmante, en lisière du Passeig Joan de Borbó, on atteint la plage, puis le nouveau front de mer avec ses sept plages et le bâtiment officiel des Jeux olympiques. La marina (Port Olímpic) est jalonnée de restaurants, de bars et de cafés bondés la nuit. C'est ici, sur la Carrer de Marina, que trône l'**Escultura del Peix**, la baleine en bronze (50 m) de Frank O. Gehry, l'ar-

chitecte du musée Guggenheim de Bilbao. Non loin, le village olympique comprend deux mille appartements (désormais occupés par des Barcelonais). Sur le port, du côté de Barceloneta, près de la plage, un téléphérique monte jusqu'à la colline de Montjuïc d'où le panorama sur la ville est superbe.

LA CIUTADELLA

La **Ciutadella** (« citadelle ») fut bâtie par Philippe V dans le but d'impressionner les Barcelonais après le long et pénible siège de 1714. Convaincu que seul un imposant déploiement de force assurerait des relations pacifiques, il fit construire l'une des plus vastes citadelles d'Europe. N'ayant jamais servi, elle fut finalement démantelée en 1888. Il n'en reste que le palais du Gouverneur, la chapelle et l'arsenal.

Le **Parc de la Ciutadella** abrite le **Parc Zoològic**, le **Museu de Zoologia** et le **Museu de Geologia**, un jardin botanique, une bibliothèque pour enfants et, surtout, l'excellent **Museu d'Art Modern** ⓫ consacré aux peintres catalans Casas, Miró, Nonell et Sert.

DES RAMBLAS VERS LE PORT

L'artère la plus célèbre de Barcelone, constituée de plusieurs tronçons, les **Ramblas**, qui portent des noms différents, relie la Plaça Catalunya à la statue de Christophe Colomb, sur le port. Elle fut tracée au XIIIᵉ siècle, lorsque la vieille ville s'étendit vers l'ouest, sur l'emplacement d'un fossé (*rambla*). Cette voie, la plus animée de la ville, est bordée d'allées qui se prêtent à la flânerie.

Sur la **Plaça de Catalunya**, le café Zurich est idéal pour lézarder au soleil. La **Rambla de Font de les Canaletes**, ornée d'une fontaine, est le point de ralliement traditionnel de footballeurs enthousiastes qui discutent avec passion des performances du Fútbol Club.

La **Rambla dels Estudis** est dominée par l'église **Mare Déu Betlem** ⓬ à droite, et, à gauche, par le **Palau Moja** ⓭ (XVIIIᵉ siècle), qui accueille une librairie de la Generalitat. En tour-nant dans la Carrer Elisabets, on parvient Plaça dels Angels où l'impressionnant **MACBA**, le **Museu d'Art Contemporani de Barcelona** ⓮, inauguré en 1995, accorde une large place aux sculptures et aux « installations » abstraites.

Dans le prolongement, la **Rambla dels Flors**, ou **Rambla Sant Josep**, est bordée d'étals de fleuristes et compte deux monuments. Le **Palau de la Virreina** ⓯, du XVIIIᵉ siècle, porte le nom de la veuve du vice-roi du Pérou ; c'est une belle construction de style Louis XIV, richement ornée de sculptures. Le plus grand marché de Barcelone, la **Boqueria** ⓰, occupe un hangar métallique de 1860. Ramon Casas, le premier peintre impressionniste de Catalogne, passe pour avoir découvert son plus beau modèle, qui devint plus tard sa femme, parmi les ravissantes marchandes de fleurs des Ramblas.

La **Rambla del Centre**, ou **Rambla dels Caputxins**, commence après la petite esplanade de mosaïque due à Joan Miró et en face de laquelle s'élève

Plan p. 248

Le marché Boqueria.

La Boqueria est l'étape la plus marquante des Ramblas, avec ses étalages de fruits et de légumes brillamment éclairés ; la vivifiante odeur de sel et d'iode des poissons et des fruits de mer ; le tohu-bohu affairé et les minuscules bistrots aux comptoirs de marbre, où l'on boit en vitesse un verre de vin ou une tasse de café.

le célèbre opéra de Barcelone, le **Gran Teatre del Liceu** ⑰ construit en 1862. Ravagé par un incendie en 1992, il a rouvert en 1999. Le Café de l'Opéra, devant le Liceu, est un lieu de rencontres apprécié. Tout près de la Rambla, au n° 3 de la Carrer Nou, le **Palau Güell** ⑱ est l'œuvre d'Antoni Gaudí *(voir pp. 264-265).* Cet édifice aux balcons majestueux est l'un des plus sobres que l'architecte ait réalisés pour son généreux commanditaire, le comte Güell. Gaudí se chargea aussi de la décoration intérieure des salles aux dimensions gigantesques et où le bois et le fer sont utilisés de manière impressionnante. Sur la Rambla, au n° 45, l'**hôtel Oriente** a été bâti à l'emplacement du collège franciscain de Sant Bonaventura, dont il reste le cloître.

La **Rambla Santa Mònica** descend de la Plaça Reial jusqu'au port. Avec ses palmiers et l'uniformité de ses maisons à portique du XIXᵉ siècle, la **Plaça Reial** fut longtemps considérée comme l'un des endroits les plus attrayants de Barcelone. Sous les colonnades, les cafés et les brasseries sont des lieux agréables pour déguster bière, *patatas bravas* (pommes de terre à la sauce pimentée) et *calamares* (encornets).

Les Ramblas se terminent en face de Port Vell, Plaça Portal de la Pau, l'un des hauts lieux touristiques de Barcelone, où trône le **monument de Christophe Colomb** ⑲. La statue, qui pointe un bras vers la Méditerranée, source de la richesse catalane, fut dessinée par Gaietà Buïgas pour l'Exposition universelle de 1888. Un ascenseur conduit au sommet de la colonne, à 60 m, d'où l'on a la plus belle vue de la cité. Au pied de la statue, des vedettes de la compagnie Las Golondrinas (« les hirondelles »), proposent la visite du port.

Sur la droite de la place, face au port, le **Museu Marítim Drassanes** ⑳ occupe un vaste hangar à bateaux de style gothique où l'on pouvait fabriquer trente navires de guerre en même temps. L'exposition comprend des maquettes, des cartes maritimes, des documents, des instruments de navigation et des représentations de galions.

La nouvelle promenade de Port Vell.

Le point culminant de la visite est la reproduction de la *Galera Real*, le navire-amiral de la flotte chrétienne qui, commandée par don Juan d'Autriche, battit les Turcs à la bataille de Lépante, en octobre 1571. Au nord du musée débute la promenade du port, **Moll de Fusta**.

Le site moderne de **Port Vell** invite à la flânerie. Parmi les attraits de ce complexe commercial figure l'Aquarium. Sur le quai adjacent sont installés le Palau de Mar et ses restaurants, ainsi que le **Museu d'Història de Catalunya ㉑**. Ouvert en 1996, il retrace de manière passionnante l'histoire de la Catalogne, de la préhistoire à nos jours. Grâce à des écrans interactifs, il fait revivre aux visiteurs aussi bien l'époque romaine qu'une joute médiévale ou les raids aériens de la guerre civile.

LE BARCELONE DE GAUDÍ

Peu d'architectes ont autant marqué une ville qu'Antoni Gaudí i Cornet l'a fait de Barcelone. Né dans la proche Reus en 1852, Gaudí créa un choc lorsqu'il fit connaître ses formes révolutionnaires qui coïncidèrent avec l'essor du modernisme. Ses œuvres et celles de ses élèves, constructions ondulantes et sculpturales qui remplacent systématiquement les lignes droites et les angles vifs par des éléments naturels et organiques, animent toute la ville.

Avant 1878, alors qu'il était encore étudiant en architecture et qu'il travaillait comme assistant de Pere Fontserè, Gaudí dessina les rochers de la Cascada du parc de la Ciutadella. Les réverbères de la Plaça Reial, qui tendent des bras en forme de branches, sont aussi du jeune Gaudí. La **Casa Vicens** (1880), dans le quartier de Gràcia (nᵒˢ 24-26, Carrer dels Carolines), fut la première construction importante de l'architecte ; elle inaugurait un style entièrement polychrome. Ses œuvres majeures sont le parc Güell, la Casa Battló, la Casa Milà et, bien entendu, la cathédrale de la Sagrada Família (voir pp. 264-265).

Pour le **parc Güell**, Gaudí décida de respecter le relief du terrain alors totalement dénué de végétation. Il dessina la totalité des projets entre 1900 et 1914. Des maisons prévues initialement pour ce qui devait être une cité-jardin, deux seulement furent construites ; si bien que le parc n'est ni plus ni moins qu'un parc. Son mur d'enceinte aux lignes sinueuses, décoré de mosaïques, est la première particularité notable. Tout aussi frappants sont les deux bâtiments proches de l'entrée, avec leurs formes étranges et leur toit multicolore qui en font des maisons de conte de fées. On arrive à un grand escalier central où un gigantesque dragon décoré de mosaïques multicolores garde les lieux. Il est dominé par un portique dont le toit forme un vaste espace rythmé par quatre-vingt-six colonnes doriques ; il devait accueillir un marché. Des chemins de promenade, galeries semblables à des grottes, circulent dans le parc. Un banc géant serpente autour de la terrasse centrale ; il est revêtu de magnifiques mosaïques aux dessins fantastiques, composées par Gaudí lui-même à partir de débris multicolores de carreaux et d'éclats de verre.

Plan p. 248

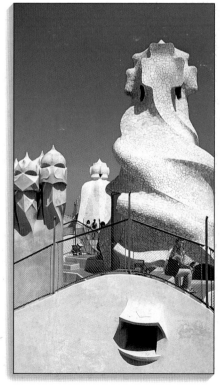

Dans les cheminées de la Casa Milà s'exprime toute la créativité de Gaudí.

Le parc Güell fut commandé à Gaudí par son admirateur le plus fervent, l'industriel et mécène barcelonais Eusebi Güell, dans le cadre d'une opération d'urbanisme que l'essor industriel de la ville rendait nécessaire. Il s'agit d'un ensemble de jardins situé dans la partie la plus élevée de la ville, au-dessus de Gràcia. Toutes les parties du parc permettent de jouir de vues spectaculaires sur Barcelone.

La Casa Milà et la Casa Battló sont des immeubles d'habitation du **Passeig de Gràcia**, dans l'Eixample. La **Casa Battló** ㉓, au n° 43, fait partie de la Mançana de la Discordia («îlot de la pomme de discorde»), ainsi nommée à cause de la disparité des styles de la demi-douzaine d'immeubles construits au cours des années 1910. Cet édifice (1904-1906), remarquable par sa façade qui semble onduler comme les eaux d'un lac, est l'une des plus étonnantes réalisations de Gaudí.

Autre fantaisie, la **Casa Milà** ㉒, au n° 92, s'inspire davantage de la nature et évoque une falaise creusée d'habitations troglodytes. Les balcons en fer forgé tarabiscotés courent le long d'une façade ondoyante. Sur le toit, les cheminées sont autant de sculptures surréalistes. A l'intérieur, tout porte la marque de Gaudí, jusqu'aux boutons de porte et aux crémones des fenêtres.

Au n° 225 de la Carrer d'Aragó, un autre bâtiment original, mais conçu cette fois par Domènech i Montaner entre 1881 et 1886, abrite depuis 1990 la

Fondació Antoni Tàpies ㉔. Imaginée par Tàpies lui-même afin de promouvoir l'art et la culture contemporains, elle présente des œuvres abstraites, dans lesquelles on note le recours à des matériaux comme le sable, le marbre, l'acier et le béton. A l'entrée, une petite boutique propose des ouvrages sur Tàpies et son travail.

LA CATHÉDRALE INACHEVÉE

Au nord de la Diagonal, **El Temple Expiatori de la Sagrada Família** ㉕ (la Sainte Famille) fut commencé en 1883 comme un monument néo-gothique, sous la direction de Francesc P. Villar. Gaudí lui succéda en 1891, acheva la crypte selon les plans de Villar mais dressa les plans d'un sanctuaire bien différent du projet d'origine.

Conçue comme un symbole, la cathédrale comporte trois façades : celle de l'est est consacrée à la Nativité (c'est à elle que Gaudí s'attaqua d'abord) ; celle de l'ouest est vouée à la Passion et à la mort du Christ représenté par l'autel, et

La façade ouest de la Sagrada Família.

le clocher principal, d'où sa sobriété ; celle du sud, la plus grande, à sa gloire. Douze flèches (quatre par façade) symbolisent les douze apôtres ; la tour surplombant l'abside incarne la Vierge Marie et la flèche centrale, dédiée au Christ Sauveur et surmontée d'une grande croix destinée à appeler à la rédemption du Christ, est entourée de quatre tours plus petites représentant les évangélistes. La statuaire et l'ornementation de la façade et des quatre tours existantes sont d'une qualité et d'une densité extraordinaires.

Le plus marquant chez Gaudí est peut-être que ses principes architecturaux sont nés d'une observation attentive de la nature, par exemple dans les colonnes de la nef qui évoquent une forêt, ou dans l'élan de la cathédrale où l'on retrouve l'influence flagrante des pics et des pitons de Montserrat (voir p. 274). Beaucoup de ses constructions semblent avoir ainsi jailli spontanément d'un rêve élégiaque et délirant.

Profondément religieux et mystique, Gaudí mourut en 1926. Il repose dans la crypte de la cathédrale inachevée à laquelle il consacra une grande partie de sa vie et dont la construction est encore en cours.

Au-delà de la Sagrada Família, sur la Plaça de los Glòries Catalanes, se tient le plus grand marché aux puces de la ville, **Els Encants**. On peut y dénicher un vieil objet à retaper, prendre le soleil en hiver, boire un café ou une bière. La palce accueille aussi un *auditori* (« auditorium »).

Non loin, le **Teatre Nacional de Catalunya**, réalisé par un autre audacieux architecte barcelonais, Ricardo Bofill, a ouvert en 1999. A proximité, la Plaça dels Arts est aussi l'œuvre de Bofill.

SARRIÀ ET PEDRALBES

Depuis Glòriès, la Diagonal traverse la ville jusqu'au point le plus élevé, près du quartier résidentiel de **Pedralbes**. Le **Palau Reial de Pedralbes**, bâti en 1925 à l'initiative du conseil municipal et à l'intention d'Alphonse XIII, abrite le musée des Arts décoratifs et le **Museu Ceràmica**. Celui-ci se distingue par ses œuvres contemporaines, notamment des céramiques de Miró, Picasso et d'autres créations valorisées par le style du lieu. Sur la route qui monte à droite du palais, la grille en fer forgé ornée d'un dragon, œuvre de Gaudí, indique que les écuries auxquelles elle donne accès faisaient partie de la ferme Güell. Un peu plus loin surgit le **Reial Monestir de Pedralbes** (XIVᵉ siècle), chef-d'œuvre de l'architecture gothique catalane. Il renferme les pièces les plus récentes de la collection du baron Thyssen-Bornemisza. Le clocher, le cloître et la chapelle Sant Miguel sont magnifiques.

Sarrià, ancien village absorbé par la ville, a conservé son caractère et un peu de sa tranquillité. A un quart d'heure du centre de Barcelone, on a parfois la surprise d'y croiser un chasseur revenant des collines de Collserola ou un *boletaire* portant un panier de champignons. Près de la gare, la Plaçeta Sant Vincens, qui doit son nom au patron de Sarrià, est des plus pittoresques : son ambiance est restée celle d'une place de village.

 Plan p. 248

Le Palau Reial de Pedralbes accorde une large place à l'histoire et à l'art contemporain de la céramique.

Le Reial Monestir de Pedralbes.

Le cloître du Reial Monestir de Pedralbes est un magnifique exemple du style gothique catalan du XIVᵉ siècle. Il comprend trois niveaux. Les deux niveaux inférieurs se composent d'une galerie bordée d'arcs en lancette et de colonnes à chapiteau creusées de cannelures. Le jardin qu'ils entourent est planté de palmiers et d'orangers. Les cellules des moines sont ouvertes à la visite.

Au sud de la Diagonal, après le Palau de Pedralbes, trône le fameux Fútbol Club Barcelona, où l'on peut admirer les trophées de l'équipe et la pelouse depuis la tribune présidentielle. Édifié en 1957 par Francesc Mitjans, le stade d'**El Camp Nou**, d'une capacité de 150 000 spectateurs, est considéré comme l'un des plus beaux stades de football au monde. Le club, qui fut longtemps le seul moyen d'expression du nationalisme catalan, réunit des équipes de professionnels et d'amateurs qui disputent tous les championnats.

Entre le stade et la colline de Montjuïc, **Sants** et ses environs ont bénéficié de l'élan des Jeux olympiques. La gare a été réhabilitée, de même que le **Parc de l'Espanya Industrial** ❷ où l'on peut louer des bateaux pour naviguer sur le petit lac. Non loin, **Carrer D'Aragó**, le **Parc de Joan Miró** ❷, est dominé par *La Femme et l'Oiseau*, une sculpture de 22 m réalisée par l'artiste.

Les lignes futuristes de l'Estadí Olímpic.

En haut du Passeig de Gràcia, le faubourg ouvrier de **Gràcia** a préservé ses traditions *barcelonés*, comme la fête animée qui se déroule en août sur la Plaça de Rius i Taulet, à la **Torre de Rellotge** (« tour de l'Horloge »), l'un des rendez-vous de Gràcia. Dans son roman *Plaça del Diament*, Mercé Rhodoreda décrit parfaitement la vie à Gràcia pendant les années 1930 et 1940.

LE BARCELONE OLYMPIQUE

Dominant le port et les sites des Jeux de 1992, **Montjuïc** abrite le **Castell de Montjuïc** ❷, qui garde l'entrée du port, le **Parc d'Atraccions de Montjuïc**, des pistes d'athlétisme, des sentiers de promenade, des terrains de football et de rugby, un amphithéâtre et des musées. Le tour de Montjuïc le matin, puis le trajet en téléphérique jusqu'à Barceloneta pour le déjeuner, est un itinéraire ambitieux mais intéressant.

De la **Plaça d'Espanya**, on traverse les pavillons et une série de fontaines, dont la **Font Màgica** d'où l'eau jaillit les soirs d'été, pour arriver au **Museu d'Art de Catalunya** ❷ (Palau Nacional). Les fresques romanes (Xe-

XIIᵉ siècle), considérées comme les plus belles au monde, proviennent presque toutes des Pyrénées catalanes. La plupart ornaient les absides des mille et une églises et chapelles romanes éparpillées en Catalogne. La collection d'art gothique est également superbe.

La majorité des grands édifices de Montjuïc furent bâtis pour l'Exposition internationale de 1929. A droite de la Font Màgica le **pavillon d'accueil**, ancien pavillon allemand conçu par Mies van der Rohe, fut reconstruit en 1986. Plus éclectique, le **Poble Espanyol** ❸ (le Village Espagnol, surnommé « l'Espagne en bouteille ») réunit les divers styles régionaux du pays. Des artisans y fabriquent et vendent des objets en bois, en cuir, en céramique et en verre. Ce site très fréquenté jour et nuit propose un bon choix de bars et de restaurants (chaque demi-heure, service de bus depuis la Plaça d'Espanya). A l'entrée, l'une des boîtes de nuit les plus en vogue de Barcelone, Torres de Avila, a été décorée par les deux designers les plus connus de la ville, créateurs de Cobi, la mascotte olympique : Alfredo Arribas et Javier Mariscal.

Les deux principaux sites olympiques se profilent en arrière du Palau Nacional. L'**Estadi Olímpic** ❸ s'étend autour de l'enceinte originale de Pere Domènech i Toure (1929). Non loin, sur la Plaça Europa, une terrasse large et élégante surplombe le delta du Llobregat et la mer ; elle fait partie du **Palau Sant Jordi**, l'un des plus vastes gymnases du monde conçu pour les Jeux par le Japonais Irata Isozaki.

De l'autre côté de la colline, sur la route qui grimpe vers le parc d'attractions et le château, la **Fundació Joan Miró** ❸, l'une des plus belles galeries d'Europe, a été bâtie par un ami de l'artiste, Josep Luís Sert. Plus de 150 peintures, sculptures et 5 000 dessins y sont exposés. On peut aussi y voir des œuvres de contemporains de Miró et des expositions spéciales consacrées à des artistes en pleine ascension.

LE TIBIDABO

Le **Tibidabo**, la plus élevée des collines de Collserola, au nord de Barcelone, doit son nom à la tentation de Jésus par Satan telle que la rapporte saint Matthieu : « *Haec Omnia Tibi dabo si cadens adoraberis me* » (« Je te donnerai tout cela, si tu te prosternes et m'adores »). Selon la légende catalane, aucune tentation n'aurait pu être plus diabolique que la vue du pic de 518 m qui domine Barcelone d'un côté et la Catalogne intérieure de l'autre.

Depuis la station de métro Tibidabo, le pittoresque Tramvia Blau (« tramway bleu ») rejoint la gare inférieure du funiculaire. Au sommet, un restaurant, **La Venta**, propose des tables en terrasse pour les dîners estivaux.

Le **Temple del Sagrat Cor** (église du Sacré-Cœur) et ses petits chanteurs, l'hôtel Florida et le parc d'attractions sont intéressants, mais c'est surtout le panorama qui justifie la promenade sur les hauteurs du Tibidabo : on y voit la ville et la Méditerranée d'un côté, la campagne catalane et les pitons dentelés de Montserrat de l'autre, avec au nord, par temps clair, les cimes neigeuses des Pyrénées.

Plan
p. 248

« Le Chasseur »,
par Miró.

Au parc
d'attractions
de Montjuïc.

Le parc d'attractions de Montjuïc est ouvert du mardi au dimanche en été, le week-end et les jours fériés en hiver et est fermé en novembre. Mais ses manèges ne sont pas son seul attrait : installé sur les hauteurs, il offre de magnifiques vues sur Barcelone. A proximité, le joli Jardin Mossèn Cinto Verdaguer, du nom d'un poète catalan (1845-1902), permet de se remettre de ses émotions.

ANTONI GAUDÍ

Antoni Gaudí i Cordet naquit le 25 juin 1852 à Reus, non loin de Barcelone, dans une famille modeste : son père était chaudronnier. A dix-sept ans, il se rendit dans la capitale catalane pour faire des études d'architecture, et c'est là que se déroula l'essentiel de sa carrière. L'homme était

à la fois un bourreau de travail, un chrétien militant et un ardent nationaliste catalan – il refusa toute sa vie de parler castillan ! Il obtint son diplôme en 1878 et rencontra peu après Eusebi Güell (1847-1928), riche industriel catalan qui devint son mécène et lui commanda de nombreux ouvrages, dont le parc qui porte son nom (ci-dessus).

UN STYLE UNIQUE

L'œuvre de Gaudí est marquée par de nombreuses influences, dont les styles gothique et mauresque, et présente des points communs avec le modernisme alors en vogue. Mais, à partir de 1900, ses constructions témoignent surtout d'un sens débridé du fantastique, unique dans l'histoire de l'architecture. On a pu parler à ce propos de « style organique » : les murs ondulent comme s'ils étaient vivants, les tours s'élèvent semblables à de gigantesques termitières, les forêts de piliers obliques défient les lois de l'équilibre, les surfaces mouvantes sont incrustées de matériaux aussi insolites que des débris de céramique et des tessons de bouteilles… Gaudí entreprit aussi, à partir de 1883, un projet à tous égards vertigineux : l'église de la Sagrada Familia (la Sainte-Famille), qu'il estimait pouvoir achever en deux cents ans… Gaudí mourut trois jours après avoir été renversé par un tramway, le 7 juin 1926. Cet homme pourtant célèbre dans tout Barcelone était si mal vêtu qu'on le prit pour un vagabond et que les chauffeurs de taxi refusèrent de le conduire à l'hôpital. Mais des milliers de Catalans de toutes conditions suivirent son cortège funèbre. Il fut enterré dans la crypte de la Sagrada Familia.

Les toits ondulants de la Casa Batlló, aux tuiles en forme d'écailles, ont été comparés au corps reptilien d'un dragon. ▶

◀ *Détail des toits des pavillons d'entrée du parc Güell, qui forment des motifs abstraits ; cette « peau » de céramique est à la fois décorative et protectrice.*

LES IMMEUBLES D'HABITATION

▲ *Le parc Güell, dans la banlieue de Barcelone, devait être une cité-jardin. Les travaux durèrent de 1910 à 1914, mais seul le parc fut réalisé. Ce dragon garde les eaux d'une vaste citerne souterraine.*

Pour revêtir la façade de la Casa Batlló, Gaudí se servit d'un décor ondoyant de céramique aux tons bleu-vert. Salvador Dalí comparait le résultat à la « surface moutonnante de la mer ». ▼

Entre 1904 et 1906, Gaudí remania la résidence de José Batlló y Casanovas, industriel barcelonais du textile. L'immeuble d'origine, édifié en 1877, était parfaitement conventionnel. Gaudí en transforma l'extérieur de manière redcale en ajoutant un étage surmonté d'une toiture ondoyante.

Les encadrements de fenêtres et les balcons semblent modelés dans l'argile. Ce jeu subtil de courbes se retrouve à l'intérieur (ci-dessus). En 1906, Gaudí conçut la Casa Milá. Cet immeuble d'habitation a été surnommé la *pedrera* (la « carrière ») en raison de son étrange façade évoquant une falaise. Le sens du fantastique se manifeste jusque sur le toit, où Gaudí a multiplié les cheminées boursouflées aux allures surréalistes, comme celles qu'on voit ci-dessous.

◄ *Interrompu à la mort de Gaudí (1926), le chantier de la Sagrada Familia a repris à partir de 1952 et se poursuit toujours. Seules la crypte (1887) et la façade ouest (1985) sont achevées.*

Ce dragon de fer orne l'entrée du domaine agricole d'Eusebi Güell, près de Barcelone. Exemple parfait de l'art de la ferronnerie selon Gaudí, il a été réalisé entre 1884 et 1888. ▼

LA CATALOGNE

Côtes rocheuses, plages de sable, plaines fertiles, steppes, collines et montagnes : la Catalogne déploie une grande variété de paysages qui correspondent à autant de climats différents. Elle possède des villes magnifiques, de charmants villages de pêcheurs, des hameaux montagnards, un millier de chapelles romanes, des ponts romains, des fermes séculaires, des vignobles, des champs de blé, des vergers et des torrents à truites ; tout cela sur 32 000 km², soit un peu plus que la Bretagne et 6 % de la partie espagnole de la péninsule Ibérique.

La Catalogne comprend quatre provinces – Barcelone, Gérone (Gerona), Lérida (Lleida), Tarragone (Tarragona) – et 38 *comarcas* (comtés). Il est plus simple d'y distinguer trois grands ensembles : la Méditerranée, les Pyrénées et l'intérieur des terres. Au nord s'étendent les 230 km des Pyrénées orientales, du Vall d'Aran au Collado del Portus (Perthus), paysage ponctué de vallées et de sommets pouvant atteindre 3 000 m. Au centre, à mesure que l'on s'approche de la mer, apparaissent les Prépyrénées, sierras moins élevées de Montserrat, Montsec ou encore de Port del Comte. La côte, où s'étire la cordillère catalane de faible altitude, présente un contraste entre des parties très découpées et d'autres plus plates, tandis que des deltas, comme celui de l'Èbre, au sud, forment des zones humides. Enfin, les plaines intérieures culminent de 200 à 750 m et sont séparées par des hauts plateaux. C'est dans ces plaines ou autour que se sont établis de grands sites tels que Mérida et Vic.

Une telle diversité et une telle densité dans un espace aussi réduit sont une surprise continuelle. Par ailleurs, les Catalans semblent avoir cultivé l'art de la différence, et chaque ville, chaque vallée tire une immense fierté de son histoire. Ainsi, toute une vie ne suffirait pas pour visiter la totalité des sites naturels et des villes, des chapelles romanes et des petits villages – dont beaucoup sont des joyaux – de Catalogne.

LA COSTA BRAVA

Costa Brava, « côte abrupte », « escarpée », « rocheuse », ou, littéralement, « sauvage » : cette appellation créée en 1905 par le journaliste catalan Ferran Agulló désigna d'abord le littoral accidenté qui s'étire au nord de Barcelone, alternant à-pic, criques sauvages et grandes étendues de sable. Aujourd'hui, elle inclut tout le rivage de la province de Gérone, depuis les longues plages de Blanes jusqu'à la frontière française.

A **Blanes ❶**, le **Jardí Botànic de Mar i Murtra** qui surplombe la ville du haut d'une falaise renferme une splendide collection de plantes méditerranéennes et tropicales. Une succession de *calas* (« criques ») dotées de petites plages intimes, de restaurants, d'hôtels et de villas jalonnent les falaises jaillissant des eaux bleues de la Méditerranée. Des caboteurs vont de l'une à l'autre pour prendre ou déposer des voyageurs, certaines *calas* étant presque inaccessibles par voie de terre.

Carte
p. 268

A gauche, le monastère de Montserrat ; ci-dessous, bateaux de pêche sur la Costa Brava.

Les bateaux font partie du paysage de la Costa Brava. La pêche, la voile et les sports nautiques sont de grandes activités du littoral et la vente du poisson à la criée, sur les ports, est un moment inoubliable. Empuriabrava, Roses, Port de la Selva, L'Estartit et Platja d'Aro sont des endroits idéaux pour jeter l'ancre ou pour déguster du poisson ou une bonne paella.

Un paysage enchanteur sur la côte à Begur.

Au nord de Blanes, **Lloret de Mar ❷** occupe la crique la plus proche de Barcelone (moins d'une heure) qui, si elle ne manque pas de charme, peut aussi être surpeuplée. Sur l'une des deux plages de la ville, celle de Fenals, se dresse la populaire **Iglesia de Santa Cristina**, de style baroque. Après cette station balnéaire très active, on trouve des plages nichées dans les criques de Canyelles et de la Morisca. Plus au nord s'égrènent les *calas* sauvages et préservées de Bona, Pola, Giverola, Sanlionç et Vallpregona. Non loin, **Tossa de Mar ❸** est un ravissant village fortifié bordé par une jolie plage. Un peu plus au nord, la crique de **Canyet de Mar ❹**, plantée de pins, est typique de ce littoral rocheux. La route qui relie Lloret de Mar à **San Feliu de Guixols ❺** et le ferry qui les dessert permettent de découvrir un paysage grandiose.

Plus au nord, **S'Agaro**, une station des années 1920, et **Platja d'Aro** sont des villégiatures assez fréquentées. **Palamós ❻**, fondée en 1277, est aujourd'hui une station balnéaire et un port important. Au nord se succèdent une série de plages et de *criques* isolées ; c'est peut-être l'endroit le mieux préservé de la Costa Brava. **S'Alguer** se distingue par ses hangars à bateaux dressés à même le sable et par ses digues rocheuses, barrières naturelles qui protègent la plage. **Tamariu** est une petite *cala* intime, merveilleusement retirée, idéale pour profiter du soleil hivernal et déguster une paella au bord de l'eau. Du Parador Nacional d'Aiguablava qui la domine, on a une des plus belles vues de la Costa Brava (beaucoup de cartes ne signalent pas la route qui rejoint le sommet des falaises).

CROCHET PAR L'ARRIÈRE-PAYS

À l'intérieur des terres, **Palafrugell ❻** tient un marché dominical toujours très animé. À 8 km au nord, perché à 200 m d'altitude, **Begur ❼** offre un panorama idyllique. Les ruines de son château du XVᵉ siècle et sa tour destinée à défendre la localité contre les pirates en sont les principaux attraits. Non loin, **Pals** possède un charmant centre médiéval qui ne peut se visiter qu'à pied.

À **La Bisbal d'Empordá ❾**, principal centre commercial de la région, le marché du vendredi est une tradition qui remonte à 1322. Son école de céramique et la variété de ses poteries sont connues depuis des siècles. Au nord-est, le village fortifié de **Peratallada** (« pierre taillée ») est l'un des fleurons de l'architecture médiévale catalane ; on peut admirer son château, sur la Plaça dels Voltes, et ses vieilles ruelles.

Ancienne colonie romaine, la ville de **Gérone** (Gerona) **❿** occupe une situation stratégique au confluent de quatre cours d'eau. Enfermée dans ses remparts jusqu'à l'époque moderne, elle fut si souvent investie qu'on l'avait surnommée « la ville aux cent sièges ». Son célèbre quartier juif est l'un des meilleurs exemples catalans de l'ancienne architecture méditerranéenne. L'art roman y est représenté par le monastère de **Sant Pere de Galligants**, au nord de la vieille ville. Non loin, Galligants abrite le **Museu Arqueológic** où l'on remarquera des pierres tom-

Begur est l'un des pôles d'attraction de la partie de la Costa Brava qui comprend Aiguablava, Fornells, Sa Tuna, Aiguafreda et Sa Riera. Ce paradis semble avoir été dessiné par des artistes : oliviers, pins, chênes verts, falaises, eaux turquoise et promontoires rocheux baignent dans la douceur diaphane de l'air marin.

bales juives. De l'autre côté de la rivière, les bains arabes, **Banys Arabs**, furent construits en 1295, non par les Maures mais par les chrétiens selon le modèle des bains musulmans. La **cathédrale**, Seu de Girona, est célèbre pour sa nef gothique, la plus large de toute l'architecture médiévale. Bâtie entre le XIVᵉ et le XVIIIᵉ siècle, elle présente plusieurs influences, dont les styles Renaissance et roman. Un escalier de quatre-vingt-six marches conduit à l'entrée principale. En face, le **Museu Capitular**, ou musée du Trésor, contient une collection d'objets ecclésiastiques, de tapisseries et de manuscrits.

LE PAYS DE DALÍ

Le nord de la Costa Brava s'étend, par le golfe de Roses, de La Escala à la frontière française.

De Gérone, vers la côte, on atteint le **Castell de Púbol ⓫**, château gothique et Renaissance qui appartint à Salvador Dalí et qui se dresse près de la route C 255, entre Flaçà et Parlavà. A l'intérieur, les pièces sont décorées dans le style surréaliste de l'artiste qui occupa les lieux entre 1982 et 1984. Mais un incendie, qui se déclencha dans la chambre Bleue et qui faillit lui coûter la vie, l'incita à abandonner les lieux.

Sur la route qui conduit à la côte en desservant L'Estartit, la charmante et vieille cité de **Torroella de Montgrí ⓬** est dominée, à 300 m de haut, par l'affleurement rocheux de Santa Catarina et par le Castillo de Montgrí. La partie ancienne de la ville est ceinte d'une muraille dont il reste deux portes.

Au nord de La Escala, les ruines grecques d'**Empúries** (Ampurias) ⓭ offrent un aperçu intéressant sur le passé de la région. Ce site assez vaste comprend notamment deux temples grecs dédiés à Jupiter Sérapis et Asclépios, un marché couvert (*stoa*), un forum, les vestiges de deux maisons romaines et un amphithéâtre.

La ville voisine de **Roses**, port de pêche actif, est en train de devenir un centre de villégiature international de premier plan.

Carte
p. 268

Les maisons blanches du front de mer de Cadaqués.

Le pont fortifié du village médiéval de Besalú.

La ville la plus importante de la région est **Figueres** (Figueras) 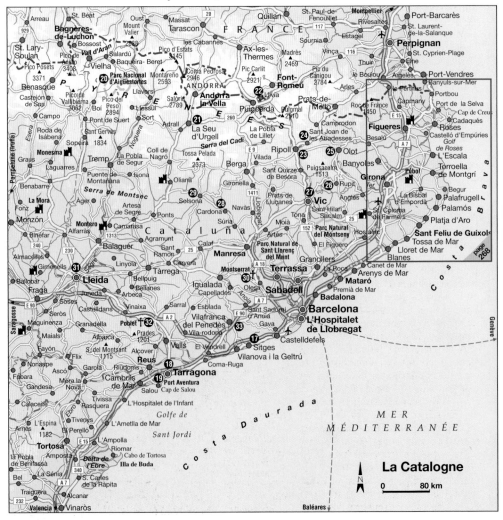. Connue pour le rôle qu'elle a joué dans l'essor de la sardane (danse nationale catalane), elle possède deux curiosités : le château de **Sant Ferrán** (XVIIIe siècle) et le **Teatre-Museu Dalí**, installé dans l'ancien théâtre municipal, qui renferme quelques-unes des œuvres les plus stupéfiantes du peintre catalan. Salvador Dalí, né à Figueres en 1904, en assura lui-même la décoration à la fin des années 1960 et au début des années 1970. A côté d'œuvres mémorables, on peut admirer la Sala de Mae West, au troisième niveau, ainsi qu'une Cadillac remplie d'eau, un bateau de pêcheur et une statue appelée *Taxi Plujós* (« Taxi de pluie ») au premier niveau. Les visiteurs sont nombreux, il faut se préparer à attendre... Très attaché à Figueres, Dalí s'installa en 1984 dans une tour adjacente au musée et y resta jusqu'à sa mort en 1989. Son corps repose dans le Teatre-Museu.

Le peintre résida aussi à Portlegat, bourgade proche de **Cadaqués**, petit port tout blanc qui attira les artistes et que fréquente, en été, une population cosmopolite.

A 8 km au nord, la promenade à **Cabo Creus** est un agréable bain de nature, surtout lorsque la tramontane rafraîchit l'atmosphère.

La Catalogne

Plus au nord, **Port de la Selva** et ses pêcheurs ont souvent été chantés par les poètes catalans.

Dominant le golfe de la Selva, l'ensemble monastique de **Sant Pere de Rodes** conserve de vieilles constructions romanes enchâssées dans le bel écrin des bourgades côtières et des eaux turqoise de la Méditerranée.

DE BESALÚ À VIC

Besalú ⑯, village médiéval à 20 km de Figueres, sur la N 260, est un véritable musée grandeur nature. Proche du Fluvià, il fut la capitale d'une région qui couvrait les actuelles provinces de Barcelone et de Gérone. On peut y admirer de splendides édifices romans et un pont fortifié.

A l'ouest de Besalú, dans la vallée de Fluvía, le parc naturel de **La Garrotxa** s'étend dans un magnifique paysage volcanique. La bourgade de **Castellfollit de la Roca** y est perchée sur un bel ensemble d'orgues basaltiques.

Olot ⑰ est connue pour son école de paysagistes du XIXᵉ siècle. Entre Olot et Figueres, autour du lac bleu de **Banyoles**, le paysage s'aplanit pour laisser place à la région fertile et humide d'Empordà. En chemin, on aperçoit des fermes et des manoirs nichés au milieu de prés abrupts et verdoyants où paissent chèvres, moutons et bovins.

Rupit ⑱, à 20 km d'Olot, est une étonnante ville médiévale bâtie autour d'un torrent limpide. Assez peuplée, avec des restaurants dont la spécialité est la *patata de Rupit* (pomme de terre farcie d'herbes, de canard, d'agneau et de veau), c'est une oasis pittoresque dans une région désertique.

A une heure de Barcelone si l'on vient du sud, **Vic** ⑲ est une florissante capitale provinciale à laquelle il ne manque ni une ravissante grand-place, **Plaça Major**, ni une **cathédrale**. Celle-ci est réputée pour la vigueur de ses fresques, dues au peintre catalan Josep María Sert. Endommagées par des vandales anticléricaux au début de la guerre civile, en 1936, elles furent restaurées par le peintre lui-même avant sa mort, en 1945. Certains personnages de ces fresques passent pour des portraits satiriques des chefs nationalistes; Franco ne remarqua pourtant rien lorsqu'il visita la cathédrale au début des années 1940.

Au sud de Vic, les hauteurs arrondies, placides et massives du **Montseny** offrent d'excellents points de vue sur la plaine côtière.

LE BERCEAU DE LA CATALOGNE

Le **Vall de Camprodon**, vallée la plus orientale des Pyrénées, s'étend à l'est de **Ripoll** ⑳. Importante capitale au Moyen Age, cette ville est considérée comme le berceau de la Catalogne grâce au **Monestir de Santa María**. Ce monastère fut en effet l'un des plus influents au Xᵉ siècle et servit un temps de panthéon aux comtes de Barcelone. Le portail du XIIᵉ siècle est l'une des plus belles réalisations romanes d'Espagne; il est sculpté de motifs illustrant des thèmes bibliques, historiques ou empruntés à la vie quotidienne.

La vallée comprend également des domaines skiables ainsi que deux églises

Carte
p. 270

Le delta de l'Èbre est un parc naturel. Cette vaste étendue, qui couvre 7736 ha, abrite une flore et une faune abondantes, dont des oiseaux, sédentaires ou migrateurs. Cette zone humide est utilisée pour la culture du riz. Lors du repiquage, en mai, le paysage prend des allures féeriques. L'air exhale le parfum de la terre et l'Èbre déverse ses eaux cristallines entre les oliveraies et les chaumières.

Église romane du Vall de Boí.

Enluminure
au musée diocésain,
à La Seu D'Urgell.

romanes, à **Molló** et à **Beget**. A l'est de Ripoll, sur la C 151, **Sant Joan dels Abadesses** ㉑ se distingue surtout par l'**Iglesia de Sant Joan** qui, à l'origine, faisait partie d'un monastère fondé au IXᵉ siècle. Le fleuron en est le calvaire sculpté du maître-autel, chef-d'œuvre roman de 1250.

L'ESPAGNE EN FRANCE

Les Pyrénées catalanes, qui couvrent l'ensemble des Pyrénées orientales et une partie des Pyrénées centrales, descendent presque jusqu'à la Méditerranée. Si elles sont réputées pour leur nature intacte et les sports qu'on y pratique (ski, alpinisme), elles gardent aussi la trace de plusieurs millénaires de civilisation, à l'image des ponts romains qui enjambent les torrents à truites.

Le Segre est
un paradis pour
les amateurs
de pêche à la truite.

La **Cerdanya** (Cerdagne) déploie un paysage lumineux, ouvert et riant. L'histoire a partagé cette vallée entre la France et l'Espagne. A trois quarts d'heure de Puigcerdà, on skie dans trois pays : l'Espagne, la France et la principauté d'Andorre. En automne, on y chasse l'ours et le chamois ; au printemps et en été, le **Segre** est l'un des torrents à truites les plus réputés d'Europe.

Llivia ㉒ est une enclave espagnole en territoire français, car une clause du traité de 1659 céda quelques « villages » à la France – or Llivia était une « ville ». Elle possède des rues dallées, des maisons anciennes, la plus vieille pharmacie d'Europe et le meilleur restaurant de la région, **Can Ventura**, dans le cadre unique d'une ferme de l'ancien temps située en pleine ville. Les minuscules villages alentour, **Guils**, **Aja**, **Villalovent** et **Bellver de Cerdanya** ont conservé le charme rustique des bourgades montagnardes.

A l'est de la vallée de la Cerdagne, la Cremallera (« fermeture Éclair »), chaîne montagneuse déchiquetée, va du Vall de Ribes de Freser au Vall de Núria. Elle abrite des stations de sports d'hiver et promet des randonnées spectaculaires.

Vers le sud-ouest, à **La Seu d'Urgell ㉓**, la **Catedral de Santa María y Museu Diocesà** était célèbre au Moyen Age. Commencée en 1175, elle comprend la cathédrale, le cloître et un musée intéressants. C'est un exemple frappant du style roman italianisant de Catalogne, qui apparut au XIIᵉ siècle.

Le **Vall d'Aran**, abrupt et anguleux, s'étend à la frontière nord-ouest de la Catalogne. On y parle l'*aranes*, variante de la langue d'oc. **Baqueira-Beret**, station de sports d'hiver réputée, sillonnée de beaux sentiers, offre de belles vues ; on remarquera les maisons aux toits de lauses typiques de la région.

L'église de **Bossost** (XIIᵉ siècle) est un des édifices religieux les plus remarquables de la vallée. Celle de **Salardú** (XIIᵉ-XIIIᵉ siècle) comporte un splendide crucifix, le *Sant Crist de Salardú*.

Enfin, le Vall d'Aran est réputé pour sa cuisine qui accommode en abondance lièvres, sangliers, perdrix, truites, champignons et baies sauvages.

A l'est, une route emprunte le **Tunnel de Vielha** avant de descendre dans le Vall d'Espot, d'où l'on accède au **Parc Nacional d'Aigüestortes ㉔**. Tapissé de prairies, de forêts de pins, de hêtres ou de bouleaux entre lesquelles scintillent les eaux de 50 lacs, dont celui de Mauricio, ce parc possède une faune riche et se pare de couleurs magiques en toute saison.

A l'ouest, le **Vall de Boí** recèle certaines des plus belles églises romanes (XIᵉ et XIIᵉ siècles) des Pyrénées, comme celle de Sant Joan à **Boí**.

DE LLEIDA A MONTSERRAT

Lleida (Lérida) ㉕, qui fut occupée par les Romains, est perchée au bord de la Meseta. Dressée sur le flanc d'une colline, sa vieille cathédrale, **Seu Vella**, surplombe la partie la plus ancienne de la cité. La **Paeria**, dans la Carrer Major, vaut le coup d'œil pour sa façade. L'**Hospital de Santa María** présente un intéressant style gothique catalan et l'église de **Sant Llorenç**, sur la place du même nom, illustre la transition entre les styles roman et gothique. La déli-

Carte
p. 270

Le portique richement décoré de Santa María, à Ripoll.

La cathédrale de Lleida, plus proche d'un château que d'une église, servit de caserne pendant de nombreuses années.

Le monastère de Poblet, de nouveau occupé par des moines.

cate tour de l'Horloge octogonale, haute de 76 m, date du XIIᵉ siècle.

Au nord-est de Lleida, **Solsona** ㉖ baigne dans une atmosphère médiévale : le silence de ses murs de pierre et ses ruelles tortueuses font le charme de cet antique monde de granit. La ville est connue pour sa très belle **cathédrale** et son **Museu Diocesà** qui renferme des pièces archéologiques. Ses deux places principales sont de belles illustrations de l'architecture provinciale primitive.

Cardona ㉗, à 40 km de Solsona, possède un beau parador et une église dominant le Vall de Cardoner. La **Muntanya de la Sal**, gisement de sel de 80 m de haut, est l'une des curiosités géologiques de la Catalogne ; les Romains l'exploitaient déjà.

La **Sierra de Montserrat** est d'une beauté mystérieuse. Pentes abruptes, roches aux formes étranges, ce décor inspira bien des voyageurs, des poètes et des musiciens, dont Wagner. Surnommé le Monte Serrado (« le mont fermé »), ce massif est depuis bien des années le seul endroit où la messe et les

mariages sont célébrés en catalan. Depuis le IXᵉ siècle, des ermitages ponctuent le paysage. L'un d'eux fut investi par des bénédictins qui, en 1025, formaient déjà une communauté réputée. Au XVIᵉ siècle, le **Monastir de Montserrat** ㉘ connut son apogée. Ravagé par les Français en 1812, il fut reconstruit aux XIXᵉ et XXᵉ siècles. Dans le maître-autel de l'église nichée parmi les flèches de roc qui dominent la vallée, la Morenata (XIIᵉ siècle), sainte patronne de la Catalogne, attire d'innombrables pèlerins. Sa couleur foncée, peut-être due à la fumée des cierges, lui a valu son nom de « petite Noire ».

LE ROYAUME DU « CAVA »

Dans la grande plaine de Penedès, le cœur viticole de la Catalogne, **Vilafranca del Penedès** ㉙, à 40 km à l'ouest de Barcelone, est la capitale du *cava*, le vin champagnisé catalan dont 90 % de la production provient des raisins de **Sant Sadurni d'Anoia**, une ville proche.

Centre commercial, agricole et viticole, la ville se remarque par l'architecture aristocratique de son **Palau dels Comtes Reis** où Pierre III le Grand mourut en 1285, le **Museu del Vi** (« musée du Vin »), ses ruines romaines et ibéro-romaines, sa **Fira del Gall** (foire à la volaille) juste avant Noël, et, en février, la *calçatoda*, agrémentée d'oignons nouveaux et de sauce, en font une étape intéressante.

LA COSTA DAURADA

Au sud de Barcelone, le paysage de la **Costa Daurada** (« Côte dorée ») devient plus plat, plus sauvage et plus désolé au fur et à mesure que l'on descend vers le sud. Même au mois d'août, on peut parcourir des kilomètres sur les grèves du delta de l'Èbre sans rencontrer âme qui vive. Contrairement aux petites *calas* intimes de la Costa Brava, les plages sont ici d'immenses étendues de sable, de mer, de ciel et de soleil.

Castelldefels et **Sitges** ❸⓪ sont agréables mais sans grand charme. Le **Museu Cau Ferrat** de Sitges présente une belle collection d'objets modernistes, léguée par l'artiste Santiago Rusiñol après sa mort en 1931. Entre Sitges et Tarragone, des plages interminables offrent leur sable fin, leur eau limpide et leurs restaurants de fruits de mer.

Tarragone ❸① est une ville-musée et un port industriel dynamique. Riche en art et en monuments romains, elle possède également une **cathédrale** du XIIᵉ siècle qui témoigne de sa prospérité d'antan. Le musée archéologique, qui atteste le très long passé de la cité, est une étape obligée. Impressionnant, **Le Passeig Arqueològic**, qui longe les remparts et dont la base cyclopéenne remonte au IIIᵉ siècle av. J.-C., est en plein centre-ville. Les ruines de l'**Amfiteatre**, qui avait été édifié près de la plage pour profiter de la pente du rivage, sont tout aussi intéressantes. Enfin, la **Rambla**, large et élégante promenade qui descend jusqu'à la mer, est l'un des hauts lieux gastronomiques de Tarragone.

A quelques kilomètres de la ville, les vestiges romains de l'**Aqüeducte de les Ferreres** et l'**Arc de Berá** méritent un détour.

Au sud de Tarragone se succèdent des kilomètres de plages de sable dont la plus fréquentée est **Salon** où s'étend le parc à thèmes de **Port Aventura ❸②**.

Cambrils, plus au sud, est un excellent port de pêche et de plaisance, surtout connu pour la qualité des poissons que servent les restaurants du port. L'**Ametlla de Mar** et l'**Ampolla** sont de belles plages proches du delta de l'Èbre, qui, avec El Trabucador et La Punta de la Bana, possède deux des plages de sable les plus sauvages du littoral.

Au nord de Tarragone, à l'intérieur des terres, le **monastère de Poblet ❸③** commémore la reconquête de la Catalogne au milieu du XIIᵉ siècle. Parti de Lérida, Raimond Bérenger IV, comte de Barcelone, fit la première donation pour sa fondation en atteignant la mer, après avoir franchi la Segre et l'Èbre. Situé dans une région, austère, Poblet reflète cette sévérité dans son architecture sobre et puissante.

Carte p. 270

Le « cava », équivalent catalan du champagne.

Très réputées, les vignes de Vilafranca donnent un vin doux et parfumé.

Vilafranca del Penedès produit de bons vins et des mousseux parmi lesquels seuls ceux qui ont été champagnisés ont droit à l'appellation « cava ». Le raisin de Penedès, auquel on ajoute du sucre et des ferments, séjourne dans des bouteilles appelées « ampoules ». Après fermentation, celles-ci sont conservées et manipulées avec soin, puis bouchées avant de vieillir plusieurs mois en cave.

L'ARAGON

L'Aragon, qui s'étend au nord de l'Espagne dont il forme l'une des frontières avec la France, présente une extrême diversité géographique et constitue un exemple vivant du passé médiéval espagnol. Mais il se résume souvent à une terre de passage que l'on doit traverser pour se rendre de Madrid à Barcelone. En hiver, pressés de gagner les pentes pyrénéennes, les vacanciers espagnols oublient de voir ses églises mudéjares ou romanes, ses villages qui meurent du manque d'attention et ses villes fortifiées qui recèlent des trésors d'architecture mudéjare. Ce délaissement provient en partie de ses montagnes, qui sont autant d'obstacles à franchir et qui sont à l'origine d'un climat continental assez rude aux hivers longs et précoces et aux étés caniculaires et arides.

Communauté autonome, l'Aragon se compose de trois régions qui correspondent grossièrement à ses trois provinces. Au nord (Huesca), des sommets vertigineux, les plus hauts des Pyrénées espagnoles, surplombent des vallées encaissées où de nombreux torrents serpentent au printemps. Des cols, comme celui du Somport, permettent de communiquer avec la France. Au sud de l'Èbre (Teruel) qui coupe l'Aragon en deux, les monts Ibériques se prolongent pour former de hauts plateaux qui alternent avec des bassins où poussent la vigne et l'olivier. Prise entre ces deux massifs, la vallée de l'Èbre (Saragosse) occupe une vaste dépression centrale où s'étendent des cultures en terrasse et une *huerta* très fertile.

LA TERRE DES ROIS

L'Aragon n'a conservé que très peu de traces de la présence romaine. Son histoire commence en 714, lorsqu'elle fut envahie par les Maures, comme toute l'Espagne. Cent ans plus tard, la résistance s'organisa et, en 1035, Ramire Ier, fils bâtard du roi de Navarre Sanche III, fonda le royaume d'Aragon qui devait durer jusqu'en 1469. A son apogée, il englobait des territoires maintenant français, ainsi que les îles Baléares, Naples et la Sicile, et s'étendait au sud jusqu'à Murcie.

Malgré les victoires des armées chrétiennes au début du XIIe siècle, chrétiens et Maures continuèrent de vivre en bonne intelligence pendant des siècles. Le terme « mudéjar » vient de l'arabe *mudayyan*, qui signifie « sujet », mais il s'appliquait à des sujets privilégiés ; on estime que, au XVIe siècle, les Morisques (musulmans vivant sous domination chrétienne) représentaient 16 % de la population de la région. Mais, en 1525, tous les musulmans furent invités à se convertir ou à quitter le pays, et l'expulsion définitive qui fut décrétée en 1611 mit fin à la cohabitation.

Bien qu'aragonais, le roi Ferdinand, dont le mariage, en 1469, avec Isabelle de Castille permit l'unification de l'Espagne, était peu sensible à la culture de son pays natal. Il y imposa l'Inquisition sans tenir compte des protestations de ses barons, si bien que son Grand Inquisiteur fut assassiné en 1485 dans la cathédrale de Saragosse (les épées soi-disant utilisées y sont encore exposées).

Carte p. 278

A gauche, pic du parc national d'Ordesa ; ci-dessous, toit de lauses typique de l'architecture aragonaise.

Les maisons traditionnelles d'Aragon se distinguent par leur rusticité, en particulier dans les hautes vallées. Le toit est en général recouvert de lauses. La plupart de ces maisons ne sont plus habitées par les paysans modestes d'autrefois, mais par des employés qui travaillent en ville ou dans les centres touristiques.

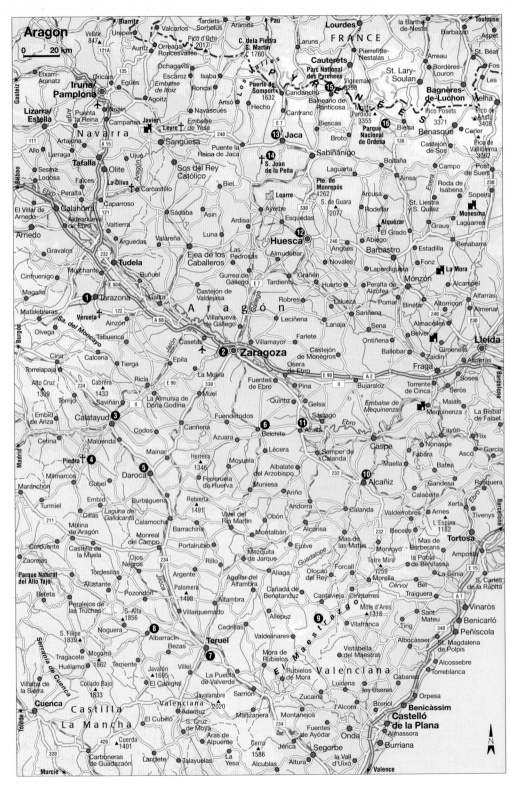

LA PROVINCE DE SARAGOSSE

On peut admirer de beaux spécimens d'architecture mudéjare dans toute la province de Saragosse. A 72 km à l'est de la capitale, **Tarazona ❶**, la ville mudéjare, offre un panorama d'histoire mauresque et séfarade. La **cathédrale** du XIIᵉ siècle, l'ancien **quartier juif**, derrière le palais épiscopal, l'**église préromane** de la Magdalena et les rues sinueuses traversées d'arches mudéjares méritent une visite, de même que l'**Iglesia de Santa María** et la **mairie** merveilleusement décorée.

Les Romains fondèrent Caesaraugusta, l'actuelle **Saragosse** (Zaragoza) **❷**, en 25 av. J.-C. Appelée Sarrakusta par les Maures, elle fut délivrée en 1118 par les troupes chrétiennes d'Alphonse Iᵉʳ et promue capitale du royaume d'Aragon. Prospère grâce à sa situation privilégiée sur l'Èbre, elle se dota de nombreux monuments pendant plusieurs siècles. Mais, en 1808 et 1809, elle dut subir deux assauts des Français lors desquels elle se conduisit héroïquement. Capitale économique et culturelle d'Aragon, Saragosse (620 000 hab.) conserve malheureusement peu de souvenirs de sa grandeur passée : le temps, la négligence et les deux terribles sièges français ont détruit la plus grande partie de son patrimoine. Première étape de la visite, le **Casco Antiguo**, la vieille ville, sur la rive sud de l'Èbre, possède de nombreux monuments, dont les deux cathédrales de la ville, ainsi que des rues étroites bordées de bars et de restaurants.

La **Seo** fut consacrée en 1119 à l'emplacement de l'ancienne mosquée. La voûte et les murs mudéjars de la Capilla Parroquieta, le retable gothique et les stalles baroques du chœur en sont les éléments les plus marquants. Le musée présente l'une des plus belles collections de tapisseries d'Espagne, des vases liturgiques et quelques peintures. Les épées censées avoir servi à commettre le meurtre du Grand Inquisiteur de Ferdinand, en 1485, sont exposées à côté de l'autel.

Nuestra Señora del Pilar (Notre-Dame-du-Pilier), ou plus simplement **El Pilar**, fut édifiée à partir du XVIIᵉ siècle en l'honneur de la sainte patronne de l'Espagne, la Vierge au Pilier qui, selon la tradition, apparut en cet endroit à saint Jacques en l'an 40. L'ensemble est un foisonnement de tours et de dômes, à l'intérieur duquel se cachent la statue de la Vierge, dont on change la robe chaque jour, des fresques de Goya, un retable gothique et de nombreuses stalles. Dans la semaine du 12 octobre, Saragosse fête El Pilar et la Vierge : des processions et des personnages de carton défilent à travers la ville.

Selon les témoignages de l'époque, le **Palacio de la Aljafería**, bâti au début du XIᵉ siècle par le *taifa* d'Aragon, était un véritable palais des *Mille et Une Nuits*. Mais l'édifice a beaucoup souffert : transformé par les Rois Catholiques qui y établirent leur quartier général, il fut ensuite utilisé par l'Inquisition puis converti en caserne au XIXᵉ siècle. Les parties les mieux conservées sont la salle du trône de Ferdinand et Isabelle, avec son superbe plafond, et la chapelle mauresque.

Carte
p. 278

Francisco Goya y Lucientes naquit à Fuendetodos en 1746.

Les dômes de la cathédrale El Pilar.

La cathédrale El Pilar de Saragosse compte onze dômes. Achevée aux XVIIᵉ et XVIIIᵉ siècles, elle se compose de trois nefs que séparent des piliers impressionnants. Certaines des fresques qui ornent les coupoles sont du jeune Goya. Dans la chapelle qui lui est dédiée, la Vierge est représentée par une petite statue gothique ornée de pierres précieuses.

A l'extérieur, la cour de Santa Isabel, adjacente à la cour principale, comporte de splendides arches mudéjares.

Le **Museo Camón Aznar**, musée provincial des Beaux-Arts, sur la Calle de Espoz y Mina, possède une grande collection d'art espagnol dont, au dernier étage, des toiles de Francisco Goya. Le peintre naquit le 30 mars 1846 dans le village de **Fuendetodos**, à 50 km au sud de Saragosse. Après avoir été abandonnée pendant des années, sa maison natale est devenue un **musée** dont les pièces sont meublées selon le style sobre de l'époque.

Calatayud ❸, à 60 km au sud-ouest de Saragosse sur la N 2, est réputée pour ses tours mudéjares, dont la plus belle s'élève au-dessus de la **Colegiata de Santa María** (XIIᵉ-XVIIᵉ siècle) où le cloître gothique et le portail plateresque méritent une attention particulière.

A une trentaine de kilomètres au sud, le **Monasterio de Piedra ❹**, fondé par les cisterciens en 1195, est installé dans une vaste oasis de jardins, de lacs et de cascades.

Dans la partie sud-ouest de la province, **Daroca ❺** sommeille à l'intérieur de ses remparts mauresques que jalonnent une dizaine de tours (il y en avait plus de cent à l'origine).

L'histoire récente de l'Espagne a laissé des traces à **Belchite ❻** qui, à 40 km au sud-est de Saragosse, fut le théâtre de l'une des batailles les plus acharnées de la guerre civile. Les ruines de la ville ont été laissées en l'état pour rappeler les horreurs de cette période. Un ville nouvelle, achevée en 1954, jouxte ce site dévasté.

LES AMANTS DE TERUEL

Des trois provinces aragonaises, celle de Teruel est la moins fréquentée, et sa capitale, **Teruel ❼**, la moins peuplée de toutes les capitales provinciales d'Espagne. En contrepartie, la ville, comme les bourgs voisins situés plus à l'écart, abritent des trésors d'architecture mudéjare.

La **cathédrale** de Teruel est réputée pour sa voûte en charpente, chef-

Les tours restaurées de l'enceinte de Daroca.

d'œuvre du XIVᵉ siècle où l'on peut voir représentées des scènes de la vie quotidienne au Moyen Age sur des centaines de panneaux de peinture sur bois.

L'**Iglesia San Pedro**, à la lisière de l'ancien quartier juif, possède un beau retable mais doit surtout sa notoriété aux amants de Teruel qui reposent dans une chapelle voisine. D'après la légende, Diego de Marcilla et Isabelle de Segura s'aimaient d'amour tendre, mais leurs parents s'opposaient à leur mariage. Pour fléchir le père de son amante, Diego partit chercher fortune. En 1217, il revint au bercail cousu d'or le jour même où sa bien-aimée en épousait un autre. Le cœur brisé, il mourut. Le lendemain, Isabelle, toujours vêtue de sa robe de mariée, se rendit à son enterrement et lui donna un dernier baiser qui l'emporta à son tour au royaume des morts.

Avant de quitter Teruel, un détour s'impose pour aller admirer les clochers mudéjars de San Martín et d'El Salvador, qui sont censés avoir fait l'objet d'un concours entre deux architectes maures amoureux de la même femme : le vainqueur gagna l'amour de la belle, tandis que le perdant (qui avait bâti San Martín) se jeta du haut de la tour.

De tous les villages médiévaux de la province, le mieux conservé est **Albarracín ❽**, à 30 km à l'ouest de Teruel. Niché dans un paysage grandiose entaillé de ravins, il égrène ses maisons roses le long de ruelles tortueuses dominées par des tours et des remparts.

En se dirigeant au sud-est de Teruel, on rejoint les montagnes austères et les gorges impressionnantes d'**El Maestrazgo ❾**. La région fourmille de bourgades isolées qui abritent encore leurs tours mudéjares, leur château, leurs remparts et leur belle église... Sise au pied d'un immense château (construit entre le XIIIᵉ et le XVᵉ siècle), **Mora de Rubielos** est une ville médiévale remarquablement conservée où l'on peut admirer de belles demeures seigneuriales. La localité voisine, **Rubielos de Mora**, possède des maisons pittoresques et une église intéressante. Deux sites méritent une mention particulière : **Alcañiz ❿**, au nord-est de Teruel, est réputée pour son château, dont les fresques illustrent l'histoire de l'ordre de Calatrava, et pour sa **Colegiata de Santa María** au splendide portail baroque ; au nord d'Alcañiz, vers Saragosse sur la N 232, le site d'**Azaila ⓫** a été déclaré monument national après la mise au jour de vestiges romains et celtes.

LA PROVINCE ROMANE

Si le style mudéjar domine l'architecture historique de la province de Saragosse, c'est l'art roman qui jalonne le parcours du voyageur remontant, vers le nord, dans la province de Huesca. Au Moyen Age, le flot continu des pèlerins de Compostelle suscita, de la Catalogne à la Galice, la construction de nombreuses églises, dont l'une des plus importantes est la cathédrale de Jaca.

La capitale, **Huesca ⓬**, connut son âge d'or au XIIIᵉ siècle. Sa faculté des lettres, fondée au XIVᵉ siècle par Pierre IV, fut supprimée en 1845, la ville n'étant plus qu'une capitale provinciale secondaire. Un **musée provincial** y est désormais installé. La **cathédrale** fut

Carte p. 278

Les amants de Teruel continuent de s'aimer par-delà la mort.

En Espagne, la célébrité des amants de Teruel dépasse celle de Roméo et Juliette. Le destin tragique de ces amants inspira des poètes et des dramaturges tels que Tirso de Molina. Dans l'Iglesia San Pedro, on peut admirer leurs sarcophages ornés de superbes gisants en albâtre exécutés au XXᵉ siècle par Juan de Avalos. Des vitres permettent même de voir leurs squelettes.

Statue de saint dans la cathédrale de Jaca.

édifiée aux XIVᵉ et XVᵉ siècles à l'emplacement de l'ancienne mosquée ; son retable Renaissance en albâtre, dû à Damián Forment, est de toute beauté. Non loin, l'**hôtel de ville** (1577) contient une fresque illustrant l'anecdote de la cloche de Huesca, l'une des légendes les plus macabres de l'histoire espagnole : Ramire II, un moine défroqué qui devint roi d'Aragon au XIIᵉ siècle, était contrarié par ses vassaux qui refusaient de se soumettre à son autorité. Il les convoqua un par un, les fit décapiter et empila leurs têtes en donnant au tas la forme d'une grosse cloche.

L'autre grande ville de la province, **Jaca ⓭**, s'enorgueillit de sa **cathédrale** qui est le plus ancien exemple d'architecture romane espagnole. Restauré avec goût, le **Museo Diocesano** y expose de remarquables fresques. La **Ciudadela**, forteresse bâtie par Philippe II, est actuellement occupée par l'armée, mais un guide en fait la visite.

Peu après la création du royaume d'Aragon, le roi Sanche III Ramirez fonda le **Monasterio de San Juan de la Peña ⓮**, qui devint le foyer d'inspiration religieuse de la Reconquête. Situé à 27 km au sud-ouest de Jaca, le couvent est blotti entre d'énormes rochers au pied d'une falaise abrupte. On y visite un extraordinaire cloître roman, une église du Xᵉ siècle, le dortoir des moines et le panthéon des Nobles.

À l'ouest de Jaca, **Los Valles**, vallées qui s'étirent jusqu'en Navarre, sont les gardiennes des traditions architecturales, linguistiques et culturelles d'Aragon. Les maisons de **Hecho** et d'**Ansó** sont surmontées de curieuses cheminées dont la forme varie d'une bourgade à l'autre, tandis que les fenêtres soulignées de blanc tranchent sur la verdeur des collines. Ansó possède aussi un passionnant musée ethnologique.

Au nord-ouest, **Sos del Rey Católico**, où Ferdinand le Catholique naquit en 1452, est l'une des cinq cités (Cinco Villas) que Philippe V honora pour son soutien au cours de la guerre de Succession. Ville-musée, elle a gardé son charme médiéval, à l'image de ses maisons aux balcons fleuris, ses murailles

La nef de la cathédrale de Jaca.

et ses ruelles. L'**Iglesia de San Esteban**, de styles roman et gothique, est ornée de belles fresques et meublée de superbes retables. On remarquera aussi **La Lonja**, édifice gothique.

MONTAGNES ET HAUTES VALLÉES

Le nord de la province de Huesca est le royaume des Pyrénées aragonaises et des hautes vallées. Au nord de Jaca, le **Puerto de Somport**, qui marque la frontière avec la France, est le point de départ de randonnées en haute montagne. Au nord-est de Jaca s'étend la réserve nationale du **Viñamala** (le Vignemale). Pour l'atteindre, on traverse les villes de **Sabiñánigo** et de **Biescas**, ainsi que les minuscules localités qui s'égrènent le long de la route C 136 et qui abritent chacune une église romane.

Une bifurcation conduit à la **Balneario de Panticosa** ⓫, station thermale fameuse pour ses eaux sulfurées. La **Garenta de l'Escalar** est une gorge époustouflante qui plonge en à-pic vers le Gállego. Autour de la station, les sommets les plus élevés dépassent 3000 m.

Plus à l'est, le **Parque Nacional de Ordesa** ⓰ fait partie d'un magnifique ensemble de réserves naturelles qui conduit de l'autre côté de la frontière française et, à l'est, vers les Pyrénées catalanes. Trois routes permettent d'y accéder : à l'ouest par **Broto** et **Torla** ; à l'est par **Bielsa** ; au sud par **Aínsa**. Toutes ces agglomérations sont charmantes et méritent une visite. Le parc, qui abrite une faune et une flore très riches, est un paradis émaillé de canyons, de forêts, de falaises vertigineuses et de cascades. En hiver, les chutes de neige peuvent soudainement rendre les pistes et les sentiers impraticables, aussi est-il préférable d'explorer le parc entre mai et septembre.

Au printemps, les Pyrénées aragonaises sont fréquentées par les skieurs et les randonneurs. **Candanchú** et **Canfranc**, sur la route de Jaca au Somport, la ville de **Panticosa** et, un peu plus au nord, celle de **Formigal**, sont les stations les mieux équipées.

Carte
p. 278

Le monastère de San Juan de la Peña occupe une position stratégique.

Carte
p. 288

Pages précédentes :
la vallée d'Atxarte,
en Biscaye.
Ci-dessous,
adeptes du « roller »
à Santander.

LE PAYS BASQUE

Le long du golfe de Gascogne, isolant du reste de l'Espagne les grasses ondulations du Pays basque (Euskadi), les chaînes montagneuses s'étirent « *tels des os saillant sous la peau* ». Le calme des forêts épaisses et des vallées verdoyantes, où pâturages, champs et vergers contrastent avec les sommets austères, cède peu à peu le pas à l'effervescence des ports de pêche et des plages du littoral. Le Pays basque occupe les deux versants de la partie occidentale des Pyrénées : en France dans le département des Pyrénées-Atlantiques, en Espagne dans la province de Navarre et les trois provinces qui forment, depuis 1980, la Communauté basque autonome : Guipúzcoa et Biscaye, le long de la côte, Álava dans la plaine.

UNE LANGUE A PART

Français ou espagnols, les Basques partagent la même langue, l'*euskera*. De

La côte atlantique accueille de nombreux jeunes. L'énergie libérée par le retour à la démocratie s'est manifestée dans les arts plastiques : les graffitis et autres formes d'art mural de Bilbao et de Saint-Sébastien furent parmi les plus intéressants d'Europe dans les années 1980 ; les jeunes s'inspirèrent de presque tous les mouvements anarchistes et contestataires du XXᵉ siècle pour le style et les thèmes.

toutes les langues parlées en Europe occidentale, c'est la seule qui n'appartient pas à la famille indo-européenne. Elle intrigue les linguistes depuis le Moyen Age, époque où les humanistes la faisaient remonter à Tubal, le petit-fils de Noé censé s'être établi dans la péninsule après le Déluge. Mais il s'agirait plutôt d'une langue finno-hongroise apparentée au finnois et au hongrois.

Sous le règne de Franco, l'*euskera* était surtout parlé dans les milieux ruraux, et l'usage écrit se réduisait à peu de chose. En dépit de ces restrictions, le basque est resté enraciné dans le pays et est par endroits très vivace, surtout dans la partie nord. Ainsi, les voyageurs peuvent être déroutés en lisant sur des panneaux de signalisation des noms tels que « Donostia » pour Saint-Sébastien (dans les pages qui suivent, sauf indications contraires, le nom basque est mentionné entre parenthèses).

Dans les écoles, l'*euskera* est enseigné parallèlement au castillan, mais il existe aussi des établissements où l'enseignement est dispensé exclusivement en basque. Enfin, on peut également suivre des cours du soir, mais il faut savoir qu'un adulte a besoin en moyenne de cinq cents heures d'étude pour pouvoir soutenir une conversation.

Fiers de leur passé, les Basques se plaisent à dire qu'ils ne se sont jamais soumis à aucun conquérant. En effet, le Guipúzcoa et la Biscaye possèdent des grottes et dolmens préhistoriques, mais aucun vestige de l'époque romaine ni des premiers temps de la chrétienté, bien que des routes de montagne aient alors été construites. Pourtant, le catholicisme est très présent et les Basques sont même considérés comme les Espagnols les plus pieux. Ainsi, le 31 juillet, jour de la Saint-Ignace, on honore avec ferveur la mémoire d'Ignace de Loyola, le fondateur de l'ordre des Jésuites né à Aspeitia, à 44 km de Saint-Sébastien. La foule se masse alors devant le monastère dont la basilique est surmontée d'une haute coupole.

Ce caractère indomptable explique peut-être que les Basques soient si attachés à leur culture. Le jeu de pelote, le sport national, s'apprend dès le plus jeune âge et le costume traditionnel

– espadrilles de toile blanche à semelle de corde (*alpargatas*), ceinture rouge vif et canne-épée (*makila*) – est toujours à l'honneur lors des fêtes.

AU NOM DES « FUEROS »

Les Basques semblent avoir été les premiers occupants de la région. Ils descendent d'un peuple que les Romains appelaient les Vascons et que vainquirent Pompée, Auguste, puis les Wisigoths. A partir du VIe siècle, une partie de ce peuple gagna le Nord et la Gascogne, à laquelle il donna son nom, tandis que les territoires du Sud étaient intégrés au royaume de Navarre. On retrouve ces guerriers affrontant Charlemagne à Roncevaux en 778. Après avoir appartenu un temps à la Vasconie de Sanche le Grand (XIe siècle), qui comprenait aussi l'Aquitaine, l'Euskadi et une partie de la Navarre tombèrent deux cents ans plus tard dans l'escarcelle de la Castille. Le XVe siècle marqua le partage du Pays basque entre France et Espagne, les deux territoires jouissant désormais de privilèges, les *fueros* (fiscalité sur mesure, exemption de service militaire...). Après avoir goûté à l'indépendance en Gascogne, les Basques furent donc placés sous la tutelle de deux États puissants, mais sans heurts.

Cependant, au XIXe siècle, ils prirent le parti des carlistes lors de la guerre de Succession. Ce choix leur valut de perdre leurs *fueros* et de nombreux Basques quittèrent le pays. La question de l'autonomie émergea, en même temps que naissaient un peu partout en Europe des mouvements nationalistes. Madrid et le pouvoir central devinrent les cibles de revendications indépendantistes.

La fidélité au carlisme, motivée entre autres par la piété religieuse, perdura jusqu'à la guerre civile qui vit le Pays basque partagé entre le clan républicain et le clan nationaliste. Franco trancha dans le vif en 1937. Muselé, le mouvement basque, toujours actif, amorça alors un tournant avec la création, en 1959, de l'ETA (*Euskadi ta Askatasuna* : « Pays basque et liberté »). Cette organisation entra bientôt dans la lutte armée et se signala par des attentats spectaculaires, dont celui qui coûta la vie, en 1973, au Premier ministre Carrero Blanco.

Curieusement, quelques-uns des plus fervents nationalistes sont les descendants de non-Basques qui émigrèrent des régions industrielles sous la dictature de Franco. Le soulèvement des provinces basques dans les années 1970 contribua à saper le régime de Franco, et, le soir de sa mort, on dansa dans les rues. En 1979, le statut de Guernica, régularisant les relations entre Madrid et le parlement régional de Vitoria, sembla concéder aux Basques une large autonomie.

LA CÔTE CANTABRIQUE

Les étrangers qui visitent l'intérieur de la région sont relativement peu nombreux. La plupart passent l'été sur la côte douce et brumeuse, comme la mode le veut depuis le XIXe siècle, époque où les vacances idéales consistaient à « prendre le frais ».

La station balnéaire de Saint-Sébastien est la rivale de Biarritz. Les Français n'hésitent pas à traverser la frontière pour profiter de son atmosphère festive, de ses bars et de ses fameux restaurants. Paradis des vacanciers, l'immense plage de la Concha s'étire dans une baie magnifique entre le mont Igueldo et le mont Urgull. Elle doit son nom à sa belle forme de coquille (« concha ») Saint-Jacques.

La Concha, la plage de Saint-Sébastien.

Saint-Sébastien est réputée pour ses bons restaurants.

Le **Guipúzcoa**, la plus petite province de la péninsule, a l'une des populations les plus denses d'Europe. Depuis les temps préhistoriques, il a entretenu des rapports culturels étroits avec l'autre versant des Pyrénées. Plus récemment, les ports fortifiés proches de la frontière furent, en temps de guerre, des objectifs faciles pour les Français.

C'est l'impératrice Eugénie de Montijo, épouse de Napoléon III et fille d'un grand d'Espagne ayant combattu aux côtés des Français, qui aurait lancé la mode des vacances estivales sur la côte basque. Aussitôt qu'elle eut amené l'empereur à Biarritz, d'autres têtes couronnées, dont la reine Victo-

ria, les imitèrent. A la fin du XIXᵉ siècle, l'aristocratie espagnole, fuyant la chaleur madrilène, fit de **Saint-Sébastien** (San Sebastián en castillan, Donostia en basque) ❶ sa villégiature de prédilection.

Station balnéaire la plus animée d'Espagne au XIXᵉ siècle, Saint-Sébastien est aujourd'hui une ville industrielle de près de 200 000 habitants. Capitale intellectuelle du Pays basque et fief des indépendantistes, c'est aussi une station très chic et son cadre idyllique en fait une halte agréable.

La ville a gardé des souvenirs de la Belle Époque, comme la **Casa Consistorial**, qui abritait le casino et où s'est ins-

Le pays Basque, la Navarre et la Rioja

Carte
p. 288

tallé l'*ayuntamiento* ; le **Puente del Kursaal** qui enjambe l'Urumea ; ou encore le **Palacio Real de Miramar** qui, construit pour Marie-Christine de Habsbourg, se dresse sur le rocher séparant les plages de la Concha et d'Ondarreta.

Protégées par un rideau de tamaris, les plages qui s'étendent le long de l'élégant **Paseo de la Concha** sont désertes le matin. Si l'on n'est pas tenté par la baignade, on peut prendre le funiculaire qui mène au sommet du **Monte Igueldo**, promontoire boisé qui, avec le Monte Urgull, que couronne le fort de Santa Cruz de la Mota, domine joliment la baie.

Le 31 août, au pied du Monte Urgull, dans la **Parte Vieja** (« vieux quartier »), une retraite aux flambeaux commémore la destruction de Saint-Sébastien pendant la guerre d'Espagne. Parmi les rares vestiges de l'ancien port fortifié, subsiste la **Basilica de Santa María del Coro** (XVIIIe siècle), dont la façade churrigueresque cache un décor intérieur gothique. Le porche absidial très profond protège les sculptures contre les rigueurs de l'hiver et une niche abrite une gracieuse effigie de la sainte patronne de la ville.

Sur la Plaza de Zuloaga, l'ancien couvent dominicain de **San Telmo** (XVIe siècle) abrite désormais un merveilleux musée régional. Une partie des collections ethnographiques est consacrée à l'histoire des marins basques. En effet, les Basques ont toujours eu les yeux rivés vers le large et, grâce à leurs constructeurs navals et à leurs navigateurs qui avaient l'expérience de la haute mer, ils ont apporté leur concours à la colonisation espagnole de l'Amérique. Au Moyen Age, les marins basques partaient chasser les baleines qui longeaient les côtes. Mais, les cétacés se faisant rares, ils cinglèrent vers des mers lointaines, allant jusqu'à Terre-Neuve. D'autres aspects de la vie traditionnelle basque sont évoqués dans le musée : pelote, cuisine, costumes, etc. On remarquera notamment la reconstitution d'une salle commune, avec son étable attenante, pièces les plus importantes du *caserio* (ferme en pierre et en bois). Enfin, le célèbre peintre basque Ignacio Zuloaga occupe une place d'honneur, avec une œuvre montrant trois chaleureux compatriotes joyeusement attablés devant un délicieux repas.

Avec ses légumes frais, ses laitages et ses poissons agrémentés de sauces subtiles, la cuisine basque est considérée comme la meilleure de la péninsule Ibérique. Dans les années 1870, la Parte Vieja de Saint-Sébastien abritait des cercles gastronomiques privés réservés aux hommes, les *txokes*. Ils n'existent plus, mais les restaurants situés dans les localités voisines sont très réputés. On pourra y déguster notamment un cidre local (*sidra*). La **Pescadería** (« marché aux poissons ») se dresse à quelques centaines de mètres au sud de la Plaza de Zuloaga, près des arcades de la **Plaza de la Constitución**. On peut acheter au marché voisin du fromage de brebis (*idiazabel*) et du *txakoli*, vin blanc léger qui accompagne agréablement les crustacés et que proposent aussi les bars du vieux quartier, réputés pour leurs fruits de mer, leurs *tapas* et leur bière glacée.

Surf sur les vagues de Guetaria.

Guetaria est une ville dont la vocation maritime est très affirmée. Mais, comme bien d'autres stations balnéaires du littoral atlantique – français ou espagnol –, cette station balnéaire est aussi un « spot » de surf (selon l'expression des amateurs) très apprécié.

*Guernica après
le raid aérien
de 1937.*

A l'est de Saint-Sébastien, **Fontarabie** (Fuenterrabía en castillan ou Hondarribia en basque) ❷ est un port et une station balnéaire. Sa situation à proximité de la frontière lui valut de subir d'incessantes incursions françaises. Néanmoins, la vieille ville, accessible par la **Puerta Santa Maria**, a gardé ses charmantes maisons badigeonnées de couleurs vives et ornées de balcons de bois sculpté. Près de la plage, de bons restaurants servent du poisson.

LA CÔTE DE BISCAYE

On peut longer en voiture toute la côte de Biscaye (Costa Vasca), et s'arrêter au gré de sa fantaisie pour profiter des petites plages ou pour se régaler de poisson frais. Le plus petit port possède au moins une vieille église au bord de l'eau, de bons restaurants et une plage de sable. La côte étant très découpée, les routes ne sont pas très rapides, mais elles offrent de beaux points de vue sur l'océan et les vallées émaillées de *caserios* blancs.

*Le chêne
de Guernica.*

Le Gernikako Arbola est le symbole de Guernica. C'est sous cet arbre que les indépendantistes et les notables de Biscaye juraient de respecter les « fueros ». Le chêne a été épargné par le bombardement de 1937. En réalité, l'arbre originel, vieux de plusieurs siècles, fut abattu par les Français au début du XIXᵉ siècle et il n'en reste que le tronc ; le chêne actuel serait issu de l'un de ses glands.

Bordée d'une grande plage, **Zarauz** possède une bonne infrastructure touristique. Comme Guetaria, elle produit un bon *txakoli* – mais cette partie de la côte est peut-être aussi le meilleur endroit où goûter aux *chipirones en su tinta* (« seiches dans leur encre »).

Protégée par l'île de San Antón, **Guetaria**, ancien port baleinier, est un port de pêche toujours actif. Un monument y est dédié au navigateur Juan Sebastiàn del Cano, enfant du pays et compagnon de Magellan qui effectua le tour du monde. La ville peut aussi se vanter d'avoir vu naître l'un des grands couturiers du XXᵉ siècle, Cristóbal Balenciaga (1895-1972).

Au-delà de Guetaria se profile le littoral déchiqueté de la Cornisa Cantabrica. La station cossue de **Zumaya** ❸ s'étend autour d'un joli port. Situés près d'un ancien couvent, la villa et l'atelier du peintre Ignacio Zuloaga ont été transformés en **Museo Zuloaga** après la mort de l'artiste. Outre des œuvres de ce dernier, le musée contient l'une des nombreuses versions du *Saint François recevant les stigmates* du Greco, une toile de Morales le Divin et deux tableaux de Zurbarán, dont la famille était d'origine basque.

Bien qu'il semble proche sur la carte, **Lequeitio** (Lekeitio) ❹, l'un des ports les plus intéressants de la côte, est à une bonne demi-journée de voiture de Guetaria. L'église du XVᵉ siècle, avec ses contreforts et son clocher baroque, se dresse à proximité d'une belle plage.

Cité active et commerçante, **Guernica y Luno** (Gernika-Lumo) ❺, au sud de Lequeitio, est la ville sainte des Basques, car elle est étroitement liée à leur désir d'indépendance. Au Moyen Age, les notables se réunissaient sous un arbre pour élire un conseil des chefs et faire jurer le roi de Biscaye de respecter leurs *fueros*. Même les rois de Castille, puis d'Espagne, respectèrent ce rite. Aussi l'élection, en 1936, de José Antonio Aguirre à la Casa de Juntas, le parlement basque, fut-il un événement primordial : ressuscitant la tradition, les membres de son gouvernement allèrent prêter serment sous le Gernikako Arbola, le chêne sacré de Guernica.

Mais la proclamation d'un État basque indépendant fut rapidement combattue par les nationalistes que commandait le général Mola. Guernica entra tragiquement dans l'histoire le lundi 26 avril 1937, lorsque les bombardiers de la légion Condor (corps expéditionnaire allemand venu en renfort) s'abattirent sur la ville et l'anéantirent en moins de trois heures. Deux mille personnes, soit un tiers de la population, furent tuées. Tout comme aujourd'hui, le lundi était jour de marché et les rues étroites étaient encombrées de familles de paysans et de réfugiés. Les avions larguèrent plusieurs tonnes de bombes, puis mitraillèrent en piqué les Basques qui fuyaient dans la campagne. Des *caserios* des collines furent aussi touchés. « *Ils brûlaient dans la nuit comme des chandelles* », écrivit dans le *Times* un correspondant de guerre. « *Les avions du général Franco ont brûlé Guernica, et les Basques ne l'oublieront jamais* », prédisait-il. La même année, Picasso réalisa son fameux *Guernica*.

La nouvelle ville n'est pas très belle. Mais le **Guernikako Arbola** est encore visible, ainsi que son ancêtre, dont le tronc est abrité par un mausolée, près de la **Casa de Juntas**. Sous l'auvent de la **Casa de Ahorros Municipal de Bilbao**, au coin de la Gran Via et de la Catie Adolfo Urioste, des fresques représentent des scènes de Basques au travail : sur l'une d'elles figure le **manoir d'Arteaga** où l'impératrice Eugénie passa une partie de sa jeunesse. Le château crénelé, qui se dresse à 8 km au nord de Guernica, est visible de la route. A 6 km au nord-est de la ville, la **Cueva de Santimamine**, grotte dont les peintures rupestres préhistoriques ont été découvertes en 1916, peuvent faire l'objet d'une autre excursion.

L'engouement qu'a suscité l'ouverture, en 1997, du **Museo Guggenheim de Arte Contemporáneo**, le troisième musée Guggenheim du monde après ceux de New York et de Venise, a propulsé **Bilbao** (Bilbo) ❻ au rang des grandes destinations touristiques espagnoles et européennes. Des visites,

Carte p. 288

Même le métro de Bilbao s'est mis à la page.

L'entrée de la gare de Bilbao.

Derrière ses atours modernes, Bilbao est une ville séduisante.

libres ou guidées permettent de contempler la collection permanente, les expositions et la fascinante architecture de l'édifice (voir pp. 296-297).

L'histoire de la ville alterne périodes fastes et revers de fortune. En 1300, le petit village de pêcheurs et de forgerons de Bilbao reçut le statut de *villa* de Diego López de Haro. L'effigie de ce dernier se dresse sur un socle parfois drapé de l'Ikurrina, le drapeau basque rouge, blanc et vert. Elle est dominée par la tour rose et noir du Banco de Vizcaya, sur la **Plaza Circular** (ancienne Plaza de España), près du **Puente del Arenal**, le principal pont joignant le vieux Bilbao, sur la rive droite du Nervión, au quartier bourgeois édifié au XIXᵉ siècle sur la rive gauche. Une fois repérée la **Gran Vía de Don Diego López de Haro**, la grande artère courant d'est en ouest entre la **Plaza Circular** et le vaste **Parque de Doña Casilda Iturriza**, dans l'élégant quartier du musée des Beaux-Arts, on s'oriente facilement dans cette cité commerçante qui est à la fois un important complexe portuaire et un grand centre sidérurgique et chimique.

Malgré la pollution et les imposantes rangées d'immeubles des cités ouvrières, Bilbao est une ville séduisante et accueillante. Au mois d'août s'y déroule une semaine de festivités; on peut alors assister à des compétitions d'endurance et de force ainsi qu'à des concerts variés, de la musique la plus moderne aux chants traditionnels basques.

La ville s'est développée près de l'actuelle **Iglesia de San Antón** (XVᵉ siècle), dans le quartier d'Atxuri, à l'est de Las Siete Calles, « les Sept Rues » du **Casco Viejo** (vieille ville). Ce quartier commerçant, aujourd'hui très animé, fut pillé par les troupes de Napoléon et en grande partie détruit durant les guerres carlistes, mais il en subsiste des rues étroites et quelques constructions antérieures au XIXᵉ siècle. Le **Museo Arqueológico, Etnográfico e Histórico Vasco** (de Biscaye) occupe un ancien couvent de jésuites, le collège San Andrès, dans la Calle de la Cruz, autrefois rattaché à la baroque Iglesia de los

Santos Juanes : des objets préhistoriques côtoient la croix Kurutziaca de Durango, copie d'un témoignage majeur de l'art populaire basque.

Le **Sanctuario de Nuestra Señora de Begoña** offre une belle vue sur le vieux quartier. Commencé en 1511, il est desservi par un ascenseur qui part de la Calle Esperanza Ascao, derrière l'**Iglesia San Nicolás de Bari** (XVᵉ et XVIIIᵉ siècles). Consacrée au patron des enfants, des marins, des prisonniers et des prostituées de Bilbao, cette église donne sur l'**Arenal**, la promenade qui débute à l'est du Puente del Arenal.

Dans les années 1870, après la seconde guerre carliste, Bilbao commença à exploiter ses gisements de minerai de fer et à s'industrialiser. A la fin du XIXᵉ siècle, alors que la moitié des navires marchands espagnols sortaient des chantiers basques, une grande partie de l'industrie métallurgique était concentrée autour de Bilbao. La puissance financière des banquiers et des industriels basques était considérable. On édifia alors le **Teatro de Arriaga** (1890) sur le Pasco del Arenal, l'**Ayuntamiento** (1892) sur le coude du fleuve, au nord du Puente del Arenal, et le **Palacio de la Diputación** (1897). Cette période florissante ne fit qu'exacerber les sentiments indépendantistes, si bien qu'après la guerre Madrid encouragea la population à chercher du travail dans les villes industrielles du Nord, espérant diluer ainsi le farouche nationalisme basque.

L'aspect opulent et cosmopolite de Bilbao se reflète dans le **Museo de Bellas Artes** du parc Iturriza, qui possède la plus importante collection de peintures de l'Espagne septentrionale. En plus des tableaux flamands, catalans et espagnols classiques, il abrite des œuvres montrant l'influence des divers mouvements internationaux sur la génération d'artistes apparue sous le règne de Franco comme Isabel Baquenado, Juan José Arqueretta, Andres Nagel et Javier Morras.

A 30 km au sud-est de Bilbao, sur la GI 627, **Oñate** (Oñati) ❼ peut s'enorgueillir d'abriter l'**Universidad de Sanc-**

Carte
p. 288

Le port industriel de Bilbao ; l'industrie lourde a fait du Pays basque l'une des régions les plus prospères d'Espagne.

*Joueur de « txistu »,
flûte à trois trous
qui se manipule
avec une main pour
laisser l'autre jouer
du tambourin.*

*La vieille ville
de Vitoria
vue d'avion.*

tus Spiritus, chef-d'œuvre de style plateresque. Bâti au XVIᵉ siècle, cet établissement enseigna de nombreuses disci-
plines, comme le droit et la médecine,
jusqu'à sa fermeture en 1902. Une promenade à travers Oñati révèle d'autres
trésors, notamment la gothique **Iglesia
de San Miguel**, dont le cloître est à cheval sur la rivière, et l'**Ayuntamiento**
baroque.

VITORIA

La capitale de l'Álava, **Vitoria** (Gasteiz) ❶, est la ville la plus peuplée et la
plus « castillane » des trois provinces
basques tout en étant le siège du gouvernement basque autonome.

Elle doit son nom à Sanche le Sage
qui, en 1180, fit fortifier ce qui n'était
alors qu'un petit village perché au sommet d'une colline. Les ruelles de la
vieille ville gardent de cette époque
leur tracé concentrique ainsi que leur
nom, lié aux métiers qu'on y exerçait –
Zapateria (cordonnerie), Cuchilleria
(coutellerie), Herreria (forge), Correría

(Poste). Au milieu du XIXᵉ siècle cependant, ces venelles ont fait l'objet de
remaniements urbains : on abattit leurs
arcades médiévales et on les aéra du
mieux que l'on put pour les rendre plus
salubres. Les échoppes des artisans, les
bureaux des marchands de laine et la
Judería ont disparu depuis longtemps,
mais il émane toujours de ce quartier,
de ses trois églises gothiques, de ses
hôtels armoriés et de ses porches sculptés, auxquels s'ajoute l'animation des
boutiques et des cafés du voisinage, un
authentique reflet de la prospère cité
commerçante du XVᵉ siècle.

En août, la **Feria de la Virgen Blanca**
honore la Vierge blanche, sainte
patronne de la ville, qui trône dans une
niche de jaspe sur la façade de l'**Iglesia
de San Miguel** (XIVᵉ siècle). Elle
domine les balcons de l'active **Plaza de
la Vírgen Blanca** où se dresse le monument érigé en 1917 pour commémorer
la bataille de Vitoria qui vit la victoire
de Wellington sur le maréchal Jourdan
en 1813. Les sculptures gothiques du
porche sont très belles, et le chœur

recèle un retable sculpté par Gregorio Fernández, l'un des grands sculpteurs du Siècle d'or, auteur en particulier du joueur de cornemuse de l'*Adoration des bergers*.

A proximité, la **Plaza del Machete**, du nom du coutelas sur lequel les souverains faisaient serment d'observer les *fueros*, marque la limite sud de la vieille ville. En remontant vers le nord, on pourra admirer les sculptures du porche et des chapiteaux de la **Catedral Santa María** avant d'atteindre le **Museo de Arqueología**. Ce petit musée bien conçu et admirablement restauré, logé dans l'une des demeures de négociant du XVᵉ siècle de la Calle Correría, se signale par son demi-colombage et ses lignes de briques horizontales. Ses collections vont du paléolithique inférieur au Moyen Age.

Encadré par de grandes maisons bourgeoises, le **Museo de Bellas Artes** est situé plus au sud, entre les **Jardines de la Florida** et le jardin public du XIXᵉ siècle appelé **El Prado**. Il contient, entre autres, une *Crucifixion* de José de Ribera et une Vierge du peintre, sculpteur et architecte sévillan Alonso Cano (1601-1667). Personnalité truculente de l'art espagnol, ce dernier termina son existence agitée dans un monastère où il dessina la façade de la cathédrale de Grenade. Les salles renferment des peintures et des sculptures d'artistes basques et une collection d'art contemporain, dont des œuvres de Miró, de Picasso et de Tàpies.

Une petite portion du vignoble de la Rioja est située dans le Pays basque. Pour la visiter, il faut parcourir une quarantaine de kilomètres (au départ de Vitoria-Gasteiz) dans la Rioja Alavesa, jusqu'à **Laguardia**. Édifié sur une colline à la fin du Xᵉ siècle, ce village fortifié offre un vaste panorama du bassin de l'Èbre qui à lui seul justifie le voyage. Les rues sombres et étroites, parfumées par les relents de vin qui s'échappent des *bodegas* (« caves à vin »), les chapelets de piments suspendus aux balcons, donnent une idée de ce que pouvait être jadis une promenade dans la ville médiévale de Vitoria.

Carte
p. 288

Un bar de Vitoria.

LE MUSÉE GUGGENHEIM DE BILBAO

L'inauguration du musée Guggenheim, le 19 octobre 1997, a été le véritable coup d'envoi de la métamorphose de Bilbao. Tandis que la gigantesque « fleur de titane » faisait la une de la presse mondiale, ce port voué à l'industrie lourde s'affirmait comme un nouveau pôle culturel international. S'ajoutant aux autres grandes réussites de l'architecture contemporaine de la ville – le métro conçu par Norman Foster, l'aéroport signé Santiago Calatrava –, le « Gugge » confirme le dynamisme du Pays basque.

Conçu par l'architecte californien Frank O. Gehry, le musée est édifié sur la rive gauche du río Nervión et intègre un pont routier très fréquenté. Il se présente comme un assemblage de cubes revêtus de dalles de calcaire et de volumes courbes aux écailles miroitantes de titane. La lumière pénètre à flots par d'immenses murs de verre et par le puits de lumière de l'atrium central, haut de 50 m (ci-dessus). De là, un réseau de passerelles, d'escaliers et d'ascenseurs dessert les 19 salles d'exposition réparties sur trois niveaux. La plupart des salles sont conçues pour présenter des installations contemporaines monumentales, en particulier la grande galerie dite Fish (« poisson »), au plafond en carène de bateau, longue de 130 m et large de 30 m, qui se glisse sous le pont de la Salve. Pour concevoir ce bâtiment de 24 290 m², Gehry a utilisé le logiciel Catia, initialement conçu par l'industrie aéronautique pour le calcul des surfaces courbes. Cet outil informatique a permis de terminer les plans dans le respect des délais et du budget impartis.

Le musée est l'aboutissement d'un projet imaginé dès 1991 par le gouvernement basque, alors désireux de réhabiliter les anciens chais de l'Alhóndiga pour y installer un centre culturel. Les contacts pris avec la Fondation Guggenheim et Frank Gehry aboutirent à la décision de construire un bâtiment de toutes pièces sur une friche industrielle, en prenant en compte les contraintes du site : ainsi, le mince revêtement de titane (0,3 mm) est garanti cent ans contre la pollution atmosphérique. Pourtant, cette « peau » est si fine que le vent la fait onduler.

▲ *La collection permanente présente une sélection d'œuvres contemporaines depuis 1960 et des œuvres spécialement commandées pour le musée à des artistes comme Claes Oldenbourg.*

L'étonnante « fleur de titane » s'épanouit en pleine ville. Conçue comme une « présence sculpturale », elle reflète l'eau du fleuve, les immeubles voisins et les collines des alentours. L'hôtel de ville et le musée des Beaux-Arts se trouvent à deux pas. ▶

Le musée est doté d'une librairie, d'un café, d'un restaurant et d'un auditorium multimédia de 300 places. ▶

◀ *Architecte et designer, Frank O. Gehry a conçu des immeubles, des restaurants et des lieux d'exposition dans le monde entier, dont l'American Center de Paris-Bercy.*

◀ *Le terrain de 4,2 ha sur lequel est bâti le musée, dans une courbe du Nervión, était jusque-là occupé par une usine, un parc de stationnement et des entrepôts. Un autre architecte, Cesar Pelli, a réaménagé les berges, sur 2 km, de l'ancien quartier portuaire d'Abandoibarra.*

Dans la grande galerie, Snake (« serpent »), la sculpture monumentale en feuilles d'acier corten de Richard Serra, est le centre d'attraction d'une exposition d'art contemporain. ▼

LES ARCHITECTES DE L'ART CONTEMPORAIN

Le Guggenheim est l'un des nombreux musées d'art contemporain ouverts à la fin des années 1990 en Espagne. Le pays a profité des événements de 1992 – Exposition universelle de Séville, Jeux olympiques de Barcelone, choix de Madrid comme capitale culturelle européenne – pour faire concourir des architectes du monde entier. Certaines réalisations réutilisent un bâtiment existant, comme l'Hôpital général de Madrid, du XVIIIᵉ siècle – rebaptisé Centro de Arte Reina Sofia, il abrite depuis 1992 la collection d'art du XXᵉ siècle de la ville. D'autres contrastent avec leur cadre médiéval. Ainsi, le Centre d'art contemporain de Galice, signé Alvaro Siza Viera et inauguré en 1997, s'élève en plein centre historique de Saint-Jacques-de-Compostelle. A Barcelone, le Museu d'Art Contemporani, conçu par Richard Meier et ouvert en 1996, dresse hardiment ses façades blanches dans le quartier gothique d'El Raval.

LA NAVARRE
ET LA RIOJA

La région de Pampelune a constitué un bastion contre les envahisseurs wisigoths, maures puis francs. En 778, Charlemagne, décidant d'agrandir son royaume, lança ses troupes vers le sud. L'expédition se solda par un échec et l'armée fatiguée dut regagner ses pénates par le col de Roncevaux. Elle tomba alors dans une embuscade tendue par des Basques qui anéantirent son arrière-garde. C'est là que périt Roland, le preux immortalisé quatre cents ans plus tard par la *Chanson de Roland* (dans laquelle les Basques ont été remplacés par des Maures). Peu après cet épisode, un groupe de chefs basques se proclama indépendant. L'État qu'ils fondèrent devait devenir le royaume de Navarre, un État dans l'État qui perdura pendant des siècles : la Navarre ne fut réduite au statut de province qu'en 1841.

« FUEROS » ET CARLISME

Grâce à la politique de campagnes militaires et de mariages menée par Sanche III le Grand (1000-1035), la Navarre, qui fut dotée d'un système législatif moderne et dont la superficie doubla sous son règne, put se prévaloir d'un rôle prééminent en Espagne. Mais elle connut par la suite une période de troubles et dut se cantonner à ses frontières pyrénéennes. Royaume prospère et stable malgré tout, elle instaura le système des *fueros*, chartes accordées par la monarchie garantissant aux villes une certaine autonomie dans l'exercice de leur droit coutumier. Le *Fuero general*, dont la rédaction définitive remonte au XIIIᵉ siècle, concernait la Navarre dans son ensemble. Analogue à la *Magna Carta* anglo-saxonne, il comprenait 508 articles constituant un code de lois précises. Le *Fuero* régit les relations de la Navarre avec le restant de l'Espagne durant des siècles.

A partir du XIIIᵉ siècle, la Navarre fut gouvernée par des dynasties françaises. Puis une série de souverains sans envergure, la peste noire de 1348, et les hasards de la géographie qui plaçaient

la Navarre au beau milieu des querelles entre la France et la Castille permirent au duc d'Albe de l'envahir en 1512 et de s'en emparer au nom du roi Ferdinand. La Navarre n'était plus indépendante, mais elle gardait ses *fueros*, et les souverains de Madrid durent s'engager à les respecter, ce qu'ils firent jusqu'à l'avènement de la dynastie des Bourbons, en 1700. Entre-temps, en 1589, avec l'accession au trône d'Henri IV, la partie septentrionale de la Navarre, la Basse-Navarre, fut rattachée à la France.

Le système des *fueros* avait fait de la Navarre une région très monarchiste, aussi celle-ci accueillit-elle mal les idées nouvelles de liberté, de république et d'anticléricalisme qui pénétrèrent en Espagne à la fin du XVIIIᵉ siècle et au XIXᵉ siècle. Les tendances centralistes qu'impliquaient ces mouvements constituaient en effet une menace pour l'autonomie de la Navarre, privilège qui avait presque toujours été respecté par la monarchie.

Dès le début de la première guerre carliste, en 1833, la Navarre se montra

Carte
p. 288

Madrid

*A gauche,
une rue tranquille
de Pampelune ;
ci-dessous,
le dur travail
de la vigne
en Rioja.*

*La région
de la Rioja
tient son nom
du Río Oja, un
des affluents
de l'Èbre
et l'un des
nombreux
cours d'eau
qui irriguent
cette zone
montagneuse.
La Rioja est
une grande
productrice
de légumes
et possède de
nombreuses
conserveries,
activité
inaugurée
en 1840 à
Logroño,
la capitale.
Mais c'est
surtout son vin,
l'un des
meilleurs
d'Espagne,
qui fait
sa réputation.*

Les meilleurs vins sont produits dans la Rioja Alta.

La récolte du raisin près de Haro.

favorable à Carlos, dont la réputation laissait espérer la restauration des traditions ; la devise carliste était « *Dios, Patria y Rey* », la première cause des guerres carlistes étant la ferveur religieuse séculaire de la Navarre.

Avec la victoire des libéraux, la Navarre se vit privée de ses prérogatives ; à partir de 1841, elle n'eut plus le droit de frapper sa propre monnaie ni de réunir des Cortes. Cependant, elle bénéficiait encore d'une autonomie relative.

Le dernier conflit carliste s'acheva en 1876. Mais les carlistes refirent surface, du côté nationaliste, lors de la guerre civile, et jouèrent un rôle déterminant lors du coup d'État de 1936 qui mit le feu aux poudres. Cette année-là, après un voyage en Navarre, Franco qualifia celle-ci de « *berceau du mouvement nationaliste* ». Les provinces basques voisines avec lesquelles elle partageait sa langue (dans une certaine mesure), son passé et certaines coutumes, prirent leurs distances. Les provinces plus industrielles de Biscaye, d'Álava et du Guipúzcoa rejoignirent la république.

Quand le mouvement nationaliste basque avait commencé à se développer, au début du XXe siècle, il avait tenté un rapprochement avec la Navarre, mais toutes ses tentatives avaient échoué. Le *navarrismo* séculaire des secteurs les plus conservateurs s'est toujours opposé à l'unification. Après la mort de Franco, les chefs nationalistes basques essayèrent, en élaborant le statut d'autonomie de leur région, d'y incorporer la Navarre, mais ce fut encore un échec. Aujourd'hui, le rattachement de la province demeure une revendication majeure des indépendantistes basques.

LA RIOJA

La Rioja fut gouvernée tour à tour par les Gascons, les Romains, les Maures et les Castillans. De 573 à 711, cette région, que l'Èbre sépare du Pays basque à l'ouest, et de la Navarre à l'est, fut intégrée au duché de Cantabrie. Les rois des Asturies s'en emparèrent en 1023, mais Alphonse VI

l'annexa au royaume de Castille en 1056. Lorsque l'Espagne fut partagée en cinquante-deux provinces (1822), les 8000 km² de la Rioja furent inclus dans celle de Logroño. Ferdinand VII se pencha sur la carte du pays l'année suivante, réduisit la Logroño à 5000 km² et la réunit à la Vieille-Castille. La Rioja ne retrouva son nom qu'en 1980, et son autonomie deux ans plus tard.

La Rioja se divise en deux parties : la Rioja Alta, à l'ouest, humide et montagneuse, et la Rioja Baja, à l'est, plus plate et nettement plus sèche. A la lisière de ces deux régions, **Logroño ❾** est la capitale de la province. L'enceinte médiévale et le vieux quartier, dont les maisons surplombent la rivière, ajoutent au charme de cette ville dynamique qui tire ses ressources du commerce du vin. Elle renferme plusieurs monuments intéressants tels que l'**Iglesia de Santiago El Real**, qui fut une étape importante pour les pèlerins se rendant à Saint-Jacques-de-Compostelle, et la **Catedral de la Redonda**, facilement repérable à ses deux tours baroques.

Haro ❿, à 38 km au nord-est de Logroño, est la capitale viticole de la Rioja. On peut y voir l'**Iglesia de Santo Tomás** (1564), de style gothique flamboyant, ou la belle façade de l'hôtel de ville, ou encore les ruines du château et des murailles. Mais Haro mérite surtout le détour pour sa vieille ville qui regorge de tavernes et de cafés dans lesquels on peut goûter aux vins locaux. De nombreux producteurs organisent des visites guidées, suivies de dégustations, de leurs *bodegas* (le programme est disponible à l'office du tourisme, près de la Plaza Paz). La fête du 29 juin, la Battala del Vino, est une véritable bacchanale au cours de laquelle les participants se chamaillent en s'aspergeant de vin.

De Logroño, la N 120 mène à l'ouest vers **Nájera**, ancienne capitale des rois de Navarre. C'est ici que fut édifié le **Monasterio de Santa María La Real**. Ce panthéon royal est remarquable par son cloître gothique du XIᵉ siècle adossé à la falaise, le Claustro de los Caballeros, aux claires-voies platéresques toutes différentes.

Carte
p. 288

Les tours jumelles de la cathédrale de Pampelune avec, en toile de fond, les sommets enneigés des Pyrénées.

Les Sanfermines envoûtèrent Ernest Hemingway, dont le roman « Le soleil se lève aussi » les rendit célèbres dans le monde entier.

A 20 km à l'ouest, **Santo Domingo de la Calzada** ⓫ est une étape sur la route de Saint-Jacques-de-Compostelle. Dans le quartier médiéval, la **cathédrale**, de styles gothique et roman, abrite la tombe de saint Dominique, le fondateur de la ville ; c'est lui qui, au XIe siècle, installa une hôtellerie destinée aux pèlerins de passage dans la région.

Autre étape sur la route de Compostelle, **San Millán de la Cogolla** ⓬, à 10 km au sud de Nájera ; le **Monasterio de Yuso** conserve un manuscrit de saint Augustin, *Gloras Emilianenses*, qui date du Xe siècle et figure parmi les premiers écrits en castillan.

PAMPELUNE

Baptisée par les Romains Pompaelo, « la ville de Pompée », **Pampelune** (Pamplona en castillan ; Iruña en basque) ⓭ fut, du Xe au XVIe siècle, la capitale du royaume de Navarre. Après une époque florissante grâce à l'afflux des pèlerins de Saint-Jacques, la ville prit une part active dans les conflits avec

Spectateurs des Sanfermines.

Lors des lâchers de taureaux des Sanfermines, tous les postes d'observation de la ville sont pris d'assaut. Les étrangers qui déferlent par milliers chaque année à Pampelune pour assister aux « encierros » sont de plus en plus nombreux à vouloir défier les taureaux dans les rues. Mais les néophytes encourent et font encourir aux autres de graves dangers.

la France et dans les guerres carlistes. Depuis cette époque les Navarrais, conservateurs, religieux et travailleurs, ont su faire de leur ancienne citadelle une ville industrielle et prospère.

Cinquante et une semaines par an, les *Pamplonicas*, fiers de leur assiduité au travail, méprisent ostensiblement les divertissements typiquement espagnols tels que les spectacles de flamenco, les longues soirées et les interminables pauses-café. Mais le 6 juillet, la veille de la saint Firmin (San Fermin), à midi, une fusée tirée du balcon de l'Ayuntamiento met fin à l'ordre et à la pondération : jusqu'au 14 juillet, les Sanfermines font de Pampelune la ville la plus folle et la plus débridée de toute l'Espagne. Pour certains, ces *fiestas*, qui constituent l'expression poussée à son paroxysme de la liesse populaire, sont le prolongement logique, plutôt qu'une aberration, du tempérament navarrais : on n'y glorifie ni les fleurs ni une Vierge, mais la seule endurance. Les participants n'ont d'autre but, en effet, que de boire, de manger, de danser et de chanter sans discontinuer durant une semaine. « *Cela dura jour et nuit pendant sept jours. La danse continua, la boisson continua, le bruit continua. Ce qui se produisit n'aurait pu se passer nulle part ailleurs que pendant une "fiesta". Finalement, tout devint complètement irréel, et on avait l'impression que rien ne tirerait plus jamais à conséquence* », raconte ainsi Ernest Hemingway. Ces journées de fête atteignent leur apogée lors des *encierros*, lâchers de taureaux dans les rues de la ville (où des audacieux tentent de leur échapper), suivis de combats dans l'arène. L'ambiance joyeuse et bon enfant est contagieuse. Néanmoins, les débordements, qui ne sont pas rares, peuvent donner aux réjouissances un aspect moins innocent, sans compter que les lâchers de taureaux occasionnent presque chaque année des blessures mortelles. Aussi est-il préférable d'assister aux *encierros* en spectateur, en se tenant à l'abri derrière les barricades prévues à cet effet ou en se contentant des combats dans l'arène.

Quoi qu'il en soit, Pampelune a d'autres richesses à offrir que ses Sanfermines. Cerné d'usines, d'immeubles

Carte p. 288

modernes et de larges avenues, le vieux quartier de Pampelune, édifié sur une colline dominant l'Arga, cache quelques trésors.

Au cœur de la ville, la **Plaza del Castillo**, ancien lieu de rencontre de l'aristocratie locale, est bordée de terrasses de café. Le noble passé de la ville est présent à son extrémité ouest, au **Palacio de Navarra**, dont la salle du trône est ornée de portraits des rois de Navarre.

Les principaux monuments de Pampelune s'élèvent près des remparts, au nord de la place. Au nord-est, la **cathédrale** présente une façade du XVIIIᵉ siècle due à l'architecte néo-classique Ventura Rodríguez. Elle abrite les tombeaux d'albâtre de Charles III de Navarre et de sa femme, Éléonore de Castille. Le cloître gothique attenant (XIVᵉ-XVᵉ siècle) est de toute beauté.

Au nord, le **Museo de Navarra**, logé dans un hôpital du XVIᵉ siècle, renferme des pièces d'archéologie navarraise et des fresques provenant d'églises romanes de la région. On peut également y admirer le *Portrait du marquis de San Adrián* par Goya.

Au sud de la Plaza del Castillo commence le **Paseo de Sarasate** (le célèbre violoniste était natif de la ville) qui passe devant l'**Iglesia de San Nicolás**. Encore plus au sud se dresse la verdoyante **Ciudadela**, forteresse construite par Philippe II qui, à la belle saison, sert de cadre aux concerts en plein air. Elle se prolonge au nord par le **Parque de la Taconera**, somptueux jardin public peuplé de daims, orné de fontaines et de monuments dédiés aux héros navarrais. Au milieu du parc, l'**Iglesia San Lorenzo** possède une chapelle dédiée à saint Firmín, patron de Pampelune.

LA CAMPAGNE DU SUD-OUEST

S'étendant entre les basses Pyrénées orientales, au nord-est, les vignobles voisins de la Rioja au sud-ouest et les terres désertiques des Bardenas Reales, dans les environs de Tudela, au sud, la campagne navarraise est d'une extrême variété.

Très tôt, la région fut parrcourue par les pèlerins de Saint-Jacques-de-Compostelle venant de France, ce qui

explique le grand nombre d'églises romanes. C'est une province où il faut flâner, rouler lentement, à bicyclette de préférence, et consacrer beaucoup de temps aux repas, car la bonne chère est l'une des nombreuses traditions qui font de la Navarre une province basque.

Au sud-ouest de Pampelune, **Estella** ⓫ fait figure de ville sainte pour les carlistes. Parmi ses splendides églises romanes, citons **Santa María Jus del Castillo**, une ancienne synagogue, **San Pedro de la Rúa** et **San Miguel**. Le **Palacio de los Reyes** (palais des rois de Navarre), du XIIᵉ siècle, est un rare exemple d'architecture civile romane.

A quelques kilomètres au sud, au pied du **Montejurra** – où les carlistes remportèrent, en 1873, une victoire historique sur les troupes républicaines – s'élève le **Monasterio de Irache**, qui remonte au XIIᵉ siècle et posséda sa propre université entre le XVIᵉ et le XIXᵉ siècle. Celle-ci dépendait administrativement de **Viana**, une jolie ville située un peu plus loin sur la N 111, fondée en 1219 par Sanche le Fort. Les dauphins de Navarre portaient

Le village médiéval d'Ujué.

Perchée sur sa colline, la bourgade d'Ujué occupe une position stratégique exceptionnelle qui lui permet de surveiller la « huerta » alentour et de contempler les Pyrénées qui se profilent au loin. Fin avril, durant la « romeria », fête qui remonte au XIVᵉ siècle, la Vierge d'Ujué est célébrée par une procession.

Le château d'Olite abrite derrière ses murs ornés de tourelles un excellent « parador ».

La Plaza de los Fueros, au cœur de la vieille ville de Tudela.

le titre de prince de Viana jusqu'à leur accession au trône. L'**Iglesia Santa María** abrite le tombeau de César Borgia, tué dans une embuscade à Pampelune en 1507.

La route C 132 mène à **Tafalla**, dont l'**Iglesia Santa María** possède un magnifique retable de style Renaissance. Avant de s'y rendre, un détour s'impose par **Artajona**, ville fortifiée qui, ceinte de murailles crénelées, se profile au loin comme un fantôme du Moyen Age navarrais.

Au sud de Tafalla, la pittoresque bourgade d'**Olite ⓯** fut la capitale des rois de Navarre à partir du XVe siècle. Leur château, trop restauré selon certains, est un étonnant *parador* qui, en été, sert de cadre féerique à des festivals de théâtre et de musique. Le style gothique de l'**église Santa María** qui se dresse en contrebas contraste avec ce décor somptueux.

Contrairement à Olite, la bourgade d'**Ujué**, admirablement située au sommet d'une colline, est restée miraculeusement intacte. Le lacis de ruelles étroites, les maisons, l'église romane du XIVe siècle, les vestiges de la forteresse, tout y évoque le Moyen Age.

A une trentaine de kilomètres d'Olite, le **Monasterio de la Oliva**, fondé au milieu du XIIe siècle par le roi García Ramirez et occupé aujourd'hui par des trappistes, est un chef-d'œuvre de simplicité.

Au sud d'Olite, sur l'A 15, **Tudela ⓰** fut l'une de ces cités espagnoles où chrétiens, musulmans et juifs cohabitèrent pacifiquement durant des siècles. Elle fut fondée en 802 par les Maures, dont la mosquée a laissé des vestiges à l'intérieur de la **cathédrale**. Celle-ci offre un bel exemple de la transition du roman au gothique ; sur la façade principale, le portail du Jugement dernier représente une vision détaillée de l'au-delà. Entre la cathédrale et le confluent du Queiles et de l'Èbre, l'Aljama est l'un des anciens quartiers juifs les plus connus d'Espagne.

Au nord-est, au pied des Pyrénées navarraises, **Sangüesa ⓱** fut fondée au XIIe siècle par Alphonse Ier le Batailleur.

Carte
p. 288

Les portails romans de son **Iglesia de Santa María** sont les plus beaux d'Espagne. Non loin, le **Castello de Javier**, du nom de saint François Xavier qui y naquit en 1506, est toujours un lieu de pèlerinage. Il abrite un crucifix censé saigner le jour anniversaire de la mort du saint.

Au nord-est de Javier, isolé au pied d'un contrefort rocheux, le **Monasterio de Leyre ⓲** est le premier édifice roman de la région ; il était déjà mentionné en 848 dans une lettre de saint Euloge de Cordoue à l'évêque de Pampelune. Consacré en 1057, il fut laissé à l'abandon puis restauré au XIXe siècle par les bénédictins. Malheureusement, il est fermé au public, à l'exception de la crypte qui constitue la partie la plus ancienne. A l'extérieur du monastère, un hôtel permet de jouir de la tranquillité des lieux.

LES PYRÉNÉES NAVARRAISES

La Valle de Roncal est une splendide vallée verdoyante qui se déploie à l'ouest jusqu'au Guipúzcoa et à l'est jusqu'à Huesca et aux hautes Pyrénées. L'intérêt de ces étendues réside moins dans leurs monuments, rares en dehors d'églises et d'ermitages romans, que dans leur cadre naturel et leur architecture traditionnelle. **Roncal** et **Isaba** sont les principaux villages de la vallée de Roncal que surplombent d'imposants sommets atteignant parfois plus de 2 000 m.

Au nord d'Ochagavía, la **vallée du Salazar** et la **forêt d'Irati**, sites forestiers les plus denses et des plus vastes d'Europe, fournirent le bois nécessaire à la construction des navires de l'Invincible Armada. En continuant vers l'ouest, on atteint **Roncevaux** (Roncesvalles) **⓳**. C'est là que le principal chemin de randonnée de Compostelle, **El Camino de Santiago**, traverse la frontière française. Jadis, ses hôtelleries figuraient parmi les plus grandes étapes du pèlerinage. On peut y visiter un couvent d'augustins et la **Colegiata Real**, église gothique exagérément restaurée, qui abrite dans la salle du chapitre l'énorme tombeau de Sanche VII le Fort (1154-1234) et de la reine Clémence.

La route qui descend de Roncevaux à **Valcarlos** emprunte l'étroit défilé où se produisit la fameuse embuscade de 778 : on comprend que les soldats de Charlemagne n'aient eu aucune chance contre les guerriers basques perchés sur ses parois abruptes.

A la lisière du Pays basque, la superbe **Valle de Baztán ⓴** forme un amphithéâtre où subsistent quatorze fiers villages aux maisons armoriées. Au nord d'**Elizondo**, station climatique et « capitale » du Baztán, **Arizcun** abrite des descendants d'*agotes* (les agates furent persécutés durant des siècles à cause de leur prétendue ascendance juive, maure, wisigothe ou albigeoise). Plus au nord, **Zugarramurdi** doit sa réputation aux sorcières qui se réunissaient dans les grottes pour tenir leurs *akelarres* (sabbats). Ces grottes furent habitées dès l'époque néolithique, mais leur réputation date d'un procès de l'Inquisition, qui se déroula à Logrono en 1610, et à l'issue duquel quarante femmes furent accusées de sorcellerie et douze d'entre elles brûlées vives.

A Elizondo, de vieilles maisons en pierre surplombent la rivière.

Elizondo (« non loin de l'église »), capitale de la Valle de Baztán, ne déroge pas à la règle de Navarre : les maisons anciennes sont ornées de blasons car, autrefois, tous les habitants de la ville étaient nobles. Elle abrite de nombreux « indianos » ou « americanos », surnom donné aux Basques qui, après être allés faire fortune au Nouveau Monde, sont revenus finir confortablement leurs jours au pays.

LA CANTABRIE ET LES ASTURIES

Coincées entre le golfe de Gascogne et la majestueuse cordillère cantabrique, les régions autonomes de Cantabrie et des Asturies sont chacune formées d'une seule petite province : celle de Santander pour la première et celle des Asturies pour la seconde. Ce pays accidenté, dont le littoral est bordé d'un mince cordon de vallées fertiles, forme l'une des plus belles régions d'Espagne. Entre Castro-Urdiales et San Vicente de la Barquera, la côte cantabrique alterne hautes falaises et plages de sable (on en compte 72), criques sauvages et larges baies entre lesquelles s'égrènent des petits villages de pêcheurs. Les côtes asturiennes, qui s'étirent sur 290 km, sont festonnées de grèves, de rias et de promontoires fouettés par les vents.

Un climat humide et doux toute l'année apporte à ce paysage marin tourmenté un camaïeu de verts et de gris estompés par la nature riante des bocages de l'arrière-pays. Mais même au plus fort de l'été, la neige recouvre les cimes imposantes des Picos de Europa (2 665 m), les plus hauts sommets des monts Cantabriques, dont les massifs de las Peñas Santas, d'Urrieles et d'Andorra commencent en Cantabrie et couvrent presque toutes les Asturies. Depuis les temps anciens, on appelle Montaña le versant sur lequel prennent naissance les fleuves qui se jettent dans l'océan.

UN FOYER DE PEUPLEMENT ANCIEN

La région a gardé des traces d'un peuplement important remontant au magdalénien (15000 à 9000 av. J.-C.), dernière période du paléolithique supérieur. Les peintures découvertes sur les plafonds et les parois des cavernes calcaires de la région qui figurent des mammouths, des rennes, des rhinocéros laineux et des bisons laissent à penser que leurs auteurs étaient des petits clans de chasseurs nomades qui suivaient les migrations de ces ani-

maux. La puissance d'évocation de ces peintures rupestres est due notamment à la précision du tracé. Les similitudes entre les dessins des cavernes préhistoriques du sud-ouest de la France et celles du nord-ouest de l'Espagne ont conduit à définir une zone de culture préhistorique dite « franco-cantabrique » englobant de très nombreux sites des Asturies et des contreforts pyrénéens du Pays basque.

CASTRO-URDIALES ET LAREDO

Ancienne colonie romaine du nom de Flavrobriga, **Castro-Urdiales** ❶ est le port le plus occidental et l'un des plus vieux de Cantabrie. Dans le quartier ancien, qui occupe une petite presqu'île fortifiée, les ruines d'une hôtellerie de Templiers, ainsi que le « château » de Santa Ana et l'Iglesia de Santa María, de style gothique, surplombent la rade.

Le puissant ordre militaire des Templiers, dont les chevaliers se reconnaissaient à leur robe blanche brodée de la croix rouge des croisés, fut fondé en

Carte p. 308

A gauche, le village médiéval de Santillana del Mar ; ci-dessous, l'Iglesia de Santa María, à Castro-Urdiales.

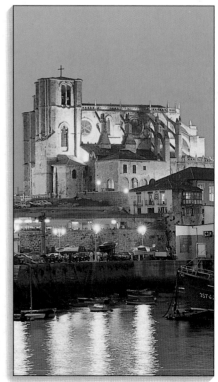

Castro-Urdiales est la plus ancienne cité de la côte de Cantabrie. Dans la vieille ville, bâtie sur un éperon rocheux qui la protégeait contre les attaques des pirates, l'église gothique de Santa María domine une rade encombrée de bateaux de pêche. Les sculptures, les arcs-boutants et les tours inachevées de l'édifice, réalisé par des Français, rappellent Notre-Dame de Paris.

*La côte
cantabrique
est idéale
pour la voile.*

1119 pour protéger les pèlerins se rendant en Palestine. Mais, à Castro-Urdiales, ils accueillaient aussi les fidèles se rendant à Compostelle. En effet, les principaux buts des pèlerinages médiévaux étaient Saint-Jacques-de-Compostelle et, dans la direction opposée, Rome et Jérusalem.

Non loin de la ville s'étirent les longues étendues de sable de la **Playa de Brazomar** et de la **Playa de Oriñón**, à l'embouchure de l'Agüera.

A **Laredo** ❷, la plage de Salvé attire tellement d'estivants que la population (environ 10 000 âmes) double au mois d'août. De fait, le magnifique croissant de sable est quelque peu gâté par les constructions modernes.

Durant l'âge d'or castillan qui suivit la Reconquête, cette partie de la côte était le centre administratif de la Cantabrie et le seul débouché de la Vieille-Castille sur l'océan. L'importance de la flotte cantabrique qui y mouillait s'accrut de façon spectaculaire au XVIᵉ siècle. Selon un Vénitien de l'époque, les ports du golfe de Gas-

*Scène de plage
à Santander.*

cogne étaient les joyaux de la couronne impériale : c'est sur eux que reposait la supériorité maritime de l'Espagne. De Saint-Sébastien, de Laredo, de Santander et de La Corogne, des galions chargés de vin et de laine espagnols cinglaient vers les Flandres et l'Angleterre ou gagnaient la Méditerranée par le détroit de Gibraltar. Tout le long de la côte, les églises bénéficièrent à la fois de leur situation sur la route des pèlerins et de la formidable campagne de construction des Rois Catholiques. A Laredo, par exemple, le sanctuaire gothique de l'**Iglesia de Nuestra Señora de la Asunción** (XIIIᵉ siècle) fut doté d'un nouveau porche au XVIᵉ siècle.

En 1556, Charles Quint, en arrivant des Flandres après avoir abdiqué en faveur de son fils Philippe II, débarqua à Laredo pour gagner le monastère de Yuste. Accompagné de sa sœur Marie de Hongrie, il transportait avec lui les trésors artistiques qu'avaient accumulés ces deux grands collectionneurs. Les musées espagnols ont conservé la plupart des chefs-d'œuvre de l'art flamand

La Cantabrie et les Asturies

qui, de Laredo, rayonnèrent dans toute l'Espagne.

La **baie de Santoña** sépare Laredo de **Santoña ❸**, grand port de pêche et station balnéaire qui possède une église commencée au XIIIᵉ siècle et plusieurs plages, dont la **Playa de Nueva Berria** qui s'étire sur près de 2 km.

LA VILLÉGIATURE DES CASTILLANS

Grand port moderne, **Santander ❹** fut hissée au rang de capitale provinciale au XVIIIᵉ siècle alors que les Français mettaient à sac l'est de la côte. La meilleure époque pour visiter la ville se situe en juillet-août, lors du festival de musique, de danse et d'art dramatique. Le centre-ville, rebâti après avoir été ravagé par un gigantesque incendie en 1941, est orienté face à la baie. Des quais, par temps clair, on aperçoit les monts Cantabriques.

Ourlé de belles plages (la Camella, la Concha, la Primera et la Seconda), **El Sardinero** est le quartier résidentiel et balnéaire le plus ancien de la ville. On y trouve le **Gran Casino del Sardinero**, l'**université internationale Menéndez Pelayo**, qui dispense des cours d'été aux étudiants étrangers, ainsi que le grand bâtiment Belle Époque du vieil hôtel Rea. Sur la **Península de la Magdalena** se dresse le palais d'été de style néo-gothique de la famille royale d'Espagne, bâti en 1912 pour Alphonse XIII et intégré désormais à l'université.

Le **Museo de Bellas Artes**, sur la Calle Rubio, à l'ouest de la Plaza Porticada, est installé dans l'ancienne bibliothèque de l'écrivain local Marcelino Menéndez y Pelayo (1856-1912), dont la statue orne le jardin. Il abrite une petite mais intéressante collection de tableaux allant de Zurbarán aux artistes cantabriques contemporains et de vastes galeries d'expositions temporaires. Parmi les portraits figurent ceux de Ferdinand VI, d'Isabelle II et de Franco. Celui de Ferdinand, dû à Goya, qui peignit plusieurs fois ce monarque faible et cruel, aurait été commandé à l'artiste par la ville de Santander. Il voi-

Carte p. 308

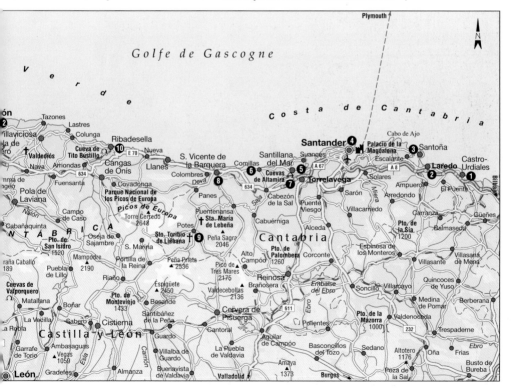

sine avec quatre célèbres séries d'eaux-fortes de Goya : les *Caprices*, les *Désastres de la guerre*, la *Tauromachie* et les *Disparates* ou *Proverbes*. Les *Caprices* furent interdits par Charles IV, probablement parce qu'ils attaquaient violemment l'Église, et les *Désastres de la guerre* ne furent publiés *in extenso* qu'une cinquantaine d'années après leur achèvement.

Le **Museo de Prehistoria y Arqueología**, situé dans la Diputación Provincial, près du Puerto Chico, où sont amarrés les bateaux de pêche, est une excellente introduction à l'art rupestre magdalénien découvert dans la région.

SANTILLANA ET COMILLAS

A l'ouest de Santander, Santillana del Mar et Comillas sont devenues des villégiatures huppées. Cette agréable contrée où alternent les plages superbes, les jolies fermes dominant la mer, les églises médiévales et Renaissance et les villas tarabiscotées de la Belle Époque est littéralement prise d'asaut en été.

Santillana del Mar ❺ doit son charme aux rues pavées de galets qui entourent la **Collegiata** romane (XIIᵉ-XIIIᵉ siècle), le cloître et ses trois absides ; l'ensemble du quartier a été classé zone historique. L'église abrite les reliques de sainte Julie, une vierge martyre du IVᵉ siècle dont le nom Santa Iliana a donné « Santillana ». Comme beaucoup d'églises inspirées du style roman français, la Collegiata fut conçue comme un vaste reliquaire auquel on accède par un élégant porche en plein cintre.

En dépit du caractère cosmopolite qu'elle a acquis au fil des siècles, Santillana a conservé son caractère de ville-marché. Le Parador Nacional Gil Blas, sur la grand-place, porte le nom du héros picaresque de l'*Histoire de Gil Blas de Santillane*, le roman satirique Le Sage (1668-1747) qui, sous couvert de parler de l'Espagne, s'attaquait en réalité aux problèmes français.

A **Comillas ❻**, des panneaux indiquent le chemin à prendre pour rejoindre **El Capricho**, étonnante villa

El Capricho.

Carte p. 308

construite entre 1883 et 1885 pour un riche célibataire sur les plans du célèbre architecte catalan Antoni Gaudí. Celui-ci combina des références aux massives colonnes romanes, au minaret arabe, au briquetage mudéjar, aux traditionnels balcons de fer forgé espagnols, aux formes et aux couleurs de la campagne et du littoral cantabriques. Le toit de tuile rose est directement inspiré du palais voisin, le néo-gothique Sobrellano Palace. A l'intérieur, l'ouverture des fenêtres à guillotine déclenchait jadis le tintement d'une clochette dissimulée dans le chambranle.

LES GROTTES D'ALTAMIRA

Altamira ❼ se trouve à moins de 2 km au sud de Santillana del Mar. Ces grottes d'art rupestre préhistorique, parmi les plus importantes d'Europe, furent les premières grottes de l'époque magdalénienne (15000 à 9000 av. J.-C.) à être découvertes et sont peut-être les plus belles.

En 1889, don Marcelino de Sautuola, un scientifique qui habitait la région, découvrit, à l'exposition internationale de Paris, de petites gravures paléolithiques. L'année suivante, il comprit, en raison de leur similitude, que les peintures d'Altamira, découvertes dix ans plus tôt par sa fille, remontaient aussi à à la préhistoire.

Les bisons, les biches, les ours, les chevaux et autres animaux qui ornent le plafond de la grande salle forment, avec les peintures de Tito Bustillo (Asturies) et de Lascaux (Périgord), le plus grand ensemble « polychrome » connu. Les peintures pariétales sont à base de pigments variés : des ocres, de l'oxyde de manganèse, du charbon de bois, du carbonate de fer. Le modelé était obtenu par l'utilisation de ces pigments contrastés sur le relief naturel de la roche. La peinture la plus connue d'Altamira, le *Bison couché*, épouse les contours d'une bosse qui donne l'illusion d'une sculpture en bas relief. Certaines de ces œuvres raffinées mesurent plus de 2 m de long.

Dans le souci de préserver ce fabuleux patrimoine, le nombre de visites est limité et il est indispensable de

réserver au moins un an à l'avance auprès du Museo de Altamira, à Santillana del Mar. Faute de réservation, on pourra se rendre au musée qui explique en détail l'importance de ces peintures, ou encore visiter la **Cueva del Castillo** à Puente Viesgo (20 km au sud-est d'Altamira), riche en gravures et peintures préhistoriques.

LA COSTA VERDE

San Vicente de la Barquera ❽, à 10 km à l'ouest de Comillas, réserve l'une des surprises les plus agréables de la côte cantabrique. Quand on fait route vers l'ouest, les anses où se nichaient jadis des petits ports s'élargissent, les vallées paraissent plus vertes et les montagnes sont plus hautes. Juchés sur un promontoire planté de pins, les remparts, le château et l'église fortifiée **Santa María de los Ángeles** XIIIe-XVIe siècle), se mirent dans la crique que franchissent les vingt-huit arches du **Puente de la Maza**, pont de pierre du XVIIe siècle. La plage, **Sable de Merón**, s'étend sur

Fragment polychrome d'Altamira.

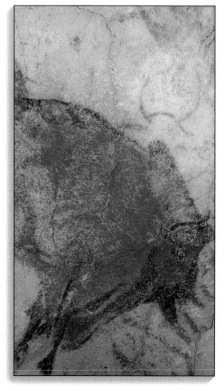

Les grottes d'Altamira ont été surnommées la « chapelle Sixtine de l'art rupestre ». L'authenticité de ces œuvres pariétales ne fut universellement reconnue qu'au tout début du XXe siècle, lorsqu'on découvrit au même endroit d'autres grottes dont l'entrée avait été obstruée, ce qui éliminait toute possibilité de supercherie.

près de 3 km de long et sa largeur peut atteindre 100 m à marée basse.

ART MOZARABE

Après avoir quitté la côte à San Vicente, la route remonte la vallée du Deva jusqu'à Unquera et Panes puis mène à l'extrémité orientale des Picos de Europa (pics d'Europe) vers le village de **Potes ❶**. Le Desfiladero de la Hermida, qui franchit la « frontière » des Asturies, est un défilé fort étroit, qui s'élargit au nord de Potes pour former l'austère cadre montagneux de l'un des joyaux de l'architecture mozarabe, l'**Iglesia Santa María de Lebeña**. Fondée par Alfonso, comte de Liébana (924-963), et sa femme Justa, probablement originaires d'Andalousie, cette église combine la conception architecturale d'une mosquée avec le style préroman des églises asturiennes (agglomérat de petits compartiments et voûtes en berceau) qui, depuis le VIIIᵉ siècle, s'étaient implantées au nord des monts Cantabriques en s'inspirant

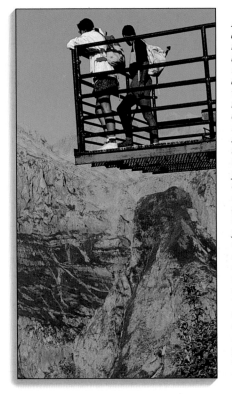

Panorama depuis le Mirador del Cable.

Appréciés des alpinistes et des randonneurs, les Picos de Europa abritent le plus vaste parc naturel d'Europe. Les vues sont spectaculaires; du Mirador del Cable, plate-forme installée au sommet du Fuente Dé et accessible toute l'année par un funiculaire, on découvre Potes, la vallée du Deva, la réserve animalière voisine et les montagnes qui les entourent. Des routes carrossables traversent aussi le parc.

plus ou moins de modèles wisigothiques.

Comme les églises asturiennes, Santa María était entièrement voûtée. Lorsqu'on y entre par une porte latérale, l'église évoque une mosquée, en partie à cause des arcs outrepassés. Sa *Vierge du Bon Lait*, œuvre polychrome du XVᵉ siècle, est maintenant incorporée à un retable du XVIIIᵉ siècle. Une stèle antique, réemployée par le constructeur du IXᵉ siècle, est sculptée de besants wisigoths. Les voûtes ornant les corbeaux sculptés qui supportent les avant-toits, également d'origine wisigothique, rappellent celles dont Gaudí a décoré El Capricho. Des ornements de ce genre, provenant d'églises où des moulages les remplacent, figurent dans les musées.

A l'époque où fut édifiée Santa María, cette région isolée était, depuis des siècles, un foyer de culture monastique. C'est dans le **Monasterio de Santo Toribio de Liébana**, à quelques kilomètres au sud, que le moine Beatus rédigea ses commentaires de l'Apocalypse et du Livre de Daniel. Appelés les *Beatos*, ces écrits furent enluminés, au cours des siècles suivants, dans les ateliers de diverses abbayes; tout comme Santa María, ce sont d'importants témoignages de l'art mozarabe. Santo Toribio possède aussi un reliquaire qui abrite un morceau de la Vraie Croix.

A l'ouest de Potes, le **Fuente Dé Parador**, situé à la source du Deva et entouré de sommets élevés, est ouvert toute l'année – les alpinistes l'utilisent comme base. Au sommet du Fuente Dé, le **Mirador del Cable** offre des panoramas superbes.

LES ASTURIES

En rejoignant la côte, dans l'ancien royaume des Asturies, on découvre un littoral de plus en plus accidenté où ports et plages de sable sont séparés par de hautes falaises. **Llanes** offre une promenade en corniche, le **Paseo de San Pedro**, et trente petites plages; cette jolie ville mérite une halte lors des spectacles de *pericote*, charmante danse folklorique asturienne (se renseigner sur place sur les dates des représenta-

Carte
p. 308

tions). A **Vidiago**, toute proche, un menhir porte une gravure anthropomorphe baptisée *Peña Tu*. Près de Colombres, les grottes d'**El Pindal** figurent parmi les plus importantes grottes peintes. Elles abritent des dessins de l'époque magdalénienne.

Ribadesella ❿ occupe la rive droite de l'estuaire de la Ria Sella. L'une des principales grottes franco-cantabriques, **Tito Bustillo**, se situe à l'ouest du port, au bout du pont qui traverse l'estuaire. L'entrée d'origine n'existant plus, on ignore si les peintures ont été ou non exposées à la lumière du jour.

La muraille enduite d'ocre, qui surplombe le site d'habitation, est ornée d'une vingtaine d'animaux polychromes gravés à l'aide d'outils en silex. Ces animaux, minutieusement reproduits, sont de grande dimension ; près de 2 m en moyenne. Parmi eux, le renne est particulièrement remarquable puisque c'est une espèce rare dans l'art paléolithique cantabrique. Afin de prévenir la détérioration des œuvres, le nombre quotidien de visiteurs est ici aussi strictement limité et il est conseillé d'arriver très tôt, particulièrement en haute saison.

A Ribadesella, les terrasses des cafés du port offrent un bon point de vue sur la ria, les bateaux de pêche et les teintes changeantes des montagnes et de la mer. Dans l'**église** figure une fresque des frères Uria Aza qui dépeint les horreurs de la guerre moderne.

MER ET CIDRE

La cuisine asturienne varie d'une ville à l'autre, mais où que l'on aille, on peut commander de la *fadaba*, un plantureux ragoût de haricots blancs, de jambon et de saucisses. Les Asturies sont réputées pour leurs cochonnailles : on y accommode au lard fumé jusqu'aux saumons et aux truites. La *calderata* est une soupe de poissons. Le fromage le plus estimé est un bleu, le *cabrales*. La boisson traditionnelle des Asturies est le cidre (qui a inspiré quelques chansons populaires), que l'on aère en le versant de très haut dans les verres.

*Réclame
du XIXe siècle
vantant le cidre
des Asturies.*

*Les Picos
de Europa.*

Les sabots traditionnels des Asturies.

De Ribadesella, une agréable excursion conduit à **Covadonga**, dans le **Parque Nacional de Los Picos de Europa**. Nichée dans une vallée verdoyante et boisée, cette ville fut défendue au VIIIᵉ siècle par Pelayo, un guerrier asturien qui vainquit les Maures, et devint un symbole de la résistance chrétienne contre l'envahisseur. Une statue de Pelayo se dresse à côté de l'église néo-romane. En continuant à l'intérieur du parc, on parvient aux glaciers **Enol** et **La Ercina** que dominent, en toile de fond, les sommets couronnés de neige des Picos de Europa.

OVIEDO

Incontournable, **Oviedo ⓫**, qui compte 200 000 habitants, est la capitale provinciale du royaume des Asturies. Elle se dresse au milieu d'une plaine émaillée de pâturages, de champs de maïs, de pommeraies et de petites villes commerçantes. Oviedo fut la capitale du royaume des Asturies (IXᵉ-Xᵉ siècle). A la fin du Moyen Age, le commerce lui

Santa María de Naranco.

apporta richesse et prospérité. Puis l'installation de la manufacture royale d'armes, au XVIIIᵉ siècle, et l'exploitation de la houille, au siècle suivant, en firent une cité industrielle et le centre culturel des Asturies.

Le quartier ancien, dans lequel sont concentrés les témoignages de ce passé florissant, est situé à l'est du **Parque de San Francisco**, grand jardin public qui occupe le centre d'Oviedo. Ce quartier fut très endommagé lors du soulèvement antifasciste des partis ouvriers déclenché par les mineurs en 1934 et par la guerre civile qui le suivit de peu. L'office du tourisme, où l'on peut admirer des maquettes d'églises asturiennes, est installé sur la **Plaza Alfonso II el Casto**, près des ruines de l'église préromane **de San Tirso** édifiée par le roi du même nom.

Plusieurs des plus beaux monuments préromans des Asturies s'élèvent à proximité du centre d'Oviedo. Parmi eux, la **Basilica San Jullán de los Prados** recèle entre autres des fresques en trompe l'œil.

Carte
p. 308

La **Basilica del Salvador**, cathédrale de style gothique flamboyant, abrite le panthéon des rois des Asturies et la Cámara Santa, leur chapelle reliquaire. Derrière la cathédrale s'étendent un cimetière de pèlerins de Compostelle et le **Museo Arqueológico**. Ce dernier, qui occupe le couvent de San Vicente, renferme notamment des objets préhistoriques, des mosaïques romaines et des œuvres d'art préromanes.

Une excursion au **Monte Naranco** qui domine la ville permet de visiter l'**Iglesia Santa María del Naranco** et sa voûte en berceau. Bâti au milieu du IXᵉ siècle pour servir de salle du trône à Ramire Iᵉʳ, l'édifice fut converti plus tard en église. Un peu plus en hauteur, l'**Iglesia San Miguel de Lillo** fut construite à la même époque mais ne fut jamais vraiment terminée.

PAYSAGES DE MONTAGNE

D'Oviedo, on atteint en une heure de voiture le Puerto de Pajares (1 360 m), un col des Picos à la lisière des Asturies et du León.

C'est à **Mieres** que la république socialiste fut proclamée le 5 octobre 1934 du haut d'un balcon de la mairie. Au-delà de Mieres, mais accessible seulement par Pola de Lena (ce qui oblige à revenir en arrière), **Santa Cristina**, église préromane à nef unique du début du Xᵉ siècle, est perchée sur un mamelon et visible de la route.

En revenant vers la côte, on rejoint les environs de **Gijón** ⑫, connue pour ses festivals folkloriques et pour ses églises préromanes qui essaiment dans les alentours. Station balnéaire et grand port de pêche, Gijón est la ville la plus importante des Asturies avec une population de 271 000 habitants. Le vieux quartier est bâti sur un isthme étroit et centré autour de la **Plaza Mayor**.

Avilés ⑬, un peu plus à l'ouest, possède aussi un vieux centre-ville charmant. Le vieux quartier qui entoure la Plaza de España ne manque pas de bars et de restaurants sympathiques.

A environ 20 km, également vers l'ouest, la N 632 mène à **Cudillero** ⑭, l'un des plus impressionnants villages de pêcheurs des Asturies ; les maisons sont étagées sur une paroi abrupte qui descend vers le port.

A environ 20 km à l'ouest, **Luarca** est un petit village côtier très vivant et une étape agréable pour explorer cette portion de la Costa Verde. Juste au sud du village voisin de Navia, une route à gauche conduit au site celte de **Coaña**, formation circulaire de pierres qui remonte à l'âge du fer.

De Luarca, la N 634 mène à la ville de **Salas**, à environ 20 km à l'intérieur des terres. Le château de Valdés Salas, ancienne résidence des marquis de Valdés Salas, y abrite désormais un restaurant.

Du **col d'Espinass**, qui offre une magnifique vue à 360°, on descend à **Tineo** par la AS 216. Cette localité est réputée pour son jambon mais aussi pour ses châteaux de García Tineo (XIVᵉ siècle) et de Meras (XVIᵉ siècle).

Au sud-est de Tineo, on rejoint le **Parque Natural de Somiedo**, qui englobe les vallées du Teverga et du Quirós.

Les nombreux pâturages du Parque Natural de Somiedo.

Les sommets du Parque Natural de Somiedo se dressent près de la frontière de la province de León. Cette réserve nationale doit sa réputation à ses loups, ses coqs de bruyère ou encore à ses ours bruns d'Europe qui vivent dans les forêts et les montagnes. Un chapelet de lacs glaciaires scintillent dans le paysage, notamment les splendides lacs de Cueva, Cervenz et Calabarosa.

LA GALICE

Au nord de l'Espagne, la Galice déploie un littoral magnifique creusé par l'Atlantique en profondes échancrures qui forment deux grands ensembles : les Rías Altas (« rias supérieures ») au nord, et les Rías Bajas (ou Baixas, « rias inférieures ») au sud-ouest. Abris sûrs pour les navires, ces rias (estuaires envahis par la mer) ont favorisé l'essor de la pêche.

À l'intérieur des terres, sillonnées par une myriade de rivières et de torrents, les plaines et les longues vallées onduleuses s'étendent au pied d'un rempart de montagnes qui séparent cette région brumeuse du reste du pays. Ces terres ont longtemps souffert de l'isolement économique. Car si les pluies abondantes (plus d'un mètre par an) donnent à la Galice l'aspect d'un paradis bucolique et nourrissent l'épais tapis de verdure qui couvre les flancs des vallées, elles sont moins bénéfiques qu'il n'y paraît. En effet, elles provoquent une grave érosion des sols et les rendent impropres à la culture. Autre obstacle à la mise en valeur agricole, la dénivellation du terrain, qui empêche la motoculture dans une grande partie de la région. En outre, le morcellement des parcelles en petites exploitations familiales (*minifundios*) fait avorter toutes les tentatives de réformes agraires. Car, ici, chacun est farouchement attaché à sa parcelle, et les politiques de remembrement se heurtent régulièrement à une vive opposition. Enfin, si la Galice produit malgré tout une viande de bœuf, un lait et un fromage – le *tetilla* – de grande qualité, le sous-emploi et les bas salaires ont provoqué depuis longtemps un exode massif. On estime que, au cours des cinq cents dernières années, un Galicien mâle sur trois a émigré. Entre 1911 et 1965, ils furent près d'un million à embarquer à Vigo pour les « terres promises » d'Amérique du Sud, notamment d'Argentine, de Cuba, d'Uruguay et du Venezuela.

En dépit des occasionnelles rafales de tempêtes et de la forte pluviosité, la Galice bénéficie d'hivers si doux que les habitants de la capitale, Saint-Jacques-de-Compostelle, ont surnommé leur ville « *l'endroit où la pluie est un art* ». Au printemps et en été, la campagne arbore les couleurs d'une flore riche et variée (mimosas, camélias, eucalyptus, chênes), mais ce sont avant tout les côtes déchiquetées, les plages de sable blanc et les vestiges archéologiques – et au premier chef les *castros* hérités des populations celtes – qui attirent en Galice des milliers de voyageurs.

L'HÉRITAGE CELTIQUE

Les premiers Galiciens vivaient dans des *pallozas*, huttes de pierres coniques à toit de chaume. Dans les terres les plus reculées et les plus pauvres de l'intérieur, notamment près de Las Ancares et de Lugo, les paysans partagent encore leurs *pallozas* avec leur bétail – contrairement aux autres Espagnols, les Galiciens n'ont jamais vécu dans des villes très peuplées et aujourd'hui encore, une bonne partie des trois millions d'habitants vivent dans des hameaux isolés.

Madrid

A gauche, pèlerins sur la route de Saint-Jacques-de-Compostelle ; ci-dessous, un pêcheur sur la Ría Coruña.

Établie sur un isthme, La Corogne est le sixième port de commerce d'Espagne et un centre industriel important. La Ría Coruña est l'une des nombreuses enclaves littorales de la Galice, première région de pêche d'Espagne. Thons, sardines, crustacés et morues sont destinés aux conserveries galiciennes, secteur économique très actif dans la province.

Carte p. 318

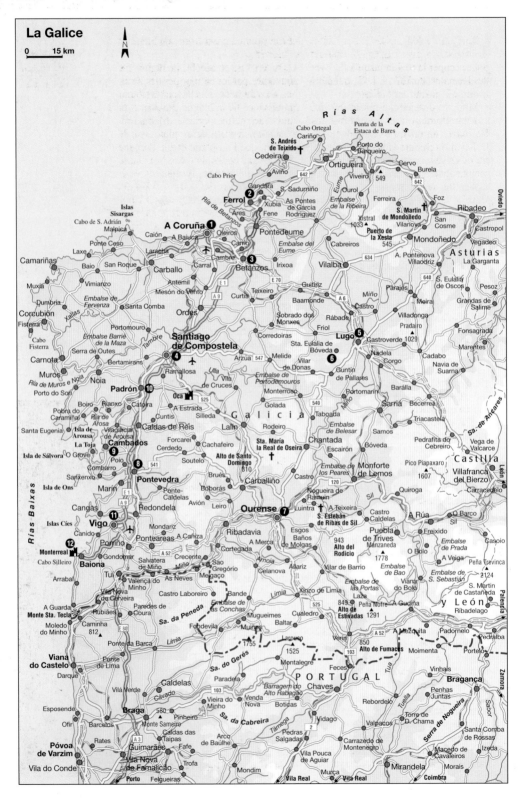

Carte p. 318

Vers l'an 1 000 av. J.-C., les Celtes chassèrent les populations autochtones pour occuper la région jusqu'à l'arrivée des Romains, en 137 av. J.-C., qui délogèrent à leur tour les *Gallaeci*.

Mais ces derniers laissèrent derrière eux leurs fameux *castros*, sites fortifiés. En outre, on dit qu'ils ont légué aux Galiciens la passion et le don de la poésie et de la musique ; une conception mélancolique et pessimiste de l'existence ; un attachement profond pour leur Terra Nosa (« notre pays »). L'historien Luís Moure Mariño déclarait ainsi : « *Le sentiment que la terre natale fait partie de la chair et du sang de chacun et une conception panthéiste du monde ont toujours fait partie de l'âme galicienne.* » De fait, les Galiciens sont attachés à leurs coutumes : la cornemuse traditionnelle, *gaita*, est encore largement utilisée et le rock celtique contribue pour une part à promouvoir la langue galicienne (*galego*).

La superstition et la magie occupent également une place importante dans l'imaginaire galicien et la mort exerce une véritable fascination. A As Neves par exemple, dans le sud de la province de Pontevedra, le 29 juillet, les malades qui ont réchappé à la mort au cours de l'année remercient sainte Marthe de son intervention. Habillés d'une toilette mortuaire, ils s'allongent dans « leur » cercueil auquel les familles font faire le tour de l'église de Ribarteme. Également impressionnant, le carnaval se déroule pendant une semaine au cours de laquelle resurgissent des rituels médiévaux et des déguisements d'autrefois.

UN LONG ISOLEMENT

L'époque romaine prit fin au milieu du Ve siècle avec l'arrivée des Suèves, Barbares venus du nord de l'Europe, dont le royaume indépendant perdura pendant tout le VIe siècle. Ils furent remplacés par les Wisigoths, puis, à partir de 730, par les Maures. Mais au cours des sept siècles d'occupation arabe, en dépit de raids occasionnels, la Galice subit assez peu l'influence musulmane et les montagnes, qui l'isolent du restant de la péninsule, lui permirent de

développer et consolider son identité culturelle.

Du VIIIe au Xe siècle, la région fut gouvernée par les monarques des Asturies, puis du León. Les linguistes situent la naissance de la langue galicienne au cours de cette période (début du Xe siècle). Deux siècles plus tard, le galicien, que l'on pense être à l'origine du portugais, possédait une florissante tradition de poésie lyrique et était même utilisé par des poètes castillans. La culture galicienne fut plus proche de celle du Portugal que de celle de l'Espagne jusqu'à la séparation définitive des deux pays, en 1668.

Ce qui n'empêchait pas la région, à l'époque où elle était soumise à l'autorité des Rois Catholiques (qui établirent la Junta du royaume de Galice en 1495), de tisser de solides liens économiques et religieux avec le royaume central, grâce surtout à l'importance du sanctuaire de Saint-Jacques-de-Compostelle ; la Galice abrite ainsi de magnifiques édifices romans remontant aux pèlerinages du XIIe et du XIIIe siècle.

La Torre de Hércules.

Sur la rive nord de l'isthme de La Corogne, la Torre de Hércules, seul phare romain du monde à être encore en service, date en fait de l'époque celte ; un chef de clan du nom de Breogan le fit construire afin de commémorer le départ d'une expédition pour l'Irlande. La « tour d'Hercule » fut rebâtie à partir de 98, sous le règne de Trajan, empereur romain né à Itálica, en Bétique.

LA COROGNE ET LES RÍAS ALTAS

Les Rías Altas, qui sont les moins visitées des estuaires de la Galice, déploient une belle côte sauvage déchiquetée par les flots. La partie sud est connue sous le nom de Costa de la Muerte (« côte de la mort ») en raison de son relief accidenté qui a provoqué de nombreux naufrages. Elle s'étend jusqu'au cap Finisterre, ou Cabo Fisterra, dans un magnifique paysage de bout du monde.

A la pointe nord-ouest de l'Espagne, **La Corogne** (La Coruña ou, en galicien, A Coruña) ❶ constitue un bon point de départ pour visiter la côte des Rías Altas. La cité était déjà un port important au temps des Romains qui l'appelaient Ardobicum Curonium. Jules César y vint de Gaule en 60 av. J.-C. afin de rétablir l'autorité de l'empire dans plusieurs villes rebelles des environs.

Aujourd'hui, sa situation sur la route maritime entre l'Europe du Nord et les Amériques fait de La Corogne une ville très active qui est, après Vigo, le principal port de pêche espagnol. L'accueil chaleureux de ses habitants lui a valu le surnom de « ville où nul n'est étranger ».

Le vieux quartier, Ciudad Vieja, est construit sur une presqu'île occupée au sud par le **Castello de San Antón** (XVIᵉ siècle), ancienne prison reconvertie en **musée archéologique** qui expose des vestiges romains, wisigoths ou égyptiens ainsi que des témoignages de la mystérieuse civilisation des *castros*. Vers l'est de la presqu'île, l'**Iglesia Santiago**, de style roman, est la plus vieille église de la ville (XIIᵉ siècle). Non loin, la **Colegiata María del Campo**, édifiée entre le XIIᵉ et le XVᵉ siècle, présente un joli portail et de belles peintures du XVIIIᵉ siècle tandis que l'**Iglesia Santo Domingo** est un joyau baroque du XVIIIᵉ siècle. Au sud de cette dernière, le **Jardín de San Carlos**, qui domine le port, abrite la tombe du général britannique John Moore, mort lors de l'attaque de la ville par les Français.

Le quartier moderne, **Pescadería**, s'étend à cheval sur la terre ferme et la presqu'île, à l'ouest de la Ciudad Vieja. Caractéristiques de la ville, les balcons vitrés (*miradores*) des petits immeubles blancs qui jalonnent l'**Avenida de la Marina**, sur le port, protègent des vents violents de l'océan. Derrière cette avenue, à l'est, la vaste **Plaza de María Pita** porte le nom de l'héroïne qui, en 1589, donna l'alerte pour signaler l'attaque de l'amiral anglais Francis Drake. Celui-ci était venu assiéger la ville en représailles contre l'Invincible Armada qui était partie du port de La Corogne en 1588 pour envahir l'Angleterre. La place est dominée par l'imposant bâtiment de l'**Ayuntamiento** (hôtel de ville) du début du XXᵉ siècle.

A l'extrémité ouest de la péninsule, la **Torre de Hércules** (« tour d'Hercule ») est un édifice romain du IIᵉ siècle qui reçut sa forme carrée en 1790, sous Charles III. Du haut du phare, on bénéficie d'une belle vue sur la baie. Non loin, les plages de **Riazor** et **Santa Cristina** sont idéales pour prendre des bains de soleil.

A une heure de voiture de La Corogne en longeant la côte vers l'est, **El Ferrol** ❷ est tapi au fond de la plus

Le cap Finisterre, le point le plus occidental de l'Espagne.

Le Cabo Fisterra doit son nom (« fin de la terre ») aux Romains (Finis Terrae). Ce cap est en effet le plus occidental d'Espagne. Du haut du phare qui trône sur l'impressionnante masse de granit s'offrent des vues splendides sur les flots écumeux et les écueils de la Costa de la Muerte. Non loin, Corcubión, son port et ses plages ajoutent à la beauté sauvage de ce bout du monde.

grande ria de la côte. Le vaste estuaire constitue un port en eau profonde presque parfait et abrite, depuis le XVIIIe siècle, l'un des principaux ports d'attache de la flotte de guerre espagnole – la cité est encore un important centre de construction navale. Ferdinand VI et, plus tard, Charles III bâtirent des forteresses en amont du chenal qui, à l'embouchure de la ria, s'étire sur 6 km de long. La ville a eu également pour nom El Ferrol del Caudillo puisque c'est ici que naquit, en 1892, le général Francisco Franco Bahamonde. Bien que lui-même galicien, le Caudillo n'eut de cesse de réduire l'autonomie politique des provinces et, considérant les régionalismes comme antipatriotiques, il alla jusqu'à interdire l'enseignement et l'usage du galicien. Malgré tout, sa statue équestre domine encore la **Plazza de España**.

A 20 mn en voiture de La Corogne, **Betanzos** ❸ est juchée sur une colline abrupte à la pointe d'une ria. La ville atteignit son apogée aux XIVe et XVe siècles, quand la vallée voisine de Las Marinas alimentait en blé toute la province. Trois églises gothiques témoignent de cette prospérité : **Santa María del Azogue** (fin XIVe siècle), **San Francisco** (1387) et **Santiago**.

LA LÉGENDE DE SAINT-JACQUES

Au sud de La Corogne, à une heure de route par l'A9 qui gravit la montagne, on découvre un panorama de verts pâturages semés de maisons de granit. **Saint-Jacques-de-Compostelle** (Santiago de Compostela) ❹ se signale aux tours baroques jumelles de sa cathédrale. C'est là que repose saint Jacques, patron de l'Espagne.

Jacques le Majeur, frère de Jean l'Évangéliste, fut surnommé «Fils du tonnerre» en raison de son caractère fougueux. Une légende raconte qu'il traversa la Méditerranée afin d'évangéliser la péninsule Ibérique et, plus précisément, la Galice. En 44, il revint à Jérusalem où il fut décapité. Mais ses disciples, fuyant les Romains, enlevèrent son corps, le transportèrent sur cette terre où ils l'ensevelirent. La sépulture

Carte
p. 318

Le port de Betanzos.

*Saint Jacques,
du haut
de la cathédrale.*

*Le tombeau
de saint Jacques.*

fut épargnée durant les invasions suève, wisigothe et maure, si bien que le lieu s'effaça des mémoires. Mais entre 812 et 833, un paysan, guidé par une étoile, découvrit le tombeau dans un champ, épisode qui donna son nom à la ville : Campus Stellae (« champ de l'étoile »).

Cette découverte favorisa l'unification des chrétiens alors isolés dans une étroite bande de terre du nord de l'Espagne. Elle leur donna le courage de mener la Reconquête destinée à chasser les Maures de la péninsule. Bien que les historiens doutent que saint Jacques ait jamais mis les pieds en Espagne, l'idée de posséder ses reliques ranima la vaillance des chrétiens qui, durant des siècles, s'étaient sentis impuissants devant des musulmans invincibles.

Alphonse II (759-842) des Asturies fit édifier au-dessus de la tombe un temple de torchis qui devint un lieu de pèlerinage. Le pape Léon III (795-816) annonça l'événement à toute la chrétienté. En 844, Ramire Ier (791-850) des Asturies et son armée combattaient les Arabes à Clavijo lorsqu'un chevalier blanc se jeta dans la mêlée, tua de nombreux ennemis et permit la victoire. Ayant reconnu en lui saint Jacques, les soldats le surnommèrent *Matamoros* (« Tueur de Maures »). Saint Jacques s'illustra aussi en sauvant un homme de la noyade : il le couvrit de coquilles qui sont, depuis, l'emblème du pèlerin. L'apôtre devint dès lors le patron de la Reconquête.

Peu à peu, le temple de torchis laissa place à une église de pierre sous le règne d'Alphonse III (838-910). Mais en 997, la ville fut rasée par Al-Mansur, grand cadi du calife de Cordoue, qui n'épargna que la tombe. Alphonse VI, roi de León et de Castille, fit entreprendre la construction de la cathédrale en 1078.

Des guerriers espagnols qui, en Méditerranée ou en Amérique, avaient combattu dans des conditions désespérées déclarèrent avoir puisé leur énergie dans *« la vision d'un chevalier blanc brandissant une épée menaçante avec une expression vengeresse ».* Au plus fort des batailles contre les Maures, les soldats chrétiens s'encourageaient au cri de *« Santiago y cierre España ! »* (« Saint Jacques et Espagne unie ! »).

Le soutien immédiat des rois des Asturies, puis des souverains espagnols, fit naître, dans une province par ailleurs turbulente, une ville affairée qui devint au XIe siècle une cité cosmopolite qu'un chroniqueur décrivait comme *« la lumière du monde chrétien à l'âge des ténèbres ».* Des milliers de pèlerins, venant de la chrétienté, partirent à pied pour l'Espagne. Au cours du Xe siècle, la renommée du pèlerinage gagna la France. La route de Compostelle prit ainsi le nom d'« iter Francorum » (le « chemin des Français »). Le reste de l'Europe suivit le mouvement, qui accompagnait en fait la Reconquête.

Plusieurs chemins de Saint-Jacques sillonnent l'Europe. En Espagne, le Camino de Cantabrie longe la côte des Asturies ; le Camino Francès (Chemin des Français) franchit les Pyrénées et croise le monastère bénédictin de **Samos** (fondé au VIe siècle, il reçut des éléments gothiques au XVIe siècle, dont le cloître) ; le Chemin des Anglais passe par La Corogne et Betanzos ; la route de la côte du Portugal traverse Tui et Pontevedra ;

Sous le maître-autel de la cathédrale de Saint-Jacques de Compostelle, une crypte a été aménagée dans les fondations de l'ancienne église romane du IXe siècle. Elle abrite les restes de saint Jacques le Majeur, l'un des douze premiers apôtres, et de deux de ses compagnons, saint Théodore et saint Athanase.

le Camino du centre de l'Espagne tran-
site par Orense.

Le nombre des pèlerins décupla
lorsque le pape Calixte II (1060-1124)
leur accorda les plus grands privilèges de
l'Église et décréta années saintes celles
où la Saint-Jacques (25 juillet) tombait
un dimanche. Dès lors, le sanctuaire
devint le plus important lieu de pèlerinage du Moyen Age après Rome et
Jérusalem. La cathédrale inspira les
innombrables églises romanes qui jalon-
nèrent la route de Compostelle. La ville,
l'une des plus brillantes d'Europe, attira
peintres, sculpteurs, érudits et orfèvres,
participant au foisonnement culturel qui
gagnait le Vieux Continent.

Des milliers de pèlerins continuent
d'affluer à Saint-Jacques. Le 25 juillet à
minuit, on vient y admirer un formidable feu d'artifice qui inaugure une
semaine entière de festivités.

LA VILLE

Entourée de parvis sur ses quatre côtés,
particularité unique en Espagne, la
cathédrale fut consacrée en 1211. Cet
imposant édifice roman occupe l'extrémité est de la **Plaza del Obradoiro**
(« œuvre d'or »), du nom de la façade
baroque qui enjolive l'entrée depuis
1750 et que réalisa Fernando Casa y
Novoa. L'opposition entre les courbes
et les droites semble culminer en
langues de feu au sommet des deux
tours élancées dont la teinte dorée est
particulièrement belle au coucher du
soleil.

Derrière cette façade, dans le narthex,
le **Pórtico de la Gloria** est un triple portail. Celui du centre représente l'Église
catholique, les apôtres et des scènes de
l'Apocalypse. Les deux autres sont
consacrés à deux religions : le judaïsme à
gauche, et l'Église des gentils (païens) à
droite. Cette magnifique expression du
style roman est l'œuvre du maître Matthieu (fin XIIe siècle).

A l'intérieur de la cathédrale, le
maître-autel est dominé par une statue
de saint Jacques du XIIIe siècle somp-
tueusement vêtu ; on escalade les
marches, derrière l'autel, pour baiser sa

Carte
p. 318

*La cathédrale
de Saint-Jacques.*

Comme beaucoup de Galiciens, le père de Fidel Castro, ancien soldat de la guerre hispano-américaine, partit chercher fortune à Cuba; il y devint un riche planteur de canne à sucre.

Les murs romains de Lugo.

pèlerine d'argent. Sous l'autel, une crypte abrite le reliquaire en argent qui renferme les restes du saint, découverts en 1879.

La **Puerta de las Platerias** («portail des Orfèvres»), porche roman du XIIIᵉ siècle, donnait sur une place jadis bordée d'échoppes d'orfèvre. La **Puerta Santa** («porte Sainte»), sur laquelle sont sculptés des apôtres, saint Jacques et ses deux disciples – saint Athanase et saint Théodore –, n'est ouverte que pendant les années saintes.

L'hôtel de ville se dresse de l'autre côté de la Plaza del Obradoiro, sur le **Pazo de Rajoy** (Raxoy). Cet édifice néo-classique sévère et imposant est couronné d'une statue en bronze du chevalier saint Jacques le Matamaure.

Au sud de la place, le **Colegio de San Jerónimo** (XVIIᵉ siècle) séduit par son portail du XVᵉ siècle. Au nord, l'**Hostal de los Reyes Católicos** fut construit en 1501 sur l'ordre de Ferdinand et Isabelle pour servir d'auberge et d'hôpital aux pèlerins; c'est aujourd'hui un luxueux *parador*. La façade est ornée

d'un portail plateresque; les fers forgés et les colonnes de la chapelle sont d'une facture exceptionnelle.

Toujours dans la vieille ville, en passant entre la cathédrale et le Colegio de San Jerónimo, on rejoint la **Rúa do Franco** où se mêlent touristes, pèlerins et étudiants. La rue est bordée de facultés, dont le **Colegio de Fonseca** (achevé en 1530) au beau portail Renaissance. De l'autre côté de la Plaza del Obradoiro, l'**Universidad**, qui contient une bibliothèque très riche, fut créée en 1532, mais le bâtiment actuel date de 1750 et fut agrandi en 1904. En face, le **Convento de San Francisco** aurait été fondé en 1214 par saint François d'Assise, venu là en pèlerinage. Le **Monasterio de San Martiño Pinario**, transformé en séminaire, fut édifié au Xᵉ siècle et rebâti au XVIIᵉ siècle; sa façade est un bel exemple du style baroque de la ville.

Au-delà de la Porta do Camiño, au nord-est de la vieille ville, le **Museo do Pobo Galego** («peuple galicien») est installé dans une partie du **Monasterio**

Santo Domingo (XVIIIᵉ siècle) à la façade baroque. Il renferme une multitude d'objets relatifs à la culture et au mode de vie galiciens : costumes, instruments de musique, artisanat... Le **Centro Galego de Arte Contemporánea** qui le jouxte organise des expositions temporaires d'art contemporain. Avant de quitter la ville, on peut se rendre au **Paseo de la Herradura**, ancien champ de foire aménagé en jardin public sur une colline boisée proche de l'université : la vue de la cathédrale drapée dans le manteau vert des collines est splendide.

PADRÓN

A 25 km au sud-est de Saint-Jacques, la N525 s'enfonce dans une région parsemée de manoirs seigneuriaux galiciens (*pazos*) dont l'opulence tranche avec l'austérité des provinces voisines de Lugo et d'Orense. **Pazo de Oca** en est un bel exemple ; élégante, elle trône au centre d'un parc somptueux qui s'étage en terrasses autour de plusieurs pièces d'eau.

Selon la légende, l'embarcation contenant la dépouille de saint Jacques aurait accosté à **Padrón** ❿. La pierre (*pedrón*) à laquelle elle aurait été amarrée est placée sous le maître-autel de l'**Iglesia Santiago** (commencée au XIIᵉ siècle) que domine le pont qui enjambe le Sar.

La ville est également célèbre pour avoir vu naître Camilo José Cela, prix Nobel de littérature en 1989, et, surtout, pour avoir accueilli Rosalía de Castro (1837-1885), la grande poétesse galicienne. Elle habitait une maison de pierre dans laquelle est installé le musée qui lui est consacré. Avec son mari, l'historien Manuel Murguía, elle forma le noyau d'un groupe d'écrivains et de poètes qui amorcèrent le Rexurdimento (« renaissance ») de la littérature galicienne. Au tournant du XXᵉ siècle, ce renouveau exacerba le sentiment nationaliste et suscita la création de partis galiciens.

Rosalía de Castro comprenait d'autant mieux les difficultés des pauvres ou des paysans galiciens que sa propre existence fut douloureuse. Fille illégitime d'un prêtre, elle fut rejetée par sa famille et par la société, et mourut d'un cancer après avoir été malheureuse en ménage. Son livre de poèmes, *Follas novas* (*Feuilles nouvelles*, 1880), est l'écho de sa profonde tristesse. Célébrée comme l'une des grandes figures de la Galice, elle est surtout connue pour son recueil *Cantares gallegos* (*Chants galiciens*, 1863) qui est considéré comme un sommet de la littérature espagnole.

LUGO ET ORENSE

Les provinces de Lugo et d'Orense sont profondément attachées à leurs traditions médiévales et les *caciques* exercent toujours un grand ascendant sur les paysans des villages isolés. Mais le revenu par habitant y est le plus bas d'Espagne et l'exode vers les villes et le littoral, massif.

Lugo ❺, à 95 km à l'est de Compostelle, est accessible par la N547 qui serpente entre des montagnes dentelées. Cette vieille capitale provinciale est entourée de remparts du IIIᵉ siècle

Carte p. 318

Le pont romain d'Orense.

Le chemin de Compostelle du centre de l'Espagne passe par Orense. En 1230, afin que les pèlerins franchissent plus facilement le Miño, on construisit un pont sur les assises d'un ancien ouvrage romain. Restauré en 1430, il comprend sept arches imposantes. Orense attirait aussi les thermalistes qui venaient profiter des sources chaudes.

remarquablement conservés. Ce sont les Romains, qui avaient baptisé la cité Lucus Augustus, qui érigèrent ces murs de schiste longs de 2 km et hauts de 10 m. Détruite par les Maures en 714, rebâtie par Alphonse Iᵉʳ, anéantie par les Normands, la ville dut attendre le XIXᵉ siècle pour retrouver une certaine prospérité.

La situation de Lugo sur la route de Saint-Jacques explique que la **cathédrale**, dont la construction s'étala du XIIᵉ siècle au XVIIIᵉ siècle, ait subi l'influence française. L'une des chapelles absidiales, la **Capilla de Nuestra Señora de los Ojos Grandes** (« Notre Dame aux grands yeux »), est une rotonde baroque qui contraste avec le portail nord, où un Christ en majesté roman s'abrite sous un porche du XVᵉ siècle. En face de ce portail, sur la Plaza de Santa María, le **Palacio Episcopal** du XVIIIᵉ siècle est un typique *pazo* (manoir) galicien : étage unique, murs de pierre de taille et balcons de fer forgé. Le **Museo Provincial** contient des mosaïques romaines, des peintures et des horloges.

Non loin de Lugo, les ports fluviaux de **Viveiro** et Ribadeo, reconvertis en stations balnéaires, sont très fréquentés en été. Sur la route d'Orense, une halte s'impose également à **Bóveda ❻**, où un monument paléochrétien a été découvert au début du XXᵉ siècle, sous l'église **Santa Eulalia**. Les murs sont ornés de ravissantes fresques d'oiseaux et de fleurs qui remontent aux premiers temps du christianisme.

Orense (Ourense) ❼, capitale de la province du même nom, devrait ce nom à l'or que les Romains extrayaient des mines et des eaux de la vallée du Miño, le fleuve qui arrose la ville. Capitale de la Galice sous les Suèves (VIᵉ-VIIᵉ siècle), elle connut bien des vicissitudes avant de devenir une active cité commerçante. Elle conserve des traces de ses origines romaines, notamment le **Puento Romano**, reconstruit au XIIIᵉ siècle et restauré au XVᵉ siècle. Derrière la Praza Major, le **Museo Arqueológico**, installé dans un ancien évêché, recèle des trésors préhistoriques – dont des statues de l'époque

La préparation des poulpes.

des *castros* –, ainsi que des pièces préromaines et romaines. La section des Beaux-Arts contient un chemin de Croix du XVIIᵉ siècle et des retables baroques. A proximité du musée, la **Catedral de San Martiño**, bâtie aux XIIᵉ et XIIIᵉ siècles et remaniée par la suite, rappelle celle de Saint-Jacques. Le triple portique ouest, Pórtico del Paraíso (« porte du Paradis »), de style roman, fut créé sur le modèle du Pórtico de Gloria et comporte aussi des scènes de l'Apocalypse.

PONTEVEDRA ET LES RÍAS BAJAS

Relativement protégées, les Rías Bajas, qui découpent la côte ouest entre Ribeira au nord et O Grove au sud, accueillent un tourisme croissant grâce à ses plages et à ses stations balnéaires. **Pontevedra ❶**, à 100 km à l'ouest d'Orense sur la N541, au fond du bel estuaire du même nom, est une étape idéale pour partir à leur découverte. D'après la légende, la ville fut fondée par Teucros, fils de Télamon et demi-frère d'Ajax. Elle date sans doute de l'époque romaine et son nom, dérivé du latin Pons Vetus (« Vieux Pont »), vient des onze arches du pont qui franchit le Leréz. Pontevedra vit naître de nombreux marins, dont Pedro Sarmiento de Gamboa (XVIᵉ siècle) qui écrivit un *Voyage au détroit de Magellan* et mourut dans les geôles anglaises. Au Moyen Age, elle fut un port actif et c'est de ses chantiers que sortit la *Santa María*, l'une des caravelles de Colomb. Mais à partir du XVIIIᵉ siècle, l'envasement de la ria et la création d'un port dans la ville voisine de Marín entraînèrent son déclin.

Léché par les eaux du fleuve, le vieux quartier a conservé son charme d'antan avec ses maisons en granit, ses rues en arcades et ses *cruceiros* (calvaires) placés en plein carrefour. L'église platéresque **Santa María la Mayor**, nichée dans le lacis des ruelles et des jardinets du quartier des pêcheurs, fut bâtie à la fin du XVᵉ siècle par la guilde des marins ; à l'intérieur se mêlent ogives gothiques, colonnes torses isabellines et

Carte p. 318

Le « horreo », grenier galicien, est construit sur pilotis, à l'abri des rats et de la vermine.

La poétesse Rosalía de Castro (1837-1885) contribua à la renaissance du folklore galicien.

voûtes nervurées de style Renaissance. Bordant la Praza de Leña, le **Museo de Pontevedra**, installé dans deux palais anciens, expose des bijoux de l'âge du bronze ainsi que des peintures de Zurbarán et de Goya. Le second étage est consacré à Alfonso Castaleo, artiste galicien à qui l'on doit de saisissantes représentations de la guerre civile.

Au nord de Pontevedra, une route côtière sinueuse, la C550, donne sur les splendides anses rocheuses et les villages de pêcheurs de la Ría de Pontevedra. Une halte s'impose à Moaña et à Sangenjo où, le matin, les débarcadères regorgent de poissons et de crustacés.

Au détour d'un cap, sur la rive sud de la Ría de Arosa, la plage de **La Lanzada** accueille chaque année des centaines de campeurs sur son long ruban de sable. L'île de **La Toja**, plus au nord, doit sa célébrité à un âne malade que son propriétaire avait abandonné et que l'on retrouva miraculeusement guéri. Depuis, bien des touristes veulent bénéficier des bienfaits de la source de cette île, qui est devenue une agréable station balnéaire.

Pour goûter au vin blanc robuste et légèrement fruité d'Albariño, on peut s'arrêter à **Cambados** ❿. A la sortie nord de la ville, la **Plaza de Fenfiñanes** est une place charmante bordée d'une église du XVIᵉ siècle, que jouxte un hôtel particulier, le **Fenfiñanes Pazo**, et d'une belle rangée de maisons à arcades.

LA RÍA DE VIGO

Sur la plus belle ria de la côte, **Vigo** ⓫ est l'une des villes les plus peuplées de Galice. Le site fut occupé par les Romains, mais il ne reste aucun vestige de l'Antiquité. Vigo devint un port opulent lorsque Charles Quint l'autorisa à commercer avec l'Amérique en 1529. Aux XVᵉ et XVIᵉ siècles, elle subit plusieurs raids anglais ; en 1589, Francis Drake mit la ville à sac. En 1702, un convoi de vaisseaux regagnant l'Espagne fut intercepté par une flotte anglo-hollandaise ; les galions furent coulés alors qu'ils tentaient de se réfugier dans les eaux de Vigo. Depuis, des tonnes d'or dormiraient au fond de la baie.

Les Rías Baixas.

Aujourd'hui, Vigo est une ville industrielle et le premier port de pêche d'Espagne. Les spécialités locales sont le poulpe frit, la seiche farcie cuite dans son encre, les crevettes frites aux gousses d'ail, la langouste bouillie et les palourdes farcies. La ville a gardé son quartier médiéval et le **Pazo de Quiñones**, qui occupe un manoir du XVIIe siècle dans le Parque de Castrelos, contient une belle collection d'art galicien.

La vue sur la ria depuis le **Mirador de la Madora**, à l'est, est admirable. Au sud s'étendent les plages scintillantes de Samil, **Alcabre** et **Canido**. Enfin, le séduisant village de pêcheurs de **Cangas**, au nord, est accessible par un ferry depuis Vigo, de même que les **Islas Cíes**, magnifique archipel aux eaux cristallines, à l'embouchure de la ria.

SUR LES TRACES DE COLOMB

C'est à **Baiona** (Bayona) que la *Pinta* accosta en 1493, apportant à l'Europe la nouvelle de la découverte du Nouveau Monde. Pour s'y rendre, il faut emprunter la route côtière C550 vers le sud. Cette station luxueuse à l'embouchure de la Ría de Vigo s'organise autour du **Castelo de Monterreal** ⓰, forteresse massive ceinturée de remparts édifiée vers 1500 sur un promontoire rocheux. Ce fort, qui servit de résidence aux gouverneurs de la ville, a été converti en **Parador Conde de Gondomar**. Entouré de pins et d'eucalyptus et de ses remparts qui surplombent majestueusement les eaux de la baie, il offre un beau panorama sur l'Atlantique, le Monte Ferro, les Islas Estelas et la côte sud jusqu'au Cabo Silleiro.

Baiona s'ouvre sur la dernière portion de littoral avant la frontière du Portugal. Le climat de l'estuaire du Miño, presque tropical, favorise la pousse des kiwis, de la vigne, des fleurs subtropicales. **A Guarda**, port de pêche bien préservé, possède de belles plages ; du **Museo de Monte de Santa Tecla**, sur le mont du même nom, la vue est superbe. Autour du bâtiment, d'impressionnants vestiges celtes du IIIe siècle rappellent les origines lointaines de la Galice.

Carte
p. 318

La baie de Vigo et ses eaux profondes.

LES ÎLES CANARIES

Carte
p. 334

Baigné par l'Atlantique, longtemps isolé, l'archipel de formation volcanique des Canaries est plus proche de l'Afrique (115 km) que de l'Espagne (1 050 km). Dans ces îles qui s'égrènent autour du 28e parallèle alternent hautes montagnes souvent couronnées de neige et plages de sable noir, coulées de lave et forêts anciennes. Le climat est clément et d'une grande constance : une moyenne de 17 °C l'hiver et 24 °C l'été, lorsque la touffeur est atténuée par les alizés.

Deux provinces composent l'archipel : celle de la Grande Canarie, à l'est, comprend Fuerteventura et Lanzarote ; celle de Tenerife, à l'ouest, englobe La Palma, Comera et Hierro. La première présente des paysages plus sahariens que la seconde. L'influence du Sahara se fait en effet sentir de plus en plus à mesure que l'on avance vers l'est, sauf sur le versant occidental de la Grande Canarie.

Les Canaries étaient déjà connues des Égyptiens, des Grecs – qui les appelaient les Hespérides – et des Romains. La clémence de leur climat avait inspiré à l'historien romain Pline le nom d'îles Fortunées ; mais leur nom actuel serait dû à la présence de chiens (cane en latin) qui pullulaient dans l'archipel.

Durant des siècles, les Canaries ne furent guère qu'une escale, et aucun navigateur, européen ou arabe, ne chercha à les explorer. Mais en 1402, après les expéditions infructueuses des Portugais et des Espagnols du XIVe siècle, des Français, commandés par Jean de Béthencourt et Gadifer de La Salle, s'emparèrent de Forte Aventure (Fuerteventura), Lanzarote, Gomera et Hierro. La conquête fut achevée par les Espagnols en 1483 avec Pedro de Vera, qui conquit la Grande Canarie, puis par Alonso Fernandez de Lugo, qui envahit Palma et Tenerife. Les Canaries appartinrent dès lors à l'Espagne.

Au XVIe siècle, l'archipel fut une étape sur la route des « Indes occidentales », et Christophe Colomb y fit escale en 1492, comme en témoigne sa maison à Las Palmas.

Mais cette mainmise, tant française qu'espagnole, suscita l'hostilité des autochtones, les Guanches, sans doute d'origine berbère, qui furent décimés. La connaissance qu'on a de leur passé est faible, malgré de nombreux vestiges exposés dans les musées canariens. Cependant, ils sont restés célèbres pour leur habitat troglodytique.

En 1797, l'amiral anglais Nelson, qui attaquait le port de Santa Cruz, perdit un bras en essayant de capturer un vaisseau mexicain.

Le XIXe siècle fut la période la plus difficile de l'histoire économique des Canaries ; la viticulture s'effondra et l'industrie de la cochenille représenta le seul espoir pour l'avenir. Mais ces îles lointaines commencèrent à intéresser les riches touristes étrangers à la recherche de calme et de beauté. Les premiers visiteurs furent des savants attirés par les particularités géologiques, climatiques, botaniques et ethnologiques des îles, comme Alexander von Humboldt et le Français Sabin Berthelot. Puis, grâce à la plume de deux Anglaises, Elizabeth

Pages précédentes : chaque année, les plages de la Grande Canarie attirent les foules. A gauche, la plage de Las Teresitas, à Tenerife ; ci-dessous, un Canarien.

Les Canariens n'ont plus rien à voir avec leurs ancêtres les Guanches, qui pour la plupart ont disparu ou se sont fondus dans le creuset canarien. Ce qui distingue les Canariens des autres Espagnols, c'est peut-être « la nuestra », sentiment fort difficile à définir mais qui peut se rapporter à des choses simples, comme le lait du petit déjeuner, le mépris pour la corrida, la passion des combats de coqs et de chiens...

La promenade de la Playa del Inglés (10 km), la plus grande station de la côte sud de la Grande Canarie.

Murray et Olivia Stone, peintres et écrivains de l'époque victorienne commencèrent à affluer.

Le XXᵉ siècle apporta une embellie économique, notamment grâce à la position des Canaries sur les grandes routes maritimes. En 1931, la République prévoyait de faire de l'archipel une région plus autonome. Mais ce projet fut compromis par le général Franco qui, écarté des sphères du pouvoir, avait été « exilé » à Tenerife, d'où il lança l'ordre de la guerre civile en 1936.

Grâce au tourisme, les Canaries ne sont plus une région reculée et isolée d'Espagne, mais une province active. Les eaux de l'océan sont couvertes de voiliers et des immeubles de villégiature se dressent un peut partout sur les pentes du littoral. Les stations balnéaires forment de véritables villes où l'on parle plusieurs langues. En haute saison, la population locale (1,5 million d'habitants) est multipliée par cinq : chaque année, 6 millions de touristes profitent du soleil abondant, des plages sans fin et des paysages volcaniques.

Rançon de ce succès : l'archipel est peut-être mieux connu des Européens, qui s'y réfugient pour échapper aux rigueurs de l'hiver, que des Espagnols.

LA GRANDE CANARIE

Si les provinces de Tenerife et de la Grande Canarie se partagent le pouvoir administratif de la région autonome des Canaries, la seconde, siège du gouvernement local, est le centre de communication et le pôle commercial de l'archipel, grâce entre autres à sa proximité avec l'Afrique.

Troisième île par la taille (1 532 km²), la **Grande Canarie** (Gran Canaria) est un continent miniature. Les villages ressemblent à des cubes blancs accrochés au flanc des ravins (*barrancos*). A l'ouest, les vallées paraîtraient alpines si elles n'étaient parfois hérissées de palmiers. A l'est, le paysage est africain, sévère, minéral. Sur les 240 km de côtes se succèdent falaises (nord et ouest), criques, longues plages (sud), ravins plongeant dans les flots.

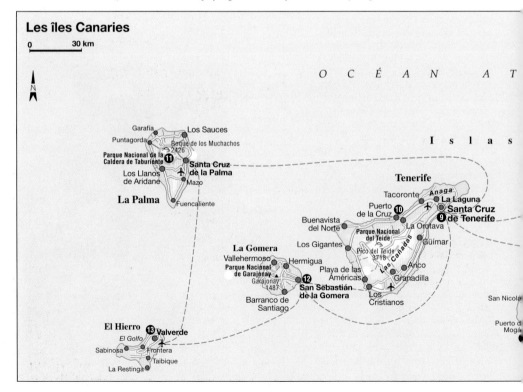

Les îles Canaries

0   30 km

OCÉAN ATL

Islas

Garafía
Los Sauces
Puntagorda
Roque de los Muchachos
2426
Parque Nacional de la Caldera de Taburiente ⓫
Santa Cruz de la Palma
Los Llanos de Aridane
Mazo
La Palma
Fuencaliente

Tenerife
Tacoronte
Anaga
La Laguna
Puerto de la Cruz ❿
Santa Cruz ❾ de Tenerife
Buenavista del Norte
La Orotava
Los Gigantes
Parque Nacional del Teide
Güímar
La Gomera
Vallehermoso
Hermigua
Pico del Teide 3718
Parque Nacional de Garajonay
Playa de las Américas
Arico
Garajonay 1487
⓬
San Sebastián de la Gomera
Granadilla
Barranco de Santiago
Los Cristianos
San Nicolá

El Hierro ⓭ Valverde
El Golfo
Puerto de Mogá
Sabinosa
Frontera
Taibique
La Restinga

Dans le nord de l'île, fertile et humide, **Las Palmas de Gran Canaria ❶** concentre la moitié des 360 000 îliens. Grand port moderne, cette capitale provinciale possède de superbes plages, dont la **Playa de la Canteras**, malgré les falaises qui barrent le littoral. Étape principale des voyages vers le Nouveau Monde, elle a conservé une allure aristocratique grâce à son quartier colonial, le **Vegueta**, qui date de la conquête espagnole. Les sites intéressants sont nombreux, mais on retiendra la **Catedral de Santa Ana**, gothique, bâtie en pierre de lave à partir de 1497, et son musée. La **Casa Colón** (XVᵉ siècle), ancienne résidence des gouverneurs de l'île, accueille un musée consacré à Christophe Colomb.

Le nord-ouest de l'île recèle de charmants villages, comme **Agaete**, blotti dans une oasis fertile, et **Gáldar**, ancienne capitale préhistorique de cette partie de l'île, où l'hôtel de ville conserve une collection de l'époque guanche. Au nord de Gáldar, une nécropole guanche a été mise au jour.

Dans le sud, où le soleil est généreux, s'étendent les vastes stations de **Playa del Inglés** et de **Maspamolas ❷**, célèbre pour ses dunes. Cette région, aride et isolée jusque dans les années 1950, est aujourd'hui la grande destination touristique de la Grande Canarie.

Mais, après **Puerto de Mogán ❸**, qui domine l'océan, on retrouve, loin de l'agitation, les villages traditionnels qui pratiquent l'agriculture et la pêche.

Au centre de l'île, sauvage et escarpée, le **Pico de las Nieves ❹**, volcanique, culmine à 1949 m. La vue que l'on en a depuis Cruz de Tejeda est saisissante. Autour du mont, des villages tels qu'**Artenara** et **Atalaya** ont gardé des habitations troglodytiques.

C'est aussi dans le centre de l'île que s'étend le plus connu des ravins, le **Barranco de Gayadeque**, qui sillonne la Grande Canarie d'est en ouest.

FUERTEVENTURA

Fuerteventura, deuxième île par la superficie (1 731 km²), n'abrite que

Carte p. 334

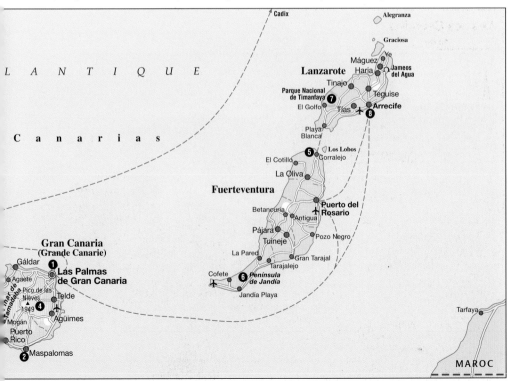

Le volcan du parc national de Timanfaya.

Un phare à Tenerife.

30 000 habitants. Son aspect aride, ses paysages sculptés par le vent rappellent que l'Afrique n'est qu'à 90 km. La rareté de l'eau douce, le relief érodé, la terre ingrate l'ont obligée à se tourner vers le tourisme, l'élevage des chèvres et l'armée (la légion étrangère espagnole y est installée).

La ville principale, **Puerto de Rosario**, cernée par un port, est sans intérêt. En revanche, l'ancienne capitale fondée par Béthencourt en 1404, **Betancuria**, dans le centre, est restée un hameau qui séduit par son cachet.

Fuerteventura est surtout fréquentée pour ses plages, les plus réputées des Canaries, que ce soit à **Corralejo** ❺, au nord, ou à **Península de Jandía** ❻, au sud. Cette dernière était jadis séparée du reste de l'île par un mur, La Pared, qu'avaient érigé les rois guanches.

LANZAROTE

Lanzarote (800 km², 60 000 habitants) est une protubérance volcanique où il fait chaud ; le cactus y prospère. Mais il arrive que cette nature rebelle soit parsemée de touches vertes.

Le **Parque Nacional de Timanfaya** ❼, exemple frappant de ce paysage lunaire, est l'un des sites volcaniques les plus récents de la planète, où les roches broyées témoignent de la violence des éruptions qui se produisirent de 1730 à 1736.

Une route conduit aux **Montañas de Fuego** (« montagnes de feu »), qui surgirent lors d'une activité volcanique en 1834. Autour, la terre continue de vomir ses entrailles, et un restaurant, l'Islote de Hilario, se targue de la cuisson « géothermique » de ses plats. Pour des raisons de sécurité et de protection du site, la marche à pied est prohibée et la visite se fait à dos de chameau.

Arrecife ❽, la capitale, est une ville ancienne mais d'aspect moderne, dont le charme est rehaussé par de belles plages et le front de mer. Le **Castillo de San Gabriel** (1573-1590) est édifié sur un îlot relié à la ville par le Puente de las Bolas (« pont aux boules »), pont-levis qui doit son nom aux boules qui en

coiffent les piles. Le **Castillo de San José** (1779) fut bâti pour procurer du travail aux paysans. Il a été restauré dans les années 1970 à l'instigation de César Manrique, dont des œuvres sont exposées dans le musée d'Art contemporain qu'il abrite. Ce chantre de l'architecture traditionnelle a aussi mis en valeur d'immenses grottes façonnées par l'activité volcanique, en particulier **La Cueva de Los Verdes**, éclairée par des jeux de lumière, et à **Jameos del Agua**, dans le nord-est de l'île.

TENERIFE

Tenerife, La Gomera et Hierro se différencient des îles orientales – leurs éternelles rivales – par une succession de vallées luxuriantes, de formations rocheuses et de forêts profondes.

La plus grande île de l'archipel, **Tenerife** (2 057 km², 760 000 habitants), est dominée par le point culminant d'Espagne, le Teide (3 718 m), cône intégré au massif volcanique qui court du nord au sud.

Fondée en 1494, la capitale, **Santa Cruz de Tenerife ❾**, port « rival » de Las Palmas, servit de débouché maritime à l'ancienne capitale, La Laguna. Elle s'étend au pied du massif d'Anaga, dans le nord-est de Tenerife, où les vues sont superbes et les villages charmants. La ville s'anime lors du carnaval de mai, l'un des plus beaux d'Espagne. Dans le **Museo Arqueológico**, Calle Fuentes Morales, on peut voir les canons qui servirent à défendre l'île contre les Anglais en 1797, notamment *El Tigre*, dont la boulets aurait arraché de bras de l'amiral Nelson.

Les grandes stations balnéaires, comme **Los Cristianos** et **Playa de las Américas**, se trouvent au sud, où le soleil est garanti. Le tourisme à Tenerife remonte à 1850, lorsque fut inaugurée la première ligne de bateaux à vapeur reliant l'archipel à Cadix. Les Canaries ne recevaient alors que des clients de la haute société, qui fréquentaient surtout **Puerto de la Cruz ❿** et **La Orotava**, au nord, dans la fertile vallée d'Orotava, célèbre pour ses banane-

Carte p. 334

La Orotava pendant la fête des Fleurs.

raies. Ces villes étaient appréciées pour leur climat agréable, leurs bienfaits sur la santé et leurs points de vue ; celui du **Mirador de Humboldt**, près de La Orotava, est splendide. Leur réputation vient aussi de leurs vieilles maisons coloniales et de leurs ruelles pavées.

Néanmoins, situé sur un littoral balayé par un océan impétueux, Puerto n'est pas le site qu'attendent les vacanciers d'aujourd'hui : on n'y compte qu'une seule plage de sable. Ce handicap a été en partie surmonté par l'élégant **Lago Martiánez**, dont les piscines creusées dans la roche, au niveau de la mer, sont l'œuvre de César Manrique.

L'aménagement de la plage de **Las Teresitas**, à 8 km au nord de Santa Cruz, a nécessité l'apport de 3,5 millions de mètres cubes de sable !

Le **Parque Nacional del Teide** englobe Las Cañadas, zone apparue après l'effondrement du cratère d'un ancien volcan dont il reste les parois sud et les formations du Pico Viejo et du Teide. L'érosion interdit l'accès au sommet (2 000 m) mais un téléphérique

s'en approche à 160 m. Non loin du *parador*, d'impressionnants rochers (Los Roques) dressent leurs étranges silhouettes sculptées par le temps.

LA PALMA

La Palma, cinquième île (728 km^2), est la plus verte des Canaries ; de fait, la plupart des 75 000 habitants vivent de l'agriculture. Elle fut néanmoins le théâtre de la dernière activité volcanique aux Canaries, lorsqu'un des côtés de l'ancien volcan San Antonio entra en éruption en 1971 et forma un nouveau cône.

L'île culmine à 2 400 m, au **Roque de los Muchachos**, pic intégré au massif qui occupe le centre et descend en pente raide vers la mer et la côte découpée. Des cultures en terrasses s'agrippent à ses flancs. Ce relief accidenté, interrompu par des *barrancos*, a fait obstacle au tourisme de masse.

La majeure partie du nord de l'île est occupée par le **Parque Nacional Caldera de Taburiente ⓫**, du nom d'un

Des balcons de La Palma.

gigantesque cratère de 9 km de diamètre. Au bord de ce volcan est installé le plus grand observatoire d'astrophysique d'Europe.

LA GOMERA

La Gomera (378 km², 20 000 habitants) doit son nom à Gomer, petit-fils de Noé, dont les descendants seraient venus en Europe après le Déluge. L'île est principalement montagneuse, striée de *barrancos* et bordée par un littoral découpé.

La capitale, **San Sebastián ⑫**, a gardé dans son vieux quartier des traces du passage de Christophe Colomb et de beaux édifices du XVᵉ siècle.

Malgré sa configuration, l'île bénéficie d'un tourisme croissant, mais limité à la **Valle Gran Rey**, profonde et luxuriante, qui s'étend à l'extrémité sud-est, et à **Barranco de Santiago**, station balnéaire principale, au sud.

Les plages sont peu nombreuses car le massif central dominé par le Garajonay (1 487 m) plonge vers la côte en falaises abruptes. Mais La Gomera peut s'enorgueillir de posséder, en son centre, le **Parque Nacional de Garajonay**, où s'étend, sur 4 000 ha, un vestige de l'ère tertiaire : une forêt de cèdres et de lauriers couverts de mousses, ainsi que de fougères géantes.

HIERRO

Hierro, île aux paysages très variés, est la plus petite, la moins développée et la moins peuplée (6 000 habitants). Elle tire sa subsistance de l'élevage, de l'agriculture, de son délicieux vin et de son fromage de chèvre succulent.

La ville principale, **Valverde ⑬** (« vallée verte »), est la seule capitale des sept Canaries qui soit à l'intérieur des terres : cette île a en effet toujours eu une vocation agricole. Ce qui ne l'empêche pas d'abriter « son » cratère, dont l'un des versants se serait effondré dans la mer : **El Golfo**, qui résulterait de ce phénomène, est un golfe large et l'un des endroits les plus tranquilles de Hierro.

Carte
p. 334

Vue du Teide, point culminant du pays, dans l'île de Tenerife.

LES BALÉARES

Ancrées à 92 km de la côte d'Alicante, les Baléares se composent de quatre îles principales. Majorque, où est établie la capitale, Palma, est la plus vaste (3640 km²) mais aussi la plus vivante et la plus riche. Minorque couvre 710 km² et séduit par l'architecture de ses deux grandes villes et ses vestiges archéologiques. Ibiza (541 km²), la plus proche du continent, ancien lieu de prédilection des hippies, a vu son visage profondément changé par le tourisme. Enfin, sur Formentera (82 km²), au sud d'Ibiza, les îliens ont la plus longue espérance de vie de toute l'Espagne, peut-être grâce à sa tranquillité, qui la distingue de ses grandes voisines.

LE TEMPS DES CONQUÊTES

D'infimes vestiges, comme des ossements, prouvent que les îles furent habitées dès le IVᵉ millénaire. Mais les ruines les plus anciennes ne datent que du IIIᵉ millénaire. La plupart des vestiges archéologiques sont ceux de la civilisation talayote, qui prit son essor vers 1100 av. J.-C. et dura cinq siècles. Elle doit son nom aux *tayalots*, constructions rondes ou carrées, massives, qui rappellent les *nouraghes* de Sardaigne et certains temples de Malte.

La situation stratégique et la fertilité de l'archipel suscitèrent bien des convoitises. Les Carthaginois, qui l'occupèrent au milieu du VIIᵉ siècle av. J.-C., y recrutèrent des mercenaires dont les frondes projetant des balles de plomb terrifiaient les Romains. Le nom de « Baléares » vient ainsi du grec ancien *ballein* (« lancer un projectile ») – les deux plus grandes îles furent baptisées Balear Maior et Balear Minor. Vingt-trois ans après la destruction de Carthage, en 146 av. J.-C., Rome parvint à soumettre et à unifier ce pays.

Les Vandales profitèrent de l'effondrement de l'Empire romain pour envahir les îles en 465, avant d'en être chassés en 534 par les Byzantins. A partir de 848, elles furent placées sous la tutelle de l'émirat de Cordoue. La domination maure, qui dura plus de trois siècles, laissa de nombreuses empreintes, comme des noms de lieu, notamment à Minorque, dans les terres hautes et les montagnes du centre. Les musulmans considéraient les autres confessions avec bienveillance ; les juifs eurent accès à d'importantes fonctions et contribuèrent à la prospérité dont l'archipel bénéficia au Moyen Age.

La reconquête des Baléares par les chrétiens fut conduite dès 1229 par Jacques Iᵉʳ d'Aragon. Il bénéficia du soutien des Catalans, qui s'y installèrent ensuite. Leur influence culturelle est encore perceptible puisque chaque île possède son propre dialecte catalan.

Après une brève indépendance (1229-1343), les îles furent replacées sous l'autorité de la maison d'Aragon tandis que le commerce maritime leur apportait richesse et célébrité. Au XIIIᵉ siècle, elles étaient en effet une escale importante sur la route reliant l'Italie du Nord à l'Europe du Nord, tandis que les cartographes de Majorque participaient au mouvement des grandes découvertes de la fin du Moyen Age.

Carte p. 344

Madrid

Pages précédentes : la fête de la Saint-Jean à Minorque. A gauche, la côte de Majorque ; ci-dessous, une tour à Banyalbufar.

Banyalbufar, sur Majorque, est cerné de jardins en terrasses à flanc de montagne étayés par des murets de pierres assemblés avec soin ; des canaux irriguent ces terres où l'on cultive la tomate et l'olivier. Sur les douze tours fortifiées qui défendaient l'agglomération contre les incursions turques aux XVIᵉ et XVIIᵉ siècles, six ont été conservées.

De cette époque prospère datent deux chefs-d'œuvre : la cathédrale de Palma et le Castel de Bellver.

Au XVIᵉ siècle, la découverte du Nouveau Monde détourna l'attention des Espagnols vers l'Atlantique, et l'archipel fut la proie de luttes intestines. Mais, devant l'expansion turque, l'Empire espagnol, alors en plein essor, en fit un véritable bastion. De nombreuses tours de guet, les *atalayas*, furent érigées jusqu'au XVIIᵉ siècle afin de le défendre contre les incursions des pirates musulmans en quête de butin et d'esclaves. Les magnifiques remparts de la ville d'Ibiza datent de cette période.

Lorsque le commerce méditerranéen reprit, au milieu du XVIIᵉ siècle, les marchands majorquins tirèrent de nouveau profit de la situation stratégique de leur île, et beaucoup de gentilhommières – les *possessiós* – qui agrémentent aujourd'hui le paysage remontent à cette époque. Leur architecture d'inspiration italienne rappelle les liens étroits qui unissaient Majorque à l'Italie.

En 1708, les Anglais profitèrent de la guerre de Succession d'Espagne pour occuper Minorque. Ils devaient y rester jusqu'en 1781, excepté un intermède français de 1756 à 1763. L'île devint prospère et de nombreux bâtiments furent érigés. En revanche, Majorque et Ibiza, gouvernées par les Bourbons, perdirent la relative autonomie politique que Jacques Iᵉʳ avait accordée aux Baléares.

Le XIXᵉ siècle fut marqué par l'ouverture de lignes maritimes avec l'Espagne et de routes. Les étrangers se mirent à affluer et l'archipel connut une certaine embellie économique. Lors de la guerre civile, Majorque et Ibiza prirent le parti des nationalistes, mais Minorque, favorable aux républicains, tomba sans violence en 1939 grâce à la médiation anglaise.

L'essor considérable du tourisme, consécutif aux retombées des Trente Glorieuses en Europe, représente aujourd'hui une manne pour les Baléares, au détriment des anciennes activités, l'agriculture par exemple.

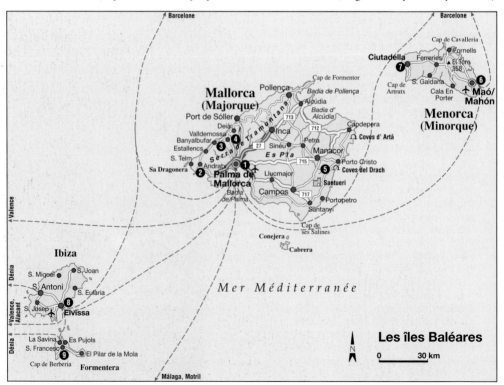

Les îles Baléares

C'est le séjour de George Sand et de Frédéric Chopin, durant l'hiver 1838-1839, qui ouvrit l'archipel au tourisme. *Un hiver à Majorque*, écrit par George Sand, fut le premier ouvrage de l'abondante littérature suscitée par les îles. Le couple fut suivi par des écrivains tels que Charles Wood, Gaston Vouiller et l'excentrique archiduc Luís Salvador de Habsbourg, descendant de la dynastie impériale, qui découvrit Majorque en 1867. Parmi son importante bibliographie, son ouvrage en sept volumes, *Les Baléares décrites par les mots et par les images*, est le plus connu.

MAJORQUE

Dans les années 1960, **Majorque** (Mallorca) devint la villégiature la plus en vogue de la Méditerranée. Aujourd'hui, l'aéroport de Palma est l'un des plus fréquentés d'Europe, et la famille royale d'Espagne passe ses vacances au château de Marivent, près de Palma.

Majorque évoque un parchemin enroulé. Un simple coup d'œil sur la carte permet de comprendre pourquoi. Au sud se trouvent les rouleaux des moyennes montagnes d'Artà ; au centre, la plaine (*llano*) s'étend de Palma à Alcúdia et s'enroule, au nord, sur la Sierra del Norte.

Sur la côte sud-ouest, au fond de la baie de Palma, on peut admirer **Palma de Majorque ❶**, cité très florissante au Moyen Age et jusqu'au XVIIIᵉ siècle, ce qui explique la présence de nombreux monuments gothiques, Renaissance et baroques.

La **cathédrale** (1229-1601) est un joyau de l'art gothique, et le portail du Mirador l'un des plus beaux exemples de ce style. Le nombre et la dimension de ses vitraux en font la plus lumineuse des cathédrales méditerranéennes. Le musée diocésain, tout proche, contient d'intéressantes peintures gothiques.

Le **Palau de l'Almudaina**, blotti au pied de la cathédrale, fut bâti à partir de 1309 sur les fondations de l'ancien *alcázar* (forteresse arabe). L'intérieur illustre l'influence musulmane : plafonds à caissons typiques de l'art mudé-

Carte p. 344

La cathédrale gothique de Palma.

Bienheureux Raymond Lulle (Palma de Majorque v. 1235-Bougie ou Palma 1315), poète, philosophe et théologien catalan, qui, en 1265, quitta sa femme et ses enfants pour se consacrer à la conversion des infidèles.

Séchage des filets de pêche sur le port de Sóller.

jar, lions finement sculptés et robinets de pierre en forme de têtes d'animaux. On y voit aussi des portraits de souverains et le portail de la **Capilla Santa Ana**, l'un des rares exemples de l'art roman sur l'archipel. Au nord de l'Almudaina débute le Passeig des Born, ou **El Born**, une longue et jolie promenade. Autour de la cathédrale, la vieille ville était connue des Maures sous le nom de Medina Mayurka. De l'enceinte qui l'entourait, il ne reste qu'une arcade, sur la Calle Almudaina. Le quartier est à découvrir aussi pour les **Banys Arabs** (« bains arabes »), dans la Calle Serra, le **Museo de Mallorca**, au n° 5 de la Calle Portella, les bars de la Plaça Drassan et de la Calle Apuntadors, ainsi que pour les façades et les patios des villas patriciennes. Parmi les vénérables églises, le **Convento de Santa Clara** abrite un cloître du XIIIe siècle.

Les rues voisines de l'Almudaina, **Zanglada** et **Morey**, recèlent des hôtels nobles des XVIe-XVIIIe siècles.

Sur la **Plaça Sant Francesc**, l'église homonyme date du XIVe siècle, sa façade du XVIIIe siècle. Les chapelles latérales sont décorées dans les styles Renaissance et baroque. L'une d'entre elles abrite le sarcophage (XVe siècle) de Raymond Lulle, érudit prolifique qui écrivit des œuvres de littérature courtoise (il fut un troubadour de renom à la cour majorquine), puis des ouvrages traitant de philosophie, de droit et de logique, en catalan, en latin et en arabe.

Symbole du passé prospère de Palma, **Sa Llotja** (XVe siècle), ancienne Bourse du commerce, est pourvue de quatre tours octogonales crénelées et d'une galerie à verrières. L'intérieur est d'une grande élégance.

A côté, le **Consolat de Mar** (XVIIe siècle) renferme une imposante galerie Renaissance.

A l'ouest du centre, le **Castel de Bellver**, forteresse ronde perchée sur une colline, fut édifié au début du XIVe siècle afin que les rois de Majorque puissent s'y réfugier en cas de besoin.

A 5 km au sud-ouest du centre, la **Fundacío Pilar i Juan Miró**, 29 Calle

Joan de Saridakis, fut créée à l'initiative de Miró et de sa femme. Le bâtiment, dessiné par Rafael Moneo, abrite en permanence des œuvres de l'artiste.

LA CÔTE NORD-OUEST

De Palma, une route longe la côte vers le nord, s'enfonçant dans la Sierra Tramuntana, dont le point culminant est le Puig Major (1 436 m). C'est sur cette Costa Rocosa (« côte rocheuse ») que l'on trouve les plus beaux sites de l'île.

La route dessert d'abord **Andratx ❷**, dont le port a conservé son caractère de village de pêcheurs. Comme beaucoup de cités des Baléares, elle fut édifiée à l'intérieur des terres et entourée d'*atalayas*. Jadis cernée de douves, l'**église fortifiée** (XVIIIe siècle) était l'ultime refuge contre les envahisseurs. Le vieux quartier offre de nombreux points de vue, dont celui du port depuis le cimetière. Jacques Ier, d'après la tradition, débarqua en 1229 dans la **Cala de Santa Ponça**, au sud-est d'Andratx. Une croix y commémore l'événement.

D'Andratx, on regagne la côte par la **Cala San Telm** (San Telmo), d'où l'on jouit d'une vue saisissante sur l'île de **Sa Dragonera**, gigantesque rocher de 5 km de long qui s'est détaché de la Sierra Tramuntana. Non loin se dresse le couvent abandonné de **Sa Trapa**.

La route longe ensuite la corniche qui s'étend jusqu'à Sóller. Dominant la mer en un à-pic vertigineux, elle est l'une des plus spectaculaires du monde, en particulier à la hauteur du **Mirador Ricardo Roca**, qui surplombe de petites criques.

À 7 km à l'est du mirador, **Estallencs**, accroché au flanc du Puig Galatzó (1 025 m), est fier de son donjon qui date du temps des pirates.

À 9 km, **Banyalbufar ❸** est entouré de champs en terrasses bordés de maisons de pierre, et dont les murs de soutènement totalisent une longueur de 200 km. Ce travail colossal fut réalisé entre le Moyen Age et le XVIIe siècle.

Des *atalayas* ponctuent le paysage ; l'une des plus anciennes (XIVe siècle) se trouve au **Mirador de Ses Ánimes**.

Carte
p. 344

Les champs en terrasses dominent la mer à Banyalbufar.

*Le pont romain
de Pollença.*

*Maison
géorgienne
à Mahón.*

A 20 km de Banyalbufar, **Valldemosa ❹** est un joli village de montagne cerné d'oliviers et d'amandiers. Les façades des maisons sont ornées d'*azulejos* qui retracent la vie de sainte Catalina Tomàs, née ici et vénérée dans tout Majorque. C'est dans la **chartreuse** que George Sand et Chopin passèrent l'hiver 1838-1839. Bien qu'il n'y disposât que d'un piano assez rudimentaire, Chopin y composa ses plus beaux préludes, dont le *Prélude de la goutte de pluie*. Avant d'en être chassés en 1835 lors de la dissolution des ordres religieux de Majorque, les chartreux s'étaient installés dès 1399 dans cet ancien palais du roi Sanche, bâti sur le site d'un palais maure. Les fresques de la chapelle sont du beau-frère de Goya, Francisco Bayeu y Subías.

A 4 km, le domaine de **Miramar** fut la première des propriétés qu'acquit l'archiduc Luís Salvador de Habsbourg, en 1872; elle conserve une tour qui faisait partie d'un collège de langues orientales fondé par Raymond Lulle en 1276. Non loin, **Son Marroig** est le plus remarquable des *possessiós* de l'archiduc; ce manoir, édifié autour d'un ancien donjon, renferme des objets qui lui ont appartenu, dont des pièces archéologiques et des livres qu'il a écrits.

Deiá, capitale culturelle de Majorque, a conservé une grande partie de son architecture initiale, notamment grâce aux efforts de sa colonie d'artistes et du poète anglais Robert Graves (1895-1985), qui y vécut de 1929 à sa mort. Ce petit village de poupée, partagé par une artère principale dans laquelle débouchent de minuscules ruelles aux maisonnettes ornées de géraniums, a une atmosphère provençale. C'est peut-être pourquoi Miró aimait y séjourner. On peut y découvrir le Musée archéologique et la tombe de Robert Graves, dans le petit cimetière sur la colline.

Sóller (de l'arabe *sulliar*, «vallée d'or») est le paradis des orangers. Ses habitants qui ont fait fortune à l'étranger dans le commerce de primeurs y ont construit de belles maisons aux patios

LA PRÉHISTOIRE A MINORQUE

Minorque abrite trois types de vestiges préhistoriques appartenant à la civilisation des *talayots*, qui s'épanouit à partir de 1100 av. J.-C. Les *talayots*, généralement circulaires, s'étagent sur deux ou trois niveaux. D'énormes blocs de pierre tiennent par leur propre poids, sans mortier ni ciment, et constituent le socle de tours défensives ou le soubassement d'un habitat dont la partie supérieure était en bois. Leur fonction n'a pas encore été clairement définie, mais il est probable que les *talayots* servaient de tours défensives, de sépultures et d'habitations.

Les *navetas* adoptent la forme d'une coque de bateau retournée, d'où leur nom. Il s'agissait d'édifices funéraires comportant un couloir qui menait à une salle centrale.

Les monuments préhistoriques les plus fascinants et les plus mystérieux de Minorque sont les *taulas* («tables» en catalan). Elles se composent de deux mégalithes de plusieurs tonnes, posés en équilibre de façon à former un T. On en a identifié une trentaine, dont sept sont encore debout. Ils avaient vraisemblablement un but rituel.

Cala Coves recèle un dédale d'environ 140 cavernes aménagées par l'homme et datant pour la plupart du IXe siècle av. J.-C. Dans l'une d'elles, une inscription latine remonte aux alentours du IIe siècle av. J.-C.

Carte
p. 344

splendides. L'église du XVIᵉ siècle et l'hôtel de ville ne manquent pas non plus d'intérêt.

Un autre rivage accidenté conduit à la presqu'île de **Formentor**, à la pointe nord de Majorque.

Non loin, dans la baie de **Pollença**, la charmante bourgade du même nom possède un beau pont romain.

En poursuivant au nord-est, on rejoint la baie d'**Alcúdia**, cité cernée de remparts du XIVᵉ siècle

LA CÔTE EST

Les splendides et vastes « grottes du Dragon », **Coves del Drach ❺**, se composent de quatre salles et de lacs souterrains, dont l'un porte le nom du spéléologue français Édouard Martel, qui fut le premier à explorer ce site (1896).

Au nord-ouest, **Artá** est un village de l'intérieur aux longues ruelles étroites.

Sur la côte, les **Coves d'Artá** recèlent des concrétions fascinantes. Explorées par Édouard Martel, elles reçurent la visite d'Alexandre Dumas et de Victor Hugo, qui en firent des descriptions enthousiastes.

Capdepera, à 7 km d'Artá, est protégée par des murs crénelés et les tours de sa forteresse médiévale parfaitement conservée. A l'intérieur de celle-ci, la chapelle gothique fut érigée en 1323 par le roi Sanche. Le chemin de ronde offre une vue superbe sur la **Cala Ratjada**.

MINORQUE

Minorque (Menorca) se distingue elle aussi par l'abondance de ses vestiges préhistoriques. C'est aussi la plus anglaise des îles : la langue locale a emprunté des mots à l'anglais et on y produit le gin parfumé minorquin.

L'influence anglaise est surtout sensible à **Maó** (Mahón) ❻, la capitale, sise au fond d'un port naturel de 5 km de long. Aux alentours s'élèvent des manoirs typiquement britanniques.

A l'entrée du port, à **Villa Carlos**, l'ancienne Georgetown fondée par l'occupant, on s'intéressera surtout à l'**Igle-**

Bain de mer à Ibiza.

Carte
p. 344

sia **Santa María** (1287), qui possède une nef gothique et un orgue monumental de 1810.

Ciutadella (Ciudadela) ❼, seconde ville importante, à la pointe occidentale de l'île, fut la capitale de Minorque sous les Maures et après la Reconquête. Les majestueux palais, comme celui de Torre Saura (fin du XIXᵉ siècle), néo-classique, et ceux de Martorel et Vigo (XVIIIᵉ siècle), lui confèrent une allure aristocratique. L'une des tours de la **cathédrale** gothique (fin du XIVᵉ siècle) repose sur les assises d'un minaret. Les 23 et 24 juin, la fête de la Saint-Jean est animée par une cavalcade en costume médiéval.

IBIZA

*A droite,
le chapeau de paille
est indispensable;
ci-dessous,
les navires
accostent aux
Baléares depuis
l'Antiquité.*

En 654 av. J.-C., les Carthaginois s'établirent à **Ibiza** (Eivissa) ❽ à la suite des Phéniciens et l'appelèrent Ibosim, du nom de Bès, l'un de leurs dieux. L'île s'enrichit grâce à l'exportation du sel, de la poterie, de la verrerie et de produits agricoles. Les monnaies ibizanes

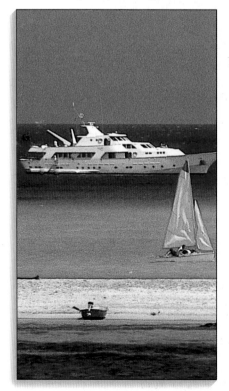

*Dès le
Iᵉʳ millénaire,
des relations
se nouèrent
avec les
thalassocraties
du bassin
méditerranéen :
Lydiens,
Étrusques,
Crétois, ainsi
qu'avec le Nord
par la voie
maritime de
l'Atlantique.
Au VIIᵉ siècle,
des liens
s'établirent avec
les Phéniciens.
Le déplacement
du centre
de gravité
de la Phénicie
vers Carthage
renforça encore
ces liens.*

découvertes dans toute la Méditerranée témoignent de cette activité.

Le bruit et l'agitation du port contrastent avec l'aristocratique sérénité de la vieille ville, appelée **Dalt Vila**, cernée par un réseau de fortifications et accessible par la Porte de les Taules, ornée d'un magnifique blason de Philippe II. La disposition des rues n'a presque pas varié depuis les Carthaginois. Au sommet de la colline qui domine ce quartier, l'austère **cathédrale** du XIVᵉ siècle, restaurée au XVIIᵉ siècle, est construite sur l'emplacement d'anciens lieux de culte carthaginois, romains et maures. Sur la place de la cathédrale, le **Museu Arqueológic** renferme l'une des plus riches collections d'objets puniques du monde.

Non loin, **Puig des Molins**, sur la Via Romana, est une énorme nécropole de plus de 4 000 tombes taillées dans le roc et d'où viennent la plupart des pièces présentées dans le musée situé sur le site.

FORMENTERA

Malgré son caractère intime, **Formentera** accueille de nombreux jeunes l'été. Séparée d'Ibiza par 7 km de chenaux et d'îlots, elle n'est accessible que par la ligne de bateaux qui relie Ibiza à **La Sabina**, à 3 km de la capitale **Sant Francesc** ❾. On peut y jouir du calme et du silence, et des superbes plages d'**Illetas**, de **Mitjorn** ou d'**Es Pujols**, aux nombreuses petites *calas*. Les champs de l'île (dont le nom vient du latin *frumentum*, « froment ») renforcent cette impression de tranquillité.

Le moyen de transport idéal pour visiter Formentera est le scooter, qui permet de la traverser en trois quarts d'heure. Il ne faut pas manquer la promenade sur **La Mola**, plateau qui s'étend à l'est. La route en lacets qui grimpe au sommet (192 m) offre de remarquables points de vue sur les environs et sur Ibiza. Elle traverse ensuite les vignobles qui fournissent le vin local et aboutit à un phare visible à plus de 60 km, dominant une falaise escarpée. Une plaque signale que c'est là que Jules Verne situe le début de son roman *Hector Servadac*.

INFORMATIONS PRATIQUES

■ **AVANT LE DÉPART**   **354**
Passeport et visa – Ambassades d'Espagne – Quand partir et que faut-il
emporter ? – Santé – Appeler en Espagne – Pour en savoir plus

■ **ALLER EN ESPAGNE**   **355**
En avion – En voiture – En autocar – En train

■ **À SAVOIR SUR PLACE**   **356**
Douanes – Peseta, euro, cartes bancaires – Ambassades étrangères – Gouvernement
Géographie – Fuseaux horaires – Économie – Heures d'ouverture – Jours fériés
Poste et télécommunications – Médias – Taxes et pourboires – Sécurité
Où loger – Où se restaurer – Activités culturelles et loisirs

■ **COMMENT SE DÉPLACER**   **360**
En avion – En voiture – En train – En autocar – En bateau

■ **LE CENTRE**   **361**
Comment s'y rendre et se déplacer – Offices du tourisme
Culture et loisirs – Où loger – Où se restaurer

■ **LE SUD**   **364**
Comment s'y rendre et se déplacer – Offices du tourisme
Culture et loisirs – Où loger – Où se restaurer

■ **L'EST**   **367**
Comment s'y rendre et se déplacer – Offices du tourisme
Culture et loisirs – Achats – Où loger – Où se restaurer

■ **LE NORD**   **369**
Comment s'y rendre et se déplacer – Offices du tourisme
Culture et loisirs – Où loger – Où se restaurer

■ **LES ÎLES CANARIES**   **372**
Comment s'y rendre et se déplacer – Offices du tourisme – Où loger
Où se restaurer

■ **LES ÎLES BALÉARES**   **373**
Comment s'y rendre et se déplacer – Offices du tourisme – Achats
Où loger – Où se restaurer

■ **LEXIQUE**   **374**
Formules usuelles – À l'hôtel et au restaurant – Commerces – Transports – Toponymie

■ **BIBLIOGRAPHIE**   **376**
Économie-politique – Histoire – Littérature – Art et culture

■ **CRÉDITS PHOTOGRAPHIQUES**   **378**

■ **INDEX**   **379**

AVANT LE DÉPART

PASSEPORT ET VISA

Les ressortissants des pays de l'Union européenne, ainsi que ceux d'Andorre, d'Autriche, du Liechtenstein, de Monaco et de Suisse n'ont besoin que d'une carte d'identité en cours de validité ou d'un passeport (même périmé depuis moins de cinq ans) pour entrer en Espagne. Il en va de même pour les mineurs accompagnés de leurs parents, à moins qu'ils ne soient inscrits sur le passeport de ces derniers. Les mineurs qui voyagent sans leurs parents doivent être munis d'un passeport en cours de validité. Ils peuvent voyager avec une carte d'identité ou un passeport périmé depuis moins de cinq ans à condition de s'être fait délivrer par la mairie ou le commissariat de police de leur lieu de résidence une autorisation de sortie du territoire.

Les automobilistes doivent être en possession de leur permis de conduire, de la carte grise et de la carte verte d'assurance de leur véhicule.

AMBASSADES D'ESPAGNE

France
22, avenue Marceau, 75008 Paris, tél. 01 44 43 18 00
Consulat :
165, boulevard Malesherbes, 75017 Paris,
tél. 01 44 29 40 00
Belgique
Rue de la Science 19, 1040 Bruxelles, tél. 02 230 03 40
Suisse
Kalcheggweg 24, Berne, tél. 031 352 04 12
Consulat :
7, rue Pestalozzi, 1202 Genève, tél. 022 734 46 04
Canada
74 Stanley Avenue, Ottawa K 1M 1P4, tél. 747 22 52

QUAND PARTIR ET QUE FAUT-IL EMPORTER ?

L'extrême diversité de ses climats s'explique par le fait que l'Espagne est l'un des pays les plus montagneux d'Europe (la Meseta, au centre de la péninsule, est un immense plateau qu'encerclent cordillères et sierras), que la mer Méditerranée et l'océan Atlantique baignent ses côtes et que son extrémité Sud touche pratiquement l'Afrique. Continental (grande amplitude thermique donc) sur la Meseta, le climat se fait méditerranéen sur les côtes méridionale et orientale, alors qu'il est plutôt humide et doux (atlantique) de Saint-Sébastien à Vigo. Le printemps et l'automne sont les saisons idéales pour voyager en Espagne : la température est alors agréable et les foules moins nombreuses que durant les vacances estivales. L'été on portera des vêtements légers tout

en prévoyant un chandail pour la soirée, surtout dans les régions du Nord et de la Meseta. En revanche, dans les régions côtières du Sud et dans les îles, qui bénéficient d'un climat doux tout au long de l'année, on prévoira seulement un imperméable en hiver. Pour savoir le temps qu'il fait en Espagne au moment du départ, on pourra consulter le site de l'Institut national de météorologie (en espagnol donc) : *www.inm.es*. Les Espagnols aiment s'habiller pour sortir en ville le soir ou se promener. Et, comme partout ailleurs, il est d'usage d'avoir une tenue correcte pour visiter un édifice religieux (ce qui signifie pas de short et les épaules entièrement couvertes).

SANTÉ

Le formulaire E 111 de gratuité des soins, délivré par les caisses d'assurance maladie, facilite les consultations médicales, voire les admissions à l'hôpital. Mais il faut savoir que les soins oculaires et dentaires ne sont pris en charge que dans les cas graves nécessitant une intervention immédiate.

Animaux domestiques

Il est nécessaire d'être en possession d'un certificat de bonne santé établi trois mois au plus avant le voyage et d'un certificat de vaccination contre la rage. Les animaux ne sont pas admis dans les restaurants et généralement dans les transports en commun. En revanche, certains hôtels, campings ou locations les acceptent.

APPELER EN ESPAGNE

Pour appeler de France en Espagne, on compose le *00* suivi du *34*, de l'indicatif de la province et du numéro du correspondant.
Indicatif des villes
Alicante : 6, Barcelone : 3, Bilbao : 4, Madrid : 1, Málaga : 5, Séville : 5, Valence : 6.

POUR EN SAVOIR PLUS

Site de défense des consommateurs très utile pour préparer son voyage : *www.infoconsumo.es* (en français)

Offices espagnols du tourisme
France
43, rue Decamps, 75784 Paris Cedex 16,
tél. 01 45 03 82 50 ; site Internet :
www.espagne.infotourisme.com
Belgique
Avenue des Arts 21-22, 1040 Bruxelles,
tél. (02) 280 19 26
Ouvert du lundi au jeudi, de 9 h à 14 h.

Suisse
15, rue Ami-Lévrier, 1201 Genève, tél. 022 731 11 33
Seefeldstrasse 19, CH 8008 Zurich,
tél. 031 252 79 30
Canada
102 Bloor Street West, 14th floor, Toronto M4 W 3E2,
tél. (416) 961 31 31

Autres adresses utiles à Paris
Bibliothèque espagnole
11, avenue Marceau, 75016 Paris, tél. 01 47 20 70 79
Institut Cervantès
7, rue Quentin-Bauchart, 75008 Paris, tél. 01 40 70 92 92
Librairie espagnole
72, rue de Seine, 75006 Paris, tél. 01 43 54 46 26
Maison de la Catalogne
4-8, cour du Commerce-Saint-André, 75006 Paris,
tél. 01 40 46 84 85

ALLER EN ESPAGNE

EN AVION

Au départ de la France, la majeure partie des vols est assurée par Air France, Iberia et Spanair. Madrid et Barcelone sont reliées à plusieurs villes françaises. La compagnie Sabena relie Bruxelles à Madrid et Barcelone par nombre de vols hebdomadaires. Swissair dessert l'Espagne au départ de Genève et Zurich.

Compagnies aériennes
Renseignements et réservations :
Air France
Tél. 0 820 820 820 ;
site Internet : www.airfrance.com
Iberia
Tél. 0 802 075 075 ; site Internet : www.iberia.com
Sabena
Tél. 0 820 830 830 ;
site Internet : www.qualiflyer.com
Spanair
Tél. 0 825 01 81 03 ; site Internet : www.spanair.fr
Swissair
Tél. 0 802 300 400 ; site Internet : www.swissair.com

EN VOITURE

Certains postes frontières entre la France et l'Espagne sont ouverts, jour et nuit, sans interruption, toute l'année :
La Junquera
A 939 km de Paris. Il faut emprunter les autoroutes A 6 et A 9, puis B 9 à partir de Narbonne.
Irún-Biriatou
A 771 km de Paris en prenant l'A 10 (l'Aquitaine), la N 10 et l'A 63 (qui devient A1/A3 en Espagne).

On peut aussi franchir les cols du Somport (1 632 m), du Pourtalet (1 794 m) ou du Puymaurens (1 915 m) et d'Envalira (2 407 m), en passant par l'Andorre.

Conduire en Espagne
Les ressortissants de l'Union européenne ainsi que les Suisses peuvent conduire en Espagne sans permis de conduire international. Un Français se munira donc de la carte grise, de son permis de conduire et de sa carte verte d'assurance. Si le conducteur n'est pas le propriétaire du véhicule, il doit pouvoir montrer une autorisation du propriétaire ainsi que l'accord de l'assurance. Depuis juillet 1999, tout véhicule circulant en Espagne doit avoir deux triangles de signalisation. En cas d'infraction aux règles de la circulation routière, un étranger devra s'acquitter de l'amende sur-le-champ pour éviter l'immobilisation de son véhicule.

EN AUTOCAR

Plusieurs compagnies font la liaison au départ de Paris et de plusieurs villes espagnoles :
Alsa Viaca Voyages
7 bis, rue de Maubeuge, 75009 Paris,
tél. 01 49 70 04 12 ; site Internet : www.alsa.es
Eurolines
Gare routière internationale de Paris-Gallieni
28, avenue du Général-de-Gaulle,
93541 Bagnolet Cedex,
tél. 08 36 69 52 52 ; site Internet : www.eurolines.fr

EN TRAIN

Le train Talgo Francisco de Goya relie quotidiennement Paris à Madrid et Gérone (départ gare d'Austerlitz à 19 h 43, arrivée à 9 h 13). Pour se rendre à Barcelone et Figueiras, le Talgo Juan de Miró roule tous les jours (départ gare d'Austerlitz à 20 h 32, arrivée à 8 h 24). De plus, une liaison quotidienne TGV Paris-Irún est assurée (départ gare de Paris-Montparnasse 10 h 10, arrivée à 15 h 37). Le voyage vers Algésiras via Irún et Madrid dure vingt-quatre heures. Au départ de Madrid, le train à grande vitesse AVE dessert toutes les heures Cordoue et Séville.

Depuis 1992, la ligne « à grande vitesse » AVE relie Séville à Madrid en deux heures et demie. On peut obtenir plus de renseignements auprès des chemins de fer français et espagnols (RENFE) :
Renseignements SNCF
Tél. 08 36 35 35 35 ; site Internet : www.sncf.com
Iberrail France
57, rue de la Chaussée-d'Antin, 75009 Paris,
tél. 01 40 82 63 60/63/64 ; site Internet : www.renfe.es
Iberrail fonctionne comme une agence de voyages et propose des forfaits train + hôtel.

À SAVOIR SUR PLACE

DOUANES

Depuis le 1er janvier 1993, date de l'entrée en vigueur de l'Acte unique, qui a supprimé les barrières douanières entre les différents pays de l'Union européenne, il n'y a pas de restrictions à l'entrée et à la sortie des biens, des marchandises et des valeurs.

PESETA, EURO, CARTES BANCAIRES

La monnaie espagnole est la peseta. On trouve des pièces de 1, 5, 10, 25, 50, 100, 200 et 500 pesetas et des billets de 1 000, 2 000, 5 000 et 10 000 pesetas. Un euro vaut 166,386 pesetas. On trouvera facilement des distributeurs automatiques de billets qui font le change. Les cartes bancaires internationales sont acceptées partout. Les banques espagnoles sont ouvertes de 9 h à 14 h, et, bien entendu, pratiquent le change.

AMBASSADES ÉTRANGÈRES

Belgique
Castellana 18, 6° piso, 28046 Madrid, tél. (91) 577 63 00
Canada
Même adresse que ci-dessus. *Tél. (91) 423 32 50*
France
Salustiano Olozaga 9, 28001 Madrid, tél. (91) 423 89 00
Suisse
Nuñez de Balboa, 28001 Madrid, tél. (91) 436 39 60

GOUVERNEMENT

L'Espagne est une monarchie constitutionnelle avec un régime parlementaire. Le chef de l'État est le roi Juan Carlos Ier, depuis la mort du général Franco, en 1975. Le roi, tout en ne détenant qu'une autorité symbolique, exerce une influence certaine, ne serait-ce que par sa personnalité. Le gouvernement socialiste de Felipe González, élu en octobre 1982, s'est maintenu au pouvoir jusqu'aux élections législatives de mars 1996, remportées par José María Aznar, représentant du Parti populaire de centre droit. Devenu Premier ministre au mois de mai 1996, José María Aznar a été reconduit dans ses fonctions en mars 2000. Le congrès des députés, ou Cortes, comprend 350 membres élus pour quatre ans au suffrage universel direct. Le Sénat compte 208 membres élus pour quatre ans au suffrage universel direct.

GÉOGRAPHIE

Le relief du territoire espagnol est de type hercynien et alpin. Le haut plateau de la Meseta (660 m) occupe tout le centre de la péninsule. Il est limité par les monts Cantabriques et les monts Ibériques au nord ; à l'est, par la sierra de Cuenca et, au sud, par la sierra Morena. Les sierras de Gredos et de Guadarrama se situent au centre de la Meseta. Deux grands bassins tertiaires s'étendent entre la Meseta et les rebords montagneux : au nord-est, la dépression de l'Èbre (Aragon), au sud-ouest, celle du Guadalquivir (Andalousie). Au nord-est, de l'Atlantique à la Méditerranée, les Pyrénées atteignent 3 355 m avec le mont Perdu. La chaîne Bétique (Andalousie) s'étend de Gibraltar au cap de la Nao, d'où se dresse le Mulhacén (3 481 m), point culminant de l'Espagne. Le littoral cantabrique est plutôt montagneux, caractérisé par les échancrures profondes des *rías* de Galice. La côte méditerranéenne est régulière de Gibraltar au delta de l'Èbre et escarpée jusqu'à la Costa Brava. Le territoire espagnol présente certaines singularités, comme l'enclave de Llivia en France ; les enclaves de Ceuta et de Melilla (ainsi que Velez de Gomara, Alhucemas et les îles Chaffarines), en Afrique du Nord. Les îles Canaries, espagnoles depuis 1479, s'égrènent face au Sud marocain. Le rocher de Gibraltar, territoire anglais, est situé sur le continent, en Andalousie.

Le découpage administratif de l'Espagne distingue dix-sept grandes régions réparties en Communautés autonomes : **Navarre** (Pampelune), **Pays basque** (Bilbao, Saint-Sébastien), **Cantabrie** (Santander), **Asturies** (Oviedo, Gijón), **Galice** (La Corogne, Vigo), **Castille-León** (Salamanque, Burgos), **Castille-La Manche** (Tolède, Cuenca), **Madrid**, **Estrémadure** (Cáceres, Badajoz), **Andalousie** (Séville, Málaga, Cordoue, Grenade, Jerez de la Frontera, Cadix), **Murcie** (Carthagène), **Valence** (Alicante), **Catalogne** (Barcelone), **Aragon** (Saragosse), **La Rioja** (Logroño), **Baléares** (Palma) et **Canaries** (Las Palmas de Gran Canaria, Santa Cruz de Tenerife).

L'Espagne dénombre 39 628 000 habitants, avec une densité de 79 habitants au km² pour une superficie de 505 000 km². Madrid, la capitale, compte environ 4,6 millions d'habitants, et Barcelone, plus de 4 millions d'habitants.

FUSEAUX HORAIRES

En dehors des Canaries, qui vivent à l'heure de Greenwich, l'heure est la même en Espagne, qui est sur le même fuseau horaire que la France. Au printemps, l'Espagne avance ses horloges d'une heure pour les retarder d'une heure en automne.

ÉCONOMIE

Dans les années 1960, 20 % de la population active travaillait dans le secteur agricole. Ce chiffre n'est plus que de 7 %. En dehors de l'orge, du blé et de la vigne, l'Espagne est le premier pays exportateur d'oranges et le premier producteur mondial d'huile d'olive. La production animale n'est pas en reste puisque le pays élève cinq millions de bovins, sans oublier les porcins et les ovins. La pêche est une activité importante, comme le montre le chiffre de 1,3 million de tonnes de prises en 1996.

Le pays extrait en moyenne 13 millions de tonnes annuelles de lignite, chiffre que dépasse la production annuelle de charbon. L'hydroélectricité est importante ainsi que l'électricité d'origine nucléaire.

Ses 14 % de demandeurs d'emploi font de l'Espagne l'un des champions européens en matière de chômage. Pourtant, 1,8 million de postes ont été créés entre 1996 et 2000. Le secteur bancaire est en pleine restructuration tandis que le tourisme bénéficie d'une réelle prospérité.

HEURES D'OUVERTURE

Variables sont les horaires des musées et des sites touristiques, qui ouvrent le plus généralement de 10 h à 13 h et de 16 h à 19 h. Le jour de fermeture hebdomadaire tombe le plus souvent le lundi.

En semaine, les magasins ouvrent entre 9 h et 10 h jusqu'à 14 h-15 h, puis entre 16 h et 17 h jusqu'à environ 20 h, voire 22 h en été. Les grandes surfaces, les grands magasins et quelques supermarchés sont ouverts, du lundi au samedi, de 9 h à 21 h. A l'exception des endroits fréquentés par les touristes, les magasins sont fermés le dimanche (sauf douze fois par an) et les jours fériés. Dans les grandes villes, notamment à Madrid, il est possible de faire des achats variés jusqu'à 3 h du matin, même les jours fériés, dans la chaîne de cafétérias VIP's ou dans les établissements 7–11, qui restent ouverts toute la nuit.

Les banques ouvrent, en semaine, de 8 h (ou 9 h) à 14 h, et, le samedi, de 8 h (ou 9 h) à 13 h. Elles sont fermées le dimanche et les jours fériés. Les horaires varient durant les mois d'été. Il existe des distributeurs automatiques Telebanco (jaune et bleu) ou Servi Red (noir) un peu partout, même dans les petits villages ; on peut y retirer de l'argent à l'aide de cartes de crédit comme Visa ou MasterCard.

JOURS FÉRIÉS

Certains jours fériés varient d'une année sur l'autre et chaque région a ses propres fêtes patronales.
1ᵉʳ janvier : Año Nuevo (nouvel an)
6 janvier : Reyes Magos (Épiphanie)
1ᵉʳ mai : Día del Trabajo (fête du Travail)
Pâques : Jueves santo y Viernes santo
(jeudi et vendredi saints)
15 août : Asunción (Assomption)
12 octobre : Día de la Hispanidad (jour de l'Hispanité)

1ᵉʳ novembre : Todos los Santos (Toussaint)
6 décembre : La Inmaculada Concepción
(Immaculée Conception)
8 décembre : Día de la Constitución
(jour de la Constitution)
25 décembre : Navidad (Noël)

POSTE ET TÉLÉCOMMUNICATIONS

Poste
Les bureaux de poste et la poste restante sont ouverts du lundi au vendredi, de 9 h à 14 h 30 ; le samedi, de 9 h à 13 h. Ils sont fermés le dimanche et les jours fériés. Dans les grandes villes, la poste centrale se prolonge dans l'après-midi, de 16 h à 19 h, avec des services de fax par exemple (certaines papeteries proposent également des services de fax). Les timbres (*sellos*) sont en vente dans les bureaux de poste et chez les buralistes (*estancos*).

Téléphone
Les cabines publiques fonctionnent avec des pièces ou des cartes en vente dans les tabacs, les kiosques et autres établissements habilités. La compagnie Telefónica a de nombreux bureaux dans les grandes villes, qui ouvrent de 9 h à 14 h et de 16 h à 19 h. Pour téléphoner d'Espagne en France, il faut composer le *07*, l'indicatif *33* et le numéro du correspondant sans le *0* initial. Tarifs réduits : tous les jours, de 22 h à 8 h ; le samedi, à partir de 14 h, ainsi que le dimanche et les jours fériés. Renseignements téléphoniques : *tél. 1003*. Il existe un service téléphonique touristique en plusieurs langues, dont le français, qui répond gratuitement, du lundi au vendredi, de 10 h à 14 h, au : *901 300 600*.

Multimédia
Toutes les agglomérations d'importance disposent de « cyber-cafés », avec accès à Internet.

MÉDIAS

Radio
La RNE est la radio publique et nationale. La SER, radio privée, diffuse un programme classique et des émissions musicales de toutes tendances. La COPE est d'obédience catholique.

Télévision
Deux chaînes publiques couvrent l'ensemble du territoire : TVE 1 et TVE 2, qui diffusent, dès l'été, un programme d'information en plusieurs langues. Les chaînes privées, Antena 3, Tele 5 et Canal Plus, fonctionnent comme en France.

Parmi les chaînes régionales (qui émettent dans les langues locales), citons TV 3 et Canal 33 en Catalogne, Euskal Telebista 1 et ETB 2 au Pays basque, Canal Sur en Andalousie, TVG en Galice et Canal 9 dans la Communauté de Valence.

La télévision par câble est très peu développée, contrairement à la télévision par satellite, en forte expansion. A proximité des frontières, on peut capter des émissions françaises ou portugaises.

Journaux et magazines

El País, *El Mundo* et *ABC* sont des journaux nationaux publiés à Madrid, avec des éditions régionales. *La Vanguardia*, édité à Barcelone, *El Correo* au Pays basque et *La Voz de Galicia* à La Corogne bénéficient également d'une diffusion à l'échelle nationale. La presse étrangère est en vente dans le centre des grandes villes, les gares et les aéroports, ainsi que dans les hauts lieux touristiques, partout en Espagne.

TAXES ET POURBOIRES

Une taxe, l'IVA , s'élevant à 7 %, est appliquée dans certains établissements, hôtels ou restaurants. D'une manière générale, l'usage du pourboire est le même qu'en France. Bien que le service soit toujours compris dans la facture, il est courant de laisser un pourboire aux femmes de chambre, aux portiers et porteurs des hôtels. Il en va de même pour les serveurs, qui reçoivent entre 5 et 10 % du montant de la note.

SÉCURITÉ

Comme dans tous les lieux touristiques, il faut faire attention aux pickpockets, surveiller ses chèques de voyage, cartes de crédit, et papiers d'identité, dont il serait utile de faire des photocopies. Il est également recommandé d'assurer les objets de valeur et de garer sa voiture sous surveillance.

OÙ LOGER

L'Espagne offre un large éventail de modes d'hébergement. Les régions les plus touristiques sont également les plus onéreuses. La plupart des offres sont répertoriées dans *Le Guide des hôtels, des campings et des logements*, diffusé par l'office du tourisme.

Hôtels

Les catégories d'hôtels sont : une, deux, trois, quatre, cinq étoiles et cinq étoiles luxe. Une nuitée en chambre double revient à environ 30 € dans les établissements les plus simples, 40 € dans un deux-étoiles, 60 € dans un trois-étoiles, 100 € dans un quatre-étoiles et 150 € dans un palace. Par ailleurs, les agences de voyages proposent de nombreux forfaits pour une semaine en pension complète.

L'Espagne disposant d'un riche patrimoine architectural, on n'aura aucune difficulté, quel que soit son niveau de vie, pour trouver un hôtel de charme.

De caractère plus modeste, les *hostales* sont des auberges ou des pensions de famille tenus par les propriétaires. Ce type d'hébergement populaire est fréquent à la campagne et dans les petites villes. La classification va de une à trois étoiles et le prix d'une chambre double varie de 38 à 60 €.

Le prix de la chambre et des services doit être indiqué derrière la porte ; il peut varier énormément en fonction des saisons (IVA à ajouter dans certains cas).

«Paradores»

L'État espagnol possède 85 *paradores* sur l'ensemble du territoire, qui sont d'anciens châteaux, couvents, ou demeures seigneuriales qu'on a parfaitement restaurés pour en faire des hôtels haut de gamme. C'est en 1928 qu'ouvrit le premier *parador*. Si quelques *paradores* sont de construction récente, tous ont en commun d'être localisés au cœur de sites magnifiques. Au plaisir de cultiver son goût pour l'architecture s'ajoute donc celui de découvrir le patrimoine naturel espagnol.

Représentation en France des *paradores* :

Iberrail France
57, rue de la Chaussée-d'Antin, 75009 Paris, tél. 01 42 81 27 27, n° Indigo : 08 25 07 92 00
Le site Internet des *paradores* :
www.parador.es

Chambres chez l'habitant

Leur liste est disponible auprès des offices du tourisme. Les pancartes bleues arborant un F (*fonda*) ou CH (*casa de huéspedes*) signalent que certaines pièces d'une maison ou d'un grand appartement ont été transformées en chambres d'hôte.

Locations

Il faut s'adresser aux offices du tourisme, aux agences immobilières spécialisées dans les locations, ou bien consulter les petites annonces de la presse.

Camping

Les terrains sont nombreux et de qualité. Certains sont équipés de bungalows, de mobile homes, ou d'emplacements (*parcelas*) comprenant des prises d'eau et d'électricité individuelles. Le prix par jour et par adulte est fonction de la catégorie – au nombre de trois – et varie de 3,81 à 2,13 €. On pourra se renseigner dans les offices du tourisme.

Auberges de jeunesse

Le pays compte 188 auberges de jeunesse affiliées à la REAJ, organisme membre de la IYHF (Fédération internationale des auberges de jeunesse). 17 000 places sont ainsi assurés en Espagne quasiment toute l'année. Attention, l'heure de fermeture est généralement aux alentours de 23 h. La limite d'âge minimal est de treize ans. Renseignements et réservations : *http//www.fuaj.fr*

Gîtes ruraux

Dans les années 1990 le tourisme rural a connu un prompt essor. Ainsi, devant le nombre et le type d'hébergements proposés, on n'aura que l'embarras du choix… L'identification des catégories variant d'une région à une autre, il est préférable de se renseigner auprès de l'office du tourisme.

OÙ SE RESTAURER

La cuisine espagnole est riche et savoureuse, chaque région possède ses propres spécialités traditionnelles. Les fruits de mer, les poissons et les viandes des régions du Nord sont excellents ; la paella, dans les régions de l'Est, spécialement à Valence, est délicieuse et variée. Sont également remarquables l'agneau et le cochon de lait rôtis de Ségovie, les viandes d'Aragon au *chilindrón* (sauce à base de tomates), le *gazpacho* d'Andalousie, la soupe à l'ail de Madrid et la fameuse *fabada* des Asturies (soupe épaisse de haricots blancs et de saucisses). Toutefois, l'un des fleurons de la gastronomie espagnole est le jambon ibérique, provenant principalement d'Estrémadure. Une grande variété de vins accompagne ces mets, dont les cépages reçoivent de la part des Espagnols une attention de plus en plus grande. Il faut avoir goûté aux vins blancs de la Galice et de Rueda, aux rouges de la Rioja, de la Ribera del Duero ou du Priorato ainsi qu'au célèbre xérès (de Jerez). Enfin, la découverte des petits vins de Valdepeñas, de Jumilla ou de Penedés peut réserver de très agréables surprises. Déguster des amuse-gueule locaux, les fameuses *tapas* ou les consistantes *raciones*, dans les *mesones* ou les bars spécialisés, fait partie de l'art de vivre espagnol au quotidien.

Dans les pages qui suivent, les établissements sont classés en trois catégories. Le nombre d'étoiles dépend du prix. Parfois, il faut ajouter à l'addition l'IVA. Les repas se prennent à l'heure espagnole : petit déjeuner à partir de 8 h jusqu'à 11 h, déjeuner de 13 h 30 à 16 h et dîner de 21 h à 23 h. Un bon repas dans un restaurant de qualité moyenne revient à environ 3 000 pesetas (18,03 €).

ACTIVITÉS CULTURELLES ET LOISIRS

Fêtes

La vie en Espagne est marquée par une multitude de festivités. Voici une liste des principaux événements à ne pas manquer :

Fallas de San José

Lors de la fête de saint Joseph, à Valence, du 12 au 19 mars, on passe ses journées et ses nuits à encourager la corrida, déguster la paella, admirer les feux d'artifice… Les Valenciens construisent à cette occasion des *fallas* (une par quartier), monuments de bois, de cire et de carton, brûlés dans la nuit du 19 au 20.

La semaine sainte

Se célèbre avec ferveur dans toute l'Espagne. Des processions nocturnes ont lieu dans la plupart des villes. Les plus célèbres sont celles de Séville, Grenade, Murcie et Jerez.

Festival de printemps

A Séville, cette fête grandiose accueille le printemps, avec maints défilés de chars. Les Andalous revêtent leur costume traditionnel pour participer à la fête foraine et assister aux corridas.

Cordoue

Tout le mois de mai est consacré à la magnifique décoration florale des patios, balcons et jardins. Des prix sont décernés aux décors les plus inventifs.

Fête de San Isidro

Les deuxième et troisième semaines de juillet, Madrid célèbre fastueusement son saint patron et organise un nombre impressionnant de spectacles et de distractions. Vêtus de leur déguisement, les spectateurs assistent à des concerts de rock, et suivent les compétitions de danse traditionnelle, avant que n'éclatent les feux d'artifice. Des corridas animent les lieux durant ces deux semaines de festivités.

Fête de San Fermín (Sanfermines)

A Pampelune, à la deuxième semaine de juillet, la foule envahit la ville, en attendant l'*encierro* (lâcher des taureaux dans les rues) qui précède les combats dans l'arène de l'après-midi. Les festivités durent jour et nuit. Il est recommandé de réserver longtemps à l'avance.

Festival international de la musique et de la danse

Santander, la capitale du Nord, propose tout au long du mois d'août bon nombre d'activités culturelles : concerts d'instrumentistes, de chanteurs de renommée internationale, et spectacles de ballet se déroulent sur la Plaza Porticada.

Fêtes des Vendanges

Ces fêtes, qui se déroulent à Jerez de la Frontera du 21 au 25 septembre, sont parmi les plus renommées d'Espagne. Une reine du vin honore de sa présence ces nombreuses festivités, qui incluent des compétitions littéraires, des concerts de flamenco, des ventes aux enchères de chevaux et des foires aux bestiaux.

Vie nocturne

L'Espagne offre une infinie variété de sorties nocturnes. De nombreux bars à la mode, des discothèques clinquantes et des boîtes luxueuses permettent de se distraire jusque tard dans la nuit – assez souvent jusqu'au petit matin. De plus, de nombreuses manifestations intéressantes sont programmées : festivals de cinéma et de jazz, concerts, représentations théâtrales, *zarzuelas* et ballets. En ce qui concerne les *tablaos* de flamenco, les endroits fréquentés par les touristes ne donnent pas un aperçu réel du spectacle authentique et sont souvent assez chers.

Après une longue marche dans les rues de Tolède, il fait bon se prélasser à une terrasse de café. Il est conseillé d'entamer la soirée plus tard qu'à l'accoutumée afin d'apprécier le petit déjeuner traditionnel à base de *chocolate y churros*.

Sports

Des matchs de football et de basket-ball ont lieu un peu partout dans le pays, ce dernier sport ayant atteint une immense popularité en quelques années. Outre les corridas, les courses de motos et d'automobiles sont aussi très répandues. L'office du tourisme dispose d'un calendrier de toutes ces manifestations. Les grandes villes sont généralement dotées de complexes sportifs ouverts aux touristes pour un prix modique. De nombreux clubs de remise en forme sont accessibles moyennant une inscription mensuelle.

La campagne espagnole se prête aux sports de plein air. Les terrains de golf du Nord, près de Saragosse et de Santander, par exemple, sont particulièrement verdoyants. Ce sport se pratique un peu partout dans le pays. Quant aux skieurs, ils disposent de bonnes installations dans les Pyrénées, la sierra Nevada, près de Grenade, et dans la sierra qui se situe aux portes de Madrid. Dans les régions côtières et les îles, on peut louer un bateau ou partir en excursion pour pêcher ou faire de la plongée sous-marine. La planche à voile est particulièrement prisée dans la région de Cadix. Les installations pour le camping et les randonnées à pied sont nombreuses et recommandées surtout dans les régions montagneuses. De nombreuses fermes en dehors des grandes villes, et tout spécialement dans le Sud, proposent des randonnées à cheval. L'équitation y est très appréciée, notamment en Andalousie, qui compte de nombreux élevages de chevaux, les *fincos*. En ce qui concerne la chasse et la pêche, leurs modalités pratiques et les réglementations peuvent varier d'une région à l'autre. Renseignements sur les sites Internet ci-dessous :
– Chasse : http *://www.cazar.com*
– Pêche : http *://www.cotosdepesca.com*

COMMENT SE DÉPLACER

EN AVION

Les liaisons intérieures sont essentiellement assurées par la compagnie nationale **Iberia**, installée dans les villes d'importance, notamment :

Madrid
Calle Santa Cruz de Marcenado 2,
tél. 902 500 500
Barcelone
Calle Diputación 258, tél. 902 500 500

Pour obtenir des renseignements sur les aéroports locaux et les vols, renseignements sur le site Internet : *http ://www.aena.es*

EN VOITURE

En Espagne, la vitesse, pour les véhicules de tourisme, est limitée à 120 km/h sur les autoroutes, à 100 km/h sur les voie rapides, à 90 km/h sur les routes nationales et à 50 km/h en agglomération.

Dernièrement, le réseau s'est considérablement amélioré grâce à la transformation des routes nationales les plus importantes en *autovías*, bénéficiant d'une double voie dans chaque sens et de la gratuité, mais elles s'avèrent souvent moins pratiques à l'usage que les autoroutes à péage. Le port de la ceinture de sécurité est obligatoire, et le taux maximal d'alcoolémie toléré est de 0,50 g.

Pour être informé sur la circulation routière en France, on composera le *0826 022 022*, ou le *08 36 68 10 77*.

Pour être informé sur la circulation routière en Espagne, on consultera :
RACE
Site Internet : www.race.es (en langue espagnole)

Le « guide du voyageur » du site Internet *www.espagne.infotourisme.com* donne accès à toute information concernant le réseau routier espagnol et permet d'établir l'itinéraire idéal. Ces informations, préparées et mises à jour par Aseta, Guía Campsa Interactiva, Centro Nacional de Información Geográfica, Dirrección General de Tráfico, sont données le plus souvent en espagnol.

Location de voitures

De nombreuses agences de location opèrent en Espagne. Les frais de location peuvent se régler avec les cartes American Express, Visa ou MasterCard, ainsi qu'en chèques de voyage. Il n'est pas nécessaire de présenter un permis de conduire international ; le permis du pays d'origine suffit.

Voici les coordonnées de quelques agences installées à Madrid :
Avis
Gran Vía 60, tél. 915 472 048,
tél. national : 918 896 388
Europcar
Orense 29, tél. (91) 555 99 30
Hertz
Gran Vía 88, tél. (91) 542 58 05

EN TRAIN

La RENFE, compagnie nationale des chemins de fer espagnols, exploite exclusivement le réseau ferroviaire intérieur interurbain. Plusieurs types de trains sont en service, de l'AVE (le train à grande vitesse espagnol) aux Rápidos (qui, malgré leur nom, sont les trains les plus lents). Les Talgos sont les plus opérationnels, disposant de trains relativement rapides en première et seconde classes. Moins pratiques, les TER circulent de jour et les Expresos la nuit. L'AVE dessert cinq villes : Madrid, Ciudad Real, Puertollano, Cordoue et Séville.

En France, l'agence de voyages Iberrail, qui représente les compagnies RENFE (pour les trajets en train) et Trasmediterránea (pour les déplacements en bateau), peut s'occuper des mêmes réservations sur place.

RENFE
Tél. 902 24 02 02 ;
site Internet : www.renfe.es
Ce numéro de téléphone est valable pour toutes les grandes villes espagnoles, dont Madrid, Barcelone, Séville et Valence.

Iberrail
Capitán de Haya 55, 28020 Madrid,
tél. (91) 571 66 92

EN AUTOCAR

Des autocars très confortables assurent des liaisons fréquentes entre les grandes villes et diverses localités. Leurs tarifs correspondent à ceux pratiqués en seconde classe par les chemins de fer.

EN BATEAU

La compagnie Trasmediterránea propose des traversées pour les Baléares et les Canaries (à partir de Barcelone, Valence, Cadix et La Corogne) ainsi que vers Melilla et Ceuta (au départ d'Almería et de Málaga) :
Trasmediterránea
Alcalá 61, 28014 Madrid, tél. (91) 423 85 00 ;
information et réservation : 902 45 46 45 ;
site Internet : www.trasmediterranea.es

LE CENTRE

COMMENT S'Y RENDRE ET SE DÉPLACER

En avion
Barajas (*tél. 91 393 60 00*), l'aéroport international de Madrid, concentre l'essentiel du trafic aérien de la région et accueille les compagnies aériennes internationales. Il est situé à 15 km environ du centre, auquel il est relié par une ligne de métro et une ligne d'autobus ouvertes de 4 h 45 à 1 h 30.

En autocar
Ce moyen de transport se révèle dans certaines régions plus rapide et plus confortable que le train. Les départs se font principalement de la Estación Sur à Madrid :
Calle Méndez Alvaro, tél. (91) 468 45 11.

En train
Les trois gares principales de Madrid sont : Chamartín, Atocha et Norte. Chamartín, au nord, assure les liaisons avec le nord de l'Espagne ; Atocha, au sud, couvre l'est et le sud du pays et Norte, à l'ouest, accueille des trains régionaux (de même que les deux autres gares). Tous les renseignements nécessaires peuvent être obtenus auprès de la RENFE.

Transports urbains à Madrid
Métro et autobus
Madrid est dotée d'un métro qui fonctionne tous les jours de 5 h à 1 h 30. Les stations sont signalées par un « M » à l'intérieur d'un diamant. On demandera « *un plano del Metro* » en achetant son ticket. Des cartes mensuelles ou des billets valables pour dix voyages en métro ou autobus, appelés *metrobus*, sont vendus à tarif réduit dans les stations, certains bureaux de tabac et de nombreux kiosques.

Le réseau d'autobus est aussi performant que celui du métro. L'itinéraire est indiqué à chaque arrêt et on peut obtenir un plan dans les offices du tourisme.
Taxis
Ils sont nombreux et pratiquent des prix raisonnables. Un compteur indique le prix de la course, mais il faut parfois payer un supplément, en particulier pour les courses de nuit (de 23 h à 6 h), ou hors des limites de la ville, et durant les jours fériés. Les tarifs doivent être affichés bien en vue.

OFFICES DU TOURISME

– Madrid
Plaza Mayor 3, tél. (91) 366 5477
– Castille-La Manche
Albacete
Tinte 2, tél. (967) 58 05 22
Ciudad Real
Avenida Alarcos 31, tél. (926) 21 29 25
Cuenca
Glorieta González Palencia 2-3,
tél. (969) 17 88 00
Guadalajara
Plaza Mayor, tél. (949) 22 06 98
Tolède
Puerta de la Bisagra, tél. (925) 22 08 43

– Castille-León
Ávila
Plaza de la Catedral 4, tél. (920) 21 13 87
Burgos
Plaza de Alonso Martínez 7, tél. (947) 20 31 25
León
Plaza de la Regla 3, tél. (987) 23 70 82
Palencia
Mayor 105, tél. (979) 74 00 68
Salamanque
Rua Mayor, tél. (923) 26 85 71
Ségovie
Plaza Mayor 10, tél. (921) 46 03 34
Soria
Plaza Ramón y Cajal, tél. (975) 21 20 52
Valladolid
Mariano de Los Cobos 1, tél. (983) 20 30 30 ;
Plaza de Zorrilla 3, tél. (983) 35 18 01
Zamora
Santa Clara 20, tél. (980) 53 18 45
– Estrémadure
Cáceres
Plaza Mayor 33, tél. (927) 24 63 47
Badajoz
Plaza de la Libertad 3, tél. (924) 22 27 63

CULTURE ET LOISIRS

Musées
La plupart des musées en Espagne sont fermés le lundi. **Madrid** en compte plusieurs, dont les trois plus importants se situent en plein centre :
Museo del Prado
Paseo del Prado, s/n
Museo Nacional Centro de Arte Reina Sofía
Santa Isabel 52
Museo Thyssen-Bornemisza
Paseo del Prado 8

Vie nocturne
Madrid vit beaucoup la nuit et le choix des lieux de distractions nocturnes est si vaste, leur existence si éphémère, qu'il est préférable d'évoquer plutôt les quartiers animés en permanence : ceux de Malasaña, autour de la Plaza del Dos de Mayo ; Huertas, au sud de la Puerta del Sol ; ou Orense, plus au nord, près de la Castellana. Ces établissements, ainsi que les cinémas, théâtres, musées, sont répertoriés dans des publications spécialisées, dont *La Guía del Ocio*.

Achats
Madrid concentre tous les articles fabriqués en Espagne, des châles de Séville aux poteries des îles Baléares. Malasaña, vieux quartier aux rues tortueuses, abrite de nombreuses échoppes qui vendent des céramiques, des ouvrages de broderie, des créa-

tions artisanales en bois… Dans le Centro comercial, La Vaguada, dans le nord de Madrid, on trouve des objets artisanaux de toutes les provinces. Les boutiques « touristiques » se situent dans le centre de Madrid, entre la Puerta del Sol et la Plaza de Callao ainsi que le long de la Gran Vía. Les boutiques élégantes longent la Calle Serrano et les rues adjacentes dans le secteur de Salamanca. Les créations d'avant-garde s'exposent dans la Calle Almirante, près du Paseo de Recoletos. Le Corte Inglés, la chaîne de grands magasins la plus importante d'Europe, vend absolument de tout, depuis les articles bon marché jusqu'aux grandes marques. Le marché aux puces de la capitale, le Rastro, se tient le dimanche matin à La Latina.

Sports
En plus des activités habituelles pratiquées dans une grande ville, Madrid propose celles de ses stations de ski, situées à proximité :
– Navacerrada (huit pistes), à 50 km de la capitale
– Valcotos (sept pistes), à 65 km
– Valdesquí (dix pistes), à 70 km
– La Pinilla (douze pistes), à 120 km, dans la province de Ségovie.

OÙ LOGER

– Albacete
Parador de la Mancha****
Apartado 384, Carretera N 301, tél. (967) 24 53 21
Élégant et confortable. A la sortie d'Albacete.
– Ávila
Palacio de Valderrábanos****
Plaza de la Catedral 9, tél. (920) 21 10 23
Dans le plus beau quartier de la ville.
Parador de Ávila****
Marqués Canales de Chozas 2, tél. (920) 21 13 40
Ravissant hôtel dans un palais du xve siècle.
– Badajoz
Gran Hotel Zurbarán****
Paseo de Castelar, s/n, tél. (924) 22 37 41
Situé en plein centre. Bon restaurant, piscine.
– Burgos
Del Cid***
Plaza de Santa María 8, tél. (947) 20 87 15
Face à la cathédrale. Très bons hôtel et restaurant.
– Cáceres
Parador de Cáceres****
Ancha 6, tél. (927) 21 17 59
Palais du xive siècle. Idéalement situé dans un quartier historique restauré.
Parador de Guadalupe****
Marqués de la Romana 10, Guadalupe,
tél. (927) 36 70 75
Occupe deux anciens palais des xve et xvie siècles. Piscine et beaux jardins.

Parador Nacional de Trujillo****
Santa Beatriz da Silva, Trujillo, tél. (927) 32 13 50
Ancien monastère du XVIᵉ siècle. Proche de Cáceres.
– **Ciudad Real**
Parador de Almagro****
Ronda de San Francisco 31, Almagro,
tél. (926) 86 01 00
Un couvent du XVIᵉ siècle, souvent décrit comme
le plus beau *parador* d'Espagne.
– **Cuenca**
Posada de San José***
Julián Romero 4, tél. (969) 21 13 00
Dans un couvent du XVIᵉ siècle.
Parador de Alarcón****
Amigos de los Castillos 3, Alarcón, tél. (969) 33 03 15
Falaise sur le Júcar. Spécialité d'agneau de lait.
– **León**
Parador Hotel San Marcos****
Plaza San Marcos 7, tél. (987) 23 73 00
Agrémenté d'un restaurant.
– **Madrid**
Ritz Madrid*****
Plaza de la Lealtad 5, tél. (91) 521 28 57
Hôtel de grand luxe classé monument historique.
Palace*****
Plaza de las Cortes 7, tél. (91) 360 80 00
Très joli quartier, en face du Prado. Ernest Heming-
way y séjourna.
Suecia****
Marqués de Casa Riera 4,
tél. (91) 531 69 00
Dans le centre, près des Cortes.
Capitol***
Gran Vía 41, tél. (91) 521 83 91
Bien dans le style madrilène.
– **Palencia**
Rey Sancho***
Avenida de Ponce de León, s/n, tél. (979) 72 53 00
Très confortable, jardins, piscine et courts de tennis.
– **Salamanque**
Parador de Salamanca****
Teso de la Feria 2, tél. (923) 19 20 82
Sur la rive du Tormes. Vue exceptionnelle sur la
ville, en particulier sur la cathédrale.
Las Torres**
Consejo 4, tél. (923) 21 21 00
Simple, confortable. Bien situé face à la Plaza Mayor.
– **Ségovie**
Parador de Segovia****
Route de Valladolid, tél. (921) 44 37 37
Vue splendide sur la ville, avec appartements, pis-
cines couverte et découverte, gymnase.
Infanta Isabel***
Isabel la Católica 1, tél. (921) 46 13 00
Élégantes chambres d'hôte près de la grand-place.
Bon rapport qualité/prix.

– **Soria**
Parador Antonio Machado***
Parque del Castillo, tél. (975) 24 08 00
Superbe vue sur le Duero.
– **Tolède**
Parador de Oropesa****
Plaza del Palacio 1, Oropesa, tél. (925) 43 00 00
Une forteresse féodale avec un très bon restaurant.
Parador de Toledo****
Cervo del Emperador, tél. (925) 22 18 50
Dans une des plus belles villes d'Espagne, et dans un
très beau quartier. Piscine.
– **Valladolid**
Olid Meliá****
Plaza San Miguel 10, tél. (983) 35 72 00
Un hôtel moderne dans la vieille ville.
Felipe IV****
Gamazo 16, tél. (983) 30 70 00
Hôtel confortable et central.
– **Zamora**
Parador de Zamora****
Plaza de Viriato 5, tél. (980) 51 44 97
Palace du XVᵉ siècle situé dans le centre.

OÙ SE RESTAURER

La région s'enorgueillit de diverses spécialités culinaires : agneau et cochon de lait du nord de la Castille ; *pisto à La Mancha*, jambon ibérique, dans
la région d'Estrémadure ; *callos a la madrileña* (gras
double), *cocido* et soupes à l'ail dans la capitale.
Madrid est aussi réputée pour la qualité de ses poissons.

– **Ávila**
Mesón del Rastro**
Plaza del Rastro 1, tél. (920) 21 12 18
Spécialités castillanes : haricots avec du chorizo,
ragoût de saucisse, veau.
– **Badajoz**
Aldebarán***
Avenida de Elvas, Centro comercial Las Terrazas,
tél. (924) 27 42 61
Cuisine traditionnelle remise au goût du jour.
Parador de Mérida****
Plaza de la Constitución 3, Mérida, tél. (924) 313 800
Cuisine régionale accompagnée de bons crus du terroir.
– **Cáceres**
Atrio***
Avenida de España 30, tél. (927) 242 928
Cuisine de l'Estrémadure légèrement sophistiquée.
Hospedería del Real Monasterio**
Plaza de Juan Carlos I, Guadalupe, (927) 36 70 00
Cuisine familiale et à prix abordables.
Pizarro**
Plaza Mayor 13, Trujillo, tél. (927) 32 02 55
Cuisine à base de produits du marché.

– Ciudad Real
Mesón El Corregidor
Jerónimo Ceballos 2, Almagro, tél. (926) 86 06 48
Ambiance médiévale, dans une taverne datant de
cette époque.
– Cuenca
Mesón Casas Colgadas
Canónigos, s/n, tél. (969) 22 35 09
Superbe vue. Près du musée d'Art contemporain.
– Guadalajara
Amparito Roca
Toledo 19, tél. (949) 21 46 39
Produits naturels bien préparés : viandes et légumes.
– León
Adonías
Santa Nonia 16, tél. (987) 25 26 65
Cuisine espagnole typique. Grillades.
– Madrid
El Bodegón
Pinar 15, tél. (91) 562 31 37
Cuisine castillane : ris de veau en pâte feuilletée,
saumon, carpe farcie. Fermé le dimanche et en août.
Viridiana
Juan de Mena 14, tél. (91) 523 44 78
Cuisine raffinée, accompagnée de très bons vins.
Malacatín
Ruda 5, tél. (91) 365 52 41
Décor et cuisine typiquement espagnols. Ambiance
pittoresque et spécialité de *cocido* (pot-au-feu).
La Paloma
Jorge Juan 39, tél. (91) 576 86 92
Savoureuse cuisine, essentiellement galicienne, et
prix abordables.
Zalacaín
Alvarez de Baena 4, tél. (91) 561 48 40
Depuis de nombreuses années, bénéficie d'une
excellente réputation.
– Palencia
Casa Damián
Ignacio Martínez de Azcoitia 9, tél. (979) 74 46 28
Légumes et colin délicieux.
– Salamanque
Chez Víctor
Espoz y Mina 26, tél. (923) 21 31 23
Nouvelle cuisine. Spécialités : mousse de poireaux et
d'aubergines, canard, crêpes.
Río de Plata
Plaza del Peso 1, tél. (923) 21 90 05
Spécialités castillanes de viandes et de poissons.
– Ségovie
Mesón de Cándido
Plaza del Azoguejo 5, tél. (921) 42 59 11
Dans une magnifique maison du xvᵉ siècle, restau-
rant prestigieux, souvent complet.
Casa Amado
Fernandez Ladreda 9, tél. (921) 43 20 77

Cuisine castillane appréciée des gens du pays.
– Tolède
Adolfo
La Granada 6, tél. (925) 22 73 21
Spécialités de gibier en saison, dans l'ancien quartier
juif.
– Valladolid
La Fragua
Paseo de Zorrilla 10, tél. (983) 33 87 85
Cuisine locale. Choix d'excellents produits de la mer
et de vins.
– Zamora
París
Avenida de Portugal 14, tél. (980) 51 43 25
Cuisine typique dans une bonne ambiance.

LE SUD

COMMENT S'Y RENDRE ET SE DÉPLACER

En avion
Les compagnies Air France et Iberia relient Paris à
Málaga et Séville. Pour se renseigner sur les vols
intérieurs, et, d'une manière générale, sur les aéroports espagnols, on peut consulter le site Internet
www.aena.es (Aena pour Aeropuertos Españoles y
Navegación aérea), qui informe en espagnol et
accessoirement en anglais.

En voiture
Les routes à double voie (*autovías*) arrivent aussi
bien de Madrid (jusqu'à Málaga et Séville) que de
Barcelone (jusqu'à Almería et Séville). Elles atteignent les principales villes de l'Andalousie.

En train
Depuis 1992, l'AVE relie Séville à Madrid en un peu
plus de deux heures. Les Talgos sont la meilleure
façon de rejoindre les autres villes à partir de la capitale. Les liaisons avec la Catalogne sont moins per-
formantes.

En bateau
La plupart des services assurés depuis les ports du
Sud (surtout celui d'Algésiras) rejoignent ceux du
nord du Maroc et des îles Canaries.

OFFICES DU TOURISME

– Almería
Parque Nicolás Salmerón, tél. (950) 274 355
– Cadix
Avenida Ramón de Carranza, tél. (956) 258 646
– Cordoue
Torrijos 10 (Palacio de Congresos), tél. (957) 471 235

– Fuengirola
Avenida de Jesús Santos Rein, tél. (95) 2467 457
– Grenade
Corral del Carbón tél. (958) 471 235
– Huelva
Vásquez López 5, tél. (959) 257 403
– Jaén
Maestra 13-bajo, tél. (953) 242 624
– Málaga
Pasaje de Chinitas 4, tél. (95) 2213 445
– Marbella
Glorieta de la Fontanilla, tél. (95) 2771 442
– Séville
Avenida de la Constitución 21, tél. (95) 4221 404
-- Torremolinos
Plaza de Pablo Picasso, tél. (95) 2371 159

CULTURE ET LOISIRS

Musées
– Cordoue
Museo Julio Romero de Torres
Plaza del Potro
– Grenade
Museo de Bellas Artes
(Alhambra, palais de Charles Quint)
Casa Real de la Alhambra, Palacio de Carlos V
– Málaga
Museo Pablo Picasso
Palacio de Buenavista
– Séville
Museo de Bellas Artes
Plaza del Museo 9

Vie nocturne
Les établissements nocturnes changent à chaque saison, en particulier sur la Costa del Sol et le Puerto Banús ; mais ils sont mentionnés dans de nombreuses revues spécialisées. A Séville, les quartiers animés sont ceux de Santa Cruz et de La Macarena, répertoriés, notamment, dans la publication *El Giraldillo*. A Grenade, la vie nocturne est intense en raison du nombre important d'étudiants. L'Albaicín est l'un des quartiers les plus fréquentés le soir ; les principaux lieux de rencontre sont recensés dans *La Guía Cultural y del Ocio* (en espagnol et anglais).
Pour assister à un bon spectacle de flamenco, le mieux est de se renseigner à l'office du tourisme sur les concours ou festivals se déroulant dans les petits villages.
El Arenal
Calle Rodó 7, Séville, tél. (95) 4216 492
Jardines Neptuno
Calle Arabial, Grenade, tél. (958) 25 11 12
Mesón La Bulería
Calle de Pedro López 3, Cordoue, tél. (957) 48 38 39

Peña Antonio Chacón
Calle Salas 2, Jerez de la Frontera (Cadix), tél. (956) 347 472
Peña La Buena Gente
Plaza de San Lucas 9, Jerez de la Frontera (Cadix), tél. (956) 33 84 04
Tablao Cardenal
Calle Torrijos 10, Cordoue, tél. (957) 48 31 12
Tablao Los Gallos
Plaza de Santa Cruz 11, Séville, tél. (95) 4228 522

OÙ LOGER

– Almería
Gran Hotel Almería★★★★
Avenida de la Reina Regente 8, tél. (950) 23 80 11
Le meilleur hôtel d'Almería, avec vue sur le port.
– Cadix
Atlántico★★★★
Avenida del Duque de Nájera 9, tél. (956) 22 69 05
Hôtel moderne au cœur de la vieille ville.
Reina Cristina★★★★
Paseo de la Conferencia, Algésiras, tél. (956) 60 26 22
Hôtel du début du XXᵉ siècle orné de beaux jardins.
Jerez★★★★
Avenida Alvaro Domecq 35, Jerez de la Frontera, tél. (956) 30 06 00
Dans la zone résidentielle.
– Cordoue
Amistad Córdoba★★★★
Plaza de Maimónides 3, tél. (957) 42 03 35
A proximité des sites intéressants.
Hospedería San Francisco★★★
Avenida Pío XII 35, Palma del Río, tél. (957) 71 01 83
Ex-monastère du XVᵉ siècle, excellent restaurant.
– Grenade
Parador de San Francisco★★★★
Real de la Alhambra, tél. (958) 22 14 40
Dans les jardins de l'Alhambra.
Los Fenicios★★★★
Paseo de Andrés Segovia, La Herradura, Almuñécar, tél. (958) 82 79 00
Hôtel moderne sur la plage de La Herradura.
Rumaykiyya★★★★
Dehesa de San Jerónimo, tél. (958) 48 14 00
Hôtel moderne et confortable dans l'une des stations de ski de la sierra Nevada.
– Huelva
Tartessos★★★
Avenida de Martín Alonso Pinzón 13, tél. (959) 28 27 11
Situé dans un quartier résidentiel de la ville.
– Jaén
Parador Castillo de Santa Catalina★★★★
Tél. (953) 23 00 00
En haut de la ville. Belle vue sur les montagnes.

– Málaga
Larios****
Marqués de Larios 2, tél. (952) 22 22 00
Bien situé. Bâtiment ancien restauré.
Alay****
Torrequibreda, Avenida del Sol, Benalmádena,
tél. (952) 44 60 00
A côté du port, c'est l'un des centres de la vie noc-
turne de la Costa del Sol.
Las Dunas****
La Boladilla Baja, Carretera N 340, km 163,
tél. (952) 79 81 00
Hôtel de grand luxe à côte de la plage d'Estepona.
Florida***
Paseo Marítimo, Fuengirola, tél. (952) 47 61 00
Simple et confortable, sur la plage, près du centre.
Puente Romano*****
Carret. N 340, km 1178, 2, Marbella, tél. (952) 82 09 00
Hôtel de grand luxe inspiré d'un village andalou.
Marbella Club ****
Bulevar Príncipe Alfonso von Hohenlohe,
tél. (952) 82 22 11
Cet hôtel fut à l'origine de la légende de Marbella
dans les années 1950.
Parador de Ronda****
Plaza de España, Ronda, tél. (952) 87 75 00
Une situation extraordinaire sur la falaise pour
le plus moderne *parador* d'Espagne.
Aloha Puerto****
Salvador Allende 45, Montemar, Torremolinos,
tél. (952) 38 70 66
Grand, moderne et près de la plage.
– Mojácar
Parador Reyes Católicos****
Playa de Mojácar, tél. (950) 47 82 50
Un *parador* moderne ; à côté de la plage.
– Séville
Alfonso XIII****
San Fernando 2, tél. (954) 22 28 50
Élégant hôtel des années 1920, de style néo-mudéjar.
Hotel Casa Imperial*****
Imperial 29, tél. (954) 50 03 00
Palais du XVIᵉ siècle restauré. 25 chambres, chacune
dans un style différent.
Casa de Carmona*****
Plaza de Lasso 1, Carmona, tél. (954) 14 33 00
L'un des hôtels les plus élégants d'Andalousie, dans
une maison aristocratique du XVIᵉ siècle.
Murillo***
Lope de Rueda 7, tél. (954) 21 60 95
Ambiance simple et agréable. Prix abordables.

OÙ SE RESTAURER

L'Andalousie produit d'excellents jambons et légumes.
Ses recettes et ses spécialités à base de poissons sont
savoureuses. La région a récemment renouvelé sa
cuisine tout en maintenant une certaine tradition.
– Almería
La Gruta**
Carretera N 340, km 4, tél. (950) 23 93 35
Dans une grotte, face à la mer. Viandes grillées.
– Cadix
El Faro***
San Félix 15, tél. (956) 21 10 68
Le meilleur restaurant de la ville (poissons, fruits de mer).
La Mesa Redonda***
Manuel de la Quintana 3, Jerez de la Frontera,
tél. (956) 34 00 69
Petit restaurant aux excellentes recettes familiales.
– Cordoue
El Caballo Rojo***
Cardenal Herrero 28, tél. (957) 47 53 75
Spécialités (ex. l'agneau au miel et au vinaigre).
La Almudaina***
Campo Santo de los Mártires 1, tél. (957) 47 43 42
A proximité des jardins de l'Alcázar, cette maison du
XVᵉ siècle propose une cuisine de qualité.
– Grenade
Sevilla***
Oficios 12, tél. (958) 22 12 23
Spécialités locales, dont l'*ajoblanco* (potage) et
l'omelette *sacromonte* (ris de veau, poivrons).
– Huelva
Las Candelas***
Avenida de Huelva, Aljaraque (à 7 km),
tél. (959) 31 84 33
Spécialités de poisson et jambon.
– Jaén
Casa Vicente***
Francisco Martín Mora 1, tél. (953) 232 222
Près de la cathédrale. Gibier pendant la saison de la chasse.
– Málaga
El Bote**
Paseo Marítimo, Torreblanca del Sol, Fuengirola,
tél. (952) 66 02 96
Pour savourer du poisson près de la plage.
Frutos***
Avenida Riviera 80, Urbanización Los Alamos,
Torremolinos, tél. (95) 238 14 50
Spécialités d'Andalousie et de Ségovie.
La Hacienda***
Hacienda Las Chapas, Marbella, tél. (952) 83 11 16
Délicieuse cuisine locale. Belle terrasse.
Lido***
Hôtel Las Dunas, La Boladilla Baja, Carretera
N 340, km 163, 5, Estepona, tél. (952) 88 61 78
Restaurant luxueux et tarifs assortis.
La Meridiana***
Camino de la Cruz, tél. (952) 207 131
Dans une agréable serre aménagée en salle à manger,
où l'on déguste une savoureuse cuisine.

– Séville
Enrique Becerra***
Gamazo 2, tél. (95) 421 30 49
Dans une maison ancienne, ce restaurant prépare une cuisine andalouse traditionnelle, très appréciée des gens de la région. Fermé le dimanche midi et durant la deuxième quinzaine du mois d'août.
Taberna del Alabardero***
Zaragoza 20, tél. (95) 456 06 37
École de cuisine réputée, située dans une maison ancienne du centre.

L'EST

COMMENT S'Y RENDRE ET SE DÉPLACER

En avion
L'aéroport international El Prat (*tél. 93 298 33 33*) est situé à 12 km de Barcelone. Un service de navettes rejoint la ville. Les aéroports de Valence (*tél. 961 598 500/521 144*) et d'Alicante (*tél. 966 919 000/691 91 00*) accueillent également des vols internationaux ; celui de Murcie, San Javier, est presque entièrement consacré aux vols intérieurs (consulter le *www.aena.as*).

En voiture
La Catalogne possède le plus grand réseau d'autoroutes d'Espagne, avec des liaisons en direction de la France, du Pays basque, de Madrid et de la côte méditerranéenne. Cette dernière autoroute dessert l'Andalousie et passe par toutes les grandes villes. Ces dernières, à l'exception de Murcie, sont aussi reliées à Madrid par les *autovías*.

En train
Barcelone est parfaitement reliée au reste de l'Espagne. Des trains assez modernes assurent des liaisons entre la plupart des grandes villes de la côte et avec Madrid. Cependant, au départ de Valence et de Murcie, il est préférable de se déplacer en autocar.

En bateau
Barcelone, l'un des plus grands ports de la Méditerranée occidentale, assure des services maritimes en direction de grandes villes, dont Marseille et Gênes. Certains desservent les Baléares, au départ de Barcelone et de Valence. Alicante est le port espagnol dont les échanges avec l'Algérie sont les plus nombreux et les plus réguliers.

Transports urbains
Les cinq lignes de métro de Barcelone fonctionnent de 5 h à 23 h du lundi au vendredi ; jusqu'à 1 h le samedi et les jours fériés ; et de 6 h à 24 h le dimanche.

OFFICES DU TOURISME

– **Alicante**
Explanada de España 2, 03002, tél. (96) 520 00 00
– **Andorre**
Carr. Dr Vilanova, Andorra la Vella, tél. (376) 82 02 14
– **Barcelone**
Palau Robert, Passeig de Gràcia 107, 08008, tél. (93) 238 40 00
– **Castellón**
Plaza María Agustina 5, 12003, tél. (964) 22 10 00
– **Gérone**
Rambla de la Llibertat 1, 17004, tél. (972) 22 65 75
– **La Jonquera**
Porta Catalana, autoroute A7, tél. (972) 55 43 54
– **Lleida**
Avenida Madrid 36, 25002, tél. (973) 27 09 97
– **Murcie**
Calle de San Cristóbal 5, 30004, tél. (968) 21 98 01
– **Tarragona**
Carrer Fortuny 4, 43001, tél. (977) 23 34 15
– **Valence**
Calle de la Paz 48, 46003, tél. (96) 394 22 22

CULTURE ET LOISIRS

Musées
– **Barcelone**
Les musées y sont nombreux et divers. L'office du tourisme en publie la liste complète. A titre indicatif, rappelons les musées suivants :
Museu Nacional d'Art de Catalunya (MNAC)
Palau Nacional, Parc de Montjuïc
Museu d'Art Contemporani de Barcelona (MACBA)
Plaça dels Àngels 1
Museu d'Art modern
Parc de la Cuitadella
Museu Gaudí
Parc Güell 8
Museu Picasso
Carrer de Montcada 15
– **Gérone**
Teatre-Museu Dalí
Plaza Gala y Salvador Dalí 5, Figueras

Vie nocturne
Des concerts se donnent toute l'année dans le palais de la Musique, *Ortigosa de Trafalgar*, à Barcelone. Le Liceu, haut lieu de l'opéra qui a brûlé en 1995, a été réhabilité. En 1992, à l'occasion des Jeux olympiques, Barcelone s'est dotée d'un nouvel auditorium où se donnent de nombreux concerts et représentations variées. Dans les grandes villes, bon nombre de bars sont ouverts entre minuit et 3 h. Il en

est de même pour les discothèques (de 2 h à 6 h). En été, la vie nocturne se concentre dans les stations balnéaires, telles que Salou, Sitges, Deniaou ou Benidorm.

Sports

A la voile, pratiquée en Méditerranée, s'ajoute le ski en Catalogne, qui compte de nombreuses stations : **Baqueira-Beret** : 43 pistes entre 1 500 et 2 500 m, **Tuca-Mall Blanc** : 20 pistes entre 1 000 et 2 250 m, **Boí-Taüll** : 14 pistes entre 2 040 et 2 455 m, **Super Espot** : 24 pistes entre 1 490 et 2 320 m, **Llesui** : 22 pistes entre 1 445 et 2 430 m, **Port Ainé** : 18 pistes entre 1 650 et 2 440 m, **Port del Comte** : 31 pistes entre 1 690 et 2 400 m, **Rasos de Peguera** : 9 pistes entre 1 895 et 2 050 m, **La Molina** : 29 pistes entre 1 590 et 2 465 m, **Masella** : 88 pistes entre 1 600 et 2 530 m, **Vall de Núria** : 9 pistes entre 1 965 et 2 270 m, **Vallter 2000** : 16 pistes entre 2 010 et 2 500 m.

ACHATS

Barcelone compte de nombreux centres commerciaux proposant une grande variété de produits. *Els Ecants* est un marché de plein air, ouvert les lundis, mercredis, vendredis et samedis, et où se vendent des articles d'occasion et des antiquités. Le dimanche matin se tiennent le marché philatélique et numismatique, sur la place Reial, et le populaire marché de fruits et légumes de Sant Antoni, où l'on trouve également des livres, des timbres, des cassettes… Près de la place Paulan, entre les rues Cristina et Lauder, des vendeurs proposent du matériel électronique, des appareils photo… Les grands magasins sont sur la place Catalunya et dans l'avenue Portal del Àngel. Des échoppes, plus petites et plus traditionnelles, se trouvent à Pelai, place de l'Universitat Ronda de Sant Antoni et Ronda de Sant Pau. Les foires les plus importantes se tiennent dans le quartier historique de Montjuïc.

La Catalogne entière est réputée notamment pour ses céramiques, sa poterie, ses dentelles, son huile d'olive et ses alcools.

OÙ LOGER

– Alicante
Hotel Sidi San Juan**
La Doblada, s/n, Plaza de San Juan, tél. (96) 516 13 00
Situé sur la plage et bien équipé.
Huerto del Cura**
Porta de la Morera 14, Elche, tél. (96) 661 00 11
Face aux beaux jardins du même nom.
Parador de Jávea*
Avenida del Mediterráneo 7, Jávea, tél. (96) 579 02 00
A côté de la plage et entouré de beaux jardins.

– Barcelone
En dehors des hôtels luxueux et de bon standing, Barcelone dispose de nombreuses pensions abordables, surtout autour des Ramblas. Vers le port, qualité et prix baissent sensiblement.
Condes de Barcelona**
Passeig de Gràcia 75, tél. (93) 488 22 00
Hôtel luxueux, dans une grande maison restaurée.
Calípolis**
Avenido Sofia 246, Sitges, tél. (93) 894 15 00
A quelques centaines de mètres de la plage.
Colón**
Avinguda Catedral 7, tél. (93) 301 14 04
Dans le Barrio Gótico, à côté de la cathédrale.
Hotel España**
Sant Pau 9-11, tél. (93) 318 17 58
Création *modernista* (Art nouveau) de l'architecte Domènech i Montaner.

– Castellón
Hostería del Mar**
Avenida del Papa Luna 18, Peñíscola, tél. (964) 48 06 00
Hôtel moderne face à la plage.

– Gérone
Peninsular*
Avenida San Francisco 6, tél. (972) 20 38 00
Dans la partie nouvelle de la ville.
La Torre del Remei**
Camí Reial s/n, 17463, Bolvir de Cerdanya, tél. (972) 14 01 82
Un cadre exceptionnel et un très bon restaurant.
Durán**
Lasauca 5, Figueras, tél. (972) 50 12 50
Établissement traditionnel à côté du musée Dalí.
Hotel Portlligat**
Portlligat, 17488, tél. (972) 25 81 62
Seul établissement du petit village où a vécu Dalí.
Parador Aiguablava Bagul**
Plage d'Aiguablava, tél. (972) 62 21 62
Moderne. Bon restaurant.
La Gavina***
Plaça de la Rosaleda, s/n, S'Agaró, tél. (972) 32 11 00
Seul hôtel de grand luxe sur la Costa Brava.

– Lleida
Residència Principal**
Plaça de la Paeria 7, tél. (973) 23 08 00
Hôtel du centre, confortable et assez bon marché.
Parador Gaspar de Pórtola**
Carretera de Baqueira, s/n, Vall d'Aran, Arties, tél. (973) 64 08 01
Maison du XVIe siècle équipée pour les skieurs.

– Murcie
Príncipe Felipe***
Los Belones, La Manga del Mar Menor, tél. (968) 31 12 34
Appartient au complexe de luxe La Manga Club.

Arco de San Juan**
Ceballos 10, tél. (968) 21 04 55
Construction moderne derrière une façade ancienne.
Los Habaneros**
San Diego 60, Carthagène, tél. (968) 50 52 50
Hôtel fonctionnel.
– Tarragone
España**
Rambla Nova 49, tél. (977) 23 27 12
Petit et bien situé. Prix abordables.
– Valence
Sidi Saler***
Playa del Saler, s/n, tél. (96) 161 04 11
Sur la plage, près de Valence. Bonnes installations.
Mont Sant**
Subida al Castillo, Xátiva, tél. (96) 227 50 81
Petit hôtel dans un ancien monastère cistercien.
Reina Victoria**
Barcas 4, tél. (96) 352 04 87
Construit en 1913, près de la grand-place.
Astoria Palace**
Plaza Rodrigo Botet 5, tél. (96) 352 67 37
Hôtel de luxe bien situé; bon service.

OÙ SE RESTAURER

La Catalogne conserve des traditions gastronomiques riches et variées (charcuterie, fruits de mer et poissons, légumes…), et ses vins sont de bonne qualité. Plus au sud, les traditions changent et le riz agrémente maintes spécialités, dont la très célèbre paella.

– Alicante
Dársena**
Marina deportiva, Muelle de Levante 6,
tél. (96) 520 75 89
Plus de cinquante préparations différentes à base de riz.
La Lubina**
Avenida de Bilbao 3, Benidorm, tél. (96) 585 30 85
Spécialités locales dont la *lubina a la sal* (bar dans une croûte de sel).
El Trampolí**
Playa de Les Rotes, Camì Ample 83, Denia,
tél. (96) 578 12 96
Arroz (riz) *a Banda* et poissons grillés.
– Barcelone
Orotava**
Consell de Cent 335, tél. (93) 487 73 74
Cuisine raffinée. Fermé le dimanche.
Quo Vadis**
Carmen 7, tél. (93) 302 40 72
Restaurant de renom. Fermé le dimanche.
Agut d'Avignon**
Trinidad 3, tél. (93) 302 60 34
Restaurant moderne qui s'inspire de traditions catalanes.

Neichel**
Beltran i Rózpide 16 bis, tél. (93) 334 06 99
Un chef alsacien dirige cet établissement catalan, à l'excellente réputation.
Els 4 Gats**
Carrer Sant Pau 13, Sitges, tél. (93) 894 19 15
Près de la mer. Prix raisonnables.
– Castellón
Hostería del Mar**
Avenida del Papa Luna 10, Peñíscola,
tél. (964) 48 06 00
Menus médiévaux sur commande.
– Gérone
Maria de Cadaqués**
Taulea Iservia 6, Palamós, tél. (972) 31 40 09
Spécialisé dans les poissons et les fruits de mer.
– Lleida
La Huerta restaurant**
Avinguda de Tortosa 9, tél. (973) 24 24 13
Plats et vins de la région.
– Murcie
El Rincón de Pepe**
Apóstoles 34, tél. (968) 21 22 39
Préparations traditionnelles et produits de la région.
– Tarragone
La Rambla**
Rambla Nova 10, tél. (977) 23 87 29
Excellentes spécialités de poissons.
– Valence
Eladio**
Chiva 40, tél. (96) 384 22 44
Spécialités galiciennes de poissons.
L'Estimat**
Avenida de Neptuno 16, Las Arenas,
tél. (96) 371 10 18
Sur une plage près de Valence. Plusieurs variétés de riz.

LE NORD

COMMENT S'Y RENDRE ET SE DÉPLACER

En avion
Saint-Jacques-de-Compostelle, Oviedo, Bilbao et Saragosse disposent d'aéroports internationaux. Les aéroports de Vigo, La Corogne, Gijón, Santander ou Saint-Sébastien accueillent aussi des vols charters.

En voiture
Pour se rendre en Galice, il faut descendre jusqu'à Palencia, prendre une route nationale jusqu'à Benavente et remonter vers le nord (en attendant la fin des travaux sur divers tronçons, notamment entre Santander et Oviedo, de la nouvelle autoroute qui longe la mer Cantabrique). Une autoroute traverse la Galice du nord au sud. Par ailleurs, des *autovías*

la relient à Madrid. De bonnes autoroutes joignent le Pays basque à la Navarre et à Saragosse. Les Asturies, uniquement accessibles par les difficiles routes de montagne, attendent l'extension du réseau autoroutier.

En train

Seules les grandes villes sont bien reliées à Madrid. De la gare d'Irún, une ligne part en direction de la Galice, une autre vers les provinces cantabriques, et certains trains passent par Saragosse.

En bateau

Des dessertes internationales relient les ports de Bilbao, Santander, La Corogne et Vigo. Certaines lignes se dirigent vers le sud et les îles Canaries.

OFFICES DU TOURISME

– Aragon
Huesca
Coso Alto 23-bajo, 22002, tél. (974) 22 57 78
Teruel
Tomás Nogués 1, 44001, tél. (978) 60 22 79
Saragosse
Torreón de la Zuda, Glorieta Pío XII, tél. (976) 39 35 37
– Asturies
Oviedo
Plaza de Alfonso II El Casto 6
– Cantabrie
Plaza Velard 1, 39001, tél. (942) 31 07 08/07 56
– Galice
La Corogne
Dársena de la Marina, 15001, tél. (981) 22 18 22
Saint-Jacques-de-Compostelle
Rúa del Vilar 43, 15705, tél. (981) 58 40 81
– Pays basque
Bilbao
Plaza de Arriega, 45005, tél. (94) 416 00 22
Saint-Sébastien
Reina Regente 8, 20005, tél. (943) 48 11 66
Vitoria
Parque de la Florida, 01005, tél. (945) 13 13 21
– La Rioja
Logroño
Calle Miguel Villanueva 10

Transports urbains

Bilbao dispose d'un métro très moderne, passant même sous la *ría*, et d'un réseau de bus.

CULTURE ET LOISIRS

Musées
– Bilbao
Museo de Bellas Artes
Plaza del Museo 2

Museo Guggenheim de Arte Contemporáneo
Abandoibarra Etorbidea
– Saint-Jacques-de-Compostelle
Centro Galego de Arte Contemporáneo
Au cœur du centre historique.
– Saragosse
Museo Pablo Gargallo
Plaza de San Felipe 3

Sports

Au Pays basque, les sports traditionnels sont encore largement pratiqués. Le plus connu, la pelote basque, se joue surtout dans les grandes villes. Les villages continuent à organiser des concours qui récompensent divers exploits comme celui de couper de gros troncs d'arbre ou de soulever d'énormes pierres.

OÙ LOGER

– Asturies
Hotel de la Reconquista***
Calle Gil de Jaz 16, Oviedo, tél. (98) 524 11 00
Étonnante construction du XVIIe siècle, abritant le meilleur hôtel d'Oviedo.
Parador Molino Viejo**
Parque de Isabel la Católica, Gijón,
tél. (98) 537 05 11
L'un des deux *paradores* des Asturies, situé à proximité de la plage de San Lorenzo.
– Bilbao
Carlton***
Plaza de Federico Moyúa 2, tél. (94) 416 22 00
Excellente réputation, fréquenté par les *toreros* et les stars de cinéma.
Ercilla**
Ercilla 37-39, tél. (944) 70 57 00
Un hôtel renommé et un excellent restaurant.
– La Corogne
Parador Los Reyes Católicos***
Plaza del Obradoiro 1, tél. (981) 58 22 00
Hôtel de grand luxe de Saint-Jacques-de-Compostelle situé à proximité de la cathédrale. C'est ici que, jadis, dormaient les pèlerins.
Finisterre**
Paseo del Parrote 22, tél. (981) 20 54 00
Imposant hôtel, surplombant le port, situé près de la vieille ville.
– Huesca
Pedro I de Aragón*
Del Parque 34, tél. (974) 22 03 00
Moderne et élégant.
Gran Hotel*
Paseo de la Constitución 1, Jaca,
tél. (974) 36 09 00
Moderne et bien équipé pour accueillir les skieurs.

– **Lugo**
Hotel Méndez Núñez*
Reina 1, tél. (982) 23 07 11
Un hôtel du XIXe siècle à l'intérieur des murailles.
– **Ourense**
Parador de Verín*
Monterrei, Verín, tél. (988) 41 00 75
Beau *parador*. Vue sur le château de Monterrei.
– **Pampelune**
Iruña Palace-Los Tres Reyes**
Jardines de la Taconera, tél. (948) 22 66 00
Belle construction. Calme, même durant les festivités.
– **Pontevedra**
Parador Casa de Barón**
Barón 19, tél. (986) 85 58 00
Construit dans une ancienne maison, il dispose d'un bon restaurant.
Parador Conde de Gondomar**
Castillo de Monterreal, Bayona, tél. (986) 35 50 00
Entouré de plus de 3 km de murailles, le château s'ouvre sur un panorama des îles Cíes.
Bahía de Vigo**
Cánovas del Castillo 2-4, Vigo, tél. (986) 22 67 00
Dispose d'agréables suites et d'un bon restaurant.
Hotel Rotilio*
Avenida del Puerto, Sanxenxo, tél. (986) 72 02 00
En hiver, le meilleur hôtel de ce petit port. En été, mieux vaut réserver, en raison des nombreux touristes.
– **Saint-Sébastien**
María Cristina***
Plaza de la República Argentina 4, tél. (943) 43 76 00
Un des plus beaux hôtels d'Espagne.
Hotel de Londres y de Inglaterra**
Zubieta 2, tél. (943) 42 69 89
Bel hôtel situé près de la plage et du centre.
– **Santander**
Real***
Pérez Galdós 28, tél. (942) 27 25 50
Élégant hôtel du début du siècle situé près des plages.
– **Saragosse**
Meliá Zaragoza Corona***
Avenida de César Augusto 13, tél. (976) 43 01 00
Établissement de luxe situé en plein centre.
Hotel Don Yo**
Bruil 4-6, tél. (976) 22 67 41
Très agréable et très bon service.
– **Teruel**
Parador de Teruel*
Carretera N 234, tél. (978) 60 18 00
Beau *parador* et bon restaurant, situé à la sortie de la ville.

OÙ SE RESTAURER

Le nord de l'Espagne maintient des traditions culinaires très élaborées. La Galice est connue pour ses fruits de mer et ses poissons, mais la viande de veau ou le vin blanc y sont également remarquables. Le bœuf des Asturies est aussi savoureux que les poissons, et les *faves* (sortes de haricots blancs) sont très appréciés. En plus de bons produits de la terre, les Basques proposent d'excellentes spécialités culinaires, profondément enracinées dans la tradition. La Navarre et la Rioja cultivent des légumes uniques en leur genre et produisent des vins de qualité.

– **Asturies**
Casa Fermín*
San Francisco 8, Oviedo, tél. (98) 521 64 52
Cuisine imaginative à base de produits de la région.
Casa Víctor*
Calle del Carmen 11, Gijón, tél. (98) 535 00 93
Très bons poissons, fruits de mer grillés et savoureuses pièces de bœuf.
– **Bilbao**
Gorrotxa*
Alameda Urquijo 30 (Galerie),
tél. (94) 443 49 37
Un classique pour une cuisine basque-française.
Guría*
Gran Vía 66, tél. (94) 441 05 43
Les préparations de morue sont variées, les prix également.
– **La Corogne**
Coral*
Estrella 5, tél. (981) 200 569
Spécialités galiciennes : colin, potage aux fruits de mer, filet mignon et *bonito* à la sauce tomate.
Casa Vilas*
Rasalía de Castro 88, Saint-Jacques-de-Compostelle,
tél. (981) 59 10 00
Poulpe à la galicienne, lamproie à la bordelaise et *tarta de Santiago*, moelleux gâteau aux amandes.
– **Pampelune**
Josetxo*
Plaza del Príncipe de Viana 1, tél. (948) 22 20 97
Cuisine navarraise. Situé dans la rue où se déroule le lâcher de taureaux. Produits typiques de la région : artichauts et asperges, viandes et poissons.
– **Pontevedra**
Casa Solla*
Avenida de Sineiro 7, San Salvador de Poio,
tél. (986) 87 28 84
Cuisine moderne avec une touche traditionnelle.
– **Saint-Sébastien**
Akelarre*
Barrio de Igueldo, Paseo del Padre Orcolaga 56,
tél. (943) 21 20 52
Excellente cuisine basque. Parmi les spécialités, les pointes d'asperges, la salade d'endives aux pommes et aux noix, le bar accompagné de poivrons verts et le gâteau aux fraises.

Arfak***
Alto de Miracruz 21, tél. (943) 27 84 65
Considéré comme l'un des cinq meilleurs restaurants d'Espagne, l'établissement de Juan Mari Arfak est à recommander tout particulièrement.
– Santander
Del Puerto***
Hernán Cortés 63 (Puerto Chico), tél. (942) 21 93 93
Restaurant offrant une belle vue du premier étage.
Chiqui**
Avenida de García Lago 9, tél. (942) 28 27 00
Restaurant de l'hôtel. Spécialités régionales.
– Saragosse
La Mar***
Plaza de Aragón 12, tél. (976) 21 22 64
Très bel endroit pour une cuisine traditionnelle.
– Vigo
El Mosquito***
Plaza da Pedra 4, tél. (986) 43 35 70
Préparations galiciennes : délicieux poissons, viandes grillées.

LES ÎLES CANARIES

COMMENT S'Y RENDRE ET SE DÉPLACER

En avion
Les aéroports internationaux de Las Palmas de Gran Canaria et Santa Cruz de Tenerife accueillent notamment les vols au départ de Madrid (environ deux heures de vol). Des avions de lignes privées assurent des liaisons inter-îles.

En voiture et en autocar
Il existe des services d'autocars et des agences de location de voitures. Hormis sur les grandes îles (Grande Canarie et Tenerife), les routes sont d'assez mauvaise qualité.

En bateau
Le ferry de la compagnie Trasmediterránea assure un service hebdomadaire entre Cadix, la Grande Canarie, Tenerife et Lanzarote.

OFFICES DU TOURISME

– Arrecife de Lanzarote
Parque Municipal, tél. (928) 81 18 60
– Las Palmas de Gran Canaria
Parque de Santa Catalina, 35007, tél. (928) 26 46 23
– Puerto del Rosario (Las Palmas)
Avenida Primero de Mayor 33, 35600, tél. (922) 41 21 06

– San Sebastian de la Gomera
Calle del Medio 20, tél. (922) 14 01 47
– Tenerife
Aéroport : *tél. (922) 77 30 67*
Palacio Insular, Plaza de España, Santa Cruz, 38003, tél. (922) 60 55 92

OÙ LOGER

– La Gomera
Parador de San Sebastián de la Gomera***
Balcón de la Villa y Puerto, tél. (922) 87 11 00
Architecture traditionnelle, très beau panorama. Fermé pour travaux jusqu'au printemps 2002.
– Grande Canarie
Meliá Las Palmas*****
Gomera 6, Las Palmas, tél. (928) 26 80 50
Installations modernes sur la plage de Las Canteras.
Sansofé Palace**
Portugal 68 y Playa Canteras 78, tél. (928) 22 42 82
Situé sur la plage. Bon restaurant.
Maspalomas Oasis*****
Plaza las Palmeras, Maspalomas, tél. (928) 14 14 48
Hôtel de luxe entouré de jardins subtropicaux.
– El Hierro
Parador del Hierro***
Las Playas, Valverde, tél. (922) 55 80 36
A proximité des falaises. Atmosphère calme, dans un décor rustique.
– Lanzarote
Gran Meliá Salinas*****
Playa de Las Cucharas, Costa Teguise, tél. (928) 59 00 40
Dans un bâtiment conçu par César Manrique, l'architecte de l'île.
Los Fariones****
Roque del Oeste 1, Urbanización Playa Blanca, Playa del Carmen, tél. (928) 51 01 75
Hôtel de qualité.
Lancelot***
Avda Mancomunidad 9, Arrecife, tél. (928) 80 50 99
Face à la plage.
– Tenerife
Mencey*****
Dr. José Naveiras 38, Santa Cruz, tél. (922) 27 67 00
Hôtel de luxe situé dans le centre.
Botánico*****
Richard J. Yeoward 1, Puerto de la Cruz, tél. (922) 38 14 00

Vue magnifique et atmosphère particulièrement calme.

Jardín Tropical*********
Urbanización San Eugenio, Playa de las Américas, tél. (922) 74 60 00
Hôtel de luxe face à la mer et entouré d'une végétation luxuriante.

Parador Cañadas del Teide*********
Las Cañadas del Teide, tél. (922) 38 64 15
Au cœur du parc national del Teide. Vue sur les formations rocheuses.

Atlántico*******
Castillo 12, tél. (922) 24 63 75
Endroit agréable et bon marché près de la Plaza de España.

OÙ SE RESTAURER

La cuisine régionale des Canaries pratique la simplicité. Ses spécialités sont à base de poissons et de nombreux produits subtropicaux cultivés sur place.

– Gran Canaria
London*******
León y Castillo 274, Las Palmas, tél. (928) 24 40 07
Cuisine inventive.

Orangerie********
Hotel Palm Beach, Avenida Oasis, s/n, tél. (928) 14 08 06
L'un des meilleurs restaurants des îles. Beau décor.

– Tenerife
Mencey*********
Hotel Mencey, Dr. José Naveiras, Santa Cruz, tél. (922) 27 67 00
Bons produits, servis dans une ambiance très agréable.

LES ÎLES BALÉARES

COMMENT S'Y RENDRE ET SE DÉPLACER

En avion
Le grand aéroport de Son Sant Joan à Majorque centralise les vols internationaux pour les Baléares.

En voiture
L'île de Majorque est la seule des Baléares à bénéficier d'un bon réseau routier.

En bateau
Trasmediterránea assure des liaisons depuis Barcelone ou Valence. En été, des navettes font la traversée au départ de Denia. Plusieurs services de ferries relient les îles entre elles. La ligne partant d'Ibiza dessert Formentera.

OFFICES DU TOURISME

Office gouvernemental du tourisme des Baléares
Jaime III, Palma, tél. (971) 71 22 16 et 71 27 44
Offices municipaux du tourisme de Palma
Santo Domingo 11, tél. (971) 72 40 90
Plaça Espanya, Palma, tél. (971) 71 15 27

ACHATS

Palma de Majorque est une ville touristique où d'innombrables boutiques présentent les productions des îles : céramiques et poteries typiques de Manacor, objets en verre et en fer forgé, broderies, feuilles en alfa et perles de culture. En outre, de nombreux marchés s'installent en plein air. Le samedi se tient un grand marché aux puces avenue Mexico, rue Puerto Rico et rue Callao. Un marché artisanal occupe la Plaza Mayor le lundi, le vendredi et le samedi.

OÙ LOGER

– Formentera
Club La Mola********
Platja de Mitjorn, tél. (971) 32 80 69
Pittoresque et confortable.

– Ibiza
Hotel Restaurante Village*********
Urbanización Caló de'n Real, San José, tél. (971) 80 80 27/34
Nuits calmes, même en été. Un bon choix pour se loger en dehors de la ville.

– Majorque
Son Vida Hotel**********
Urbanización Son Vida, Palma, tél. (971) 79 00 00
Hôtel de luxe avec vue sur Palma.

Valparaíso Palace**********
Francisco Vidal, La Bonanova, tél. (971) 40 04 11
Vue sur le port et la ville dans un beau décor de jardins.

Hotel Formentor**********
Playa de Formentor, tél. (971) 89 91 00
Hôtel paisible sur la plage.

La Residencia*********
Son Moragues, Deià, tél. (971) 63 90 11
Décor raffiné. Fréquenté par les artistes.

– Minorque
Port Mahón Hotel*********
Paseo Marítimo, Mahón, tél. (971) 36 26 00
Très calme. Vue sur le port.

OÙ SE RESTAURER

– Formentera
Taberna La Formentereña*******
Platja de Mitjorn, km 9

Restaurant typique, bénéficiant d'un bel environnement et d'une agréable plage.
– Ibiza
El Faro
Plaça De Sa Riba, 1,
tél. (971) 31 32 33
Restaurant de bord de mer avec terrasse. La cuisine de la mer.
– Majorque
Porto Pi***
Joan Miró 174, Palma,
tél. (971) 40 00 87
Très belle maison face au port. Préparations à base de produits régionaux.
Koldo Royo***
Ingeniero Gabriel Roca 3, tél. (971) 73 24 35
Tradition basque adaptée aux produits des îles.
– Minorque
Ca's Quintu**
Plaça Alfonso III 4, Ciudadela,
tél. (971) 38 10 02
Préparations régionales élaborées.

LEXIQUE

L'Espagne compte cinq langues officielles : le castillan (espagnol) ; le catalan (proche du provençal), le valencien (dérivé du catalan), le galicien (proche du portugais) et le basque (*euskera*).

Il est assez facile pour un francophone de se débrouiller en Espagne, même s'il ne possède que quelques notions d'espagnol : malgré l'essor rapide des langues régionales, le castillan est parlé partout. Cependant, soutenir une conversation est plus délicat : les Espagnols parlent beaucoup et vite, et les accents régionaux restent prononcés.

L'accent tonique, généralement placé sur l'avant-dernière syllabe, est toujours très marqué, rendant la finale presque muette (les mots terminés par une autre consonne que *n* ou *s* portent l'accent tonique sur la dernière syllabe). Dans les mots de plusieurs syllabes qui ne suivent pas ces règles, l'emplacement de l'accent tonique est indiqué par un accent orthographique (´).

Autres particularités : le tilde (~), qui, lorsqu'il surmonte un *n*, lui donne le son « gne » ; le double *l* (*ll*), qui se prononce « lieu » ; plus délicate, la *jota* (*j*), qui se prononce approximativement « rh ». Enfin, les *r* sont amplement roulés, surtout les doubles *r* (*rr*).

Dans la pratique, le vouvoiement (*usted*) cède de plus en plus la place au tutoiement (*tu*), qui doit cependant être utilisé avec discernement, comme en France. De toute façon, l'espagnol suit la tendance générale à l'abréviation des mots et à la simplification des phrases et des locutions courantes :

ainsi, les très formalistes *buenos días* (« bonjour », le matin) et *buenas tardes* (« bonjour », le soir) ont presque totalement disparu au profit du familier *¡hola!* (salut !).

FORMULES USUELLES

Bonjour	*Buenos días, hola*
Bonsoir	*Buenas tardes*
Au revoir	*Hasta luego, adíos*
A demain	*Hasta mañana*
A bientôt	*Hasta pronto*
Oui	*Sí*
Non	*No*
S'il vous plaît	*Por favor*
Merci	*Gracias*
De rien	*De nada*
Excusez-moi	*Perdóneme*
Je suis désolé	*Lo siento*
Je ne comprends pas	*No comprendo*
Parlez-vous français ?	*¿Habla usted francés?*
Aidez-moi, s'il vous plaît	*¿Me puede ayudar?*
Aujourd'hui	*Hoy*
Hier	*Ayer*
Demain	*Mañana*
Jour	*Día*
Semaine	*Semana*
Mois	*Mes*
Année	*Año*
Où ?	*¿Dónde?*
Quand ?	*¿Cuándo?*
Comment ?	*¿Cómo?*
Combien de temps ?	*¿Cuánto tiempo?*
A quelle distance ?	*¿A qué distancia?*
Où se trouve ?	*¿Dónde está?*
A gauche	*A la izquierda*
A droite	*A la derecha*
Tout droit	*Todo seguido*
Chaud	*Caliente*
Froid	*Frío*
Ouvert	*Abierto*
Fermé	*Cerrado*
Entrée	*Entrada*
Sortie	*Salida*
Tôt	*Temprano*
Tard	*Tarde*
A quelle heure ?	*¿A qué hora?*
Combien cela coûte-t-il ?	*¿Cuánto cuesta?*
Bon marché	*Barato*
C'est trop cher	*Está demasiado caro*

À L'HÔTEL ET AU RESTAURANT

Hôtel	*Hotel*
Auberge	*Albergue*

Restaurant	*Restaurante*
Avez-vous une chambre ?	*¿Tiene un cuarto?*
Climatisée ?	*¿Con aire acondicionado?*
Avec salle de bains ?	*¿Con baño?*
Toilettes	*Servicios*
La clé	*La llave*
Le directeur	*El gerente*
Le propriétaire	*El dueño*
Le menu	*El cubierto*
Le plat du jour	*La comida corrida*
Café (noir)	*Café sólo*
Café crème	*Nube*
Café au lait	*Café con leche*
Une bière (bouteille)	*Una cerveza*
Une bière (pression)	*Una caña*
Vin rouge ; blanc	*Vino tinto ; blanco*
Glaçons	*Cubitos de hielo*
Glace (crème glacée)	*Helada*
De l'eau froide	*Agua fría*
De l'eau chaude	*Agua caliente*
Puis-je avoir (un autre) ?	*¿Me puede dar (otra)?*
L'addition, s'il vous plaît	*La cuenta, por favor*

COMMERCES

Banque	*Banco*
Boucherie	*Carnicería*
Buraliste	*Estanco*
Librairie	*Librería*
Marché	*Mercado*
Pâtisserie	*Pastelería*
Pharmacie	*Farmacía*
Poissonnerie	*Pescadería*
Poste	*Correos*
Supermarché	*Supermercado*

TRANSPORTS

Aéroport	*Aeropuerto*
Gare	*Estación*
Arrêt de bus	*Parada*
Réservation	*Reservación*
Avion	*Avión*
Train	*Tren*
Bus	*Autobús*
Taxi	*Taxi*
Première classe	*Primera clase*
Seconde classe	*Segunda clase*
Ticket, billet	*Billete*
Où y a-t-il une station d'essence ?	*¿Dónde está la gasolinera?*
Où y a-t-il un garage ?	*¿Dónde hay un taller mecánico?*
Aire de stationnement	*Aparcamiento*

TOPONYMIE

Dans la liste ci-dessous, sauf indication contraire, les mots entre parenthèses sont des expressions catalanes.

Avenida	Avenue
Ayuntamiento (ajuntament)	Hôtel de ville
Barrio (barri)	Quartier
Bodega	Caviste ; chai
Bosque	Bois
Cabo (cap)	Cap
Calle (carrer)	Rue
Capilla	Chapelle
Casa	Maison
Casco antiguo (ou *viejo*)	Vieille ville
Castillo	Château fort
Catedral	Cathédrale
Ciudad (ciutat)	Ville
Colina	Colline
Covento	Couvent
Corte ; patio	Cour
Costa	Côte
Cueva (cava ; cove en majorquin)	Grotte
Duna	Dune
Embalse	Barrage ; lac de retenue
Escalera	Escalier
Estátua	Statue
Fuente	Fontaine
Galería de arte	Galerie d'art
Gótico	Gothique
Iglesia	Église
Jardín	Jardin
Lago	Lac
Mezquita	Mosquée
Mirador	Belvédère
Monasterio	Monastère
Montaña	Montagne
Monumento	Monument
Muralla	Muraille, rempart
Museo	Musée
Palacio (palau)	Palais
Parque (park)	Parc
Paseo (passeig)	Promenade
Plaza (plaça)	Place
Plaza de toros	Arène
Pueblo	Village
Puente (pont)	Pont
Puerta	Porte
Rambla	Cours, avenue
Ría	Estuaire, ria
Río	Fleuve ; rivière
Romano	Romain
Ronda	Boulevard extérieur

Selva	Forêt
Sinagoga	Synagogue
Sierra	Chaîne montagneuse
Torre	Tour ; clocher
Valle (vall)	Vallée
Vega	Plaine fertile
Volcán	Volcan

BIBLIOGRAPHIE

ÉCONOMIE-POLITIQUE

Zimmermann (M. et M.-C.), *La Catalogne*, PUF, coll. « Que sais-je ? », Paris, 1998.
Collectif, *L'Espagne du sous-développement au développement*, L'Harmattan, Paris, 1998.

HISTOIRE

Auclair (M.), *Sainte Thérèse d'Avila,* Seuil, coll. « Poche », Paris, 1996.
Azana (M.), *Causes de la guerre d'Espagne*, Presses universitaires, Paris, 1999.
Bennassar (B.), *Un siècle d'or espagnol*, Laffont, coll. « Les Hommes et l'Histoire », Paris, 1982 ; *L'Histoire des Espagnols*, Laffont, coll. « Bouquins », Paris, 1992 ; *L'Histoire des Espagnols VIe-XXe siècles*, Laffont, Paris, 1992.
Bennassar (B.), **Vincent (B.)**, *Le Temps de l'Espagne*, Hachette, Paris, 1999.
Chaunu (P.), *L'Espagne de Charles Quint*, SEDES, Paris, 1973.
Collectif, *Histoire religieuse de l'Europe contemporaine*, Cerf, Paris, 1998.
Franco (F.), *Franco au jour le jour*, Gallimard, coll. « Témoins », Paris.
Erlanger (Ph.), *Charles Quint*, Perrin, Paris, 1997.
Géoris (M.), *Charles Quint, un César catholique*, France-Empire, Paris, 1999.
Hernandez (F.), *Les Palais des rois d'Espagne*, Mengès, Paris, 1998.
Houben (H.), *Christophe Colomb*, Payot, coll. « Petite bibliothèque », Paris, 1992.
Hugh (T.), *La Guerre d'Espagne*, Laffont, Paris, 1999.
Loth (D.), *Philippe II*, Payot, coll. « Poche », Paris, 1981.
Nourry (Ph.), *Francisco Franco, la conquête du pouvoir*, Denoël, Paris, 1975.
Pérez (J.), *L'Espagne de Philippe II*, Fayard, Paris, 1999.
Sanchez Ferlosio (R.), *Nous aurons encore de mauvais moments*, Payot, Paris, 1999.
Taillemite (É.), *Sur des mers inconnues*, Gallimard, coll. « Découvertes », Paris, 1997.

LITTÉRATURE

Cervantes (M. de), *L'Ingénieux Hidalgo don Quichotte de la Manche*, Gallimard, coll. « Folio classique », Paris, 1999.
Dumas (A.), *De Paris à Cadix*, François Bourin, Paris, 1989.
Gala (A.), *Mémoires écarlates*, J.-C. Lattès, Paris, 1996.
García Lorca (F.), *Œuvres complètes*, Gallimard, coll. « Bibliothèque de la Pléiade », Paris, 1996.
Gamoneda (A.), *Livre du froid*, Antoine Soriano Éd., Paris, 1996.
Gautier (T.), *Voyage en Espagne*, suivi de *España*, Garnier-Flammarion, Paris, 1998.
Goytisolo (J.), *Barzakh* (1994), *Deuil au paradis* (1959), *Don Julian* (1971), *Fiestas* (1960), *Jeux de mains* (1956)… Gallimard, Paris.
Hemingway (E.), *Mort dans l'après-midi* (1998), *Pour qui sonne le glas* (1999), Gallimard, coll. « Folio », Paris.
Hugo (V.), *Les Orientales*, Gallimard, coll. « Poésie », Paris, 1999.
Javier (T.), *Les Mystères de l'opéra*, Christian Bourgois Éd., Paris, 1998 ; *L'Agonie de Proserpine*, Seuil, coll. « Points », Paris, 1998.
Jean de la Croix (saint), *Œuvres complètes*, Seuil, Paris, 1947.
Malraux (A.), *L'Espoir*, Gallimard, coll. « Folio », Paris, 1997.
Mañas (J.-A.), *Je suis un écrivain frustré*, Métailié, Paris, 1998.
Marías (J.), *Demain dans la bataille, pense à moi*, Payot & Rivages, coll. « Poche », Paris, 1998.
Mendoza (E.), *Une comédie légère*, Seuil, Paris, 1998 ; *La Ville des prodiges*, Seuil, coll. « Points », Paris, 1995.
Mérimée (P.), *Carmen et treize autres nouvelles*, Gallimard, coll. « Folio classique », Paris, 1997.
Molho (M.), *Romans picaresques espagnols*, Gallimard, coll. « Bibliothèque de la Pléiade », Paris, 1994.
Montherlant (H. de), *Le Maître de Santiago*, Gallimard, coll. « Folio », Paris, 1999 ; *Les Bestiaires*, Gallimard, coll. « L'Imaginaire », Paris, 1999.
Morand (P.), *Le Flagellant de Séville*, Gallimard, coll. « Folio », Paris, 1982.
Muñoz Molina (A.), *Pleine lune*, Seuil, Paris, 1997.
Nooteboom (C.), *Désir d'Espagne*, Actes Sud, Arles, 1993.
Nothomb (P.), *Malraux en Espagne*, Phébus, Paris, 1999.
Pérez-Reverte (A.), *Le Soleil de Breda*, Seuil, Paris, 1999.
Prada (J.-M. de), *Masques du héros*, Seuil, Paris, 1999.

Quevedo (F. de), *La Vie de l'aventurier Don Pablos de Ségovie, in* Romans picaresques espagnols, Gallimard, « Bibliothèque de la Pléiade », Paris, 1968.

Roca (M.-M.), *Les Escaliers de Port-Bou*, Métailié, Paris, 1997.

Sampedro (J.-L.), *Le Sourire étrusque*, Métailié, Paris, 1994 ; *Le Fleuve qui nous emporte*, Métailié, Paris, 1996.

Semprun (J.), *La Deuxième Mort de Ramon Mercader*, Gallimard, coll. « Folio », Paris, 1998 ; *L'Algarabie*, Gallimard, coll. « Folio », Paris, 1996.

Thérèse d'Avila (sainte), *Vie écrite par elle-même*, Stock, Paris ; *Œuvres complètes*, Seuil, Paris, 1949.

Torres (M.), *Une chaleur si proche*, Métailié, Paris, 1998.

Torres (R.), *L'Arme à gauche*, Phébus, Paris, 1999.

Vázquez Montalbán (M.), *Avant que le millénaire ne nous sépare*, Christian Bourgois Éd., Paris, 1999 ; *Ou César ou rien*, Seuil, Paris, 1999.

ART ET CULTURE

Anelli (S.), *Expo'92 Séville*, Gallimard, Paris, 1992.

Anon Feliu (C.), *Jardins d'Espagne*, Actes Sud, Arles, 1999.

Baticle (J.), *Goya, d'or et de sang* (1999), *Vélasquez, peintre et hidalgo* (1997), Gallimard, coll. « Découvertes », Paris.

Bennassar (B.), *L'Homme espagnol, attitudes et mentalités, XVIᵉ-XIXᵉ siècles*, Hachette, Paris, 1975.

Bouchet (P. du), **Bernadac (M.-C.)**, *Picasso, le sage et le fou*, Gallimard, coll. « Découvertes », Paris, 1995.

Bureau (J.), *Le Grand Livre des J.O.*, Calmann-Lévy, Paris, 1992.

Cau (J.), *La Folie corrida*, Gallimard, Paris, 1992.

Fernandez (D.), *Séville*, Stock, Paris, 1992.

Gunton (D.), *L'Espagne, ombres et lumière*, Belfond, Paris, 1990.

Leiris (M.), *Miroir de la tauromachie*, Fata Morgana, Montpellier, 1981.

Miró (J. P.), **Lolivier (G.)**, *Miró, le peintre aux étoiles*, Gallimard, coll. « Découvertes », Paris, 1997.

Sappa (Ch.), **Faure (É.)**, *L'Andalousie*, Chêne, Paris, 1998.

Van Zuylen (G.), **Virieu (G. de)**, *Alhambra, un paradis mauresque*, Actes Sud, Arles, 1999.

CRÉDITS PHOTOGRAPHIQUES

Couverture
Premier plat : détail du patio de los Arrayanes
de l'Alhambra (Grenade), **D.R.**
Dos : José Martin, Bill Wassman, Muriel Feiner,
Jean Kugler, Joe Viesti
Quatrième plat : Jean Kugler, Joe Viesti, Bill Wassman

AGE **Fotostock :** 52d, 52g, 77, 103, 130h, 257, 259, 340-341
AKG **:** 193h
AISA **:** 4-5, 87, 142, 144, 153, 200, 280, 281, 304, 308,
311, 325, 328h, 329
Oriol Alamany : 94
M. Angeles Sanchez : 109, 167, 240, 241
Archivo Océano : 215
Gonzalo M. Azumendi : 6-7, 68-69, 151, 157, 165,
179, 284-285, 286, 289, 290, 291, 292, 293, 294, 295,
299, 300, 305, 306, 307, 312
David Baird : 104
G. Barone : 198, 201, 213, 267
F. Lisa Beebe : 102, 105, 196, 214, 228, 240h
Dani Codina : 250
Cover/Santos Cirilo : 75
Cover/X. Gómez : 177, 256g
Cover/Sofia Moro : 61
Doug Corrance : 224h
Avec l'aimable autorisation de l'Instituto
Geografico Nacional : 16-17
J. D. Dallet : 56, 106, 130, 148, 162h, 171, 173, 178,
184, 188-189, 195, 223, 226, 232-233, 235, 237, 242b,
242h, 245h, 287, 294h, 317, 319, 320, 324
Avec l'aimable autorisation de Pedro Domecq : 222
Andrew Eames : 35, 44
Annabel Elston : 251, 252, 252h, 253, 255g, 255d,
255h, 260, 261b, 261h, 262, 263b, 263h
Europa Press Reportajes : 53
Expo Tenerife : 333, 337
Muriel Feiner : 78, 82, 83
Albert Fortuny : 174
Wolfgang Fritz : 140h
Jaume Gual : 127
Glyn Genin : 342, 343, 345, 347, 348h
Blaine Harrington : 71, 72, 79, 80, 120, 165, 180, 302
Dallas & John Heaton : 197
Dave G. Houser : 14
Imagen 3 : 22, 28, 29, 32, 59, 62, 327
Imagen MAS **:** 149, 150, 152h, 156, 161, 172, 175, 176,
181, 182, 183, 185, 234, 246, 247, 282b, 282h, 283,
301, 313, 314, 315
Index : 116-117, 339
Nick Inman : 238g, 238d, 239, 244, 245
Veronica Janssen : 1, 326
Michael Jenner : 134
Jean Kugler : 122-123, 162, 205, 211
Rita Kummel : 81, 269, 298
Antonio Lafuente : 108
Lyle Lawson : 65, 158b, 158h, 160h, 288h, 292h,
300h, 303, 304h, 308h, 310, 313h, 314h, 316, 322b,
322h
Alain Le Garsmeur : 95, 219
José Lucas : 190, 352

M+W Fine Arts/New York/José Martin : 24, 37, 40
Fiona MacGegor : 131, 133
José Martin : 23, 25, 30, 38, 41, 43, 45, 46-47, 48,
49, 54, 55, 84-85, 86, 90, 91, 93, 129h, 134b, 134h,
143g, 143d, 145b, 145h, 147, 149h, 159, 279h, 321
Mike Mockler : 96, 98, 99
Robert Mort : 107, 109
Museu d'Art Modern : 92
Musée maritime national : 39
Gary John Norman : 334h, 336h
Richard Nowitz : 164
Oronoz Archivo Fotografico : 34, 58
Patronat de Catalunya : 276
Andrea Pistolesi : 146, 169, 279
Jens Poulsen : 57
Carl Purcell : 26, 100, 128, 129, 140, 155
Mark Read : 8-9, 76, 114-115, 194h, 196h, 199h,
200h, 204b, 204h, 206h, 207h, 211h, 212h, 214h,
222h, 225, 227h, 229b, 229h, 230h
Jörg Reuther : 336, 338
Martin Rosefeldt : 137h, 138h
Servei Fotografic M.A.C : 88
Jeroen Snijders 268h, 270h, 272b, 272h, 274b, 274h,
275b, 275h
Spectrum : 330-331
Martinez Tajadura : 154g, 154d 163, 271, 346
Roger Tidman : 97
Klaus Thiele : 195h
Topham Picturepoint : 64, 135, 290h, 302h
Robin Townsend : 21, 256d
Bill Wassman : 2-3, 10-11, 12-13, 20, 27, 66-67, 73, 112-113,
126, 132, 134g, 136, 137, 138, 139, 140, 141, 147h, 170,
191, 193, 194, 199, 201, 203, 205, 207, 209, 218, 221, 227,
230, 231, 254, 256h, 266, 273, 323, 328, 332, 348, 349, 351
Roger Williams : 50, 258
George Wright : 207, 212

Encadrés (de gauche à droite et de haut en bas)
Pp. 110-111 : J. D. Dallet ; Gonzalo M. Azemundi ;
M. Angeles Sanchez ; Ellen Rooney ; AISA ; M. Angeles
Sanchez ; Imagen MAS ; Imagen MAS ; AISA. **Pp. 186-
187** : Imagen MAS ; AISA ; Andrea Pistolesi ; Imagen
MAS ; J. D. Dallet ; Imagen MAS ; Imagen MAS ; Imagen
MAS ; AISA. **Pp. 216-217** : Mark Read ; AISA ; José Lucas ;
José Lucas ; José Lucas ; José Lucas ; José Lucas ; Mark
Read ; José Lucas ; Mark Read. **Pp. 264-265** : AR/Gau ;
AISA ; J. D. Dallet ; AR/Gau ; J. D. Dallet ; AR/Gau ;
J. D. Dallet ; AR/Gau ; Ellen Rooney. **Pp. 296-297** : Inaki
Andres ; Guggenheim Bilbao/Erika Barahona Ede ;
Mitxi-Miguel Calvo ; Roger Williams ; Inaki Andres ;
Carlos Garcia ; Mitxi-Miguel Calvo ; Inaki Andres.

Cartes Colourmap Scanning Ltd
© 1999 APA Publications GmbH & Co. Verlag KG
(Singapour)
Édition : Zoë Goodwin
Conception graphique : Carlotta Junger, Graham
Mitchener
Recherche iconographique : Hilary Genin, Monica
Allende

INDEX

A

A Guarda, 329
Abd al-Rahman Ier, 31
Agaete, 335
Aigle ibérique, 95
Aínsa, 283
Aja, 272
Alarcón, 172
Albacete, 172
Albarracín, 281
Albufera (lagune d'), 243
Alcalá de Henares, 148
Alcalá del Júcar, 172
Alcañiz, 111, 281
Alcántara, 182
Alcantarilla, 246
Alcaraz, 172
Alcoy, 245
Alcúdia, 349
Algésiras (Algeciras), 224
Alicante (Alacant), 186, 245
Alicante (province d'), 243
Almagro, 170
Almería, 219, 226, 231
Almohades, 193, 203
Almoravides, 193, 203, 209
Alphonse XIII, 49-51
Alpuente, 242
Altamira (grottes), 22, 88, **311**
Altea, 244
Alto Turia (vallée), 242
Andalousie, 64, 72, 191, 216, 217, **219-231**
Andratx, 347
Antequera, 227
Ansó, 282
Aragon (province d'), 277-283
Aralaya, 335
Aranjuez, 149
Archena, 247
Arcos de la Frontera, 201, **223**
Arenas de San Pedro, 153
Ares del Maestre, 242
Arizcun, 305
Arrecife, 336-337
Artá (grottes), 349
Artajona, 304
Artenara, 335
Astorga, 158
Asturies (province des), 307-315
Ávila, 151-153
Avilés, 315
Azaila, 281
Azaña (Manuel), 51-52

B

Badajoz, 178
Baeza, 230
Baiona, 329
Baléares (îles), **343-350**
Balneario de Panticosa, 283
Baños de Cerrato, 160
Banyalbufar, 347
Banyoles (lac de), 271
Baqueira-Beret, 273
Barcelone (Barcelona), 65, **251-263**
– Barceloneta, 256
– Barri de Santa Maria, 255
– Boqueria, 257
– Casa Battló, 260, 264, 265
– Casa de la Ciutat, 255
– Casa Milà, 260
– Casa Vicens, 259
– cathédrale, 254
– Christophe Colomb (monument de), 258
– Ciutadella (La), 257
– Eixample, 253, 260
– El Camp Nou (stade d'), 262
– Els Encants, 261
– Escultura del Peix, 256
– Estadi Olímpic, 263
– Fundació Antoni Tàpies, 260
– Fundació Joan Miró, 263
– Generalitat (La), 254
– Gràcia, 262
– Gran Teatre del Liceu, 257
– Montjuïc, 262
– Museu Ceràmica, 261
– Museu d'Art Contemporani de Barcelona, 257
– Museu d'Art de Catalunya, 89, 262
– Museu d'Art Contemporani, 297
– Museu d'Art Modern, 257
– Museu d'Història de Catalunya, 259
– Museu d'Història de la Ciutat, 254
– Museu Frederic Marès, 254
– Museu Marítim Drassanes, 258
– Museu Picasso, 256
– Oriente (hôtel), 258
– Palau de la Virreina, 257
– Palau de la Música Catalana, 256
– Palau Güell, 258
– Palau Moja, 257
– Palau Reial de Pedralbes, 261
– Palau Reial Major, 254
– Palau Sant Jordi, 263
– Parc de Joan Miró, 262
– Parc de l'Espanya Industrial, 262
– Parc Güell, 259, 264, 265
– Passeig de Gràcia, 259
– Pedralbes, 261
– Plaça Reial, 258
– Plaça Sant Jaume, 255
– Poble Espanyol, 263
– Poble Nou, 253
– Port Vell, 259
– Ramblas, 257
– Reial Monestir de Pedralbes, 261
– SagradaFamília, 260, 264, 265
– Santa Maria del Mar, 255
– Sant Miquel del Port, 256
– Sants, 262
– Sarrià, 253, 261
– Teatre Nacional de Catalunya, 261
– Tibidabo, 263
– Torre de Rellotge, 262
Barranco de Gayadeque, 335
Barranco de Santiago, 339
Beget, 272
Begur, 268
Belchite, 280
Bellver de Cerdanya, 272
Belmonte, 171
Benaoján, 226
Benicarló, 242
Benicàssim, 242
Benidorm, 244
Berbères, 203
Besalú, 271
Betancuria, 336
Betanzos, 321
Bétique (chaîne), 235
Bielsa, 283
Bilbao (Bilbo), 65, **291-293**
– Casco Viejo, 292
– Iglesia San Nicolás de Bari, 293
– Museo Arqueológico, Etnográfico e Histórico Vasco, 292
– Museo de Bellas Artes, 293
– Museo Guggenheim de Arte Contemporáneo, 65, 291, 296-297
– Plaza Circular, 292
– Sanctuario de Nuestra Señora de Begoña, 293
– Teatro de Arriaga, 293
Biscaye, 290-292

Biscaye (côte de), 290
Blanes, 267
Boabdil, 36, 210, 211
Boí, 273
Bonaparte (Joseph), 127, 130
Borriana, 242
Bossost, 273
Bóveda, 326
Brihuega, 173
Broto, 283
Buitrago del Lozoya, 148
Buñol, 242
Buñuel (Luis), 184
Burgos, 158

C

Cabo Creus, 270
Cabo Fisterra, 320
Cabo de Peñas, 307
Cáceres, 180
Cadaqués, 270
Cadix (Cádiz), 23, 110, 221
Calatayud, 280
Calatrava la Nueva, 171
Cala Coves (grottes), 348
Calpe, 244
Cambados, 328
Cambrils, 275
Campiña, 202
Canaries (îles), 333-339
Candanchú, 283
Canfranc, 283
Cantabrie (province de), 307-312
Cantabriques (monts), 307
Canyet de Mar, 268
Capdepera, 349
Caravaca de la Cruz, 247
Cardona, 274
Cargas, 329
Carmen, 191, 193, 199
Carmona, 229
Carthagène (Cartagena), 247
Carthaginois, 25
Castellar de la Frontera, 225
Castelldefels, 275
Castell de Púbol, 269
Castellfollit de la Roca, 271
Castell Guadalest, 244
Castelló de la Plana, 242
Castellón (province de), 241-242
Castille-La Manche (province de), 165-173
Castille-León (province de), 151-163
Castillo (grotte), 311
Castro (Rosalía de), 325
Castro Urdiales, 307

Catalogne (province de), 267-275
Cava (vin), 275
Cazorla, 231
Cerdagne (la), 272
Cerro del Villar, 227
Cervantès (Miguel de), 43, 149, 165, 170, 182, 195, 206
Charles III, 44, 127
Charles Quint, 30, 40, 144, 181, 185, 205, 212, 214, 308
Chelva, 242
Chinchilla de Monte Aragón, 172
Chinchón, 149
Chipiona, 221
Cid (le), 34, 157, 158, 160, 169, 235
Cigogne noire, 96
Cinctorres, 242
Ciudad Encantada, 173
Ciudad Real, 170
Ciudad Rodrigo, 156
Ciutadella (Ciudadela), 350
Coaña, 315
Colomb (Christophe), 39, 176, 195, 219, 329, 335
Comillas, 310
Consuegra, 171
Cordoue (Córdoba), 32-33, 201, **202-207**, 217
 – Alcázar de los Reyes Cristianos, 205
 – El Cristo de los Faroles, 207
 – Iglesia San Pablo, 207
 – Judería, 205
 – Las Tendillas, 207
 – Mezquita, 32, 203-205
 – Museo Arqueológico, 206
 – Museo de las Tres Culturas, 206
 – Museo Julio Romero de Torres, 206
 – Museo Provincial de Bellas Artes, 206
 – Museo Taurino, 205
 – Palacio de Viana, 207, 217
 – Patio de los Naranjos, 205
 – Plaza de la Corredera, 207
 – Plaza del Potro, 206
 – Plaza Santa Marina, 207
 – Puento Romano, 205
 – Puerta de Alamodóvar, 205
 – Puerta de las Palmas, 204
 – Puerta del Perdón, 205
 – Santa Isabel (couvent), 207
 – synagogue, 205
 – Torre de la Calahorra, 205
 – Zoco (souk), 205
Coria, 184

Corralejo, 336
Cortés (Hernán), 181
Costa Blanca, 235, 243-245
Costa Brava, 267-269, 271, 275
Costa Cálida, 246-247
Costa Daurada, 275
Costa de la Luz, 221
Costa del Azahar, 242
Costa del Sol, 226, 227
Costa Vasca, voir Biscaye (côte de)
Costa Verde, 311
Covadonga, 314
Covarrubias, 161
Cuascos de Yuste, 185
Cueva de Los Verdes, 337
Cudillero, 315
Cuenca, 172

D

Daroca, 280
Dalí (Salvador), 92, 245, 251, 269, 270
Dame d'Elche, 23, 245
Deià, 348
Dénia, 244
Desman des Pyrénées, 99
Don Quichotte, 43, 170, 195, 206
Don Quichotte (route de), 170
Donostia (voir Saint-Sébastien)
Drach (grottes), 349
Drake (Francis), 41, 222

E

Èbre (delta de l'), 275
Écija, 229
Économie, 60
Église d'Espagne, 51, 62-63, 74
Eivissa, voir Ibiza
Elche (Elx), 245
El Capricho (villa), 310
El Arenal, 153
El Ferrol, 320
El Maestrazgo, 242
El Palmar, 243
El Pindal (grottes), 313
Elizondo, 305
Elx, voir Elche
Empúries (Ampurias), 269
Enol (glacier), 314
Es Pujols, 350
Escurial (El), 143-147
Espinass (col), 315
Estallencs, 347
Estella, 303
Estepona, 226

Estrémadure (province d'), 175-185
Euskadi, voir Pays basque
Euskera, 73, 286

F

Faune, 95-99
Ferdinand, 36, 39
Ferdinand VII, 45
Figueres (Figueras), 270
Flamenco, 101-105
Fontarabie (Fuenterrabia ; Hondarribia), 290
Formentera, 350
Formentor, 349
Formigal, 283
Franco (Francisco), 52-55, 147, 148, 320, 334
Fuendetodos, 280
Fuente Dé, 312
Fuente Vaqueros, 215
Fueros, 287, 290, 299
Fuerteventura, 335-336

G

Gáldar, 335
Galice (province de), 73, 317-329
Gandía, 243
García Lorca (Federico), 32, 54, 75, 104, **215**
Garenta de l'Escalar, 283
Gascogne (golfe de), 286
Gasteiz, voir Vitoria
Gaudí (Antoni), 158, 251, 258, **259**, 260, 261, **264-265**, 311
Gastronomie, 107-109
Gérone (Gerona ; Girona), 268
Gibraltar, 224-225
Gijón, 315
Gitans, 75, 101
Goya (Francisco de), 44, 92, 129, 137, 195, 206, 222, 225, 279, 280, 309
Grande Canarie (Gran Canaria), 334-335
Grazalema, 226
Greco (Le ; Domenikos Theotokópoulos), 43, **168**, 169, 200, 290
Grenade (Granada), **209-215**
– Abadía de Sacromonte, 215
– Albaicín, 209, 214-215
– Alcazaba, 210
– Alcázaba, 212, 213
– Alcázar, 212-213
– Alhambra, 211-214
– Capilla Real, 214
– cathédrale, 214
– El Bañuelo, 215
– Generalife, 213-215, 216, 217
– Medina, 212
– Mirador de San Cristóbal, 215
– Mirador de San Nicolás, 215
– Palacio dar al-Horra, 215
– Partal (jardins du), 213
– Plaza Birrambla, 214
– Sacromonte, 215
– Santa Isabela la Real (couvent de), 215
– Torre de las Damas, 213
Guadalajara, 173
Guadalest (fort), 186
Guadalquivir, 199
Guadalupe, 175
Guanches, 333
Guernica (Gernika-Lumo), 290
Guernica, 54, 132, 291
Guerres carlistes, 45
Guerre civile, 52
Guetaria, 290
Guipúzcoa (province du), 288
Guils, 272
Guisando, 153

H

Haro, 301
Hecho, 282
Hervás, 184
Hidalgo, 71
Hierro, 339
Hondarribia, voir Fontarabie
Huelva, 219
Huerta, 235
Huerta de San Vincente, 215
Huesca, 281

I

Ibères, 23
Ibiza (Eivissa), 350
Illa de Tabarca, 245
Illescas, 171
Illetas (plage), 350
Inquisition, 36
Inurria (Mateao), 206
Invincible Armada, 41, 222
Irache (monastère), 303
Irati, 305
Iruña, voir Pampelune
Isaba, 305
Isabelle (reine), 36, 39
Islas Cíes, 329
Itálica, 191, 198

J

Jaca, 282
Jaén, 187, 230
Jaén (province de), 229-230
Jameos del Agua, 337
Jarandilla de la Vera, 185
Jativa, voir Xátiva
Jávea (Xábia), 244
Jerez de la Frontera, 223
Jerez de los Caballeros, 179
Jimena de la Frontera, 225
Juan Carlos, 57-59, 135, 148
Juifs d'Espagne, 29, 33

L

La Alcarria, 173
La Balma, 242
La Bisbal d'Empordá, 268
La Corogne (La Coruña), 320
La Ercina (glacier), 314
La Gomera, 339
La Granja, voir San Ildefonso
La Huerta de San Vicente, 215
La Lanzada (plage de) 328
La Mola, 350
La Orotava, 338
La Palma, 338-339
La Sabina, 350
La Toja, 328
Lanzarote, 336-337
Laredo, 308
La Rioja, 300-301
La Seu d'Urgell, 273
Las Huelgas (monastère), 160
Las Hurdes, 184
Las Palmas de Gran Canaria, 335
León, 157
Lequeitio (Lekeito), 290
Lerma, 161
Levant, 235-247
Leyre (monastère), 305
Lérida, voir Lleida
Llanes, 312
Lleida (Lérida), 273
Llivia, 272
Lloret de Mar, 267
Logroño, 301
Logrosán, 177
Lorca, 247
Los Alcázares, 246
Los Cristianos, 337
Los Valles, 282
Loup d'Espagne, 99
Luarca, 315
Lugo, 325
Lynx d'Espagne, 98

M-N

Madrid, 65, 111, **127-140**
– académie des Beaux-Arts de San Fernando, 129
– Barrio de Salamanca, 140
– Basilica de San Francisco el Grande, 134
– Biblioteca Nacional, 139
– Bola, 135
– Casa de Correos, 129
– Casa de la Villa, 133
– Casa de Lope de Vega, 130
– Casón del Buen Retiro, 131
– Centro Reina Sofia, 132, 297
– cité universitaire, 137
– Debod (temple), 137
– Foire aux livres, 132
– Jardín Botánico, 132
– Jardínes del Descubrimiento, 139
– Lázaro Galdiano, 140
– Malasaña, 138
– Mercado de San Miguel, 133
– Monasterio de la Encarnación, 135
– Monasterio de las Descalzas Reales, 136
– Museo Arqueológico Nacional, 139
– Museo de Artes Decorativas, 131
– Museo Municipal, 138
– Museo Naval, 131
– Museo Romántico, 139
– Museo Thyssen-Bornemisza, 129
– Nuestra Señora de la Almudena (cathédrale), 134
– Palacio de las Corte, 129
– Palacio de Linares, 129
– Palacio de Liria, 136
– Palacio de Longoria, 139
– Palacio Real, 134
– Parque del Oeste, 137
– Paseo de la Castellana, 140
– Paseo del Prado, 129
– Plaza de Colón, 139
– Plaza de España, 136
– Plaza de la Villa, 133
– Plaza Dos de Mayo, 138
– Plaza Mayor, 133
– Prado, 130
– Puerta de Alcalá, 129
– Puerta del Sol, 128
– Puerta de Toledo, 134
– Rastro, 133
– Retiro (parc), 131
– San Antonio de la Florida (ermitage), 137
– San Isidro (église), 133
– Teatro Real, 136
– Torre de los Lujanes, 133
Madrid (province de), 143-149
Madrigal de las Altas Torres, 154
Maestrazgo (Monte del), 235, 242
Maïmonide (Moïse), 205
Majorque (Mallorca), 345
Málaga, 187, 201, 217, 227
Manzanares el Real, 148
Manzanilla, 221
Maó (Mahón), 349
Marbella, 226
Mar Menor, 246
Maspamolas, 335
Maures, 25, 31, 36
Medellín, 178
Medina Azahara, 228
Menga (grottes), 228
Mérida, 178
Mieres, 315
Mijas, 226
Minorque (Menorca), 348, 349
Mirador de Humboldt, 338
Mirador de Ses Ànimes, 347
Mirador del Cable, 312
Mirador Ricardo Roca, 347
Miraflores (chartreuse), 159
Miró (Juan), 92, 245, 251, 257, 263, 295, 347
Mitjorn (plage), 350
Mojácar, 231
Molló, 272
Montañas de Fuego, 336
Monte de Santa Tecla, 329
Montejuira, 303
Monts de Tolède, 170
Montseny, 271
Montserrat (monastère), 274
Mora de Rubielos, 281
Moratalla, 248
Morella, 242
Murcie (Murcia), 245
Murcie (province de), 245-247
Murillo, 206
Murillo (Bartolomé Esteban), 43, 91, 191, 195, 197, 200, 206
Nájera, 301
Navarre (province de), 299-305
Nerja, 228
Numance, 26

O

Olina (monastère), 304
Olite, 304
Olot, 271
Oñate (Oñati), 293
Orellana (de, Francisco), 182
Orense (Ourense), 326
Orihuela, 245
Oropesa, 170
Orpesa, 242
Oviedo, 88, 314
Ours des Pyrénées, 99

P-Q

Padrón, 325
Palacio del Pardo, 148
Palafrugell, 268
Palamós, 268
Palencia, 160
Palma de Majorque, 345-346
Pampelune (Iruña), 110, 302
Panteon de los Reyes (León), 88, 158
Panticosa, 283
Parcs naturels et réserves
– Aigüestortes, 95, 273
– Cabañeros, 170
– Cabo de Gata, 231
– Caldera de Taburiente, 339
– Cazorla, Segura y las Villas, 95, 230
– Doñana, 95, 219, 221
– Garajonay, 339
– Grazalema, 226
– La Garroxta, 271
– Monfragüe, 184
– Ordesa, 95, 283
– Picos de Europa, 95, 314
– Somiedo, 315
– El Teide, 338
– Tablas de Daimiel, 95, 170
– Timanfaya, 336
– Viñamala, 283
Pastrana, 173
Pays basque, 61-62, 73, **286-295**
Pazo de Oca, 325
Peña, 282
Peña de los Enamorados, 228
Peñafiel (château), 187
Peñiscola, 242
Península de Jandía, 336
Penyal d'Ifach (Peñón d'Ifach), 244
Peratallada, 268
Philippe II, 127, 142, 143
Philippe III, 41
Philippe IV, 42
Philippe V, 43-44
Picasso (Pablo), 54, 92, 132, 148, 191, 227, 245, 251, 256, 261, 291, 295

Pico de las Nieves, 335
Picos de Europa, 307, 312
Piedra (monastère), 280
Pierre Ier le Cruel, 196
Pileta (grotte), 226
Pizarro (Francisco), 181
Plasencia, 183
Platja d'Aro, 268
Playa de los Américas, 337
Playa del Inglés, 335
Poblet (monastère), 275
Pola de Lena, 315
Pollença (baie), 349
Ponferrada (château des
   Templiers), 186
Pontevedra, 327
Port Aventura, 275
Port de la Selva, 270
Potes, 312
Primo de Rivera (Miguel), 50-51,
   147
Primo de Rivera (José Antonio),
   52, 147
Púbol (Castell de), 269
Puerto de la Cruz, 338
Puerto de Mogán, 335
Puerto de Rosario, 336
Puerto de Somport, 283
Puig des Molins, 350
Quintanilla de las Viñas, 28, 160

R

Reconquête, 35
Rías Altas, 320
Rías Bajas (ou Baixas), 327
Ribadesella, 313
Rioja (la), 111, 300
Ripoll, 271
Rois Catholiques, 36 (voir aussi
   Ferdinand et Isabelle)
Romains, 25-27
Romera (grottes), 228
Romero (Pedro), 225
Roncal, 305
Roncevaux (Roncesvalles), 305
Ronda, 225
Roque de los Muchachos, 338
Roses, 269
Rota, 221
Rubielos de Mora, 281
Rupit, 271

S

S'Agaro, 268
S'Alguer, 268
Sa Dragonera, 347

Sa Trapa (couvent), 347
Sagonte, 242
Saint-Jacques (chemins de), 305,
   322
Saint-Jacques-de-Compostelle
   (Santiago de Compostela), **321-
   324**
   – cathédrale, 323
   – Centro Galego de Arte
   Contemporánea, 297, 324
   – Colegio de Fonseca, 324
   – Colegio de San Jerónimo, 324
   – Convento de San Francisco,
   324
   – Hostal de los Reyes
   Católicos, 324
   – Monasterio de San Martiño
   Pinario, 324
   – Monasterio Santo Domingo,
   324
   – Museo do Pobo Galego, 324
   – Paseo de la Herradura, 325
   – Pazo de Rajoy, 324
   – Plaza del Obradoiro, 323
   – Universidad, 324
Saint-Sébastien (Donostia), 288
Salamanque (Salamanca), 154-
   156
Salardú, 273
Salas, 315
Salazar (vallée), 305
Salon, 275
San Baudelio de Berlanga
   (ermitage), 88
San Feliu de Guixols, 268
San Idelfonso, 163
Sangüesa, 304
San Juan de Duero (monastère),
   161
San Juan de la Peña (monastère),
   282
Sanlúcar de Barrameda, 221
San Millán de la Cogolla, 302
San Pedro de Arlanza
   (monastère), 161
San Pedro de Cardeña
   (monastère), 160
San Sebastián (îles Canaries), 339
San Sebastián (Pays basque), voir
   Saint-Sébastien
San Vicente de la Sonsierra, 111
Santa Catalina (château), 187
Santa Cristina, 315
Santa Cruz de Tenerife, 337
Santa Cruz del Valle de los
   Caídos, 147
Santa María de Lebeña (église),
   312

Santa María La Real (monastère),
   301
Santander, 309
Santiago de Compostella, voir
   Saint-Jacques-de-Compostelle
Santo Domingo de Silos
   (monastère), 161
Santa Pola, 245
Sant Francesc, 350
Santillana del Mar, 310
Sant Joan dels Abadesses, 272
Santo Domingo de la Calzada, 302
Santoña, 309
Santo Toribio de Liébana
   (monastère), 312
Sant Pere de Rodes (monastère),
   271
Sant Sadurni d'Anoia, 274
San Vicente de la Barquera, 311
Saragosse (Zaragoza), 279
Saragosse (province de), 279-281
Segóbriga, 173
Ségovie (Segovia), 161-163
   – Alcázar, 163, 187
   – aqueduc, 162
   – Casa de los Picos, 162
   – cathédrale, 163
   – Convento de Corpus Cristi, 163
   – San Esteban (église), 163
   – San Martín (église), 162
Serríana de Cuenca, 173
Setenil, 226
Séville (Sevilla), 64, 110, 191-201
   – Alcázar, 196
   – Archivo General de Indias,
   195
   – Barrio de Santa Cruz, 197
   – Campana, 195
   – Cartuja (île de la), 194, 195
   – Casa de Pilatos, 197
   – cathédrale, 194
   – Convento de los Remedios,
   200
   – Giralda, 195
   – Judería, 197
   – Isla Mágica, 195
   – monument funéraire de
   Christophe Colomb, 195
   – Monumento a Becquer, 198
   – Murillo (maison-musée), 197
   – musée de la Marine, 199
   – Museo Arqueológico, 198
   – Museo de Artes y
   Costumbres Populares, 198
   – Museo de Bellas Artes, 200
   – Pabellón Mudéjar, 198
   – Parque de María Luisa, 197,
   199, 216, 217

– Partal (jardins), 217
– Patio de los Naranjos, 294
– Plaza de América, 198
– Plaza de España, 198
– Plaza del Triunfo, 196
– Plaza de San Francisco, 195
– Plaza de Toros de
Maestranza, 199
– Puerta de Triana, 195
– Santa Maria de las Cuevas
(monastère), 195
– Teatro de la Maestranza, 199
– Teatro Lope de Vega, 198
– Torre del Oro, 191
– Triana, 200
– Université, 199
Siècle d'or, 42-43
Sierra de Alcaraz, 172
Sierra de Gata, 184
Sierra de Gredos, 153, 184-185
Sierra de Guadalupe, 177
Sierra de Guadarrama, 147
Sierra de Montserrat, 274
Sierra de Palomera, 175
Sierra Morena, 202, 219
Sierra Nevada, 209, 231
Sigüenza, 173
Sitges, 275
Sóller, 348
Solsona, 274
Solynieve, 231
Soria, 161
Sos del Rey Católico, 282
Sotelo (Calvo), 58, 59
Suárez (Adolfo), 57-58

T

Tafalla, 303
Taifas, 203
Talavera de la Reina, 169
Tapiès (Antoni), 92, 173, 260, 295
Tarazona, 279
Tarifa, 223
Tarragone (Tarragona), 275
Tartessos (royaume de), 191, 193
Tauromachie, 78-83, 225
Temblenque, 171
Tenerife, 337-338
Teruel, 280
Tineo, 315
Tirso de Molina, 191
Tito Bustillo (grotte), 313
Tolède (Toledo), 165-169
– Alcázar, 169
– Casa-Museo de El Greco, 168
– Castillo de San Servando, 167
– cathédrale, 167

– Circo Romano, 165
– Cristo de la Vega, 165
– El Tránsito, 168
– Museo de Santa Cruz, 168
– Museo Sefardi, 168
– pont d'Alcántara, 167
– Puerta Cambrón, 167
– Puerta de Bisagra, 166
– Puerta del Sol, 167
– San Juan de los Reyes, 168
– San Román, 167
– Santa María la Blanca, 167
– Santo Cristo de la Luz, 167
– Santo Tomé (église), 168
– Taller del Moro, 166
Tolède (monts de), 170
Torla, 283
Torremolinos, 226
Torrevieja, 245
Torroella de Montgrí, 269
Tossa de Mar, 268
Trujillo, 182
Tudela, 304
Turia, 239, 240, 242
Turia (vallée du), voir Alto Turia

U

Ubeda, 230
Ubrique, 226
Ujué, 304

V

Valence (Valencia), 110, **235-241**
– Ayuntamiento, 237
– Barrio del Carmen, 239
– Basílica de Nuestra Señora de
los Desamparados, 238
– Calle de Caballeros, 239
– cathédrale, 238
– Colegio del Patriarca, 237
– Instituto Valenciano de Arte
Moderno (IVAM), 240
– Jardines del Real, 240
– Lonja de la Seda, 237
– Los Apóstoles (portail), 238
– Miguelete, 238
– musée municipal, 237
– Museo de Bellas Artes San
Pio V, 240
– Museo Nacional de
Cerámica, 237
– Palacio del Marques de Dos
Aguas, 237
– Palau de la Generalitat, 239
– Palau de la Musica, 240
– Plaza de la Virgen, 238

– Plaza del Mercado, 237
– Plaza del País Valenciano, 236
– Plaza de Zaragoza, 238
– Plaza Redonda, 238
– Pórtico de los Apóstolos,
238
– Real Colegio de Corpus
Cristi, 237
– Torres de Serranos, 239
– Tribunal de las Aguas
(Conseil des Eaux), 239
Valdepeñas, 171
Valencia de Don Juan, 187
Valladolid, 161
Vall d'Aran, 273
Vall de Boí, 273
Vall de Camprodon, 271
Valldemosa, 348
Valle de Baztán, 305
Valle de los Caídos, 55, 147
Valle Gran Rey, 339
Valverde, 339
Vandales, 27
Vejer de la Frontera, 223
Vélasquez (Diego), 43, 91, 130,
191, 200
Viana, 303
Vic, 271
Vidiago, 313
Viera (grottes), 228
Vigo, 328
Vilafranca del Penedès, 274
Villa Carlos, 349
Villafranca del Cid, 242
Villajoyosa (Vila Joiosa), 245
Villalovent, 272
Villareal de San Carlos, 184
Vinaròs, 242
Viso del Marqués, 171
Vitoria (Gasteiz), 294
Vraie Croix, 247

W-X-Y-Z

Wisigoths, 27
Xàtiva (Jativa), 243
Xérès (vin), 223
Yuso (monastère), 302
Yuste (monastère), 185
Zahara, 223
Zamora, 156, 187
Zaragoza, voir Saragosse
Zarauz, 290
Zugarramurdi, 305
Zumaya, 290
Zurbarán (Francisco), 91, 177,
179, 195, 200, 206, 223, 227,
242, 290